W9-DGP-133

힐러리 로댐 클린턴

# Living History

살아 있는 역사

부모님과 남편과 딸에게,
그리고 온 세상의 착한 영혼을 가진 모든 이들에게
삼가 이 책을 바칩니다.

그들의 계시와 기도와 성원과 사랑은
내가 살아오는 동안 내 마음을 적셔준 축복이었고,
나를 떠받쳐준 힘이었습니다.

# 2권 차례

# 1권 차례

# 엘리너 루스벨트와의 대화

중국에 "재미나게 살아라"는 악담이 있다. 그런데 이 말이 우리 가족의 농담이 되었다. 빌과 나는 "그래, 재미나게 살고 있어?" 하고 서로 묻곤 했다. 물론 현실은 '재미나게'와 아주 동떨어진 상황이었다. 참담한 결과로 끝난 중간선거 이후 몇 주일은 나의 백악관 생활에서 가장 힘든 기간이었다. 기분이 좀 나은 날이면 나는 선거 패배를 주식시장의 시세 조정과 비슷한 정치 마당의 시세 조정으로 보려고 애썼다. 기분이 나쁜 날에는, 의료 개혁을 망친데다 너무 강하다는 인상까지 줌으로써 정적들의 기운을 되살려주었다고 나 자신을 책망했다. 나를 손가락질할 사람은 백악관 안팎에 널려 있었다. 불평을 무시하기는 어려웠지만, 빌과 나는 우리 세력을 결집시키는 노력에 전념했다. 새로운 환경에 맞는 새로운 전략을 개발할 필요가 있었다.

11월의 어느 우울한 아침, 대통령 집무실(오벌 오피스)에서 회의를 가진 뒤 잠깐 내 사무실에 들렀을 때, 책상 위에 놓아둔 엘리너 루스벨트의 액자 사진이 언뜻 눈에 들어왔다. 나는 루스벨트 여사의 열렬한 팬이어서, 오래 전부터 여사의 초상 사진과 기념품을 수집해왔다. 여사의 차분하고 단호한 얼굴을 보자 그녀의 명언이 마음에 되살아났다. "여자는 티백(teabag)과 같아서, 뜨거운 물에 빠지기 전에는 여자가 얼마나 강한지 아무도 모른다." 이제야말로 엘리너와 다시 대화를 가져야 할 때였다.

나는 연설할 때 종종 농담 삼아 말하곤 한다. 어떤 문제가 생길 때마다 루스벨트 여사와 가상의 대화를 나누면서 도움말을 청한다고. 마음속에 떠올릴 사람을 제대로 고르기만 한다면, 그 사람과 상상 속의 대화를 나누는 것은 문제를 분석하는 데 도움이 된다. 내 경우, 엘리너 루스벨트는 이상적인 상대였다. 나는 루스벨트 여사—미국의 역대 퍼스트 레이디 중에서 가장 논란이 많은 분일 것이다—의 발자취를 따라가고 있었다. 내가 과감하게 발을 내딛고 보면, 그곳에는 벌써 그분의 발자국이 새겨져 있었다. 엘리너는 민권 · 아동 보호 · 난민 · 인권 같은, 나한테 중요한 문제들을 많이 옹호했다. 엘리너는 퍼스트 레이디의 역할을 나름대로 규정하려 든다는 이유로 언론과 정부 일각의 거센 비판을 받았고, 공산주의 선동가라는 둥 참견쟁이 할망구라는 둥 온갖 험담을 들었다. 엘리너는 남편의 행정부 각료들을 괴롭혔고—내무장관 해럴드 아이크스(빌의 비서실 차장의 부친)는 엘리너한테 참견질을 그만두고 '뜨개질이나 열심히 하라' 고 불평했다—에드거 후버 FBI 국장을 미칠 정도로 화나게 만들었다. 그래도 엘리너의 정신과 열정은 꺾이지 않았고, 비판자들은 결코 그녀의 행보를 멈추게 하지 못했다.

그럼 루스벨트 여사는 지금 내가 빠져 있는 곤경에 대해 뭐라고 말할까? 별로 할 말이 없을 거라고 나는 생각했다. 루스벨트 여사가 보기에는 일상적인 좌절을 두고 끙끙대봤자 아무 의미도 없었다. 계속 밀고 나아가면서 현재 상황에서 최선을 다해야 한다.

논란은 사람을 외롭게 할 수 있지만, 엘리너 루스벨트는 정치 세계에서 낙심하거나 포위된 기분을 느낄 때 기댈 수 있는 좋은 친구가 있었다. 프랭클린 루스벨트 대통령의 보좌관인 루이스 하우는 엘리너가 속내를 털어놓을 수 있는 친구였고, AP 통신 기자인 로레나 히콕과 엘리너의 개인 비서인 맬비나 톰프슨도 믿을 만한 친구였다.

나는 운좋게도 훌륭하고 헌신적인 참모진과 많은 친구들을 갖고 있었다. 루스벨트 여사가 친구들에게 울분을 푸는 장면은 상상하기 어렵지만, 나는 그렇게 했다. 아칸소 시절부터 친구였던 다이앤 블레어와 앤 헨리는 선거가 끝난 뒤 몇 주 동안 백악관에 와서 나에게 기운을 북돋워주었을 뿐만 아니라 정치와 역사를 조망하는 시야도 제공해주었다.

국내와 해외의 친지들도 내가 어떻게 버티고 있는지 궁금해서 전화를 걸어왔다. 요르단의 누르 왕비는 미국의 정치에 관심이 많았는데, 중간선거가 끝나자마자 나에게 전화를 해서, 자기네 집에서는 집안에 어려운 일이 닥치면 식구끼리 서로 "돌격 앞으로(Soldier on)!"라고 격려해준다고 말했다. 나는 그 말이 마음에 들어서, 내 참모들을 격려할 때 그 말을 쓰기 시작했다. 하지만 때로는 내가 그 격려의 말을 들을 필요가 있었다.

11월 말의 어느날 아침, 매기 윌리엄스(비서실장)는 내가 각별히 신임하는 여성 10인 회의를 소집했다. 내 스케줄 담당인 패티 솔리스, 백악관 사교 행사 담당 비서인 앤 스톡, 내 공보 비서인 리사 캐푸토, 내 연설문 담당인 리사 머스커틴, 내 비서실 차장인 멜라니 버비어, 오랜 친구인 맨디 그룬월드와 수잔 토머시즈, 오랫동안 민주당에서 활동했고 텔레비전에도 자주 출연하여 나와 정부의 정책을 옹호한 시사해설자 앤 루이스, '힐러리랜드'의 작전과 병참 업무를 맡고 있는 이블린 리버먼(이블린은 나중에 여성으로는 처음으로 백악관 비서실 차장이 되었고, 그후 매들린 올브라이트 국무장관 밑에서 외교 및 공무 담당 차관으로 임명되었다). 이들은 일주일에 한 번씩 모여 정책 아이디어와 정치 전략을 토론하고 있었다. 이블린은 이 여성들만의 모임에 '칙스 미팅(Chix meeting)'이라는 이름을 붙였다. 회의는 광범위한 문제를 활기차게 다루었고 철저히 비공개로 진행되었기 때문에 나도 가능하면 꼭 참석했다.

'칙스'는 본관 1층에 있는 유서 깊은 '맵 룸'에서 열렸다. '맵 룸'은 프랭클린 루스벨트 대통령이 제2차 세계대전 때 윈스턴 처칠을 비롯한 연합국 지도자들과 함께 벽에 붙여놓은 군사지도에 부대 이동로를 표시하며 전략을 공조했던 방이다. 30년 뒤인 베트남 전쟁 때는 닉슨 대통령이 하이퐁 항 기뢰 부설을 명령한 뒤 당시 국무장관인 헨리 키신저와 미국 주재 소련 대사가 '맵 룸'에서 만났다. 그러나 이 방은 포드 행정부 초기에 창고로 바뀌었다.

이 방의 역사를 알게 되었을 때, 나는 '맵 룸'을 다시 꾸며 과거의 위풍을 되살리기로 했다. 나는 1945년 당시 유럽의 연합군 진지가 표시된 프랭클린 루스벨트 대통령의 전략지도 원본을 찾아냈다. 이 지도는 루스벨트 대통령의 젊은 군사 보좌관이었던 조지 엘시가 둘둘 말아서 보관하고 있다가, 내가 '맵 룸'을 복원하고 싶어한다는 것을 알고는 백악관에 기증했다. 나는 그 지도를 벽난로 위에 걸었다.

그 방의 역사를 생각하면, 우리의 전략 회의가 그 방에서 열리는 것은 사뭇 적절해 보였다. 매기가 이 모임을 소집한 것은 압력솥 같은 백악관에서 내가 언론에 유출되거나 오해받을 염려 없이 흉금을 털어놓을 수 있는 자리가 필요하다고 생각했기 때문이다. 또한 매기는 우리 모두—특히 나—가 중요한 현안들에 다시금 초점을 맞추고 행정부의 아젠다(의제)에 몰두하는 자세를 재확인하는 데 이 모임이 도움이 될 거라고 생각했다.

내가 방에 들어갔을 때 참석자들은 벌써 네모난 탁자 둘레에 자리를 잡고 있었다. 그 순간까지 나는 매기—내가 내색하든 말든 내 기분을 정확히 알아챘다—를 빼고는 어떤 참모한테도 내 고통과 낙담을 드러내지 않았다. 그런데 이제 내 감정이 그대로 드러났다. 나는 눈물을 애써 참으면서 잔뜩 쉰 목소리로 사과의 말을 쏟아냈다. 내가 모든 분들의 기대를 저버리고 패배를 자초했다면 미안하다. 다시는 그런 일이 없을 것이다.

나는 정치와 정책 활동에서 물러날 생각이다. 내 남편의 행정부에 걸림돌이 되고 싶지는 않기 때문이다. 오늘 저녁에 열리는 퍼스트 레이디에 대한 토론회에 참석하는 것도 취소할 작정이다. 이 토론회는 조지 워싱턴 대학이 주최하고 내 친구인 역사학자 칼 스페라차 앤서니가 사회를 맡은 행사였다. 나는 토론회에 참석하는 의미를 찾을 수 없었다. 모두 침묵 속에서 차분히 내 말을 경청했다. 내 말이 끝나자 그들은 내가 포기하거나 물러서면 안되는 이유를 한 사람씩 차례로 이야기했다. 나에게 기대를 걸고 있는 사람들—특히 여성들—이 너무 많다는 것이었다.

리사 머스캐틴은 최근에 아메리칸 대학에서 강연했을 때의 경험을 들려주었다. 리사는 자신의 직업을 백악관 연설문 작성자라고 소개한 뒤, 학생들에게 이렇게 말했다. 대통령과 영부인은 일하는 여성들의 권리를 단지 말로만 옹호하는 게 아니다. 내가 백악관 일자리를 지원했을 때 나는 쌍둥이를 임신한 상태였다. 그런데도 백악관은 나를 채용했다. 내가 출산 휴가를 마치고 상근직으로 복귀하자 영부인은 내가 아기들과 함께 보낼 수 있도록 근무 시간을 조정하고 또 필요할 때는 집에서 일하라고 권했다…… 강연이 끝나자 10여 명의 여학생이 리사를 둘러싸고 이것저것 물으면서, 백악관에서 일하는 어머니들에 대한 이야기가 자기들한테 얼마나 용기를 주었는지 모른다고 말했다.

"젊은이들은 영부인이 자기네 인생의 길잡이가 되어주기를 기대하고 있어요. 그런데 영부인이 적극적으로 참여하기를 그만둔다면 그들에게 어떤 메시지를 보내는 결과가 될까요?"

나는 친구들의 격려에 힘입어, 그날 저녁 약속대로 '퍼스트 레이디 포럼'에 참석하기 위해 메이플라워 호텔로 갔다. 청중은 열광적으로 나를 맞아주었다. 나는 더욱 용기를 얻었다. 선거 이후 처음으로 활력과 희망이 솟아나는 느낌이었다. 나는 싸움터로 돌아갈 각오를 굳혔다. 더구나 이제 빌은 공화당이 지배하는 국회와 거침없는 공화당 지도자들을 상대해야 할 터였다. 언젠가 엘리너 루스벨트는 이런 말을 한 적이 있다. "나는 기분이 우울해지면 일을 시작한다." 그 말이야말로 지금 나한테 딱 들어맞는 충고처럼 들렸다.

때마침 뉴트 깅리치가 더 바랄 수 없는 기회를 제공했다. 이제 곧 하원의장이 될 깅리치는 자신의 정치적 완력을 하루라도 빨리 휘두르고 싶어서 안달이 나 있었다. 사회복지 개혁과 고아원에 대해 그가 한 말이 작은 논란을 불러일으키자, 충동적이고 우파적인 그는 사태를 과장하여 전투 개시를 알리는 붉은 깃발을 들어올렸다. 일부 공화당 의원들은 모자복지금을 받는 어머니의 자녀를 고아원에 수용하면 복지금 수령자의 수를 줄일 수 있다고 주장했다. 생부의 신원이 확실치 않거나 18세 미만의 미혼모가 낳은 아이들에게 주정부가 수당을 주는 것을 금지하자는 발상이었다. 그들은 그렇게 해서 절약한 돈으로 고아원과 미혼모 시설을 세워 운영하자고 제안했다.

내가 보기에는 끔찍한 발상이었다. 나는 지금까지 아동을 위해 일하면서, 아이들은—몇몇 특별한 경우를 제외하고는—가족과 함께 사는 것이 가장 행복하고, 가난은 결코 좋은 부모의 자격 박탈 사유가 되지 못하며, 가난 등의 문제점을 이유로 가족으로부터 자녀를 빼앗기 전에 그 가족을 경제적 · 사회적으로 지원하는 것이 먼저 취해야 할 조치라고 확신하게 되었다. 아이들이 부모의 학대와 방치로 위험에 빠져 있을 경우만 정부가 개입하여 아이들을 다른 환경으로 옮겨주어야 한다.

나는 1994년 11월 30일 '뉴욕 여성 아젠다' 연설에서 깅리치와 그의 공화당 정책팀이 추진하고 있는 법안은 아이들 자신이 어찌할 수 없는 상황을 이유로 아이들에게 벌을 주는 것이나 마찬가지이고, 고아원에 대한 깅리치의 발언은 경악할 만큼 어리석은 것이라고 비난했다. 1992년 선거운동 때 내가 자녀를 돌볼 수 없거나 돌보려 하지 않는 부모한테서 학대받고 방치된 아이들을 빼앗는 것을 지지했다는 이유로 공화당이 나를 '반가족주의자'로 낙인찍은 것을 생각하면 참으로 아이러니한 일이었다. 이제 공화당은 미혼모나 가난한 어머니한테서 태어났다는 이유만으로 아이들을 부모 슬하에서 빼앗자고 제안하고 있었다.

며칠 뒤, 깅리치가 NBC-TV의 「언론과의 만남」에 출연하여 나에게 반격을 가했다. "그 여자는 비디오 가게에 가서 「보이스 타운」(네브래스카 주에 있는 소년들의 자치 마을을 소재로 1938년에 제작된 영화—옮긴이)을 빌려 봐야 합니다…… 나는 안전하고 고립된 지역에 살면서 '이건 끔찍한 일이야. 노먼 로크웰(가족과 소도시의 일상생활을 익살스럽게 묘사한 삽화가—옮긴이)의 가족이 해체될 걸 생각해봐……' 하고 말하는 자유주의자들을 이해할 수가 없어요." 나는 『뉴스위크』지에 실린 장문의 기사로 깅리치에게 응수했다. 내 결론은 이러했다. "이것은 정부가 시민들의 생활에 간섭하는 최악의 사태다."

『뉴스위크』에 실린 기사와 함께 고아원 논쟁은 사그라들었지만, 깅리치의 모친이 텔레비전 인터뷰에서 코니 정(중국계 미국인 여성 앵커)에게 털어놓은 말 때문에 분위기가 이상한 쪽으로 흐르기 시작했다. 깅리치의 모친은 자신의 말이 공개되지 않는 줄 알고, 아들이 자기한테 툭하면 '암캐'라고 욕한다고 말한 것이다.

나는 막판에 몰아친 바람을 무시하고 깅리치에게 다른 수법을 써보기로 했다. 나는 깅리치에게 손으로 쓴 편지를 보내, 가족과 함께 백악관을 구경하러 오라고 초대했다. 몇 주 뒤에 깅리치는 당시 아내였던 메리앤과 누이 수잔, 모친 등과 함께 백악관을 찾아왔다. 이 방문은 그런 일이 일어났다는 사실 자체를 제외하면 특별히 인상적인 것은 아니었다. 다만 '레드 룸'에서 차를 마시고 있을 때 오간 대화 한 장면이 기억에 남아 있다. 깅리치가 오래된 가구들을 둘러보면서 미국 역사에 대해 거드름을 피우며 이야기하기 시작하자, 그의 아내가 얼른 그의 말을 가로막았다.

"이 양반은 한번 이야기를 시작했다 하면 끝이 없어요. 말하고 있는 것에 대해 알든 모르든."

그러자 모친이 재빨리 아들을 감싸고 나섰다. "뉴트는 역사가예요. 자기가 말하고 있는 것에 대해서는 '항상' 알고 있죠."

어떤 면에서는 선거 이후의 소동이 나에게 도움이 되었다. 우익의 비난에 적극적으로 대응하는 방법에 더욱 주의를 집중할 수 있었기 때문이다. 나는 내 발언과 가치관이 왜곡되지 않고 사람들에게 직접 평가를 받으려면 내가 직접 내 이야기를 하고 내 가치관을 스스로 규정할 필요가 있다는 것을 깨달았다. 『뉴스위크』지에 기고문을 쓰면서 나는 내 목소리의 잠재력에 관심을 갖게 되었다. 그리고 사람들의 삶을 향상시키려면 자립과 사회적 지원 시스템이 필요하다는 내 견해를 좀더 구체적으로 써보자는 계획을 생각하기 시작했다. 나는 현대의 자녀 양육에 관한 책을 써서, 아프리카의 속담에도 나오듯 "아이 하나를 키우는 데에는 마을 전체가 필요하다"는 생각을 토대로 사람들에게 자극을 주고 싶었다. 나는 책을 써본 적이 없었지만, 곧 책을 써본 이들을 알게 되어 그들의 지도를 받았다.

빌과 나는 '르네상스 위켄드'에서 베스트셀러 작가인 메리앤 윌리엄슨을 만났는데, 그녀는 정계 바깥에 있는 이들을 만나서 2년 남은 임기 동안 빌이 추구해야 할 목표에 대해 토론해보라고 제의했다. 그 제의가 내 마음에 와 닿았다. 그래서 우리는 12월 30일과 31일에 캠프 데이비드에서 모임을 만들어달라고 윌리엄슨에게 요청했다.

윌리엄슨이 초청한 손님들 중에는 베스트셀러 『네 안에 잠든 거인을 깨워라』를 쓴 토니 로빈스, 『성공하는 사람들의 7가지 습관』으로 큰 인기를 모은 스티븐 R. 코비도 포함되어 있었다. 수백만 명의 미국인이 그들의 충고에 귀를 기울이고 있다면, 그들의 말을 들어보는 것도 도움이 될 거라고 생각했다. 윌리엄슨은 메리 캐서린 베이트슨과 진 휴스턴도 초청했다. 교수이자 작가이며 인류학자인 베이트슨은 저명한 인류학자인 그레고리 베이트슨과 마거릿 미드의 딸로 태어나 문화인류학과 성 문제를 전공했다. 나는 베이트슨이 1989년에 쓴 『삶의 구성』의 애독자였다. 이 책은 여성들이 일상생활에서 자신에게 가장 도움이 되는 요소들을 결합하여 자신의 삶을 구성하는 방법을 기술하고 있다. 전통적으로 여성의 역할을 결정한 인습은 이제 더는 여성의 선택을 좌우하지 않는다. 여성은 여성 특유의 재능과 기회를 활용하고 예기치 못한 우여곡절에 대응하면서 상상력과 임기응변을 발휘할 수 있고 또 발휘해야 한다.

나는 여성의 역사와 토착 문화 및 신화에 대한 책을 쓰고 강연도 하는 진 휴스턴과 메리 캐서린을 상대로 몇 시간 동안이나 대화에 열중했다. 메리 캐서린은 카디건 차림에 부드러운 말투의 학자인 반면, 진은 화려한 색깔의 케이프와 카프탄으로 몸을 감싸고 큰 풍채와 활기찬 재치로 분위기를 지배했다. 진은 시를 암송하고 위대한 문학작품의 구절과 역사적 사실과 과학적 자료를 거침없이 인용하는 걸어다니는 백과사전이다. 게다가 유명한 농담과 말장난도 머릿속에 잔뜩 저장해놓고 있다가, 실컷 웃을 필요가 있는 사람들에게는 저장해둔 것을 아낌없이 나누어준다.

진과 메리는 나에게 중요한 두 가지 당면 과제의 전문가였다. 우선 나는 노련한 작가의 도움과 조언이 필요했는데, 진과 메리는 둘 다 많은 책을 써본 경험이 있었다. 나는 또한 미국 대표로 남아시아 5개국을 순방해달라는 국무부의 요청을 받고 있었다. 이 여행은 나에게 전환점이 될 것이고, 그래서 여행 준비에도 그만큼 열성을 쏟고 싶었다. 진과 메리는 이 지역을 널리 여행했기 때문에, 나는 그들에게 그 지역에 대한 인상을 말해달라고 부탁했다.

나는 퍼스트 레이디라는 칭호를 이용하고 싶지 않았다. 그보다는 구체적인 정책과 활동에 전념하고 싶었다. 상징은 조작되고 악용될 수 있다. 나는 그것을 믿지 않는다. 나는 언제나 사람들의 말과 주장이 아니라 그들의 행동과 결과를 토대로 사람을 판단해야 한다고 믿었다. 퍼스트 레이디는 대행적인 지위를 차지하고 있다. 퍼스트 레이디의 힘은 독립적인 것이 아니라 대통령의 권력에서 파생되는 것이다. 내가 이따금 퍼스트 레이디 역할에 서투른 것은 그 때문이기도 했다. 나는 어릴 적부터 남의 지배를 받지 않고 내 개성과 독자성을 유지하려고 애썼다. 나는 내 남편과 내 나라를 사랑했지만, 대리인 역할에 적응하기는 쉬운 일이 아니었다. 메리 캐서린과 진 휴스턴의 도움으로 나는 퍼스트 레이디 역할이 지극히 상징적이라는 것을 더욱 분명히 이해할 수 있었고, 국내와 세계 무대에서 그 역할을 최대한 이용하는 법을 찾아내는 편이 좋다는 것을 깨달았다.

메리 캐서린은 상징적인 행동이 오히려 진정한 행동이라고 주장하면서, "상징성이 더욱 효과적인 작용을 할 수도 있다"고 말했다. 가령 퍼스트 레이디로서 첼시와 함께 남아시아를 순방하면, 그것만으로도 딸자식이 중요하다는 메시지를 보낼 수 있다. 내가 가난한 시골을 방문하여 그곳 아낙들을 만나는 것은 그들의 중요성을 강조해줄 것이다. 나는 그녀의 말뜻을 이해했고, 내가 상징적인 행동을 통해 클린턴의 정책을 제시할 수 있겠다고 믿게 되었다.

진과 내가 나눈 우정은 1년 뒤 보브 우드워드(1972년의 워터게이트 스캔들을 심층 보도하여 닉슨 대통령의 사임을 초래했던 『워싱턴 포스트』 기자—옮긴이)가 1996년 대통령 선거운동 과정에 대해서 쓴 『선택』이라는 책에서 다루어졌다. 우드워드는 진을 나의 '영적 보좌관'이라고 부르면서, 그녀가 소개한 언어 수련—나와 참모들은 이 수련 덕분에 우리가 하는 일에 대해 새로운 사고방식을 가질 수 있었다—에 대해 자세히 기술했다. 그는 진이 나한테 엘리너 루스벨트와의 대화를 상상하라고 말했다는 이야기에 특히 주목했다. 나는 진을 만나기 전에도 연설할 때 종종 엘리너를 언급했고, 또 엘리너와의 가상 대화를 인용하는 경우도 있었기 때문에, 엘리너 루스벨트와의 대화를 상상하라는 진의 제안을 아무런 저항 없이 받아들였고, 또 그것이 사람들의 관심을 불러일으킬 줄은 꿈에도 몰랐다. 그런데 우드워드의 책에서 언어 수련에 관한 대목이 『워싱턴 포스트』 1면에 폭로 기사로 발췌되어 실린 것이다.

그날 밤 우리는 '트루먼 발코니'에서 짐과 다이앤 블레어 부부와 함께 저녁을 먹고 있었는데, 짐이 여느 때처럼 시치미뗀 얼굴로 말했다.

"화이트워터에 대해서는 더 이상 걱정할 필요가 없겠어요. 이번엔 엘리너 사태가 터졌으니까."

"그게 무슨 소리예요?"

"사람들이 당신을 노리고 쫓아오면, 이제는 언제든지 정신이상을 내세울 수 있을 테니까."

『워싱턴 포스트』에 기사가 실린 이튿날, 나는 앨과 티퍼 고어 부부가 테네시에서 주최한 연례 가족회의에 참석했다. "나는 여기 도착하기 직전에 엘리너 루스벨트와 대화를 나누었습니다." 내가 말하자 사람들은 웃음을 터뜨리며 박수를 쳤다. "그분 말씀이, 이것도 멋진 생각이라고 하더군요."

나 자신을 비웃는 것은 중요한 생존 수단이었고, 벙커 안으로 다시 기어드는 것보다는 훨씬 나았다. 민주당이 중간선거에서 참패한 뒤 몇 달 동안은 이따금 벙커 안으로 기어들고 싶은 유혹을 느꼈지만.

빌과 나는 국회를 공화당이 지배하게 되었으니 앞으로 최소한 2년 동안은 화이트워터 수사가 계속되리라고 생각했다. 케네스 스타는 선거 결과에 더욱 고무된 것 같았다. 11월 말에 웨브 허벨이 스타의 그물에 걸려들었다.

웨브는 지난 3월에 법무부 차관직을 사임했다. 로즈 법률회사에 재직할 때 그가 고객을 속여 청구액을 부풀렸다는 근거 없는 주장과 싸우는 동안 논란을 피하기 위해서라고 웨브는 말했다. 웨브는 혐의를 뒷받침할 증거가 전혀 없다고 말했다. 지난 여름 빌과 함께 골프를 치러 캠프 데이비드에 왔을 때에도 웨브는 자기가 결백하다고 장담했다.

하지만 1994년 추수감사절(11월 넷째 목요일) 날 우리는 캠프 데이비드에 있었는데, 빌의 후임으로 아칸소 주지사가 된 짐 터커와 웨브 허벨이 기소될 예정이라는 라디오 뉴스를 들었다. 이때쯤 나는 부정확한 언론 보도에 익숙해져 있었다. 나는 그 뉴스에 당황했지만, 당연히 오보일 거라고 생각했다. 하지만 근거가 있든 없든 이 뉴스는 들불처럼 번질 테고, 따라서 웨브와 그의 변호사는 당장 대응할 필요가 있었다. 빌과 나는 웨브에게 전화를 걸었다. 웨브는 집에서 칠면조를 굽고 있었다. 빌은 웨브에게 즐거운 추수감사절을 보내라고 말한 뒤 나에게 수화기를 건네주었다.

나는 기소가 임박했다는 뉴스를 들었다고 말했다. "당장 혐의를 반박해야 돼요. 이 오보를 그대로 내버려두면 안돼요. 정말 지독해요."

웨브는 어떤 소환장도 받은 적이 없다고 말했다. 그러고는 얼른 화제를 바꾸어, 추수감사절 만찬에는 누구누구가 올 예정이고 지금 아내 수지와 함께 어떤 요리를 만들고 있는지를 이야기했다. 웨브가 너무나 태연한 것이 걱정스러웠다. 나는 그가 뉴스 보도를 심각하게 받아들이지 않거나 거기에 신경을 쓰고 싶지 않은 모양이라고 생각했다. 추수감사절의 그 통화는 빌과 내가 웨브와 나눈 마지막 대화였다. 웨브는 『높은 자리에 있는 친구들』이라는 회고록에서, 우리와 통화하기 전날 변호사가 소환장을 받았지만 추수감사절이 지날 때까지 자기한테 알리는 것을 미루었다고 말했다. 웨브는 또한 혐의가 사실임을 인정하고, 가족과 친구들한테 숨기고 있던 빚에서 벗어나기 위해 회사에서 돈을 횡령했지만 여전히 빚에 짓눌려 꼼짝할 수가 없었다고 털어놓았다.

1994년 12월 6일, 스타의 특검 사무소는 허벨이 우편을 이용한 사기와 탈세에 대해 유죄를 시인했다고 발표했다. 허벨은 1989년부터 1992년까지 개인 비용을 충당하기 위해 400장이 넘는 부정 청구서를 제출하여 로즈 법률회사의 고객과 파트너들의 돈을 적어도 39만 4천 달러나 횡령했다고 자백했다.

나는 충격을 받았다. 웨브는 신뢰받는 동료였고, 아칸소에서는 민간 지도자로 널리 존경받는 인물이었다. 게다가 그는 내가 좋아하는 친구였다. 나는 헤아릴 수 없이 많은 시간을 그와 함께 보냈다. 그가 가장 가까운 사람들을 속이고 사기를 친 것을 생각하자 속이 뒤집혔다. 그의 '유죄 답변 거래'(검찰이 형량을 감해주는 대가로 피고가 유죄를 인정하는 것—옮긴이)는 화이트워터 전쟁터가 더욱 확대되리라는 것을 알리는 신호탄이었다. 그것은 정말 견디기 어려운 노릇이었다.

크리스마스 시즌에 나는 똑같은 선물을 두 개 받았다. 아칸소 출신의 박애주의자로 백악관에서 자원봉사자로 일하고 있는 친구 앤 바틀리와 '르네상스 위켄드'와 기도회 모임에서 알게 된 아일린 바크가 네덜란드 성직자인 헨리 노우웬이 쓴 『탕아의 귀환』을 선물한 것이다. 이 책에서 노우웬은 '돌아온 탕아'에 관한 예수의 유명한 비유를 고찰하고 있다. 동생이 가족을 떠나 방탕한 생활을 하다가 마침내 집으로 돌아오자, 아버지는 따뜻하게 맞아주었지만 형은 동생을 괘씸하게 여겼다는 이야기다. 나는 1993년부터 1994년까지 스트레스를 겪으면서 성경을 비롯하여 종교와 영성에 관한 책을 많이 읽었다. 우리 가족은 정기적으로 워싱턴 시내의 파운드리 감리교회에 다녔고, 교회 신도들과 주임 목사인 필 워거먼 박사의 설교와 격려에서 큰 힘을 얻었다. 기도회 모임은 계속 나를 위해 기도해주었고, 전세계의 수많은 사람들도 나를 위해 기도해주었다. 그것은 모두 큰 도움이 되었다. 하지만 노우웬의 책에 나온 하나의 구절은 계시처럼 들렸다. 그것은 바로 '감사의 훈련'이라는 구절이었다. 나는 감사할 것이 너무 많았다. 선거 패배, 의료 개혁 실패, 당파적인 공격과 특별검사의 공격, 그리고 사랑하는 이들의 죽음 속에서도 감사해야 할 것이 너무 많았다. 내가 얼마나 축복받은 사람인가를 마음에 새기기 위해서 나는 나 자신을 훈련할 필요가 있었다.

# 여기서는 침묵을 말하지 않는다

1995년 3월의 어느 추운 날 늦은 오후, 나는 처음으로 대통령을 동반하지 않은 장기간의 해외 순방에 나섰다. 41명의 승객을 태운 관용 제트기가 12일 동안 남아시아 5개국을 공식 방문하기 위해 앤드루스 공군기지를 떠났다. 일행에는 백악관 참모들, 국무부 보좌관들, 언론사 직원들, 경호요원들, 웰즐리 여대 시절의 친구이자 세계은행 전무이사인 잰 피어시 등이 포함되어 있었다. 하지만 누구보다 좋은 길동무는 첼시였다. 다행히 첼시의 봄방학이 순방 일정과 겹쳐 있었다. 이제 열다섯 살이 된 첼시는 차분하고 생각 깊은 처녀로 성장해가고 있었다. 이번 여행은 첼시가 소녀로서 겪는 마지막 모험이 될 테고, 그 모험을 나는 첼시와 함께 하고 싶었다. 또한 우리가 이제 곧 들어갈 경이로운 세계에 대해 첼시가 어떤 반응을 보이는지 지켜보고, 내 눈만이 아니라 첼시의 눈을 통해서도 그 세계를 바라보고 싶었다.

17시간의 비행 끝에 우리는 저녁 늦게 억수같이 퍼붓는 폭풍우를 뚫고 파키스탄의 수도 이슬라마바드에 착륙했다. 남아시아 5개국 순방을 국무부가 나한테 요청한 것은 대통령과 부통령이 당분간 여행하기 어려운 처지였기 때문이다. 나의 방문은 세계의 전략적 요충에 있으면서도 정세가 금방이라도 폭발할 것처럼 불안정한 이 지역이 미국에 중요하다는 것을 보여주는 한편, 민주주의를 강화하고 자유 시장을 확대하고 여권을 포함한 인권과 관용을 증진하려는 남아시아 지도자들의 노력에 대한 미국 정부의 지지를 확인시키려는 의도에서 이루어졌다. 나의 방문은 미국이 이 지역에 관심과 열의를 갖고 있다는 증거로 여겨졌다.

우리가 각국에서 보낼 수 있는 시간은 짧았지만, 나는 여성의 진보와 국가의 사회적 · 경제적 지위의 상관 관계를 강조하기 위해 되도록 많은 여성을 만나고 싶었다. 나는 빌과 함께 아칸소의 가난한 농촌 공동체를 위해 일할 때부터 경제개발 문제에 관심을 가졌지만, 개발도상국을 진지하게 접한 것은 이번이 처음이었다. 나는 3월 초 덴마크 코펜하겐에서 열린 '사회개발을 위한 세계정상회의'에 미국 대표로 참석했을 때 이번 남아시아 순방에 미리 대비했었다. 전세계의 개인과 공동체가 과거 어느 때보다도 긴밀하게 연결되어 있고 상호의존적이며, 지구 반대쪽에 있는 사람들의 빈곤과 질병과 개발이 미국인들에게도 영향을 미칠 수 있다는 나의 확신은 그 회의를 통해서 더욱 굳어졌다.

중국에는 여자가 하늘의 절반을 떠받친다는 속담이 있지만, 세계의 대다수 지역에서 여자가 떠받치고 있는 하늘은 사실 절반이 넘는다. 여성들은 가족의 행복에 대한 책임을 대부분 떠맡고 있다. 하지만 여자들의 일은 가정 안에서나 공식 경제 시스템 안에서 정당하게 인정받지도 보상받지도 못하는 경우가 많다. 이런 불공평은 5억이 넘는 사람들—대부분 여자와 아이들—이 극심한 궁핍 속에서 살고 있는 남아시아에서 뚜렷이 볼 수 있다. 가난한 여자들은 억압과 차별에 시달리고, 교육과 의료 혜택을 받지 못하고, 문화적으로 용인된 폭력에 희생된다. 사법 당국은 아내를 때리고 신부를 불태워 죽이고 갓난 딸을 죽이는 범죄 행위를 대개 못 본 체한다. 일부 공동체에서는 강간당한 여성이 간통죄로 감옥에

갇히기까지 한다. 그런 편견의 전통에도 불구하고 소녀들을 가르치는 학교와 여자들에게 돈을 빌려주어 자립할 수 있도록 해주는 소액 대출 프로그램을 통해 인도 아대륙 전역에서 변화의 징후가 나타나고 있었다.

미국 정부는 성공적인 프로젝트를 많이 지원해왔지만, 상원과 하원에서 다수당이 된 공화당은 연방 예산의 1퍼센트도 안되는 외국 원조를 대폭 삭감할 움직임을 보이고 있었다. 나는 오래 전부터 미국국제개발청(USAID)을 지지했고, 퍼스트 레이디를 따라다니는 언론의 스포트라이트를 이용하여 미국의 원조 계획이 개발도상국에 미치는 가시적인 영향을 보여주고 싶었다. 이 원조를 줄이는 것은 절박한 상황에 놓여 있는 여성들에게 피해를 주고, 가난한 나라들만이 아니라 미국에도 이로운 것으로 밝혀진 전략에 상충된다. 여성들이 고통을 받으면 아이들도 고통을 받고, 그들의 경제가 침체되어 결국 미국 상품의 잠재 시장이 약해진다. 그리고 여성들이 희생되면, 가족과 공동체와 국가의 안정이 파괴되어 지구 전체가 민주주의와 번영을 누릴 전망이 위태로워진다.

내가 방문할 예정인 남아시아 5개국은 모두 폭력과 불안정에 시달리고 있었다. 우리가 파키스탄에 도착하기 3주 전에 이슬람 극단주의자들이 카라치의 미국 영사관 직원들을 태우고 가는 승합차를 공격하여 영사관 직원 두 명이 목숨을 잃었다. 1993년 세계무역센터 폭파사건의 주범 가운데 하나인 람지 유세프가 최근 파키스탄에서 체포되어 재판을 받기 위해 미국으로 인도되었다.

경호실은 내 여행에 신경을 곤두세웠고, 내가 방문국의 정부 청사와 고립된 휴양지 안에만 머무르기를 원했을 것이다. 그래서 경호실은 나를 전세계의 분쟁 지역—분쟁이 벌어지고 있어서 미국 대통령이나 부통령의 방문을 위해 안전을 확보하기 어려운 지역—에 보내고 싶어하는 국무부와 다투었다. 내 임무의 핵심은 예측할 수 있는 여정을 버리고 대부분의 사람들이 살고 있는 시골 마을로 들어가, 도시 여자들만이 아니라 시골 여자들도 만나는 것이었다. 선발대와 보안 전문가들은 내가 방문할 곳에 대해 주의 깊게 계획을 짰다. 나는 방문국과 미국 대사관들이 그런 비정통적인 여행에 적응하기가 얼마나 어렵고 혼란스러운지를 알고 마음이 불편했다. 나를 위해 많은 사람들이 애쓴 것을 생각하면, 내 방문을 최대한 생산적인 것으로 만들어야 한다는 의무감을 느꼈다.

마르갈라 구릉지대 위로 해가 떠올랐을 때 나는 처음으로 이슬라마바드를 보았다. 낮은 초록빛 산들에 둘러싸여 있는 이슬라마바드는 넓은 도로로 구획된 계획 도시다. 외국 원조를 받아 좋은 의도에서 중립 지대에 세워진 이슬라마바드는 20세기 중엽의 근대적 건축물과 녹화사업의 전시장이다. 이는 파키스탄이 독립한 이후 생겨난 많은 대도시들의 전형적인 특징이다. 처음에는 남아시아에 왔다는 느낌이 전혀 들지 않았다. 하지만 파키스탄 대통령 파루크 아흐메드 레가리의 부인인 베굼 나스렌 레가리 여사의 예방을 받자마자 그 느낌은 연기처럼 사라졌다.

우아하게 차려입은 레가리 여사는 경쾌한 영국식 말투로 훌륭한 영어를 구사했다. 레가리 여사는 직계 가족이 아닌 남자에게는 절대로 모습을 보이지 않는 엄격하게 고립된 생활을 하고 있었다. 인도나 파키스탄에서는 그런 생활 관습을 '푸르다(purdah)' 라고 부른다. 어쩌다 집 밖으로 나올 때는 베일로 몸을 완전히 감싸야 한다. 레가리 여사는 남편의 취임식에도 참석하지 않고 텔레비전으로 취임식을 지켜보았다고 한다. 레가리 여사가 나를 대통령 관저 2층에 있는 거주구역으로 초대했을 때, 나와 함께 그곳에 들어갈 수 있었던 사람은 내 여성 보좌관과 경호원뿐이었다.

레가리 여사는 미국에 대해 질문을 퍼부었다. 나도 그녀의 생활에 똑같이 호기심을 느꼈고, 딸들 세대에는 상황이 바뀌기를 바라느냐고 물어보았다. 최근에 결혼한 그녀의 딸이 이튿날 밤 라호르에서 내가 참석할 예정인 대규모 만찬에 손님으로 초대된 것을 알고 그 모순에 대해 묻자,

레가리 여사는 이렇게 대답했다. "그건 사위의 선택이에요. 내 딸은 이제 우리 집안 사람이 아니에요. 그러니까 딸은 사위가 원하는 대로 하죠." 레가리 여사는 사위가 선택한 딸의 지위와 활동 범위를 받아들였다. 하지만 레가리 여사의 아들은 아버지의 전통적 방침을 선택했기 때문에 여사의 며느리는 여사와 함께 고립된 생활을 하고 있었다.

파키스탄의 모순은 다음 행사에서 더욱 분명해졌다. 베나지르 부토 총리가 나를 위해 마련한 오찬에 수십 명의 지식인 여성이 참석한 것이다. 로켓을 타고 단숨에 수세기 뒤로 날아온 것 같았다. 그 여성들 중에는 학자들도 있었고, 비행기 조종사 · 가수 · 은행가 · 치안본부 차장 같은 활동가들도 있었다. 그들은 모두 독자적인 포부와 경력을 갖고 있었다. 그리고 우리를 초대한 사람은 파키스탄 국민이 선출한 여성 지도자였다.

베나지르 부토는 당시 40대 중반의 인상적인 여성이었고, 파키스탄의 명문 집안에서 태어나 하버드와 옥스퍼드 대학에서 공부했다. 그녀의 부친인 줄피카르 알리 부토는 인민당 당수로 1970년대에 파키스탄 총리를 지냈지만 군사 쿠데타로 실각한 뒤 교수형을 당했다. 부친이 죽은 뒤 베나지르는 가택에 연금되었다. 1980년대 말에 베나지르는 선친이 이끌었던 인민당 당수로 등장했다. 부토는 내가 차단선 밖에서 본 유일한 저명인사였다. 첼시와 나는 1989년 여름에 런던으로 휴가 여행을 가서 시내를 돌아다니다가, 리츠 호텔 밖에 많은 사람이 모여 있는 것을 보고 무슨 일이냐고 물어보았다. 사람들 말이, 베나지르 부토가 이 호텔에 묵을 예정인데 이제 곧 도착할 거라는 것이었다. 첼시와 나는 자동차 행렬이 다가올 때까지 차단선 밖에서 기다렸다. 이윽고 노란 시폰으로 몸을 감싼 부토가 리무진에서 내려 호텔 로비로 미끄러지듯 들어갔다. 부토는 우아하고 침착하고 단호해 보였다.

1990년에 그녀의 내각은 부패 혐의로 해산되었지만, 그녀의 인민당은 1993년 선거에서 승리했다. 파키스탄은 특히 카라치에서 고조되는 폭력과 만연한 무법 상태로 몸살을 앓고 있었다. 민족과 종파의 대립으로 말미암은 살인사건이 급증하면서 법과 질서가 무너졌다. 게다가 부토의 남편 아시프 자르다리가 부정부패에 연루되었다는 소문도 무성했다.

베나지르는 나를 위해 베푼 오찬에서 자국 여성들의 역할 변화에 대한 토론을 이끌었고, 총리의 배우자인 남편의 위상에 대해 농담을 했다. "파키스탄 신문들은 아시프 자르다리 씨가 이 나라의 사실상 총리라고 말하는데, 내 남편은 나한테 '그게 사실이 아니라는 걸 아는 사람은 퍼스트 레이디뿐이야' 라고 말하죠."

베나지르 부토는 전통을 깨고 공적으로 지도적 역할을 맡고 있는 여성들이 직면하고 있는 어려움을 인정했다. 그녀는 내가 백악관에서 겪는 어려움과 자신의 상황을 동시에 언급하고 있었다. 부토는 이렇게 결론지었다. "어려운 문제에 도전하고 새로운 영역을 확보하는 여성은 무지한 사람들의 표적이 되기 십상이에요."

나는 부토 총리와 사적으로 만난 자리에서 4월로 다가온 그녀의 워싱턴 방문에 대해 이야기했고, 그녀의 남편과 자녀들과 함께 시간을 보냈다. 나는 부토가 중매결혼했다는 말을 들었기 때문에, 그녀와 남편의 관계가 특히 흥미로웠다. 그들은 서로 편안하게 농담을 했고, 진심으로 상대에게 반해 있는 듯이 보였다. 내가 파키스탄을 방문한 지 몇 달 뒤, 그들의 부패에 대한 비난은 더욱 거세졌다. 1996년 8월에 부토는 남편을 각료로 발탁했지만, 남편 자르다리가 지위를 이용하여 사복을 채웠다는 비난이 들끓는 가운데, 1996년 11월 5일 총리직에서 쫓겨났다. 자르다리는 부정부패 혐의로 투옥되었고, 부토는 아이들과 함께 망명길에 올랐다.

부토와 그녀의 남편에 대한 고발이 근거 있는 것인지 아닌지는 알 도리가 없다. 내가 아는 것은 파키스탄에서 지낸 짧은 기간 동안 불가사의

한 대비(對比)의 세계 속으로 끌려 들어갔었다는 것뿐이다. 나스렌 레가리와 베나지르 부토는 같은 문화권 출신이었다. 그런데 레가리 대통령은 아내를 '푸르다'에 묶어놓은 반면, 알리 부토는 딸을 하버드 대학으로 유학보냈다. 중매결혼은 진정한 기쁨을 낳은 것처럼 보였다. 파키스탄 · 인도 · 방글라데시 · 스리랑카는 딸을 낳으면 버리거나 죽이는 일까지 자행될 정도로 여성의 지위가 낮은 곳이지만, 국민에 의해 대통령이나 총리로 선출된 여성이 다스리는 나라이기도 하다.

나는 교육받은 파키스탄 여성들의 미래 세대가 어떻게 될지 알고 싶었다. 이튿날 첼시와 나는 베나지르 부토가 다닌 이슬라마바드 여학교(고등학교)에서 그런 여성들을 만났다. 그들의 관심사는 대부분 호기심과 모험심이 왕성한 10대 소녀의 어머니인 나에게 친숙한 것이었다. 그들은 어떻게 하면 사회를 바꿀 수 있는지, 고등교육을 받은 여성으로서 어떻게 사회에 적응할 수 있을지를 고민하고 있었다. 한 여학생이 말했다. "이상적인 남자는 세계 어디에서도 절대로 찾을 수 없을 겁니다. 우리 여성들은 훨씬 현실적이 되어야 해요." 나는 그녀의 말을 영원히 잊지 못할 것이다. 그녀는 여성이 배우자에 대한 선택권을 거의 갖지 못하는 문화권에 속해 있었다. 하지만 그녀는 세계 어디에서나 여성의 선택은 불확실할 수밖에 없다는 것을 통찰할 만큼 현대 생활의 실상을 잘 알고 있었다.

나는 라호르 경영대학—이곳에서는 여성들에게 경영학을 가르치고 있었다—을 방문했을 때 여성의 선택에 대한 대화를 계속했다. 여성이 교육을 받고 적극적인 역할을 맡지 않으면 파키스탄의 경제와 생활 수준은 결코 나아질 수 없다는 것을 인식한 파키스탄계 미국인들이 이 교육과정을 일부 후원하고 있었다. 미국으로 이주한 남아시아계 이민들이 실업계와 전문직에서 놀라운 성공을 거둔 것은 의심할 여지가 없다.

미국에서 그들이 성공한 것은 부패하지 않고 훌륭하게 작동하는 정부, 자유 경쟁 시장, 여성을 포함한 모든 개인을 존중하는 사회, 모든 종교적 전통을 관용하는 문화, 폭력과 전쟁이 없는 생활 환경의 중요성을 입증한다.

남아시아의 어떤 나라도 아직 이런 환경을 이루지 못했다. 조국의 발전에 기여할 수 있었을 남녀들이 조국 대신 미국에 이바지하고 있다. 내가 마지막으로 방문할 스리랑카는 남녀 모두 문자 해독률이 높았지만, 다수파인 불교도 싱할리족과 이들의 정부에 저항하는 힌두교도 타밀족 반군의 다툼 때문에 수년 동안 공포 속에서 살고 있었다. 무자비한 테러는 스리랑카의 경제성장과 외국 투자의 가능성을 약화시켰다.

첼시와 나는 이슬라마바드를 떠나기 전에 사우디아라비아가 지은 파이살 이슬람사원을 예방했다. 사우디아라비아 제3대 국왕의 이름을 딴 이 사원은 세계 최대의 이슬람사원 가운데 하나다. 높이가 100미터에 이르는 첨탑과 웅장한 돔으로 된 이 근대적 사원은 사우디 정부와 국민들이 6개 대륙에 짓고 있는 1,500여 이슬람사원 가운데 하나였다. 우리는 신발을 벗고 최대 10만 명의 신도를 수용할 수 있도록 설계된 넓은 기도장과 마당을 돌아다녔다. 학교에서 이슬람 역사와 문화를 배우고 있던 첼시는 안내인에게 해박한 질문을 던졌다. 성서와 마찬가지로 코란도 다양하게 해석할 수 있는데, 대개는 다른 종교를 가진 사람들과의 평화 공존을 장려하고 있다. 하지만 와하브주의(Wahhabism) 같은 일부 종파는 그렇지 않다. 사우디아라비아의 국교인 와하브주의는 초보수적 이슬람 종파로서, 전세계에 걸쳐 추종자를 끌어들이고 있다. 나는 이슬람의 기본 교리를 진심으로 존중하지만, 와하브주의는 여성의 사회 참여를 배제하고 종교적 불관용을 장려하며, 오사마 빈 라덴이 보여주었듯이 극단적인 해석으로 테러와 폭력을 옹호하기 때문에 곤란하다.

이튿날 나는 미국 대사관을 방문하여 미국인과 파키스탄인 직원들과 대화를 가졌다. 현지인 직원들은 얼마 전 카라치에서 동료들이 살해된 데 심한 충격을 받고 있었다. 나는 미국을 위해서 일하는 그들의 용기에 감사하고, 미국 의회에 고립주의를 주장하는 목소리가 있지만 미국 대통령과 대다수 미국인들은 그들의 소중한 봉사를 충분히 인식하고 있다는 점을 강조하여 그들을 격려해주고 싶었다. 의회의 고립주의에 대한 언급은 여권이 없는 것을 자랑하면서 한번도 해외 여행을 하지 않고 국무부 예산을 삭감할 계획이나 궁리하고 있는 일부 공화당 의원들을 지칭한 것이었다. 나는 또한 내 방문 때문에 가욋일을 해야 했던 대사관 직원들에게 감사하고 싶었다. 그들의 입장에서 보면, VIP의 방문에서 최고의 순간은 VIP를 태운 비행기가 이륙할 때다. 그러면 그들은 '이륙' 파티를 열어 정상을 되찾을 수 있다. 나는 그들에게, 떠나는 척만 하고 몰래 되돌아와서 당신들과 함께 파티를 즐길지도 모른다고 농담을 했다.

우리는 철저한 경호를 받으며 펀자브 주도인 라호르로 날아갔다. 파키스탄 당국은 행여라도 불상사가 일어날까봐 공항으로 가는 길에 수백 명의 군인을 배치했다. 근대적인 이슬라마바드와는 달리 라호르는 무굴제국 시대의 유적이 많이 남아 있는 유서 깊은 고도(古都)이다. 도로는 정상적인 교통이 완전히 차단되었고, 평소에는 수많은 사람으로 북적대는 도시가 텅 빈 것 같았다. 우리가 지나는 길에는 도로변의 빈민촌을 가리기 위해 화려한 무늬의 천들이 빨랫줄에 걸려 있었다. 하지만 천이 흘러내린 곳에서 쓰레기더미를 뒤지는 아이들과 비쩍 마른 개들을 볼 수 있었다.

우리는 차를 타고 농촌 마을로 나갔다. 전기는 들어오지 않았지만, 보건소와 여학교가 있는 것을 보면 다른 마을보다 혜택받은 곳으로 여겨졌다. 보건소는 시멘트 벽돌로 지은 건물이었고, 몇 명뿐인 의료진이 15만 명의 인구를 책임지고 있었다. 보건소 직원들의 노력은 가히 영웅적이었지만, 중요한 물자가 턱없이 부족했다. 우리는 다른 데서도 그랬듯이 이곳에도 의약품과 필수품을 가져와서 기증했다. 환자들—대부분 자녀를 함께 데리고 온 어머니들—은 벽 앞에 놓인 의자에 조용히 앉아 있었다. 그들은 작은 마을에 그렇게 많은 미국인이 찾아온 것을 보고 깜짝 놀란 것 같았지만, 첼시와 내가 그들의 아기를 안아보는 것을 선선히 허락해주었고, 우리가 통역을 통해 질문하면 상냥하게 답변해주었다.

100미터 가량 떨어진 곳에 있는 또 다른 건물은 여학생만 다니는 초등학교였다. 가장 가까운 중학교는 남학생만 다니기 때문에, 여자아이들에 대한 교육은 초등학교 과정으로 끝날 가능성이 높았다. 나는 5남5녀를 낳은 여자한테 이것저것 물어보았다. 아들 다섯은 모두 중학교에 보냈지만, 딸들은 여행을 다닐 수도 없고 여학교에 다닐 수도 없기 때문에 갈 곳이 없다는 것이었다. 그녀는 가까운 곳에 딸들이 다닐 수 있는 중학교가 생기기를 바라고 있었다. 그녀는 산아제한에 대해 아주 솔직하게 털어놓았고, 지금 알고 있는 것을 예전에 알았더라면 아이를 그렇게 많이 낳지는 않았을 거라고 말했다. 우리는 몇 대가 모여 사는 대가족을 방문했다. 학교 바로 뒤에 있는 그 집 마당에서는 아이들과 짐승들이 함께 뛰놀고 있었다. 나이 많은 노인들은 그물침대에 앉은 채 내 방문으로 일어난 소동을 멀거니 바라보고 있었다. 남자 가장은 나를 반갑게 맞이하여, 울타리 안에 있는 방 하나짜리 집들을 여럿 보여주었다. 집집마다 대가족을 이루는 각 가족이 따로 먹고 자는 구역이 마련되어 있었다. 공동활동은 옥외에서 이루어졌다. 여자들은 마당에 모여 함께 음식을 만들었다. 두 소녀가 검은 콜(아라비아 여성들이 눈꺼풀에 바르는 검은 가루—옮긴이)을 눈두덩에 바르는 법을 첼시에게 가르쳐주었다. 패션은 여성 보편의 표준이다.

나는 이번 순방에서 첼시와 내가 어떤 옷을 입을 것인지를 많이 생각했다. 무엇보다 편한 옷차림을 하고 싶었다. 햇볕이 뜨거웠기 때문에 나는 모자와 무명옷을 가져온 것을 다행으로 생각했다. 방문국 사람들에게 불쾌감을 주고 싶지는 않았지만, 여성의 삶과 권리를 제한하는 문화를 반영하고 있는 관습을 용인하는 것처럼 보이고 싶지도 않았다. 1962년에 인도와 파키스탄을 순방한 재키 케네디는 그 역사적인 방문에서 민소매 원피스와 무릎 길이의 스커트를 입었고, 허리를 드러낸 사리(인도 여성의 전통 의상)를 입어서 국제적인 센세이션을 일으켰다. 남아시아의 여론은 그때보다 더욱 보수적이 된 것 같았다. 우리는 국무부의 전문가들과 의논했다. 그들은 외국에서 난처해지거나 상대국 사람들에게 불쾌감을 주지 않도록 처신하는 요령을 알려주었다. 남아시아에 대한 국무부 보고서에는 다리를 꼬지 말 것, 손가락질을 하지 말 것, '불결한' 왼손으로 식사하지 말 것, 이성과는 악수를 포함한 신체 접촉을 먼저 시도하지 말 것 등의 내용이 적혀 있었다.

나는 이슬람사원에 들어갈 때 어깨에 두르거나 머리를 감쌀 수 있는 긴 스카프를 짐 속에 몇 장 챙겨 넣었다. 나는 베나지르 부토가 가벼운 스카프로 머리를 감싼 스타일을 유심히 살폈다. 부토는 '샬와르 카미즈'라는 이슬람 문화권의 전통 의상을 입고 있었다. 헐렁한 바지 위에 걸치는 샬와르 카미즈는 흐르듯 드리워진 긴 겉옷인데 실용적이면서도 멋있었다. 첼시와 나는 이 스타일을 시도해보기로 했다. 그날 밤 라호르 요새에서 열린 화려한 쇼를 보러 갈 때 나는 빨간 실크로 만든 샬와르 카미즈를 입었고 첼시는 청록색 샬와르 카미즈를 입었다. 펀자브 주지사는 붉은 사암으로 지은 요새에 500명의 손님을 초청했다. 시내가 한눈에 내려다보이는 언덕 위에 세워진 요새는 일찍이 중세 무굴 제국의 군사령부였다. 맑은 하늘에 별이 총총한 밤이었다. 우리는 차에서 내려 『아라비안 나이트』의 한 장면 속으로 들어갔다. 하늘에서는 불꽃놀이가 벌어지고, 악사와 무희들이 기다란 붉은 카펫 양쪽에 늘어서서 우리를 맞아주었다. 보석을 아로새긴 가운과 머리장식으로 치장한 낙타와 말들이 피리 소리에 맞추어 발을 끌거나 빙글빙글 돌면서 춤을 추었다. 첼시와 나는 서로 손을 맞잡고 그 놀라운 광경에 넋을 잃었다. 바람에 깎인 두 개의 거대한 탑이 안쪽 요새로 들어가는 입구를 양쪽에서 지키고 있었다. 어른거리는 수천 개의 등불이 요새의 안마당과 통로를 밝히고 장미꽃 향기가 가득했다. 화려한 실크로 몸을 감싼 첼시가 훌쩍 커버린 것처럼 보였다. 나는 매력적인 내 딸을 바라보면서, 빌도 여기서 첼시를 보았다면 좋았을걸 하고 생각했다.

그날 밤에는 공항으로 쏜살같이 달려가 뉴델리로 날아가야 했다. 인도에는 오래 전부터 한번 가보고 싶었다. 웰즐리 대학 1학년 때였는데, 마거릿 클랩 학장이 우리 기숙사에 와서 마두라이에 있는 여자대학 학장을 맡기 위해 인도로 떠나게 되었다고 말했다. 나는 흥미를 느꼈다. 법대에 가기로 결심하기 전에는 인도에 가서 공부를 하거나 교사로 일하면 어떨까 하는 생각도 해본 적이 있었다. 그후 4반세기 만에 나는 미국을 대표하여 처음으로 인도를 방문하게 되었다. 지난 40년 동안 인도는 비동맹 중립 노선을 취해왔고, 냉전 시대에는 줄곧 소련과 긴밀한 관계를 맺어왔다. 그런 인도와 좋은 관계를 맺고 싶었기 때문에 빌은 나에게 인도에 가달라고 부탁했던 것이다. 나도 세계에서 가장 큰 민주주의 나라를 직접 보고, 여권 신장과 국가 발전에 박차를 가하려는 인도 민중의 노력에 대해 더 많은 것을 알고 싶었다. 나는 시간도 부족하고 내가 갈 수 있는 곳도 제한되리라는 것을 알고 있었지만, 그래도 앞으로 보게 될 것을 생각하자 가슴이 설레었다.

첫날은 테레사 수녀의 고아원 방문을 포함하여 일정이 빽빽하게 짜여 있었다. 인도에서는 딸을 아들만큼 소중히 여기지 않기 때문에 고아원에는 사내아이보다 여자아이가 훨씬 많았다. 테레사 수녀는 외국을 여행하는 중이었지만, 프리실라 수녀가 우리를 안내해주었다. 충분한 보살핌을 받은 아기들이 우리에게 팔을 뻗었다. 첼시와 내가 아기들을 안아 올리면 프리실라 수녀는 그 아기들에 대해 설명해주었다. 어린 여자애들 중에는 길거리에 버려진 경우도 있었고, 딸을 돌볼 수 없는 어머니들이 고아원에 맡기는 경우는 더 많았다. 아이 아버지가 딸을 원치 않는다면서 고아원으로 데려오는 어머니들도 있었다. 젖먹이들 중에는 발가락이 없거나 언청이거나 그밖의 신체장애를 갖고 태어나, 치료비를 감당할 수 없는 부모에게 버림받은 아기들도 있었다. 국내 입양도 차츰 늘어나고 있었지만, 대다수 아이들은 유럽이나 미국의 가정에 입양될 터였다. 프리실라 수녀는 내 방문 덕분에 지방 정부가 흙길을 포장해주었다고 웃으면서 말했다. 수녀는 그것을 작은 기적으로 여겼다.

나는 미국 대사관저인 루스벨트 하우스에서 인도 여성들과 점심을 먹었고, 저녁은 샹카르 다얄 샤르마 인도 대통령과 함께 했다. 이튿날은 나라시마 라오 총리를 만날 예정이었다. 나는 인도와 파키스탄이 나를 계속 주시하면서 점수를 매기고 있다는 것을 알고 있었기 때문에, 어느 쪽 기분도 해치지 않도록 파키스탄에서 한 일을 인도에서도 똑같이 되풀이할 필요가 있었다.

나는 라지브 간디 재단에서 여성의 권리에 대해 연설하기로 동의했지만, 연설문을 쓰느라 애를 먹고 있었다. 내가 전하고 싶은 메시지를 표현해줄 뚜렷한 이미지가 좀처럼 떠오르지 않았다. 낮에 있었던 오찬 자리에서 레이디 스리 람 여학교 교장인 미나크시 고피나트가 아나수야 셍굽타라는 학생이 쓴 것이라면서 펜으로 쓴 시 한 편을 나에게 건네주었는데, 「침묵」이라는 제목의 그 시가 나에게 영감을 주었다.

너무나 많은 나라의
너무나 많은 여성들이
똑같은 언어를 말한다.
침묵이라는 언어를……

나는 이 시를 머리에서 떨쳐버릴 수가 없었다. 밤늦게까지 연설문을 쓰다가 나는 이 시를 이용하여 내 믿음—여성 문제를 '소프트' 하거나 주변적인 것으로 처리해서는 안되고 국내외 정책 결정에 완전히 포함시켜야 한다는 믿음—을 전달할 수 있겠다는 생각이 들었다. 여성에게 기본적인 교육과 의료를 제공하지 않거나 축소하는 것은 인권의 문제다. 여성의 경제적 · 정치적 · 사회적 참여를 제한하는 것도 인권의 문제다. 세계 인구의 절반을 차지하고 있는 여성들의 목소리에 정부들은 너무나 오랫동안 귀를 기울이지 않았다. 여성의 목소리—이것이 내 연설의 주제가 되었다. 나는 그 시를 인용하는 것으로 연설을 마무리하기로 마음을 먹었다.

라지브 간디 재단은 암살당한(1991년 5월) 라지브 간디 총리의 이름을 따서 세운 것으로, 설립자는 라지브 간디의 미망인인 소니아였고, 나에게 연설을 부탁한 것도 소니아였다. 이탈리아 태생인 소니아는 영국 케임브리지 대학에 다닐 때 같은 학교 학생이었던 미남 청년 라지브를 만나 사랑에 빠졌다. 인디라 간디의 장남인 라지브는 소니아와 결혼하여 인도로 돌아왔다. 소니아가 행복하게 두 아이를 키우고 있을 때 파국이 가족을 덮쳤다. 많은 사람들은 인디라 간디의 차남인 산자이가 어머니와 외할아버지(자와할랄 네루)의 뒤를 이어 정계에 입문할 것으로 여겼는데, 그 산자이가 비행기 추락사고로 목숨을 잃은 것이다. 이어서 1984년에 인디라 간디가 자신의 경호원들에게 암살당했다. 라지브는 인디라 간디의 국민회의파 총재직을 물려받아 어머니의 후임 총리가 되었다. 하지만 1991년에 선거운동을 하다가 타밀 반군의 자살 폭탄 테러에 희생되었다. 스리랑카 정부에 반란을 일으킨 타밀족 게릴라들은 스리랑카 정부만이 아니라 스리랑카 정부를 지원하는 인도 정부와도 전쟁을 벌이고 있었다. 소니아 간디는 국민회의파의 연속성을 상징하는 존재로 정치활동에 뛰어들었다. 소니아가 공개적으로 자신의 목소리를 내기 시작한 것은 그녀의 삶을 유린한 개인적 비극의 결과였다.

내가 연설을 시작할 때쯤에는 시차와 수면 부족이 영향을 미치기 시작했다. 나는 종이에 적은 연설문도 거의 볼 수 없을 정도였지만, 아나수야의 시구로 연설을 마무리했다.

> 우리는 말 못하는 이들에게
> (너무나 많은 나라의
> 너무나 많은 여성들에게)
> 말을 주려고 애쓸 뿐이다.
> 나는 언제나 침묵했던 할머니의 슬픔을
> 잊으려고 애쓸 뿐이다.

이 시는 청중의 심금을 울렸다. 그들은 내가 여학생의 생각을 이용하여 모든 여성의 상황을 환기시킨 데 감동했다. 사랑스럽고 겸손한 아나수야는 시 때문에 널리 평판을 얻자 몹시 수줍어했고, 세계 곳곳에서 그 시의 사본을 보내달라고 요청하는 데 깜짝 놀랐다.

나를 수행한 워싱턴 기자단도 아나수야의 시에 감동했고, 여성의 삶과 권리에 대한 내 메시지에 열띤 반응을 보였다. 내 연설이 끝난 뒤 기자들은 왜 이런 문제에 좀더 일찍 관심을 표명하지 않았느냐고 물었다. 나는 25년 동안 나름대로 미국 여성과 아동의 지위와 권익을 높이려고 애써왔다. 하지만 그들의 질문을 이해했다. '푸르다'와 갓난 딸을 버리는 관습이 여성 총리와 공존하는 이 지역에서 나는 그 문제를 좀더 뚜렷이 볼 수 있었고, 그것은 기자들도 마찬가지였다. 의료 개혁, 가족 휴가, 근로소득세 공제, 낙태 금지령 폐지는 모두 같은 주제—어떤 결정을 내릴 때 사람들에게 선택할 권리를 주는 것이 본인과 가족에게 바람직하다—의 일부였다. 지구를 반 바퀴 돈 여행은 그 점을 분명히 하는 데 도움이 되었다. 이유는 간단했다. 내 순방을 취재하기 위해 따라온 기자들은 꼼짝없이 내 연설을 들을 수밖에 없었기 때문이다. 하지만 해외에서의 메시지가 국내에서의 구체적인 정책 제안이나 정치적 의미를 거의 지니고 있지 않은 것도 사실이었다.

기자들과 나의 관계가 변화한 것은 이 순방에서 일어난 유쾌하고 놀라운 사건 가운데 하나였다. 이 여행을 시작했을 때만 해도 우리는 지난 전쟁에 다른 부대 소속으로 참전한 재향군인들처럼 서로 경원했다. 하지만 날이 갈수록 우리는 상대를 다른 관점에서 새롭게 바라보게 되었다. 기본 원칙—비행기나 호텔에서 일어난 일은 절대 보도하지 않는다, 첼시의 말이나 행동도 그 자체만으로는 보도하지 않는다—이 나에게는 도움이 되었다. 기자들이 '규칙'을 존중하고 있다는 확신이 서자, 나도 그들에게 좀더 편안한 기분으로 마음을 열 수 있었다. 기자들과 내가 함께 외국 문화에 몰두하고 비공식 만찬에서 허물없는 행동을 하면서 같은 경험을 공유하고 있다는 것도 도움이 되었다.

이제껏 한번도 첼시와 어울린 적이 없는 기자들이 이제 처음으로 첼시의 의젓한 태도와 기개를 보게 되었다. 첼시는 영양실조에 걸려 손가락으로 살짝 건드리기만 해도 몸이 휘청거릴 만큼 허약해진 아이들의 몸무게를 재는 일을 돕는가 하면, 몇 시간 뒤에는 총리가 함께한 자리에서 의젓하게 식사를 했다. 첼시는 적절한 질문을 던지고 깊이 있는 논평을 했다. 당연한 일이지만, 많은 기자들이 첼시의 말을 기사에 인용하도록 허락해달라고 나에게 압력을 넣기 시작했다. 타지마할(1631년 인도 무굴왕조 제5대 황제인 샤자한이 36세로 죽은 왕비의 무덤으로 지은 건축물. 완성하는 데 22년이 걸렸다고 한다—옮긴이)을 방문했을 때 첼시는 이렇게 말했다. "내가 어렸을 때 타지마할은 동화에 나오는 궁전의 화신이었어요. 나는 타지마할 사진을 보면서, 내가 공주나 뭐 그런 존재가 된 몽상에 잠기곤 했었죠. 그런데 여기 와서 직접 보니까 정말 장관이네요." 나는 이 말을 인용하게 해달라는 기자들의 강력한 요구에 마침내 굴복했다.

그러나 나는 문호를 개방한 것을 당장에 후회했다. 일단 열었던 문을 다시 닫기는 어려웠다. 신문기자들이 첼시의 말을 인용하자, 첼시에게 그 말을 되풀이시켜 테이프에 담고 싶어하는 텔레비전 기자들의 요구가 내 공보 비서인 리사 캐푸토에게 쇄도했다. 나는 기본 원칙을 기자들에게 상기시키고, 워싱턴으로 돌아가면 첼시를 '푸르다' 상태에 묶어놓는 문제를 검토해보기로 마음먹었다.

인도에 대한 기억 중에서 가장 생생한 것은 타지마할이 아니었다. 물론 타지마할은 숨막히게 아름다웠지만, 그보다는 구자라트 주의 아마다바드 시에서 방문한 두 곳이 가장 뚜렷이 기억에 남았다. 첫번째는 마하트마 간디가 혼란스러운 인도 독립 투쟁에서 잠시 물러나 명상에 잠기곤 했던 소박한 아슈람(도량)이었다. 내가 본 곤궁함과 간디의 검소한 생활은 내 생활이 지나치게 풍족하다는 것을 일깨워주었다. 억압에는 비폭력 저항으로 맞서는 것이 옳고 정부의 정책에 반대하기 위해서는 대규모 집단을 조직할 필요가 있다는 간디의 믿음은 미국 민권운동에 큰 영향을 미쳤고, 마틴 루터 킹의 인종차별 철폐 운동에 결정적으로 중요한 역할을 했다. 간디의 조국 인도에서는 카스트(신분계급) 제도를 거부하고 자립을 지향하는 간디의 삶과 원칙이 엘라 바트라는 비범한 여성에게 영감을 주었다. 엘라 바트는 간디를 본받아 1971년에 '자영업여성연합회(SEWA)'를 설립했다. 모이니헌 상원의원의 아내인 리즈 모이니헌은 나를 바트에게 소개하고, SEWA에 가서 결연한 의지를 가진 한 여성이 무엇을 창조해낼 수 있는지 눈으로 직접 보라고 권했다.

노동조합이자 여성운동 단체인 SEWA는 인도에서 가장 가난하고 가장 교육 수준이 낮고 가장 천대받는 여성들을 포함하여 14만 명이 넘는 회원을 거느리고 있었다. 이 여성들은 중매결혼을 한 뒤 남편 집에 들어가 시어머니의 감시를 받으며 살았다. 일부 여자들은 남편이 죽거나 생활 능력을 잃거나 가족을 버리고 떠날 때까지 '푸르다' 상태로 살았다. 그들은 모두 살아남기 위해 버둥거리며 날마다 기를 쓰고 일했다. SEWA는 그들이 소득을 얻을 수 있도록 약간의 돈을 빌려주고, 기본적인 문자 교육과 직업 훈련을 실시했다. 엘라 바트는 SEWA의 작은 사무실에 보관되어 있는 두꺼운 장부를 보여주었다. 그 장부에는 빌려준 돈과 상환된 돈이 적혀 있었다. 이 '소액 융자'를 통해 SEWA는 수천 명의 여성들에게 직업을 주고, 여성의 역할에 대한 뿌리깊은 편견을 변화시키고 있었다.

내가 SEWA를 방문한다는 소문은 구자라트 주의 시골 마을에까지 퍼졌고, 1천 명 가까운 여성들이 모여들었다. 개중에는 뜨거운 날씨에 흙먼지 나는 시골길을 열 시간씩 걸어서 온 여자들도 있었다. 그들이 커다란 천막 아래에서 나를 기다리고 있는 것을 보자 눈물이 나왔다. 붉고 푸른 색깔의 사리로 부채질하고 있는 그들은 물결치는 인간 무지개처럼 보였다. 그들은 이슬람교도와 힌두교도였고, 카스트에서 가장 낮은 계급인 불가촉 천민들도 섞여 있었다. 첼시는 그들 사이에 앉았다.

여자들은 한 사람씩 일어나서 SEWA가 자신의 삶을 어떻게 변화시켰는지 이야기했다. 그 변화는 SEWA가 빌려준 약간의 돈과 직업상의 도움 때문만이 아니라 힘들게 살아가는 다른 여자들에게 느낀 연대감 때문이기도 했다. 이제는 더 이상 시어머니가 두렵지 않다는 한 여자의 말은 모든 참석자의 심금을 울렸다. 그들의 문화에서 시어머니는 일반적으로 며느리가 집안에 들어오자마자 엄격한 지배력을 행사한다. 그런데 시장에 노점을 열어 돈을 벌기 시작하자 그녀는 독립을 얻었다. SEWA의 후원을 받는 상인조합이 경찰관들의 고압적인 단속으로부터 자신을 보호해주기 때문에 이제는 경찰도 두렵지 않다고 덧붙였다. 말하는 여자들의 당당한 태도와 윤곽 뚜렷한 얼굴과 눈꺼풀에 콜을 바른 눈만 보면 그들의 힘겨운 삶이 믿어지지 않았다.

끝으로 나는 맺음말을 해달라는 부탁을 받았다. 내가 말을 끝내자 엘라 바트가 마이크를 잡더니, 참석자들이 미국에서 찾아온 나에게 감사의 뜻을 표하고 싶어한다고 말했다. 여자들이 일제히 일어나자, 움직이는 화려한 색깔이 눈부시게 아름다웠다. 여자들은 「우리 승리하리라」를 구자라트어로 부르기 시작했다. 나는 깊은 감동을 받았고, 자신의 고난만이 아니라 수백 년 동안 이어져온 억압까지도 이겨내려고 애쓰는 여자들 속에서 정신적으로 한껏 고양된 기분을 느꼈다. 나에게 그들은 인권의 중요성을 확인해주는 산 증거였다.

이튿날 히말라야 산지에 있는 네팔의 수도 카트만두로 날아가는 동안에도 나는 그들의 얼굴과 말을 생각하고 있었다. 카트만두는 솔트레이크시티와 같은 해발고도 1,350미터의 낮은 골짜기에 자리잡고 있다. 맑은 날에는 도시를 에워싸고 있는 눈 덮인 산봉우리들의 파노라마를 볼 수 있다.

네팔의 경치는 세계에서 가장 아름답지만, 사람이 거주하는 지역은 인구가 너무 많다. 인간의 배설물이 비료로 쓰이기 때문에 깨끗한 물이 귀하다. 내가 만난 미국인들은 모두 네팔에서 지낸 뒤 병에 걸렸다고 말해서, 그것이 피할 수 없는 통과의례처럼 여겨졌다. 평화봉사단 단원들은 자신들이 앓은 질병을 모두 나열한 티셔츠를 입고 나를 만나러 나타났다.

우리는 이제 겨우 순방 일정의 절반을 끝냈고 하루만 앓아누워도 나머지 일정이 혼란에 빠지기 때문에 철저한 예방조치를 취했다. 네팔 당국은 우리의 걱정을 배려하여 각별한 노력을 기울였다. 네팔에 간 첫날, 첼시가 놀란 얼굴로 말했다. "엄마, 경호원 아저씨들이 나한테 뭐라고 했는지 아세요? 아마 믿지 못하실 거예요. 우리가 도착하기 전에 호텔 수영장 물을 모두 빼내고, 병에 담아서 파는 생수로 다시 수영장을 채웠대요!" 이 말이 사실인지는 끝내 알아내지 못했지만, 사실이라 해도 나는 놀라지 않았을 것이다.

왕궁을 예방했을 때 나는 바닥에 커다란 호랑이 가죽이 깔려 있는 방에서 비렌드라 비르 비크람 샤 데브 국왕과 아이슈와리아 왕비의 영접을 받았다. 왕비는 공항으로 나를 마중나왔을 때 나와 많은 대화를 나눌 수 있기를 고대한다고 말했다. 그래서 나는 의료 개혁과 여성 교육 등에 관해 왕비와 토론할 기회를 가지고 싶었지만, 이야기는 국왕이 도맡아 했다. 최근까지만 해도 네팔 왕국은 바깥 세계로부터 고립되어 있었다. 이제 네팔은 대의정부로 넘어가는 과도기를 겪고 있었고, 비렌드라 왕은 미국의 원조와 투자 가능성을 논의하고 싶어했다. 네팔은 또한 농촌에 근거지를 둔 모택동주의 반군들의 폭력과 소요에 직면해 있었다. 하지만 네팔 왕가에 그보다 훨씬 큰 위협은 왕궁 내부의 병리 현상이었다. 몇 년 뒤(2001년 6월 1일) 바로 그 왕궁에서 총탄에 맞아 죽은 왕과 왕비의 운명은 아직도 수긍하기 어렵다. 공식 보고에 따르면 암살자는 약혼녀와의 결혼을 허락받지 못해 분노한 왕세자였다고 한다.

이튿날 아침 일찍 첼시와 나는 도시 위에 솟아 있는 산으로 산책을 나섰다. 사람들은 길가에 서서 우리가 지나가는 것을 지켜보았고, 눈이 반짝반짝 빛나는 열 살 남짓한 소녀가 우리와 함께 걷기 시작했다. 소녀는 영어를 조금 알고 있었다. 소녀가 아는 낱말은 주로 '뉴욕'이나 '캘리포니아' 같은 지명이었고, 거기에 '커다란'이나 '행복한' 같은 형용사를 섞어가며 이야기했다. 그러고는 친구들과 대화를 나누고 있기라도 한 것처럼 고개를 끄덕이거나 소리내어 웃곤 했다. 소녀는 나를 완전히 자기 편으로 끌어들였다. 고도가 높아질수록 나는 이 나라의 땅이 한치의 빈틈도 없이 무언가—집, 계단식 밭, 도로, 산비탈에 점점이 흩어져 있는 절—에 쓰이고 있다는 것을 깨닫게 되었다. 가까운 절에서 딸랑거리는 종소리가 들리고, 하얀 깃발이 누벽(壘壁)에서 펄럭이는 것이 보였다. 우리가 밑에 세워둔 차로 돌아오자 소녀의 아버지가 기다리고 있었다. 그때쯤 나는 소녀가 학교에 다니지는 않지만 관광객과 등산객을 따라다니며 귀동냥으로 영어를 배운 것을 알게 되었다. 나는 소녀의 아버지에게 따님이 영리하고 호기심이 많다고 칭찬했지만, 내 말뜻이 제대로 전달되었는지는 의심스럽다. 나는 돈이 감사와 관심의 표시로는 부적당하다는 것을 알고 있었지만, 내가 소녀를 높이 평가한다는 것을 소녀의 아버지에게 알려주고 싶었다. 소녀가 훌륭한 노동 윤리와 뛰어난 재능을 갖고 있다는 것을 가족이 알면 집에서 소녀의 지위가 조금은 높아지지 않을까, 그래서 소녀를 위해 다른 삶을 고려해주지 않을까 하는 생각이 들었다. 그 소녀가 어떻게 되었는지 궁금할 때가 많다.

그날 아침, 우리는 네팔에 사는 미국 여성들이 세운 진료소를 방문했다. 네팔은 산모와 유아의 사망률이 세계에서 제일 높은 나라에 속한다. 여자가 아이를 낳다가 죽을 확률이 출산 10만 건당 무려 830건이나 된다. 세계 평균이 400이고 미국 평균이 7도 안되는 것에 비하면 놀랄 만큼 높은 수치다. '미국국제개발청'과 '아동구호협회'와 네팔 정부가 공동으로 운영하는 진료소는 일반적이고 상식적인 주의를 기울여 산모 사망을 예방하는 방법을 채택했고, '안전한 가정 분만 기구 세트'를 임신부와 산파들에게 공급하는 프로그램을 확립했다. 이 '기구 세트'에는 비닐 시트 · 비누 · 소독한 실 · 밀랍 · 면도날이 하나씩 들어 있었다. 네팔에서는 진통하는 여성이 깔고 누울 비닐 시트, 산파가 손과 기구를 씻을 때 쓰는 비누, 탯줄을 묶을 실, 탯줄을 자를 면도날이 산모와 아기의 생사를 결정할 수 있다.

첼시와 나는 네팔 남부의 치트완 국립공원에 들러서 코끼리를 탔다. 솔직히 말해서 코끼리를 탄 내 모습이 사진으로 찍혀 후세에 길이 남으리라는 것을 몰랐다면 나는 편하게 청바지를 입었을 것이다. 하지만 나는 카키색 셔츠와 스커트에 밀짚모자를 곁들인 『아웃 오브 아프리카』(덴

마크의 남작부인 카렌 블릭센이 아프리카 케냐에서 커피 농장을 경영한 실화를 담은 회고록. 이 책을 바탕으로 1985년 시드니 폴락 감독이 영화로 제작했고, 메릴 스트립과 로버트 레드퍼드가 남녀 주인공을 맡았다—옮긴이)풍의 옷차림을 갖추어야 했다. 순식간에 전세계로 퍼진 첼시와 내 사진은 코끼리 등에 올라앉아 희귀한 아시아 코뿔소를 바라보고 있는 행복한 모녀상을 보여주었다. 나중에 우리가 워싱턴으로 돌아오자 제임스 카빌이 말했다. "멋지지 않습니까? 영부인께서는 더 나은 의료 서비스를 제공하기 위해 2년 동안 애썼지만 사람들은 영부인을 죽이려고만 들었어요. 그런데 첼시와 함께 코끼리를 타니까 사람들이 모두 영부인을 칭찬하니 말입니다!"

지구상에서 가장 인구밀도가 높은 나라인 방글라데시는 남아시아에서도 가장 뚜렷한 빈부격차를 보여주었다. 다카의 호텔 방 창문으로 밖을 내다보면, 나무 울타리를 사이에 두고 한쪽에는 오두막과 쓰레기더미가 널려 있고 반대쪽에는 나 같은 방문객들이 음료수를 마시면서 수영을 즐길 수 있는 풀장과 탈의실이 있었다. 마치 세계 경제를 입체적인 영상으로 보고 있는 듯했다. 이곳 당국은 빈민촌을 화려한 천으로 가리려는 노력도 하지 않았다. 시내는 온통 사람들로 들끓었다. 소형차가 길을 가득 메우고, 거대한 인파가 차도까지 넘쳐나와 차량과 사람이 뒤죽박죽으로 뒤섞여 있었다. 차가 사람들을 아슬아슬하게 스치고 지나가는 것을 보고 놀라서 숨을 삼킨 적이 한두 번이 아니었다. 후텁지근한 거리를 걸어다니면 한증막에 들어간 듯한 기분이었다. 하지만 방글라데시는 내가 오래 전부터 방문하고 싶었던 나라였다. 이 나라가 국제적으로 인정받은 두 가지 프로젝트—방글라데시의 다카에 있는 '국제 설사병 연구 센터(ICDDR)'와 소액 신용 대출의 선구자인 그라멘 은행—의 본거지였기 때문이다. ICDDR은 외국 원조의 긍정적인 성과를 보여주는 중요한 사레다. 이질은 깨끗한 식수원이 한정되어 있는 지역에서 특히 아이들의 주된 사망 원인이다. ICDDR은 '경구용 재수화 요법(ORT)'을 개발했다. 주로 소금과 설탕과 물로 이루어진 이 물약은 투여하기 쉽고 효과적이어서 수백만 어린이의 목숨을 구하고 있다. 이 간단하고 값싼 요법은 20세기의 가장 중요한 의료 발전이라는 찬사를 받았는데, 이 치료법을 개척한 병원은 미국의 원조에 의존하고 있다. ORT 요법은 해외에서 개발되어 미국에서 복제할 수 있는 간단하고 저렴한 치료법의 한 모델이기도 하다.

내가 그라멘 은행에 대해 처음 알게 된 것은 10여 년 전 빌과 함께 그 은행 설립자인 무하마드 유누스 박사를 리틀록으로 초대하여 '소액 신용 대출' 프로그램이 아칸소에서도 가장 가난한 시골 마을을 어떻게 도울 수 있는지를 논의했을 때였다. 그라멘 은행은 달리 신용 대출을 받을 길이 없는 극빈층 여성들에게 돈을 빌려준다. 그 여자들은 평균 50달러 정도의 대출금을 밑천으로 자신과 가족을 가난에서 벗어나게 해줄 작은 사업—옷짓기, 길쌈, 농사 등—을 시작했다. 그들은 신용 불량률이 극히 낮다는 것을 입증했을 뿐만 아니라—그라멘 은행의 대출금 회수율은 98퍼센트에 이른다—번 돈을 알뜰히 저축해서 사업과 가족에 재투자하는 경향이 있다. 나는 아칸소에 개발은행과 소액신용대출조합을 세우는 데 이바지했고, 유누스 박사와 그라멘 은행의 성공을 본받아 미국 전역에서 소액 대출을 장려하고 싶었다. 유누스 박사와 그라멘 은행은 전세계의 비슷한 프로그램을 지원하여, 방글라데시 안팎의 4만 1천여 마을에서 240만 명의 회원에게 37억 달러를 무담보로 대출해주었다.

하지만 그라멘 은행(그리고 비슷한 프로그램)은 토지가 없는 여성들의 자립을 도와주었다는 이유로 이슬람 근본주의자들의 표적이 되었다. 우리가 다카에 도착하기 이틀 전, 수도에서 약 2천 명의 극단주의자들이 세속적 부조 단체가 코란에 대한 엄격한 해석을 거부하도록 여성들을 부추기고 있다고 비난하는 시위 행진을 벌였다. 우리가 다카를 방문하기 전 몇 달 동안, 마을의 은행과 여학교가 불태워졌고, 방글라데시의 주요한 여성 작가가 살해 협박을 받았다.

경호의 여러 측면 가운데 가장 곤혹스러운 것은 정말로 위험한 순간을 분간해낼 방법이 없다는 점이다. 경호실은 극단주의 단체가 내 방문을 망치려 들지 모른다는 정보를 입수했다. 내가 미국 공군 C-130 수송기를 타고 수도 다카를 떠나 방글라데시 남서부의 마을 두 곳을 방문하러 갔을 때, 우리는 또다시 극도의 경계 태세를 취했다. 제소르 마을에서 우리가 찾아간 초등학교에서는 딸을 학교에 보내는 가족에게 방글라데시 정부가 장학금과 식량을 주는 프로그램을 시범적으로 실시하고 있었다. 이것은 우선 딸을 학교에 보내고 일단 입학한 뒤에는 중퇴시키지 않도록 부모를 설득하는 새로운 유인책이었다. 학교는 탁 트인 벌판에 있었다. 나는 교실에 들어가 여학생들과 선생님에게 이야기를 했다. 그런데 이야기를 하는 동안 바깥이 소란스러워지고 경호원들이 이리저리 뛰어다니는 것을 알아차렸다. 수천 명의 마을 사람들이 난데없이 나타나, 내가 보기에는 한 줄에 10명 내지 20명씩 늘어서서 낮은 언덕을 물밀듯이 넘어오고 있었다. 그들이 어디에서 왔는지, 어떤 메시지를 전달하고 싶어하는지는 알 수 없었고, 그후에도 끝내 알아내지 못했다. 경호원들이 우리를 데리고 급히 그곳을 떠났기 때문이다.

마시하타 마을의 그라멘 은행에 가려면 인파와 싸우면서 길고 울퉁불퉁한 길을 달려가야 했지만, 그렇게 고생할 만한 가치가 있었다. 나는 두 마을—힌두교도 마을과 이슬람교도 마을—을 방문해달라는 요청을 받았지만, 일정 때문에 두 곳을 다 방문할 수는 없었다. 그러자 놀랍게도 이슬람 여성들이 힌두교도 마을로 와서 우리를 만나기로 결정했다.

"스와가탐, 힐러리. 스와가탐, 첼시." 마을 아이들이 벵골어로 노래를 불렀다. '환영합니다, 힐러리. 환영합니다, 첼시' 라는 뜻이었다. 내 친구인 무하마드 유누스 박사가 나를 환영하러 거기에 와 있었다. 그는 그라멘 은행에서 대출받은 여자들이 팔려고 만든 옷의 샘플을 가져왔다. 첼시와 나는 그것과 비슷한 옷을 입고 있었다. 유누스가 호텔로 보내준 옷이었다. 그는 우리가 입은 옷을 보고 무척 기뻐하면서 내 연설의 주제와 같은 말을 했다.

"여자들은 잠재력을 갖고 있습니다. 신용 대출은 가난과 싸우는 효과적인 방법일 뿐만 아니라 기본적인 인권이기도 합니다."

나는 야자나무 잎을 엮어 만든 차양 밑에 앉아서 힌두교도와 이슬람교도 여성들에게 둘러싸였다. 그들은 어떻게 근본주의자들을 무시하고 모두 함께 왔는지를 이야기했다. 나는 그들에게, 당신들의 말을 듣고 배우러 왔노라고 말했다.

한 이슬람 여성이 일어나서 말했다. "우리는 물라(이슬람 율법학자)한테 신물이 났어요. 그들은 항상 여자를 억압하려 든답니다."

나는 이슬람 여성들이 어떤 문제에 직면해 있느냐고 물었다. 그러자 그녀는 이렇게 대답했다. "물라들은 우리가 은행에서 대출을 받으면 내쫓겠다고 협박해요. 그리고 은행 사람들이 우리 아이를 훔쳐갈 거라고 겁을 주죠. 그러면 나는 우리를 가만 내버려두라고 말한답니다. 우리는 우리 아이들이 더 잘 살게 도와주려고 애쓸 거예요."

여자들은 내 경험과 자신들의 경험을 관련시키려고 애쓰면서 온갖 질문을 던졌다.

"집에 암소 있어요?" 한 여자가 물었다.

"아뇨."

"그럼 벌이는 있나요?" 양미간에 빨간 곤지를 찍은 여자가 물었다. 이곳에서 '테프'라고 부르는 곤지는 예로부터 기혼 여성을 나타내는 표지였다.

"지금은 남편이 대통령이기 때문에 내가 직접 벌지는 않아요." 나는 내가 하는 일을 어떻게 설명하면 좋을까 생각하면서 덧붙였다. "전에는 남편보다 더 많이 벌었어요. 남편 임기가 끝나면 다시 돈벌이에 나설 계획이에요."

("아이는 몇이나 있죠?"

"딸 하나예요."

마을 여자들은 서로 얼굴을 바라보면서 중얼거렸다. "참 안됐네. 힐러리 부인은 암소도 없고, 벌이도 없고, 아이도 딸 하나뿐이래."

—『녹색평론』 제57호에서 인용해 덧붙임—옮긴이)

마을 아이들이 우리를 위해 연극을 공연했고, 몇몇 여자들이 첼시와 나에게 다가와 '테프'를 찍는 법과 사리를 몸에 두르는 법을 가르쳐주었다. 나는 이 가난하고 외딴 마을에서 만난 사람들의 긍정적인 태도에 감동했다. 이곳에는 전기도 수도도 없지만 희망이 있었다. 그것은 적어도 부분적으로는 그라멘 은행의 활동 덕분이었다.

마을 여자들에게 감동한 것은 나만이 아니었다. 내 곁에 서 있던 미국 기자가 나에게 몸을 숙이며 속삭였다. "여기서는 침묵을 말하지 않는군요."

# 오클라호마시티

"퍼스트 레이디는 오늘밤 여러분과 자리를 같이할 수 없게 된 것을 유감스럽게 생각하고 있습니다." 1995년 3월, 빌 클린턴은 워싱턴의 언론인들과 정치인들에게 말했다. 그리고 이렇게 덧붙였다. "여러분이 믿어주신다면, 내가 아칸소에 땅이 좀 있는데 그걸 여러분께 팔고 싶습니다." 그것은 연례행사인 '그리디아이언 만찬'이었지만, 나는 남아시아를 여행하고 있어서 이번에는 모임에 참석할 수 없었다. 그래서 크게 히트한 영화 「포레스트 검프」를 패러디한 5분짜리 쇼를 미리 녹화해두었다.

테이프가 돌아가기 시작하면 푸른 하늘에서 하얀 깃털 하나가 나풀나풀 내려와 백악관 앞 공원 벤치 옆에 착륙한다. 벤치에는 나 힐러리 검프가 초콜릿 상자를 무릎 위에 올려놓고 앉아 있다.

"엄마는 늘 백악관이 초콜릿 상자와 비슷하다고 말했어." 나는 톰 행크스를 그럴듯하게 흉내내어 말한다. "겉은 아름답지만 속에는 딱딱한 열매(nut: 바보 · 괴짜 · 미치광이라는 뜻도 있음)가 잔뜩 들어 있다고."

유명한 「새터데이 나이트 라이브」(NBC-TV의 인기 심야 코미디 프로그램—옮긴이)의 코미디언이자 작가인 앨 프랭큰이 대본과 연출을 맡은 이 촌극은 영화를 패러디했을 뿐만 아니라 어린 시절부터 대학 시절과 정치 활동에 이르는 내 인생을 익살스럽게 풍자한 것이기도 했다. 맨디 그룬월드와 폴 베갈라, 그리고 「투나잇 쇼」의 사회자 제이 리노가 아이디어를 제공했다. 카메라가 벤치에 앉아 있는 나에게 돌아올 때마다 나는 다른 가발을 쓰고 끊임없이 바뀌는 내 헤어스타일을 웃음거리로 삼았다. 막판에 빌이 카메오로 깜짝 출연했다. 빌은 벤치에 나와 나란히 앉아서 내 초콜릿 상자를 빼앗고 그 대신 초콜릿 한 개를 나한테 주고는 감자튀김을 먹을 수 없겠느냐고 묻는다.

그 촌극의 반응을 확인하기 위해 여행지에서 전화를 걸었더니, 빌은 기립 박수를 받았다고 말했다. 워싱턴에서 우리가 시도한 것 가운데 그만큼 순조롭게 진행된 일은 별로 없었다.

내가 남아시아 순방을 마치고 워싱턴에 돌아왔을 때쯤 대통령과 정부는 '미국과의 계약'(1994년 중간선거 때 공화당이 내건 공약—옮긴이)을 놓고 공화당이 지배하는 국회와 한바탕 싸울 준비를 하고 있었다. 뉴트 깅리치는 제104대 의회가 출범한 지 100일도 지나기 전에 자신이 입안한 '계약'의 대부분을 공화당이 지배하는 하원에서 통과시켰지만, 그중에서 법률로 성립된 법안은 두 가지뿐이었다. 입법 절차는 상원으로 넘어갔고, 상원에서는 아직도 민주당이 필리버스터(의사 방해) 작전을 펴거나 대통령의 거부권을 유지할 만한 의석을 차지하고 있었다. 빌은 거부권을 행사하겠다고 으름장을 놓아 공화당으로 하여금 수정 법안을 내도록 애써야 할지 아니면 독자적인 법안을 제출해야 할지를 결정해야 했다. 빌은 결국 두 가지 방안을 다 추진하기로 결정했다. 빌은 그의 대통령직 수행이 '부적절하다'고 비난한 야당 의원과 정면으로 대결하여 기세를 되찾았다.

백악관에서는 중간선거 이후 대기 상태가 계속 이어지고 있었다. 이제 새로운 방침을 결정해야 할 때가 되었다. 빌은 나보다 인내심이 많기로 유명하다. 누군가가 좀더 강하게 공격적으로 깅리치와 대결하라고 권하면, 빌은 자신과 공화당의 차이점을 먼저 국민이 정확히 이해해야 한다고 말하곤 했다. 그렇게 되면 싸움은 빌 클린턴과 뉴트 깅리치의 싸움이 아니라, 메디케어(65세 이상의 노인에 대한 의료보험제도)와 메디케이드(저소득층에 대한 의료보장제도), 교육과 환경 보호 예산 삭감에 대한 두 사람의 견해 차이를 둘러싼 싸움이 될 것이다.

빌은 미래를 내다보고 각 관계자의 움직임이 낳을 결과를 판단하여 장기적인 계획을 세우는 불가사의한 능력을 갖고 있다. 빌은 연말에 예산안을 둘러싸고 진짜 전투가 벌어질 것이고, 성공한 대통령이 되려면 1996년(대통령 선거가 있다—옮긴이)을 목표로 삼아야 한다는 것을 알고 있었다. 빌이 처음에 인내심을 발휘한 까닭은, 유권자들이 공화당의 지나친 행동에 염증이 나서 결국은 공화당이 주장하는 철저한 변화에 두려움을 느끼기 시작할 거라고 생각했기 때문이다(이 생각은 결국 옳았다). 하지만 깅리치가 전례 없는 프라임 타임 연설로 공화당 주도 국회의 업적을 국민에게 대대적으로 선전하겠다는 의도를 밝히자, 빌은 주도권을 되찾을 때가 되었다고 판단했다.

1995년 4월 7일 댈러스에서 빌은 교육 문제에 대해 연설할 예정이었지만, 그 연설을 클린턴 행정부 선언으로 바꾸었다. 빌은 재정 적자 감소와 일자리 창출에서 이룩한 업적과 장래 목표를 설명했다. 빌은 최저 임금을 올리고 의료보험 보장 범위를 확대하고 중산층의 세금 부담을 덜어주고 싶다고 말했다. 또한 공화당의 '계약'에서 가장 나쁜 측면, 예컨대 복지 법안을 "기업에는 약하고 아이들한테는 가혹하다"고 비난했다. 빌은 학교 급식과 아동기의 백신 접종 같은 프로그램과 교육 예산에 대한 공화당의 삭감안을 비판했다. 그러면서도 한편으로는 정부의 업무 마비를 피하기 위해서 공화당과 타협할 수 있는 토대를 깔아놓았다. 공화당이 협력하지 않으면, 미국 대중을 실망시킨 책임은 공화당과 깅리치에게 돌아갈 터였다. 빌 자신의 비전을 제시하되 야당을 배려한 멋진 연설이었다.

1995년 봄에 빌은 전략을 짜고 개발하기 위해 친구나 동지들과 끝없이 의논하고 의견을 모아서 좋은 것을 가려냈다. 나는 새로운 전략을 의논할 상대로 딕 모리스를 추천했다. 그 이유는 모리스가 공화당 의원들에게 조언하고 있었기 때문이다. 모리스는 공화당 의원들의 생각을 꿰고 있으니까 빌이 앞으로 나아가는 데 도움을 줄 수 있을 터였다. 빌이 어떤 생각을 야당에 흘리고 싶을 때는 모리스를 야당과의 비공식 채널로 활용할 수도 있었다.

처음에는 모리스를 끌어들인 것을 극비에 부쳤지만, 댈러스 연설을 끝낸 뒤 빌은 모리스를 정식 참모로 삼기로 결정했다. 빌의 백악관 참모들은 딕 모리스가 벌써 반년 전부터 대통령에게 조언하고 있었다는 사실을 알고 깜짝 놀라면서 불쾌한 반응을 보였다. 해럴드 아이크스는 특히 놀랐다. 아이크스와 모리스는 맨해튼의 '어퍼 웨스트 사이드'라는 민주당 조직에 있을 때부터 25년이 넘도록 이념적으로나 개인적으로 앙숙이었기 때문이다. 조지 스테퍼노펄러스는 빌이 모리스 같은 정상배에게 조언을 구하고 있는 데 당황했고, 빌의 보좌관으로서 모리스와 경쟁해야 하는 데 불만을 품었다. 리언 파네타는 모리스의 인격과 태도를 좋아하지 않았고, 모리스가 백악관의 위계질서를 따돌린 것도 못마땅하게 생각했다. 그들의 걱정은 모두 정당했지만, 모리스의 존재는 예기치 않은 방식으로 도움이 되었다.

중간선거에 패배한 뒤, 빌의 참모들은 대부분 전쟁 신경증에 걸린 병사들처럼 '웨스트 윙' 주위를 어슬렁거리고 있었다. 하지만 공동의 적만큼 사람들을 단결시켜주는 것은 없다. 이제 공화당 주도의 국회가 그들을 자극했을 뿐 아니라 공동의 적인 딕 모리스까지 나타난 것이다.

빌의 가장 큰 장점은 다양한 의견을 기꺼이 수용한 다음, 그것을 선별하여 독자적인 결론에 도달하는 것이다. 빌은 상충하는 견해와 다양한 경험을 가진 이들을 한데 모아서 자신과 참모들에게 도전했다. 그것은 모든 사람—특히 자기 자신—을 항상 활기차고 기민한 상태로 유지하는 방법이었다. 백악관처럼 엘리트들이 모인 환경에서 기질과 견해가 항상 일치하는 사람들로 주위를 둘러쌀 수는 없다. 회의는 예정대로 진행될 수 있지만, 합의가 쉽게 이루어지면 결국에는 시시한 결론에 도달할 수도 있다. 딕 모리스가 다양한 개성을 가진 사람들 한복판에 떨어진 것은 백악관 참모들의 태도와 야망에 자극제가 되었고, 그 덕분에 모든 사람이 매사에 좀더 적극성을 띠게 되었다.

모리스는 숫자와 분석에 대해서는 마크 펜에게 의존했다. 펜은 민주당 전국위원회가 고용한 뛰어난 여론조사 전문가였다. 펜은 그의 사업상 동료이자 노련한 정치 전략가인 더그 스코인과 더불어 백악관 통신망을 만드는 데 이용된 조사 결과를 제공했다. 그들은 모리스와 함께 매주 수요일 밤 '옐로 오벌 룸'에서 열리는 회의에 참석하기 시작했다. 모리스의 의견은 에누리해서 받아들일 필요가 있었고, 또 그의 연극적인 태도와 생색내는 자화자찬에는 인내심이 필요했다. 하지만 모리스는 일반 통념을 중화시키는 좋은 해독제였고, 무기력증에 빠진 워싱턴 관료 사회를 자극하는 박차였다. 그가 클린턴 행정부에 미친 영향은 자주 과장되었다. 때로는 관대한 평론가들이 과장하는 경우도 있었지만, 대개는 모리스 자신이 영향력을 과장해서 떠벌렸다. 하지만 빌이 공화당 의원들의 벽을 돌파할 수 있는 전략을 개발하는 데 모리스의 도움을 많이 받은 것은 사실이다.

대립하는 두 진영이 양극단에 있고 어느 쪽도 상대에게 먼저 다가가기를 꺼릴 때는 양쪽이 제3의 입장—삼각형의 꼭지점—을 향해 함께 움직이기로 결정할 수 있다. 이것을 '삼각화(triangulation)'라고 부르게 되었다. 이것은 본질적으로 빌이 주지사 시절과 '민주당지도자회의' 의장일 때 개발한 철학을 변형시킨 것이다. 1992년 대통령 선거 때 빌은 '뇌사 상태에 빠진' 양당의 정치를 넘어 '역동적인 중심점' 을 만들자고 주장했었다. 양쪽이 서로 양보하여 중간을 택하는 구식 타협보다는 '삼각화' 가 빌이 워싱턴에 도입하겠다고 약속한 접근방식을 더 잘 반영하고 있었다.

예를 들면 빌은 1980년대부터 줄곧 복지 개혁에 몰두해왔고, 첫번째 대통령 임기가 끝나기 전에 개혁을 이루려고 애썼지만, 공화당이 복지 개혁에 대한 소유권을 주장하고 나서자 빌은 거기에 거부적인 태도를 보이는 것을 피하려 했다. 빌은 개혁의 목표는 지지하되, 공화당의 극단적인 입장을 꺾기 위해서는 비교적 온건한 공화당 의원과 민주당 의원들에게 충분한 정치적 지지를 받을 수 있도록 법안을 고치고 미비점을 개선해야 한다고 주장하곤 했다. 물론 정치에서도 실생활과 마찬가지로 골칫거리는 세부 속에 있다. 복지 개혁안이나 예산 협상의 세부는 힘든 싸움을 거쳐 어렵게 결정되었고, 때로는 이등변삼각형이 여러 개인 '루빅 큐브' 를 맞추는 것과 비슷했다.

모리스는 빌의 정책에 활력과 참신한 아이디어를 가져왔지만, 그 정책을 이행하는 책임은 지고 있지 않았다. 그 책임을 진 사람은 리언 파네타와 행정부였다. 리언은 빌이 대통령에 취임한 이후 1년 반 동안 훌륭하게 비서실장 임무를 수행한 맥 매클라티의 후임으로 1994년 6월에 백악관 비서실장이 되었다. 파네타는 캘리포니아 출신 의원일 때 재정 적자에 대해 강경한 태도를 취한 매파였고, 그래서 빌은 대통령에 당선되자 그를 예산국장으로 선택했다. 파네타는 재정 적자 감축 계획에 주도적인 역할을 맡았고, 이 계획안의 의회 통과를 추진했다. 비서실장이 된 뒤에는 대통령 일정에 대한 지배력을 강화하고, 보좌관들이 마음 내킬 때마다 대통령 집무실에 들르는 것을 금지했다. 그는 선원들을 엄격하게 통제하는 선장이었다. 국회와 예산에 대한 그의 전문성은 나중에 예산을 둘러싼 전투에서 결정적으로 중요한 역할을 맡게 되었다.

국회 다수파가 된 공화당은 급진적인 정책을 법률로 제정할 길을 찾고 있었다. 첫번째는 연간 예산안이었다. 공화당은 예산 지원을 거부하여 정책의 알맹이를 제거하려고 했다. 그들은 소비자 보호와 환경 보호, 가난한 노동계층에 대한 지원, 세금 강제 집행과 기업 규제 같은 정부의 규제 기능을 무력화하고 싶어했다. 뉴트 깅리치는 린든 존슨 대통령의 '위대한 사회' 정책—이 정책은 메디케어와 메디케이드, 그리고 역사적인 민권법을 낳았다—이 '반체제 문화적 가치체계' 이며 '계속 실패한 장기간의 전문 행정 실험' 이라고 비난했다.

공화당 지도자들이 정부와 공동체만이 아니라 사회의 관례적인 개념에 대해서까지 함부로 공격해대는 것을 보면서 빌과 나는 차츰 불안해졌다. 그들은 20세기 말의 미국에서 중요한 것은 구식의 노골적인 개인주의뿐이라고 믿는 듯했다. 물론 공화당 지지자들이 입법상의 특혜를 원할 때는 예외였다. 나는 나 자신이 개인주의자이고 다소 노골적이라고—아마 좀 울퉁불퉁하고 깔쭉깔쭉하기도 할 것이다—생각하지만, 미국 시민으로서 서로 이익이 되는 네트워크—책임과 권리의 네트워크—의 일부라고 믿고 있다.

내가 『아이 하나를 키우려면 마을 전체가 필요하다』라는 책을 내놓은 것은 공화당이 이런 극단적인 수사법을 사용하고 있을 때였다. 미혼모가 낳은 가난한 아이들을 고아원에 수용하자는 깅리치의 주장이 나에게 힘을 주었다. 나는 아동 보호와 양육을 걱정하며 몇 년을 보냈는데, 이제는 정치적 급진주의가 가난하고 상처받기 쉬운 아이들에게 암담한 미래를 강요할 수도 있다는 두려움에 사로잡혔다. 내 책은 당파적 의미에서 정치적인 책은 아니지만, 나는 국회의사당에서 나온 냉혹하고 엘리트주의적이며 비현실적인 견해와는 다른 비전을 제시하고 싶었다.

우익 진영은 걸핏하면 '자유주의적 언론의 편파성'을 주문처럼 외면서 비난했지만, 언론매체 중에서 가장 효과적이고 큰 목소리를 내는 것은 결코 자유주의적 언론이 아니었다. 그와는 반대로 신문과 텔레비전 · 라디오에서는 반동적인 권위자와 유명인사들이 공개 담론을 지배하고 있었다. 나는 내 생각과 견해를 직접 써서 대중에게 전달하기로 결심했다. 7월 말, 나는 일주일에 한 번씩 '토론 한마당'이라는 칼럼을 신디케이트 신문에 기고하기 시작했다. 이것도 1935년부터 1962년까지 일주일에 엿새 동안 '나의 하루'라는 칼럼을 쓴 엘리너 루스벨트의 발자취를 따라간 것이었다. 내 칼럼은 초기에는 여성 참정권 획득 75주년에서 가족 휴가 문제까지 폭넓고 다양한 주제를 다루었다. 내 생각을 종이에 적는 훈련을 통해 나는 의료 개혁 같은 방대한 사업보다 쉽게 달성할 수 있는 개개의 국내 프로젝트에 주의를 집중하기 시작하면서 행정부 안에서의 내 역할을 좀더 분명히 이해할 수 있었다. 이제는 아동 건강, 유방암 예방, 공영 텔레비전과 법률구조단을 위한 자금 확보, 예술 등이 내 의제가 되었다.

나는 전국의 노인 센터와 병원에서 '간담회'를 열어 의사와 유방암 환자와 유방암을 이겨낸 사람들과 대화를 나누면서, 유방암의 확산과 영향만이 아니라 유방암 예방과 치료를 방해하는 요인들에 대해서도 더 많이 알게 되었다. 1992년 대통령 선거운동 때 버지니아 주 윌리엄즈버그에서 열린 '전국유방암연합회(NBCC)' 회의에서 나는 유방암 생존자들의 회복력에 강한 인상을 받았다. 회의 참석자들을 태운 버스가 도중에 고장이 나자 그녀들은 버스에서 내려 지나가는 차를 얻어타고 목적지에 도착했다. 나는 유방암 생존자이자 대변자인 프랜 비스코가 창립한 NBCC와 협력하여, 보험에 가입하지 않은 여성들에 대한 치료 확대와 유방암 연구를 위해 더 많은 기금을 확보하려고 애썼다.

나는 백악관에서 유방암 생존자들을 자주 만났다. 시어머니를 비롯한 많은 사람들의 경험을 통해서 나는 암 진단에 따르는 두려움과 망설임을 이해했다. 백악관의 내 사무실에서 가장 열심히 일한 미리엄 레버리지는 6년 동안 유방암과 투병하다가 1996년에 마침내 굴복하고 말았는데, 교직에서 은퇴한 이 할머니 자원봉사자는 두 번 수술을 받았고, 방사선 치료와 다섯 차례의 화학요법을 견뎌냈다. 미리엄은 나와 참모들에게 수시로 자가 진단을 실시하고 정기적으로 엑스선 사진을 찍으라고 말했다. 나는 마흔 살 때부터 매년 유방 엑스선 사진을 찍고 있다.

나는 유방암 조기 검진의 중요성에 대한 인식을 높이고 메디케어 대상 여성들이 유방 조영 촬영을 이용할 수 있도록 하기 위해 1995년 어머니날에 맞추어 '메디케어 유방 조영 촬영 인식 캠페인'을 시작했다. 메디케어가 유방 촬영비를 지급하는 중고령 여성들 가운데 실제로 검사를 받는 사람은 40퍼센트밖에 안되었다. 미국 여성 여덟 명 가운데 한 명이 유방암에 걸릴 것으로 예상되기 때문에, 조기 검진은 반드시 필요하다. 나는 법인 후원자들과 홍보 전문가들, 소비자 단체 대표들과 함께 중고령 여성들에게 유방 엑스선 촬영을 권장하고 조기 검진의 이점을 알려주기 위한 '마마-그램(Mama-gram)' 캠페인을 벌였다. 전국 캠페인에는 어머니날 카드에 정기적인 유방 엑스선 촬영의 중요성을 일깨워주는 문구를 삽입하고, 가게의 선전용 팜플렛과 식료품 봉지, 공공 서비스 요금 고지서에도 그 문구를 넣는 것이 포함되어 있었다. 그후 몇 년 동안 나는 더 많은 여성이 비용 부담 없이 해마다 유방 엑스선 촬영을 할 수 있도록 메디케어의 보장 범위를 확대하려고 애썼다. 나는 빌이 유방 조영 촬영의 안전과 질을 확보하기 위한 새로운 법령을 발표한 것이 기뻤다. 이런 노력들은 유방암 검진과 예방, 치료와 요양에 대한 연구 기금을 늘리려는 내 노력과 긴밀히 연결되어 있었다. 미국 우정공사가 유방암 우표를 발행하고 수입금의 일부를 유방암 연구에 돌리고 있는 것도 이런 노력의 일환이다.

내가 전국을 돌아다니면서 관심을 갖게 된 현안들 가운데 가장 괴롭고 가슴아팠던 것은 걸프전 증후군이었다. 1991년 '사막의 폭풍' 작전 때 페르시아 만에서 조국을 위해 싸운 수천 명의 남녀가 만성 피로와 위장 장애, 두드러기와 호흡기 질환 같은 다양한 질병에 시달리고 있었다. 나는 이런 질병 때문에 국내에서 일자리를 얻지 못하거나 가족을 부양할 수 없는 재향군인들한테서 좀처럼 잊을 수 없는 편지를 받았다. 허버트 스미스 대령이라는 퇴역 장교는 페르시아 만에 가기 전에는 건강하고 생산적인 생활을 하고 있었다. 그런데 '사막의 폭풍' 작전에 참가하는 동안 림프절이 붓고 두드러기와 피로, 관절통과 발열에 시달렸다. 페르시아 만에서 반년을 보낸 뒤 그는 귀국할 수밖에 없었다. 하지만 의사들은 진단을 내리지도 못했고 치료도 하지 못했다.

왜 병에 걸렸는지도 모른 채 하루하루 살아가는 고통이 벌써 몇 년째 계속되고 있다는 스미스 대령의 이야기를 들으면서 나는 가슴이 아팠다. 스미스 대령에게 질병의 고통보다 더 참기 힘든 것은 일부 군의관들의 의심이었다. 어떤 군의관은 스미스 대령이 장애 수당을 받기 위해 '제 피를 뽑아서' 빈혈증인 체 꾀병을 부린다고 비난했다. 스미스 대령은 뇌와 전정기관의 신경이 손상되어 신체에 심한 장애가 생겼고, 도저히 일을 계속할 수 없었다. 하지만 그의 탄원도 다른 재향군인들의 탄원도 받아들여지지 않았다.

나는 미군이 생화학 무기에 노출되었을 가능성이 있는지, 유전의 화재나 방사성 물질이나 그밖의 독소에 영향을 받았을 가능성이 있는지를 포함하여 걸프전 증후군을 포괄적으로 연구하라고 요구했다. 나는 정부가 이런 재향군인들의 요구에 어떻게 대응할 것인지, 앞으로 비슷한 문제가 생기는 것을 막기 위해서는 어떻게 해야 할 것인지를 결정하기 위해 국방부와 재향군인관리국과 보건후생부의 관리들을 만났다. 나는 또 이 문제를 검토할 대통령 직속 자문위원회를 구성하라고 빌에게 권했다.

나중에 빌은 병명을 알 수 없는 질환에 걸린 걸프전 참전 재향군인들에게 장애 수당을 지급하는 법률에 서명하고, 앞으로 미군 장병들을 보호하고 감독할 수 있는 더 나은 시스템을 확립하라고 재향군인관리국에 지시했다.

1995년 봄에는 이런 국내 문제가 백악관의 내 사무실을 차지했다. 그때 엄청난 비극이 일어나 전국민의 관심을 사로잡았다.

나에게 4월 19일은 여느 때와 다름없이 회의와 인터뷰로 시작되었다. 오전 11시쯤 '서쪽 거실'의 내가 좋아하는 의자에 앉아서 매기와 패티와 함께 일정을 검토하고 있을 때, 빌이 집무실에서 다급하게 전화를 걸어왔다. 오클라호마시티의 연방 정부 건물에서 폭발사고가 일어났다는 것이다. 우리 세 사람은 당장 부엌으로 가서 작은 텔레비전을 켰다. 사건 현장에서 전송된 최초의 끔찍한 사진들이 화면을 채우고 있었다.

그후 몇 시간 동안 우리는 폭탄 트럭이 건물 안에서 폭발하여 건물이 무너졌다는 것을 알았지만, 범인이 누구인지에 대해 확실한 정보를 가진 사람은 아무도 없었다. 빌은 당장 FEMA(연방재난관리국)와 FBI를 비롯한 정부 요원들을 오클라호마시티로 보내 비상사태를 처리하고 조사를 지휘하게 했다. 연방 정부 건물이 파괴되었기 때문에 많은 필수 인력이 죽거나 다쳤다. 그날 죽은 다섯 명의 비밀검찰국 직원 중에는 7개월 전에 오클라호마로 전속되어 백악관을 떠난 경호원도 한 명 끼어 있었다. 폭발사고로 죽은 168명의 무고한 사람들 중에는 아이들도 19명이나 포함되어 있었다. 이들은 대부분 건물 2층에 있는 탁아소에 맡겨져 있던 아이들이었다.

오클라호마시티에서 보내온 영상은 당혹스러울 만큼 친숙했다. 비통한 표정의 소방관이 헝겊인형처럼 축 늘어진 소녀를 연기 나는 건물 잔해에서 안고 나온다. 겁에 질린 사무실 직원이 들것에 실려 나온다. 배경의 친숙함과 사상자 수는 이전까지의 다른 잔학 행위와는 달리 이 비극이 미국에서 일어났다는 사실을 실감하게 했다.

우리는 반정부 활동가들에게 공격당하는 '관료들' 이 우리의 이웃이나 친구나 친척일 수도 있다는 사실, 그들도 생명을 갖고 있고 그 생명을 잃을 수도 있다는 사실을 새삼 깨달았다.

사람들에게 무엇보다 필요한 것은 폭탄에 대한 정보였고, 그 다음은 사람들을 또 다른 공격으로부터 보호하기 위해 가능한 모든 조치를 취하고 있다는 보증이었다. 나는 특히 탁아소에서 폭발사고가 일어난 것을 알고 자기가 다니는 학교도 위험할지 모른다고 두려워할 아이들이 걱정되었다. 우리는 첼시에게 어떻게 하면 아이들을 안심시켜줄 수 있을 것인지에 대해 조언을 구했다.

폭발사고가 일어난 지 며칠 뒤인 토요일에 빌과 나는 오클라호마에서 공격당한 건물과 같은 연방 정부 사무소에서 일하는 연방 공무원의 자녀들과 대화를 나누었고, 이것은 텔레비전과 라디오로 방송되었다. 우리는 부모로서 그런 끔찍한 비극에 대한 불안을 터놓고 이야기하는 것이 중요하다고 생각했다.

"이렇게 끔찍한 일 때문에 여러분이 놀라고 겁에 질리는 것은 당연합니다." 빌은 집무실 바닥에 앉아 있는 아이들에게 말했다. 아이들의 부모는 가까운 곳에 서 있었다.

"부모님이…… 여러분을 사랑한다는 것, 여러분을 보살피고 보호하기 위해 힘닿는 데까지 최선을 다하리라는 것을 여러분에게 알려주고 싶군요." 내가 말했다. "세상에는 나쁜 사람보다 좋은 사람이 훨씬 더 많아요."

빌은 범인을 잡아서 벌을 주겠다고 아이들에게 말했다. 그런 다음 그 사건에 대한 생각을 말해달라고 요구했다.

"그건 비열한 짓이에요." 한 아이가 말했다.

"죽은 사람들이 불쌍해요." 또 한 아이가 말했다.

한 아이의 질문이 내 가슴을 찢었다. "아이들은 아무 짓도 안했는데, 도대체 왜 아이들한테 그런 짓을 한 걸까요?" 나는 이 질문에 대답할 수가 없었다.

온 국민이 빌을 나와 같은 눈으로 보고 있었다. 빌은 어려운 시기에 사람들을 단결시키고 남들과 진심으로 공감할 수 있는 능력을 가진 사람이다. 우리는 이튿날 희생자 유가족을 방문하고 기도회에 참석하러 떠나기 전에 백악관 '남쪽 잔디밭'에 희생자들을 추모하는 층층나무 한 그루를 심었다. 빌과 나는 많은 희생자와 그들의 가족을 비공개적으로 만난 뒤, 대규모 추모 예배에 참석했다. 이 자리에서 빌과 빌리 그레이엄 목사는 고통스러워하는 국민의 치유를 돕기 위한 연설을 했다. 나는 빌이 흐느끼는 유가족을 끌어안거나 비탄에 빠진 친구들과 이야기를 나누거나 죽어가는 환자들을 위로하는 것을 볼 때마다 그에 대한 사랑이 새삼 솟아나곤 했다. 빌의 동정심은 관심과 감정의 깊은 우물에서 우러나온다. 그가 고통스러워하는 사람들에게 언제든지 손을 내밀 수 있는 것도 그 때문이다.

우리가 오클라호마시티에 도착했을 때쯤에는 호전적인 반정부 단체와 연결되어 있는 티모시 맥베이라는 자가 이미 용의자로 체포되어 있었다. 미국을 경멸하게 된 티모시 맥베이는 4월 19일이 어린이를 포함한 다윗파 광신도 80여 명의 목숨을 앗아간 웨이코 화재사건 기념일이었기 때문에 미국을 공격하는 날로 잡았다. 맥베이 일당은 극우파 중에서도 가장 폭력적인 분자였고, 양식있는 미국인이라면 누구나 그들의 행동에 넌더리를 냈다. 우익의 라디오 토크쇼와 웹사이트는 편협함과 분노와 반정부 편집증으로 적대적 분위기를 더한층 강화했지만, 오클라호마시티 폭탄 테러 사건은 민병대 운동을 위축시키고 공중파 방송에서 가장 증오심에 찬 자들을 사회 변두리로 밀어내는 것 같았다.

빌은 5월 초에 미시간 주립대학 졸업식 연설에서 남의 마음에 증오심을 심는 선동자와 반정부 활동가들을 강력하게 비난했다. "조국을 미워하거나, 조국을 사랑하지만 정부를 싫어할 수는 있다고 주장하는 것은 결코 애국이 아닙니다."

전국이 오클라호마시티 비극에 대처하고 있는 동안에도 특별검사 사무소는 쉬지 않았다. 4월 22일 토요일, 우리가 대통령 집무실에서 어린이들을 만난 뒤, 케네스 스타를 비롯한 특검팀이 나와 대통령의 진술을 받으러 백악관에 왔다. 나는 지난해 로버트 피스크 특별검사가 교체되기 전에 그를 면담한 적이 있었지만, 스타 특검팀을 만나는 것은 이번이 처음이었다. 데이비드 켄들과 나는 면담 준비를 결코 가볍게 생각하지 않았다. 데이비드는 특검팀이 내 입에서 나오는 모든 말을 세밀히 분석하리라는 것을 알고 있었기 때문에, 아무리 바빠도 어떻게든 짬을 내어 예습을 해야 한다고 주장했다. 그래서 우리는 자주 밤늦게 회의를 하고, 데이비드가 커다란 검정 바인더에 넣어 가져온 정보를 소화하느라 몇 시간씩 서류를 읽어야 했다. 나는 검정 바인더를 보는 것조차 싫어하게 되었다. 바인더를 보면, 선서한 상태에서 내가 조금이라도 말을 잘못했을 경우 법적으로 내 발목을 낚아채는 데 이용될 수 있는 온갖 자질구레한 사실들이 생각났기 때문이다.

빌은 특검팀을 면담하러 본관 2층에 있는 대통령 서재인 '트리티 룸'으로 갔다. 백악관 대리인은 하원의원과 연방 판사를 거쳐 이제 백악관 법률 고문이 된 애브너 미크바와 노련한 소송 전문 변호사인 제인 셔번이었다. 제인 셔번은 법률회사 업무를 중단하고 특검 조사와 관련된 법적인 문제를 다루고 있었다. 우리의 개인 변호사인 데이비드 켄들과 그의 파트너인 니콜 셀리그먼도 합류했다. 데이비드와 니콜은 내가 아는 사람 가운데 가장 빈틈없고 세심한 사람들이었다. 스타와 세 명의 보좌관으로 이루어진 특검팀은 우리가 면담을 위해 들여놓은 길쭉한 회의용 탁자 한쪽에 나란히 앉았고, 우리는 맞은편에 앉았다.

면담을 끝내고 나온 빌은 스타가 부드럽게 대해주었다고 말했다. 그리고 놀랍게도 스타 일행에게 옆방인 '링컨 침실'을 구경시켜주라고 제인 서번에게 부탁했다. 나는 성격상 남편만큼 관대해질 준비가 되어 있지 않았다. 이것은 스타를 다루는 빌의 방식과 내 방식의 차이를 드러낸 첫 사례일 뿐이었다. 우리는 둘 다 태풍의 눈 속에 있었지만, 빌은 순조롭게 항해를 계속하고 있는데 나 혼자 강풍에 시달리고 있는 것 같았다. 우리 생활을 샅샅이 뒤지고, 20년 동안 우리가 발행한 수표를 빠짐없이 조사하고, 뚜렷한 이유도 없이 우리 친구들을 괴롭히고 있는 당파주의적 공화당 강경파의 발상이 나를 격분시켰다.

뉴욕 출신 공화당 상원의원이자 상원 금융위원회 위원장인 앨 다마토가 화이트워터에 관한 청문회를 연 것은 공화당이 새로운 전장을 개발했다는 뜻이었다. 그후 나는 다마토 상원의원과 화해했고, 다마토 의원은 이제 내 선거구인 뉴욕에서 가장 중요한 유권자의 한 사람이지만, 다마토 의원을 비롯한 공화당 상원의원들과 그 참모들이 주재한 청문회는 무고한 사람들에게 감정적으로나 금전적으로 커다란 손실을 주었다.

피스크는 빈스 포스터의 죽음을 화이트워터와는 무관한 자살로 결론지었지만, 다마토는 빈스의 죽음에 고착되어 있는 듯했다. 그는 전·현직 백악관 보좌관들을 줄줄이 카메라 앞에다 끌어내어 그 슬픈 사건에 대해 신문했다. 평소에는 침착하고 당찬 매기 윌리엄스도 빈스 포스터의 죽음에 관해 무자비하게 질문하는 데에는 그만 울음을 터뜨리고 말았다. 매기가 몇 번이고 청문회장에 나가 질책과 추궁을 당하는 것은 차마 지켜볼 수가 없었다. 게다가 매기의 변호사 비용도 나날이 늘어나고 있었다.

다마토는 내 친구 수잔 토머시즈가 그의 질문에 답변하려고 애쓰는데도 수잔을 거짓말쟁이라고 비난해댔다. 수잔은 수십 년 동안 다발성

경화증과 싸우고 있었기 때문에 기억력이 많이 떨어져 있었다. 그래도 수잔은 고압적인 질문에 답변하려고 최선을 다했다. 나는 수잔을 위로할 수 없었다. 수잔만이 아니라 이 악몽에 말려든 사람은 누구도 위로해줄 수 없었다. 조사자들이 질문한 문제에 대해 내가 누군가와 이야기하면 결탁이나 입맞추기로 간주될 수도 있었기 때문이다. 그들이 청문회에서 나와 대화를 가졌느냐는 추궁을 받았을 때 "예"라는 답변이 나올 수 있는 상황은 절대로 피해야 했다.

친구와 동료들을 변호하지도 못하고, 그들이 견디고 있는 부당한 처사에 대해 그들과 이야기도 못한 채 방관자처럼 옆에서 지켜보기만 하는 것은 내 평생 가장 힘들고 고통스러운 일이었다. 게다가 상황은 좋아지기는커녕 오히려 더욱 나빠지고 있었다.

나와 참모들은 네브래스카 주 사우스수 시티에서 온 일곱 살짜리 라이언 무어에게 감동하여, '힐러리랜드' 사무실 벽에 라이언의 대형 사진을 걸어두었다. 우리는 부모의 경제력이나 보험 가입 여부와 관계없이 모든 어린이에게 필요한 의료 서비스를 보장해줄 개혁안을 만들고 싶었다.

(위)나는 의료 개혁에 대한 대중의 관심을 모으기 위해 전국을 돌아다니며 급등하는 의료비와 불공평한 진료와 관료적 관행에 대한 사람들의 이야기에 귀를 기울였다. 레이건 대통령 시절 공중보건국장을 지낸 쿠프 박사의 도움을 얻은 것은 큰 행운이었다. 쿠프 박사는 의료 개혁의 필요성에 대해 확고한 진실을 전달했다.
(아래)1993년 9월 28일, 사상 처음으로 퍼스트 레이디가 정부의 주요 입법안에 대한 주요 증인으로 국회에 출석했다. 나는 증언을 통해 의료 문제의 인간적 차원을 전달하고 싶었다.

(위)제임스 카빌은 미국 정계에서 가장 뛰어난 전술적 마인드를 갖고 있다. 게다가 그는 정말로 나를 웃게 만들 수 있다.
(아래)1994년도 '그리다이언 만찬'에서 우리는 개혁에 반대하는 보험회사들의 텔레비전 광고를 패러디하기로 결정했다. 빌이 '해리' 역을 맡고 나는 '루이즈' 역을 맡았다. 우리는 앨 프랭큰과 맨디 그룬월드의 도움을 얻어 상대의 '겁주기 전술'을 폭로했다. 무척 재미있는 경험이었다.

(위)1960년대 초에 '인종차별 철폐'의 메시지를 퍼뜨리기 위해 버스를 타고 남부 지방을 가로지른 '프리덤 라이더스'에서 영감을 얻어, 의료 개혁 지지자들은 1994년 여름에 전국 버스 투어를 조직했다. 시애틀에서 경호원들은 내 신변이 정말로 위험하다고 우려했다.
(아래) '의료보장 익스프레스'를 탄 개혁 지지자들은 백악관 '남쪽 잔디밭'에서 열린 행사에서 자신들의 이야기를 들려주었다. 나는 빌이 그날 오후에 그랬듯이 남의 고통을 자신의 고통으로 받아들이는 것을 볼 때마다 다시 한번 빌에게 반하곤 했다.

'힐러리랜드' 주민들이 나의 46세 생일을 축하하기 위해 백악관에서 깜짝 파티를 열었다. 나는 검은 가발을 쓰고 속에 버팀살대를 넣은 후프 스커트를 입고 내가 존경하는 퍼스트 레이디인 돌리 매디슨으로 변신했다(위). 나중에 열린 파티에서는 또 다른 돌리-돌리 파턴-를 흉내냈고, 1950년대를 주제로 한 파티에서는 머리를 뒤에서 묶어 늘어뜨렸다.

(위)시어머니인 버지니아 캐시디 블라이스 클린턴 드와이어 켈리와 함께 시간을 보내는 즐거움을 누려본 사람이라면 누구나 버지니아가 타고난 미국인-도량이 넓고, 명랑하고, 장난을 좋아하고, 편견이나 가식이 전혀 없는-이라는 것을 알고 있었다. 버지니아와 나는 서로의 차이를 존중하게 되었고, 따뜻하고 다정한 관계를 맺었다. 하지만 그렇게 되기까지는 시간이 걸렸다.
(아래)캠프 데이비드는 우리가 긴장을 풀고 쉴 수 있는 몇 안되는 장소 가운데 하나였다. 언젠가 아칸소 주지사 관저의 부엌에서도 요리사인 라이자 애슐리와 딕 켈리와 함께 느긋한 한때를 보냈다.

빌의 동생 로저가 휴가를 보내기 위해 대통령 별장인 캠프 데이비드를 찾아왔다. 로저의 아들 타일러와 내 남동생 토니의 아들 재커리는 좋은 놀이 동무였다. 내 남동생 휴와 그의 아내 마리아는 자주 가족 모임에 참석했다.

(위)오랜 친구이자 정치 전문가인 해럴드 아이크스(왼쪽)는 비서실 차장으로 정부에 합류했다. 며칠도 지나기 전에 그는 '화이트워터 대책팀'을 조직하는 일을 맡게 되었다. 나중에 그는 내 상원의원 출마에 대해 조언해주었다. 내가 출마를 결심하자 마크 펜(오른쪽)은 내 여론조사를 맡아 빌의 선거운동에 참여했을 때처럼 헌신적인 우정으로 유익한 조언을 해주었다.
(아래)화이트워터는 우리 생활에 대한 끝없는 조사를 상징하게 되었다. 특별검사의 수사에만 국민들이 낸 귀중한 세금이 7천만 달러나 지출되었고, 많은 무고한 사람들의 생활을 어지럽혔다. 우리 변호사인 데이비드 켄들은 사무 변호사인 체릴 밀스와 니콜 셀리그먼과 함께 하늘이 보내준 귀중한 선물이었다.

(위 왼쪽)절친한 친구인 변호사 보브 바넷은 좋을 때나 궂을 때나 늘 변함없이 우리에게 귀중한 조언을 해주었다.
(위 오른쪽)시드 블루멘털은 나중에 영국 총리가 된 토니 블레어 내외와 우리가 정치적 동맹자만이 아니라 개인적인 동지가 될 수도 있다는 것을 알고, 나에게 토니 블레어를 소개해주었다.
(아래 왼쪽)1994년 4월 말에는 이미 언론이 화이트워터와 선물거래에 대해 문제를 제기하고 있었다. 나는 그들이 원하는 대답을 제공할 때가 되었다고 판단했다. 그날 아침 나는 별 생각 없이 마음 내키는 대로 옷을 골랐지만, 68분 동안 계속된 '제4부(언론)'와의 만남은 역사에 '핑크빛 기자회견'으로 기록되었다.
(아래 오른쪽) '힐러리랜드'의 자원봉사자인 필리스 파인슈리버는 내가 쓴『아이 하나를 키우려면 마을 전체가 필요하다』의 표지를 수놓은 쿠션을 선물했다. 나는 100만 달러에 이르는 이 책의 수익금을 모두 아동자선단체에 기부했다.

(위)라빈 이스라엘 총리는 강한 분위기를 자아냈다. 빌은 라빈 총리를 친구로, 심지어는 아버지 같은 존재로 여기기까지 했다. 라빈 총리의 아내 레아는 활력과 지성을 발산했다.
(아래)일본의 아키히토 왕과 미치코 왕비가 백악관에 도착했다. 일본 왕비는 내가 만난 가장 매력적인 여성 가운데 하나였다.

(위)생존해 있는 일곱 명의 퍼스트 레이디 가운데 여섯 명이 미국 식물원 개원식에 참석하기 위해 모였다. 재키 케네디가 참석하지 않은 것은 이 행사에 짙은 그림자를 던졌다. 재키는 다음 달 세상을 떠났다.
(아래 왼쪽)나는 공식 만찬회에서 러시아의 옐친 대통령을 처음 만났다. 옐친은 요리 이야기를 청산유수로 늘어놓으면서, 적포도주가 핵잠수함을 타는 러시아 해군 병사들을 스트론튬 90의 해로운 영향에서 보호해준다고 말했다.
(아래 오른쪽)넬슨 만델라는 그의 인생 역정을 읽은 첼시와 특별한 유대를 맺었다. 우리가 1997년에 남아프리카공화국으로 만델라를 방문했을 때, 그는 자신이 갇혀 있었던 로벤 섬의 감방을 보여주었고, 자기를 투옥한 사람들을 용서했다고 말했다. 나는 워싱턴의 정치적 대립에 몰두해 있었지만, 만델라의 말은 내가 받은 축복을 생각하라고 일깨워주었다.

(위)끝없는 수사로 대통령직 수행의 토대가 흔들리고 있을 때에도 빌은 계속 국정 운영에 전념했다. 1994년에 헬무트 콜 독일 총리는 빌이 1996년에 재선에 성공할 거라고 예언했다. 그것은 당시 미국에서는 소수 의견이었기 때문에 나는 콜 총리의 확신에 놀라지 않을 수 없었다. 그리고 그의 뛰어난 유머 감각도 나를 놀라게 했다.
(아래)제4차 유엔 세계여성회의가 1995년에 중국 베이징에서 열렸다. 나는 미국 대표단의 명예단장으로 참석했다. 그 회의에서 내가 한 연설은 '여권은 인권' 임을 분명히 했다. 내 연설에는 많은 것-미국과 세계여성회의, 전세계 여성들과 나-이 걸려 있었다.

(위)뉴트 깅리치는 라빈 이스라엘 총리의 장례식에 참석하고 돌아오는 대통령 전용기에서 빌의 냉대를 받았다고 불평했다. 빌과 깅리치, 그리고 당시 상원의 다수당 원내총무였던 보브 돌 의원이 함께 찍은 이 사진은 깅리치의 말이 거짓말이라는 것을 입증했다.
(아래)중간선거에 참패한 뒤 몇 주일은 8년 동안의 백악관 생활에서 가장 힘든 시기였다. 나는 사람들이 "힐러리 탓이야. 힐러리가 의료 개혁을 망쳤기 때문에 우리가 선거에서 진 거야" 하고 말한다는 것을 알고 있었다. 오래 전부터 엘리너 루스벨트의 팬이었던 나는 가까운 친구가 만들어준 이미지의 도움으로 다시 한번 엘리너에게서 영감을 얻으려 했다.

국무부가 나를 남아시아로 파견했을 때, 나는 가정과 지역사회와 국가의 번영에 필요한 존재로서 여성을 주목해야 한다고 강조했다. 첼시의 존재는 딸의 가치를 상징했고, 나는 첼시가 소녀로서 마지막 경험이 될 모험을 함께 나누고 싶었다. 인도의 아마다바드에서는 엘라 바트를 방문했고(위), 방글라데시에서는 무하마드 유누스 박사를 방문했다(아래).

Photo Credit: India's Park Service

파키스탄에서는 베나지르 부토를 방문했다(위). 네팔에서는 코끼리를 타는 환상적인 경험을 했다(아래).

(위)빌이 대통령직에 있었던 8년 동안 우리가 방문한 곳 가운데 아일랜드보다 감동적이고 고무적인 곳은 없었다. 나는 생선튀김과 감자튀김을 파는 레스토랑에서 차를 마시며 평화운동가인 조이스 매카턴(오른쪽)과 대화를 나누었다. 조이스는 이렇게 말했다. "남자들을 정신차리게 하려면 여자들이 나서야 합니다."
(아래)빌과 나는 프랑스의 자크 시라크 대통령과 정치적으로 상당한 의견 차이가 있었지만, 그래도 시라크 대통령 부부와 우리는 바람직한 협력 관계를 유지했다. 베르나데트 시라크는 내가 아는 영부인 가운데 혼자 힘으로 선거에서 뽑힌 유일한 여성이었다. 나는 베르나데트가 스스로 개척한 독자적인 역할에 마음이 끌렸다.

# 여권은 인권이다

중국에서 반체제 인사가 체포되는 것은 드문 일이 아니니까, 해리 우(吳弘達)가 투옥된 사건도 미국 언론의 관심을 끌지 못한 채 지나갔을지 모른다. 그러나 중국은 제4차 유엔 세계여성회의 개최국으로 선정되었고, 나는 미국 대표단의 명예 단장으로 참석할 예정이었다. 해리 우는 중국의 강제수용소에 19년 동안 정치범으로 수용되어 있다가 미국으로 이주한 인권 운동가인데, 카자흐스탄을 통해 중국 신장 자치구에 들어갔다가 1995년 6월 19일 중국 당국에 체포되었다.

해리 우는 유효한 중국 입국 비자를 가지고 있었음에도 간첩 혐의로 체포되어 재판을 받게 되었다. 하룻밤 사이에 해리 우는 유명인사가 되었고, 인권단체와 중국계 미국인 사회 활동가들이 세계여성회의를 보이콧하라고 요구하면서 미국의 세계여성회의 참가가 불투명해졌다. 나는 그들의 주장에 공감했지만, 또다시 여성들의 중요한 관심사가 희생될지도 모른다는 데 실망했다.

일반적으로 정부(미국 정부를 포함하여)는 외교 정책을 대부분의 조약과 협정 및 협상의 주제인 외교 · 군사 · 교역 문제로 제한하고 있다.

여성의 건강, 소녀 교육, 여성의 법적 · 정치적 권리, 여성의 경제적 소외 같은 문제가 외교 정책으로 논의되는 경우는 극히 드물다. 하지만 새로운 지구촌 경제에서 여성 인구의 대다수가 가난하고 교육받지 못하고 건강하지 못하고 권리를 누리지 못하는 상태로 남아 있는 나라와 지역이 경제성장이나 사회 발전을 이룩하기 어려운 것은 분명했다.

유엔 여성회의는 많은 나라가 모자 보건, 소액 대출, 가정 폭력, 소녀 교육, 가족계획, 여성 참정권 · 재산권 · 법적 권리 같은 문제를 논의할 중요한 토론장을 제공해줄 것으로 기대되었다. 여성회의는 또한 전세계 여성들이 모여서 토론하고 자국에서 앞으로 벌일 활동에 대한 전략과 정보를 교환할 수 있는 소중한 기회가 될 터였다. 나는 대개 5년에 한 번씩 열리는 여성회의에 참석하여, 미국이 국제 정책에서 여성의 요구와 권리에 깊은 관심을 가지고 있다는 것을 알리고 싶었다.

나는 미국에서 25년 동안 여성과 아동을 위해 일해왔고, 미국 여성들은 경제적 · 정치적으로 많은 것을 얻었지만 세계의 대다수 여성들은 그렇지 못했다. 하지만 언론의 관심을 끌 수 있는 사람들 가운데 큰 소리로 여성을 옹호하고 있는 사람은 거의 없었다.

해리 우가 체포되었을 때 나와 참모들은 여성회의 준비에 몰두해 있었다. 하지만 국회에서는 미국이 여성회의에 참가하면 안된다고 생각하는 평소의 요주의 인물들이 벌써 불평을 늘어놓고 있었다. 특히 제시 헬름스 상원의원과 필 그램 상원의원은 여성회의가 "반가족주의와 반미감정의 난장판 축제 같은 양상을 띠게 될 것"이라고 주장했다. 일부 의원들은 유엔이 후원하는 모든 행사에 회의적이었고, 여성 문제에 초점을 맞춘 회의에 대해서도 똑같이 부정적인 태도를 보였다. 여성의 권리에 반대하는 일부 이슬람 국가들은 여성회의가 여권을 촉진하는 국제 무대가 될 것을 염려했다. 낙태 문제에 큰 목소리를 내고 있는 교황청은 이런 이슬람 국가들과 힘을 합쳤다. 중국 정부가 모성 건강과 여성의 재산권, 소액 대출을 비롯한 수많은 문제를 옹호하는 비정부기구(NGO)를 공식 회의에서 배제할 수 있다는 뜻을 밝혔기 때문에, 미국의 정치적 좌파 중에도 미국의 참가를 못마땅하게 여기는 이들이 있었다. 티베트의 활동가들을 비롯해서 중국 입국 비자를 받는 데 어려움을 겪는 사람도 많았다. 게다가 회의 개최국인 중국의 우울한 인권 상황과 인구 억제 수단으로 강제 낙태를 서슴지 않는 야만적인 '한 가정 한 자녀 정책'에 대한 불쾌감도 널리 퍼져 있었다. 물론 나도 거기에 공감했다.

나는 정치 성향에 따른 각양각색의 우려를 민감하게 받아들여, 멜라니 버비어와 대통령 참모진과 함께 베이징에 갈 대표단을 구성했다. 빌은 전직 뉴저지 주지사인 공화당의 톰 킨, 뉴로셸 대학 학장인 도로시 앤 켈리 수녀, 이슬람 여성연맹 부회장인 라일라 알-마라야티 박사를 포함하여 미국을 대표할 수 있는 다양한 경력자를 임명했다. 당시 유엔 주재 미국 대사였던 매들린 올브라이트가 대표단의 공식 단장이었다.

유엔과 각국 대표들이 모여 몇 달 동안 회의를 하고 전략을 짰는데, 해리 우가 투옥된 뒤 그것도 모두 유보 상태에 들어갔다. 그후 6주 동안 미국이 여성회의에 대표단을 보내야 하느냐, 내가 대표단에 끼어야 하느냐에 대한 논란은 결코 부족하지 않았다. 특히 나를 괴롭힌 것은 해리 우의 부인이 개인적으로 보내온 편지였다. 우 부인은 남편의 운명을 걱정하면서, 내가 회의에 참석하면 "해리의 석방을 위해 압력을 넣겠다는 미국의 의지에 대해 베이징의 지도층에 잘못된 신호를 보내게 될 것"이라고 생각했다.

그것은 나만이 아니라 백악관과 국무부의 관심사이기도 했다. 나는 중국 정부가 여성회의를 홍보 수단으로 이용하여 전세계에서 중국의 이미지를 높이고 싶어한다는 것을 알고 있었다. 내가 중국에 가면 중국의 이미지가 좋아지도록 도와주는 결과가 될 것이다. 내가 참가를 거부하면 중국 지도층에 대한 나쁜 평판을 촉발하게 될 것이다. 해리 우의 투옥과 나의 참가 여부가 긴밀하게 맞물려 있어서 우리는 외교적 딜레마에 빠져 있었다. 미국 정부는 해리 우가 석방되지 않으면 내가 회의에 참가하지 않을 것이라는 입장을 공식적 · 비공식적으로 계속 밝히고 있었다. 의견 차이가 더욱 첨예해지고 해결이 불가능해 보이자 나는 개인 자격으로 회의에 참가하는 문제를 검토했다.

미국과 중국의 전반적인 관계도 그에 못지않게 중대한 관심사였다. 이 때문에 결정을 내리기가 더욱 어려웠다. 대만 문제, 핵무기 확산, 중국이 파키스탄에 M-11 미사일을 파는 문제, 현재 진행되고 있는 인권 탄압 등에 대한 견해 차이로 가뜩이나 미국과 중국 사이에 긴장이 고조되고 있었다. 8월 중순에 중국 인민해방군이 대만 해협에서 군사 훈련으로 시위를 벌인 것이 양국 관계를 더욱 악화시켰다.

여성회의가 한 달도 남지 않았을 때 중국 정부는 더 이상 나쁜 평판을 불러일으킬 수 없다고 판단한 게 분명했다. 8월 24일 우한(武漢)에서 열린 엉터리 재판에서 중국 법원은 해리 우에게 간첩죄로 15년형을 선고하고 국외로 추방했다. 일부 시사해설자와 해리 우는 미국이 중국과 정치적 거래—내가 여성회의에 참석하고 개최국 정부에 대한 비판적 발언을 삼가기로 동의한다면 해리 우를 석방하겠다—를 했다고 확신했다. 확실히 외교적으로 미묘한 순간이었지만, 미국 정부와 중국 사이에는 어떤 거래도 없었다. 해리 우 사건이 해결되자 백악관과 국무부는 내가 중국에 가야 한다고 결정했다.

캘리포니아의 집으로 돌아온 해리 우는 내 참가가 중국의 인권 상황에 대한 암묵적 승인으로 해석될 수 있다면서 내 결정을 비판했다. 그의 대변자인 여성 하원의원 낸시 펠로시는 나에게 전화를 걸어, 내가 베이징 여성회의에 참가하면 중국인들의 홍보가 대성공을 거둘 거라고 말했다. 빌과 나는 와이오밍 주 잭슨홀에서 휴가를 보내면서 오랫동안 찬반 양론을 토론했다. 빌은 해리 우가 석방된 이상 중국인들의 안방에서 인권 문제를 거론하여 그들과 직접 대결하는 것이 상책이라는 내 견해를 지지했다. 와이오밍 주에서 여성에게 투표권을 확대한 미국의 헌법 수정 75주년을 기념하는 행사가 열렸을 때, 빌은 이 문제의 뇌관을 제거하고 미국이 여성회의에 참가하는 것이 여성의 권리를 위해 중요하다고 주장했다. 빌의 메시지는 "여성회의는 여성의 지위를 더욱 향상시킬 계획을 세울 수 있는 중요한 기회"라는 것이었다.

8월 말쯤에는 티턴 산맥에서 보낸 여름 휴가도 끝나가고 있었다. 우리는 제이 록펠러 상원의원과 그의 아내 샤론의 집에 머물렀다. 웨스턴 양식의 쾌적한 그 집에서 나는 빌과 첼시가 미국에서 가장 웅장한 곳을 하이킹하거나 말을 타러 나가는 것을 부러운 듯 바라보면서 책을 쓰는 일에 대부분의 시간을 바쳤다. 콜로라도 주 남부에서 5주 동안 극기 훈련 캠프에 참가하여 야외 생활에 필요한 갖가지 기술을 배우고 온 첼시는 캠핑을 가자고 우리를 졸라댔다. 나는 대학 시절 이후로는 야영을 한 적이 없었고, 빌은 나와 함께 차를 몰고 미국을 횡단하다가 요세미티 국립공원에서 하룻밤을 차 안에서 보낸 것을 셈에 넣지 않는다면 평생 단 한 번도 야영을 한 적이 없었다. 우리는 야영하고픈 의지와 용기는 있었지만, 뭘 어떻게 해야 할지 아무것도 몰랐다. 우리가 그랜드티턴 국립공원의 외딴 곳에서 하이킹과 캠핑을 하고 싶다고 경호실에 말하자, 그들은 요원들을 혹사하기 시작했다. 우리가 캠핑 장소에 도착했을 때쯤에는 주위에 말뚝이 박혀 있었고, 경호원들이 야간에도 볼 수 있는 적외선 안경을 쓰고 주위를 순찰하고 있었다. 첼시는 "불편한 곳에서 원시적인 생활을 하겠다"는 우리 계획을 우습게 여겼다. 나무 바닥에 에어 매트리스를 깐 텐트에서 자려고 했다니!

우리는 와이오밍을 떠나 하와이로 갔다. 빌은 1995년 9월 2일 하와이의 진주만과 태평양 국립묘지에서 열린 대일(對日) 승전 50주년 기념식에 참석하여 연설했다. 사화산 분화구 한복판에 자리잡고 있어서 펀치볼이라는 이름으로 더 잘 알려진 국립묘지에는 제2차 세계대전 때 진주만을 포함한 태평양 전역에서 목숨을 잃었거나 나중에 한국과 베트남에서 전사한 3만 3천여 명의 장병이 묻혀 있다. 그 국립묘지에서 제2차 세계대전에 참전한 수천 명의 재향군인과 그 가족들이 기념식을 거행하는 엄숙한 광경은 우리의 자유를 지키기 위해 얼마나 많은 희생이 치러졌는지를 새삼 상기시켜주었다.

우리는 카네오헤 해군기지에 있는 작은 집에서 묵었다. 나는 밤새 자지 않고 책을 쓰거나 베이징에서 연설할 원고를 손질했다. 해리 우 사건의 행복한 부산물 가운데 하나는 그 사건 덕분에 유엔 세계여성회의가 널리 알려졌다는 것이었다. 이제 베이징에 모든 사람의 이목이 집중되었고, 나는 그 이목이 나에게도 쏠리리라는 것을 알고 있었다. 나와 참모들은 연설을 통해 인권에 대한 미국의 입장을 강력하게 옹호하고 여성의 권리에 대한 일반적 인식을 확대하려고 애썼다. 나는 낙태를 강요하고 언론과 집회의 자유를 억압하는 중국 정부의 인권 탄압을 비난할 작정이었다. 나는 곧 공군기를 타고 베이징까지 14시간에 이르는 비행을 시작했지만, 내가 좋아하는 길동무는 동행하지 못했다. 첼시는 학교 때문에 아빠와 함께 워싱턴으로 돌아가야 했다.

비행기에서 저녁을 먹은 뒤 객실의 불이 꺼졌다. 비행기가 태평양을 횡단하는 동안 승객들은 대부분 잠을 자려고 담요를 뒤집어쓰고 몸을 웅크렸다. 하지만 연설문 작성팀은 아직 할 일이 남아 있었다. 우리는 원고를 쉰 번도 넘게 고쳐 썼지만, 호놀룰루에서 우리와 합류한 외교 정책 전문가들에게 원고를 보여줄 필요가 있었다. 전에 중국 주재 대사를 지냈고 빌의 행정부에서 국무부 동아시아 · 태평양 담당 차관보로 임명된 윈스턴 로드, 국가안전보장회의의 인권 문제 전문가인 에릭 슈워츠, 유엔 대사 매들린 올브라이트는 희미한 불이 켜진 작업대에 모여서 연설 원고를 검토하는 데 열중했다. 그들의 임무는 부정확한 점이나 부주의한 외교적 결례를 잡아내는 것이었다. 지금까지 일어난 일들을 고려할 때, 이 연설문에 한마디라도 잘못된 낱말이 들어가 있으면 외교 분쟁이 일어날 수도 있었다. 그들의 검열이 중요하다는 것은 알고 있었지만, 나는 전문가들이 개입할 때는 항상 경계심을 늦추지 않았다. 그들은 미묘한 뉘앙스가 담긴 외교적 각인을 원고에 남기고 싶어하기 때문에 훌륭한 연설을 두루뭉술한 잡탕죽으로 망쳐놓기 일쑤다. 하지만 이번 경우에는 그렇지 않았다.

"연설을 통해서 뭘 이루고 싶으세요?" 매들린은 미리 나에게 물었다.

"여성을 위해 최대한 껍질을 깨고 싶어요."

매들린과 윈스턴과 에릭은 인권을 규정한 부분을 강화하고 최근에 오스트리아 빈에서 열린 세계인권회의의 선언을 언급하라고 권했다. 그들은 또한 전쟁이 여성에게 미치는 영향—특히 전술의 일환으로 강간이 엄청나게 확산되고, 폭력 충돌로 말미암아 여성 난민이 급증하고 있는 현실—을 다룬 부분을 보강하라고 제의했다. 그들은 연설의 힘이 간결함과 감동에 있다는 사실을 이해하고 있었다. 이것이 무엇보다 가장 중요한 점이었다. 그들은 내가 말썽에 휘말리지 않고 주제넘게 나서지 않도록 조심했다.

위스콘신 출신 변호사로 선발대장을 맡은 브래디 윌리엄슨은 날마다 중국 관리들에게 질문을 받았다. 그들은 내가 연설에서 무슨 말을 할 작정인지 알고 싶어했다. 그들은 내가 여성회의에 참석하는 것은 환영하지만 내 연설 때문에 곤란한 처지에 빠지고 싶지는 않다는 점을 분명히 했고, 내가 "중국의 환대 정신을 올바로 인식해주기"를 기대하고 있었다.

이런 여행에서는 잠이 보약이다. 우리는 잠을 충분히 잔 적이 드물었고, 눈꺼풀이 저절로 내려오고 고개를 꾸벅거리는 상태로 회의나 만찬 같은 행사에 참석하는 데 익숙해져 있었다. 외국인 관광객을 위한 베이징의 최고급 시설인 차이나 월드 호텔에 도착했을 때는 벌써 자정이 지나 있었다. 나는 겨우 몇 시간 눈을 붙인 뒤 화요일 아침의 첫 공식 행사에 참석하기 위해 호텔을 나섰다. 이 행사는 세계보건기구가 후원하는 여성 건강 세미나였다. 여기서 나는 미국 같은 부자 나라와 가난한 나라 여성들의 의료 격차에 관해 이야기했다.

마침내 본회의장에 들어가야 할 시간이 되었다. 회의장은 유엔의 축소판처럼 보였다. 나는 지금까지 수천 번이나 연설을 했지만, 그래도 떨리고 신경이 곤두섰다. 나는 연설 주제에 열정을 느꼈고, 미국 대표로 연설할 예정이었다. 내 연설에 많은 것—미국, 여성회의, 전세계 여성들과 나—이 걸려 있었다. 여성회의가 아무 수확도 없이 끝난다면, 여성의 상황을 개선하고 기회를 증진하기 위해 세계 여론을 환기시킬 수 있는 좋은 기회를 또 한 번 놓치는 결과가 될 터였다. 나는 내 나라나 내 남편이나 나 자신을 난처하게 만들고 싶지도 않았고, 기대를 저버리고 싶지도 않았다. 그리고 여성의 권리를 진전시킬 수 있는 소중한 기회를 헛되이 낭비하고 싶지도 않았다.

우리 대표단은 여성회의의 활동 지침에 들어갈 표현을 놓고 다른 나라 대표단과 협상하느라 바빴다. 일부 대표들은 미국의 의제에 동의하지 않는 게 분명했다. 여성의 권리는 감정적인 문제였기 때문에 연설하기가 더욱 힘들게 느껴졌다. 강렬한 감정은 대중 연설을 할 때 도움이 되는 경우가 거의 없었다. 나는 의료 개혁을 추진하는 과정에서 그것을 배웠다. 이제 나는 내 목소리의 고저장단이 메시지를 혼란시키지 않도록 조심해야 했다. 좋든 싫든 여성은 대중 앞에서 감정을 지나치게 드러내면 비판의 대상이 된다.

청중을 바라보니, 피부색도 인종도 다양한 남녀가 섞여 있었다. 양복 차림도 있었지만, 대개는 자국의 전통 의상을 입고 있었다. 대다수는 동시 통역을 듣기 위해 헤드폰을 쓰고 있었다. 그것은 내가 미처 예상치 못한 일이었다. 직구를 기다리고 있었는데 커브가 들어온 듯한 기분이었다. 내가 말을 해도 반응이 전혀 없었다. 나는 말의 리듬에 익숙해지기가 어려웠고 청중의 반응을 헤아리기도 어려웠다. 내 영어 문장과 단락이 끊길 때와 대표단들이 듣고 있는 수십 가지 언어의 문장과 단락이 끊길 때가 일치하지 않았기 때문이다.

나는 세계여성회의 사무총장인 거트루드 몬겔라에게 감사한 뒤, 이렇게 굉장한 전세계 여성들의 모임에 참석하게 된 것을 영광으로 생각한다는 말로 연설을 시작했다.

> 이것은 진정한 축제입니다. 생활의 모든 측면에서, 이를테면 가정과 직장과 지역사회에서, 어머니로서, 아내로서, 누이로서, 딸로서, 노동자로서, 시민으로서, 지도자로서 여성의 공헌을 찬양하는 축하 행사입니다…… 우리의 외모가 아무리 달라도 우리에게는 차이점보다 공통점이 훨씬 많습니다. 우리는 공통된 미래를 공유하고 있습니다. 그리고 우리는 전세계 여성들이 새로운 존엄과 존경을 얻고 그럼으로써 우리 가정도 새로운 힘과 안정을 얻는 데 이바지할 수 있도록 공통된 기반을 찾기 위해 이 자리에 모였습니다.

나는 여성의 권리가 인권과 분리될 수 없고 인권의 부속물도 아니라는 메시지를 분명히 전달하고, 여성들이 자신의 삶을 스스로 선택하는 것이 얼마나 중요한지를 이해하기 쉽게 전달하고 싶었다. 나는 내 경험을 바탕으로 내가 전세계에서 만난 여성들이 여성의 교육과 의료, 경제적 자립, 법적 권리와 정치 참여를 증진하고 대부분의 나라에서 여성들이 당하고 있는 불공평하고 부당한 권리 침해를 없애기 위해 얼마나 애쓰고 있는지를 설명했다.

이 연설에서 껍질을 깨는 것은 중국 정부가 취한 조치의 부당성을 분명히 밝히는 것을 의미했다. 중국 지도층은 NGO가 베이징의 본회의에서 'NGO 포럼'을 여는 것을 금지하고, 베이징에서 북쪽으로 50여 킬로미터 떨어진 화이러우(懷柔)라는 작은 도시에 임시로 급조한 회의장에서 출산 관리나 소액 대출 같은 다양한 문제를 논의하도록 강요했다. 이곳은 숙박설비도 편의시설도 거의 없는 곳이었다. 나는 나라 이름을 거론하지는 않았지만, 청중은 그런 어처구니없는 인권 침해국이 어느 나라인지 분명히 알 수 있었다.

새 천년을 앞둔 지금이야말로 침묵을 깨야 할 때라고 믿습니다. 이제는 우리가 이곳 베이징에서 말하고 세계는 귀를 기울일 때가 되었습니다. 여성의 권리를 인간의 권리와 따로 떼어 논의하는 것을 더는 용납할 수 없다고 말합시다…… 너무나 오랫동안 여성의 역사는 침묵의 역사였습니다. 오늘날에도 우리를 침묵시키려고 애쓰는 자들이 있습니다.

이곳에서 여성들이 내는 목소리는 크고 분명하게 들려야 합니다. 단지 여자로 태어났다는 이유만으로 아기를 굶겨 죽이거나 물에 빠뜨려 죽이거나 목졸라 죽이거나 등뼈를 부러뜨려 죽일 때, 그것은 인권 침해입니다.

여성이 성 노예로 팔려가서 매춘을 강요당할 때, 그것은 인권 침해입니다.

결혼 지참금이 적다는 이유로 여성의 몸에 휘발유를 끼얹고 불태워 죽일 때, 그것은 인권 침해입니다.

지역사회에서 여성이 강간당하고, 전략이나 전리품으로 수천 명의 여성이 강간당할 때, 그것은 인권 침해입니다.

전세계적으로 14세에서 44세까지 여성의 주요 사망 원인이 가족이나 친척에게 당하는 가정 폭력일 때, 그것은 인권 침해입니다.

어린 소녀들이 성기 절단이라는 고통스럽고 천박한 관습에 따라 잔인한 짓을 당할 때, 그것은 인권 침해입니다.

여성들이 스스로 가족계획을 세울 권리를 박탈당할 때, 그것은 인권 침해입니다.

이 회의에서 멀리까지 울려 퍼질 메시지가 하나 있다면, 인권은 여권이며…… 여권은 곧 인권입니다.

나는 각자 자기 나라로 돌아가 교육 · 의료 · 법률 · 정치에서 여성의 기회를 확대하기 위한 노력을 재개하자는 호소로 연설을 끝냈다. "대단히 고맙습니다. 여러분과 여러분이 하는 일, 그리고 여러분의 노력으로 이익을 얻게 될 모든 이에게 신의 축복이 있기를 기원합니다"라는 마지막 말이 내 입술을 떠나자, 돌처럼 굳은 얼굴로 듣고 있던 대표들이 벌떡 일어나 열광적인 박수갈채를 보냈다. 대표들은 나에게 달려와 감사의 말을 외치고, 베이징에 와주어서 고맙다고 말했다. 교황청 대표까지도 내 연설을 칭찬했다. 회의장 밖에서는 여자들이 내 손을 잡으려고 난간 너머로 몸을 내밀고 에스컬레이터를 뛰어 내려왔다. 나는 나의 메시지가 이런 반향을 불러일으킨 데 가슴이 벅찼다. 다행히 언론 보도도 긍정적이었다. 『뉴욕 타임스』 사설은 그 연설이 "힐러리의 공적 생활에서 최고의 순간이었을지 모른다"고 말했다. 그때는 나도 21분에 걸친 내 연설이 전세계 여성을 위한 선언이 될 줄은 미처 몰랐다. 오늘날까지도 내가 해외에 나가면 여성들이 다가와서 베이징 연설을 인용하거나 연설문 사본을 내밀면서 사인해달라고 부탁한다.

중국 정부의 반응은 그렇게 긍정적인 것은 아니었다. 나중에 알았지만, 중국 정부는 회의의 하이라이트를 방송하고 있던 회의장의 폐쇄회로 TV에서 내 연설이 방송되는 것을 금지했다.

중국 관리들은 중국 시민이 듣는 것을 통제하려고 애쓰면서도, 그들

자신은 놀랄 만큼 정보에 밝았다. 나는 연설을 마치고 몇 시간 쉬려고 호텔로 돌아왔을 때 그것을 알았다. 나는 하와이를 떠난 뒤 한번도 신문을 보지 않았기 때문에 『인터내셔널 헤럴드 트리뷴』을 한 부 구할 수 있으면 좋겠다고 보좌관에게 문득 생각난 듯이 말했다. 그런데 몇 분도 지나지 않아 내 방문에 무언가가 털썩 부딪치는 소리가 들렸다. 꼭 알맞은 때에 『트리뷴』이 도착한 것이다. 하지만 그 신문을 보고 싶다는 내 말을 누가 들었는지, 또 누가 그 신문을 배달했는지는 전혀 알 수 없었다.

중국으로 오기 전에 나는 국무부와 경호실의 브리핑을 받았다. 브리핑 내용에는 외교 문제와 의전만이 아니라 첩보기관의 정보도 포함되어 있었다. 그들은 내 말과 행동이 모두 테이프에 녹화되고, 특히 호텔 방에서는 일거수일투족을 감시당하게 될 거라고 경고했다.

그때 신문이 배달된 것이 우연의 일치든 중국 정부의 국내 보안 상태를 보여주는 실례든 간에 우리는 한바탕 실컷 웃었고, 우리의 행동이 감시당하고 녹음된다는 사실 때문에 우리 모두 유난히 긴장해 있었다는 것을 깨달았다. 그 순간부터 내 참모들은 계속 텔레비전 화면을 향해 윙크를 하거나 램프에 대고 말을 걸었다. 또는 큰 소리로 피자나 스테이크나 밀크셰이크를 주문하고, 우리 안전을 책임지고 있는 사람들이 또 그것을 배달해주기를 기대하곤 했다. 하지만 사흘이 지나도 문 앞에 배달된 것은 신문뿐이었다.

베이징 연설을 한 이튿날 나는 본회의에서 추방된 NGO 대표들에게 연설하기 위해 화이러우로 갔다. 도나 섈랄라가 나와 동행했다. 역시 미국 대표단의 일원인 도나는 8년 동안 빌의 내각에서 일한 헌신적인 보건후생부 장관이었다. 도나는 미국인들의 건강과 복지를 향상시키는 데 몰두한 것으로 유명했고, 무엇에도 흔들리지 않는 불굴의 기질은 화이러우에서 시험대에 오르게 될 터였다. 음산한 날이었다. 비가 억수같이 쏟아지고, 으슬으슬한 바람이 불었다. 우리는 작은 행렬을 이루어 평탄한 들판과 논밭을 지나 'NGO 포럼'이 열리는 곳을 향해 북쪽으로 달렸다. 중국 관리들은 포럼을 본회의장에서 차로 한 시간이나 걸리는 곳으로 옮기는 예방조치를 취했지만, 화이러우에 모여 있는 수천 명의 여성 활동가들을 여전히 걱정하고 있었다. 내가 거기에 가는 것은 위험만 가중시킬 뿐이라고 그들은 생각했다. 그들은 전날 내가 연설에서 중국 정부를 비판한 것을 불만스러워했고, 그래서 베이징에서 쫓겨난 여자들한테 내가 무슨 말을 할지 더욱 걱정했을 게 분명하다.

비 때문에 포럼은 영화관으로 자리를 옮겨야 했다. 우리가 도착했을 때쯤에는 수용 인원의 두 배가 넘는 3천 명이 영화관에 빽빽이 들어차 있었다. 그런데도 수백 명이 안으로 들어가려고 애쓰고 있었다. 진흙탕 속에서 쏟아지는 비를 맞으며 몇 시간씩 서 있는 이 여성 활동가들을 중국 경찰이 가로막고 있었다. 내 차가 다가가자 경찰관들이 곤봉을 휘두르며 군중을 입구에서 밀어냈다. 이것은 정중한 대결이 아니었다. 경찰이 점점 더 거세게 밀어내자 많은 사람들이 넘어지지 않으려고 기를 썼다. 미끄러운 진흙탕에 넘어진 사람도 많았다.

멜라니는 공보 비서실 차장인 닐 래티모어와 함께 나보다 먼저 도착해 있었다. 내 일급 참모인 닐은 나와 언론의 관계를 교묘하게 처리하는 솜씨와 간결하고 재치있는 익살로 유명했다. 닐은 백악관에서도 가장 미묘한 업무를 담당하는 공보 비서실에 전문성과 유머를 도입했다. 멜라니가 이리저리 물결처럼 움직이는 군중에 떠밀리고 있을 때 한 경호원이 멜라니를 알아보고 긴 팔을 뻗었다. 멜라니는 그 팔이 구명줄이라도 되는 것처럼 필사적으로 매달렸고, 경호원은 멜라니를 문자 그대로 잡아당겨 영화관 안으로 끌어들였다. 두려움을 모르는 켈리 크레이그헤드는 경호원들과 함께 군중 속으로 들어가, 도나와 그밖의 사라진 일행을 찾아서 안전한 곳으로 끌어냈다. 그들이 우리를 따라잡았을 때는 비에 흠뻑 젖어 있었지만, 지치긴 했어도 모두 무사했다. 닐은 우리를 따라온 기자들을 뒷바라지하고 있었다. 그는 기자들을 버스 밖으로 안내하고, 남은 사람이 없는지를 확인하기 위해 뒤에 처져 있었다. 이윽고 그는 비에 흠뻑 젖은 군중을 뚫고 들어가기 시작했지만 뜻대로 되지 않았다. 그는 군중을 감시하고 있는 중국 관리에게 도움을 청했지만, 관리들은 그를 떠밀고 고함을 지르며 그곳을 떠나라고 강요했다. 닐은 우리를 찾으러 영화관 안으로 들어올 수 없었고, 중국 관리들은 닐이 우리 차 근처에서 기다리는 것도 허락하지 않았다. 닐은 결국 혼자서 간신히 베이징으로 돌아가야 했다.

중국 경찰은 회의장 밖에서의 거친 전술로 NGO 대표들에게 활력을 불어넣는 놀라운 일을 해냈다. 내가 무대로 걸어가자 NGO 대표들은 노래를 부르고 고함을 지르고 박수를 치며 환호성을 보냈다.

군중의 그런 감정이 나를 기쁘게 했다. 나는 NGO가 대개는 위험한 상황에서 시민 사회와 민주주의를 세우고 유지하기 위해 기울이는 노력을 높이 평가하고 지지한다고 말했다. NGO는 민간 부문과 정부를 견제하는 세력이다. 나는 전세계에서 목격한 NGO 활동에 대해 말한 다음, 뉴델리의 한 여학생이 나에게 보낸 「침묵」이라는 시를 읽었다. 그 시는 'NGO 포럼' 을 억압하고 그렇게 많은 여성들의 말과 생각을 침묵시키려고 애쓰는 중국 정부의 조치에 대한 완벽한 대항 수단처럼 여겨졌다. 나는 침묵을 깨고 자신의 대의를 위해 목청을 높이려고 자비를 들여 수천 킬로미터를 날아온 여성들의 용기와 열정에 고무되었다. 이날 내가 화이러우에서 목격한 장면들은 그후 오랫동안 내 마음속에 깊이 새겨져 있었다. 자유로운 사회에서 살고 있는 사람들과 정부의 억압을 받으며 살고 있는 사람들의 차이를 한곳에서 그처럼 생생하게 볼 수 있는 기회는 매우 드물다.

내 중국 방문이 논란거리가 되리라는 게 분명해지자 국무부는 몽골을 1박 2일로 방문해달라고 요청했다. 일찍이 소련 위성국이었던 몽골은 이웃나라 중국의 공산주의를 따르지 않고 1990년에 민주주의의 길을 택했다. 하지만 소련의 원조가 끊기면서 경제적 어려움에 직면했기 때문에, 이제 겨우 깃털이 돋아난 민주주의가 시련을 겪고 있었다. 미국이 몽골 국민과 그들이 선택한 지도자에 대한 지지를 보여주는 것은 매우 중요했고, 퍼스트 레이디가 세계에서 가장 외딴 수도를 방문하는 것은 미국의 지지를 보여주는 한 가지 방법이었다.

울란바토르는 세계의 수도 가운데 가장 춥고, 9월 초에 눈이 내리는 일도 드물지 않다. 하지만 우리가 도착한 날은 찬란한 햇살이 비치는 수정처럼 맑은 날이었다. 우리는 차를 타고 45분을 달려 고원으로 들어갔다. 몽골에 수천이나 되는 유목민 가족 가운데 하나를 방문하기 위해서였다. 3대로 이루어진 이 가족은 나무 골조에 두꺼운 펠트천을 씌운 '게르'라는 커다란 천막 두 개에서 살고 있었다. 나는 안장을 선물로 가져가 그 가족의 어른인 노인에게 드리면서, 내 남편 고향도 말과 소를 많이 키우는 지방이라고 말했다. 통역을 통해 질문해보니, 이곳은 그 가족이 여름을 나는 곳이고 겨울에는 따뜻한 고비 사막 근처에서 산다는 것이었다. 그들은 이제 곧 겨울 거처로 떠날 준비를 하고 있었다. 그 가족은 조상들이 수백 년 동안 그래왔듯이 말이 끄는 수레를 타고 가축과 함께 여행했고, 고기와 말젖과 유제품을 먹고 살았다.

그들이 삶을 꾸려나가는 대초원은 드넓고 평화롭고 놀랄 만큼 아름다웠다. 아이들은 말을 타고 경주를 벌였고, 젊은 엄마들은 말젖 짜는 법을 나에게 보여주었다. 가족의 '게르' 안에는 쓸모없는 공간이 한치도 없었다. 현대 과학기술의 산물은 오래되어 녹이 슨 트랜지스터 라디오뿐이었다. 몽골의 손님 접대 관습에 따라 그들은 발효시킨 말젖 한 사발을 나에게 권했다.

한 모금 마셔보니, 하루쯤 지난 플레인 요구르트 맛과 비슷했다. 입맛에는 맞지 않았지만, 공손하게 홀짝홀짝 마실 수 없을 만큼 지독한 맛은 아니었다. 나는 동행한 미국 기자들에게도 권했지만 모두 사양했다. 이튿날, 우리와 함께 해외 순방에 나선 백악관 주치의 가운데 한 사람—우리는 그를 '둠 박사'라고 불렀다—이 내가 어제 먹은 음식을 알고는 강력한 항생제를 처방해주었다.

"살균하지 않은 생우유를 마시면 브루셀라균에 감염될 수 있다는 걸 모르십니까?" 둠 박사가 나를 나무랐다.

나는 이곳과 이곳 생활에 매료되었지만, 오치르바트 대통령과 점심을 먹은 다음 이 나라 여성들과 차를 마시고 국립대학에서 학생들에게 강연해야 하는 일정이 잡혀 있었다. 우리는 그곳을 떠나야 했다.

울란바토르에는 몽골의 토착 문화가 흔적조차 남아 있지 않았다. 소련이 몽골의 독특한 건물과 기념물을 거의 다 파괴하고 스탈린 시대의 무미건조한 구조물을 대신 세웠기 때문이다. 몽골 사람들이 13세기에 몽골 제국을 다스린 지도자 칭기즈칸의 이름을 입에 올리는 것조차 금지할 정도였다. 우리가 차를 타고 울란바토르로 들어가자 사람들이 인도에 늘어서서 지나가는 우리를 호기심 어린 눈으로 지켜보았다. 하지만 다른 나라 군중과는 달리 손을 흔들거나 소리를 지르지는 않았다. 그저 조용히 경의를 표할 뿐이었다. 나는 미국의 고위 인사를 보기 위해 몰려나온 이례적인 인파에 감사했다. 나 못지않게 우리 차량 행렬이 몽골 사람들을 끌어당긴 매력이었다는 것을 나중에 알았지만.

대학에서 강연할 때는 한 단락이 끝날 때마다 말을 멈추고 내 말이 몽골어로 통역되기를 기다려야 했다. 나는 몽골 국민과 지도자들의 용기에 대해 이야기하고, 민주주의를 위한 노력을 계속하라고 격려했다. 윈스턴 로드는 척박한 토양에는 민주주의가 뿌리를 내릴 수 없다고 주장하는 사람에게 몽골을 예로 들라는 아이디어를 내놓았다. 그리고 리사는 "그런 사람들은 몽골에 가보라!"는 후렴을 만들어냈다. 그때부터 우리는 민주 국가를 만들기 위해 애쓰고 있는 나라를 방문할 때마다 "그런 사람들은 몽골에 가보라!"고 큰 소리로 합창하곤 했다. 민주주의의 능력을 의심하는 사람들은 정말로 몽골에 가보아야 한다.

귀국하는 비행기 안에서 나는 얼마나 많은 여성들이 내 도전에 공감하고 일체감을 느끼며 의기투합했는지를 생각했다. 나는 전세계 여성들과 연결되어 있다는 강한 유대감을 느꼈다. 이번 여행에서는 내가 신문에 대서특필되었을지 모르나, 정말로 전세계의 존경을 받아 마땅한 사람은 나보다 훨씬 큰 어려움에 맞서 목표를 달성한 여성들이었다.

## 임시 휴업

나는 첼시의 개학에 맞추어 아시아에서 돌아왔다. 첼시는 딸을 도와주려는 엄마의 기분을 아직까지는 잘 맞추어주고 있었지만, 어느새 열다섯 살이 되어 자신의 독립성을 시험해보고 싶어했다. 첼시는 만날 경호원이 모는 차를 타고 스쿨버스 꽁무니를 따라가기가 싫다면서, 자기도 친구들과 함께 스쿨버스를 타고 다니게 해달라고 간청했다. 나는 양보했다. 첼시의 처지가 일반적인 게 아니라는 점은 첼시도 나도 알고 있었지만, 그래도 나는 첼시가 여느 10대 아이들처럼 살기를 원했다. 백악관에서 사는 것은 평범한 생활과는 분명 달랐지만, 첼시의 생활은 학교와 친구들, 교회와 발레를 맴돌았다. 일주일에 닷새는 방과후에 워싱턴 발레 학교에서 두어 시간 레슨을 받고 백악관으로 돌아와 산더미 같은 숙제와 씨름했다. 고등학교 2학년 학생들은 대학 입학을 준비해야 하기 때문에 숙제가 많았다. 첼시는 이제 내가 항상 옆에 붙어 있을 필요도 없었고 또 그러는 것을 달가워하지도 않았기 때문에, 나는 『아이 하나를 키우려면 마을 전체가 필요하다』라는 책을 마무리하는 데 몰두할 수 있었다. 나는 추수감사절까지 원고를 마무리하기 위해 밤늦도록 글을 쓰고 남의 도움을 청해야 했다.

나는 서반구 퍼스트 레이디 연례회의에 참석하기 위해 10월에 난생 처음으로 라틴아메리카에 갈 예정이었다. 빌과 나는 1994년 12월 마이애미에서 남북 아메리카 정상회담을 주최하여 서반구 지도자 내외를 모두 만날 수 있었다. 빌은 이제 쿠바를 빼고는 이 지역의 모든 나라가 민주화되었으니까 미국이 이 지역에서 민주적 가치를 증진하기 위해 적극적인 역할을 맡아야 한다고 결심했다.

이것은 이 지역 사람들과 미국에 좋은 소식이었지만, 미국 정부는 이웃나라들이 경제를 발전시키고 빈곤을 해소하고 문맹을 줄이고 의료를 개선하도록 도와줄 필요가 있었다. 국내 갈등이 해결되고 교역과 투자 기회가 확대될 조짐이 보이면 생활 수준이 높아질 수 있고, 언젠가는 캐나다의 북극지방에서 아르헨티나의 최남단에 이르는 서반구 연맹이 형성될 수도 있을 것이다. 물론 그런 번영의 가능성을 창조하기 위해서는 엄청난 노력이 필요하다.

하지만 이번 라틴아메리카 순방의 목적은 여성과 아동을 돕고 있는 미국의 프로그램을 시찰하는 것이었다. 나는 서반구 전역에서 홍역을 근절하고 산모 사망률을 떨어뜨리는 공동 정책을 개발하고 이행하기 위해 방문국의 퍼스트 레이디들과 협력할 기회를 얻고 싶었다. 과거에 미국의 중남미 정책은 대외 원조가 군사 정권으로 흘러드는 결과를 초래했다. 이들 군사 정권은 공산주의와 사회주의에 반대했지만 자국 국민을 억압하는 경우가 많았다. 미국의 역대 정부는 엘살바도르에서 칠레에 이르는 지역까지 국민의 인권 침해를 자행한 군사 정권을 지지했다. 클린턴 행정부는 미국이 그런 인권 침해를 무시하는 시대는 이미 지났다는 사실을 분명히 알리고 싶어했다.

내 첫번째 방문국은 니카라과였다. 인구가 500만 명쯤 되는 니카라과는 오랫동안 계속된 내전과 1972년에 수도 마나과를 초토화시킨 강력한 지진으로 황폐해져 있었다. 니카라과의 첫 여성 대통령인 비올레타 차모로는 지난 수십 년 동안 독재와 전쟁밖에 몰랐던 나라에서 의욕적이지만 허약한 정부를 이끌고 있었다. 1990년에 니카라과 역사상 최초의 합법적인 민주 선거에서 차모로는 야당 지도자로 출마하여 놀라운 승리를 거두었다. 우아하고 인상적인 차모로는 마나과에 있는 대농장 같은 저택으로 나를 초대했다. 차모로는 그 집을 죽은 남편에게 바치는 사당으로 바꾸어놓았다. 개혁운동에 참여한 신문 편집인이었던 남편은 1978년에 독재자 아나스타시오 소모사에게 충성하는 세력에 의해 암살당했다. 농장 마당에는 총알로 벌집이 된 남편의 자동차가 전시되어 있었다. 그것은 차모로 대통령이 얼마나 위험한 환경에서 나라를 다스리고 있는지를 일깨워주는 '죽음의 경고' 였다. 나는 개인적 비극을 계기로 떨쳐 일어나 민주주의를 위해 정체 모를 힘과 맞서 싸우고 있는 여성의 용기에 다시 한번 감동했다.

마나과의 가장 가난한 동네에서 나는 '어머니 연대' 라는 소액 대출 조합을 결성한 여성들을 방문했다. '미국국제개발청' 의 지원을 받아 '국제공동체지원기금' 이 운영하고 있는 이 조합은 미국의 대외 원조가 성공적으로 작용하고 있는 좋은 사례였다. 그들은 직접 만들었거나 가공한 상품—모기장, 빵과 과자, 자동차 부품—을 나에게 보여주었다. 한 여자는 내가 인도 아마다바드에서 '자영업여성연합회' 프로젝트 현장을 방문한 것을 텔레비전에서 보았다면서, "인도 여자들도 우리와 비슷한가요?" 하고 물었다. 나는 인도 여자들도 돈을 벌어 생활을 향상시키고 싶어한다고 대답했다. 돈을 벌면 자녀를 학교에 보낼 수 있고, 집을 수리할 수 있고, 번 돈을 사업에 재투자할 수도 있다. 마나과 여성들을 만난 뒤, 나는 미국 정부가 전세계의 소액 대출 사업에 투자하는 돈을 늘리고 이 프로젝트를 미국 내에도 도입하도록 애써야겠다고 더욱 굳게 결심했다. 1994년에 나는 기존 은행에 버림받은 빈민가 사람들에게 보조금과 대출과 주식 금융을 제공하는 마을금고를 지원하기 위해 '공동체개발금융기금' 창설을 주창했다. 나는 소액 대출이 개인을 도울 수 있다고 확신했지만, 대다수 국가는 내가 다음에 방문한 칠레와 같은 훌륭한 국가 경제 정책을 필요로 하고 있었다.

칠레는 오랫동안 아우구스토 피노체트 장군의 독재에 시달렸지만, 피노체트는 1989년에 대통령직에서 물러났다. 칠레는 이제 민주적으로 선출된 에두아르도 프레이 대통령의 지도 아래 전세계에 경제적 · 정치적 성공의 본보기를 보여주는 모범이 되어가고 있었다. 프레이 대통령의 부인인 마르타 라라체아 데 프레이는 내가 좋아하는 타입의 퍼스트 레이디였다. 그녀는 전문적인 참모진의 도움을 받아 소액 대출에서부터 교육 개혁에 이르기까지 다양한 문제에 도전하고 있었다. 칠레의 수도 산티아고에 있는 소액 대출 기관에서 마르타와 나는 옷을 만들어 팔기 위해 대출금으로 재봉틀을 구입한 여자를 만났다. "새장에서 풀려난 새 같은 기분"이라는 그녀의 말을 듣고, 결국에는 모든 여성이 해방되어 마르타의 네 딸과 내 딸 첼시처럼 자신의 인생을 스스로 선택할 준비를 갖추었으면 좋겠다고 생각했다.

1994년에 브라질 대통령이 된 페르난도 엔리케 카르도소도 불안정한 시기를 겪은 브라질 경제에 새로운 활력을 주기로 결심하고 대통령에 취임했다. 사회학자인 그의 아내 루트 카르도소는 남편의 정부에서 정식 직책을 가지고 인구 과밀 상태인 도시와 농촌 지역에 사는 가난한 사람들의 생활 여건을 개선하기 위해 애쓰고 있었다. 나는 브라질리아의 대통령 관저에서 카르도소 내외를 만났다. 관저는 유리와 강철과 대리석으로 이루어진 현대적인 복합 건물이었다. 루트가 주최한 모임에서 우리는 브라질 여성의 지위에 대해 이야기를 나누었다. 평가는 복합적이었다. 교육받고 부유한 여성은 충분한 선택권을 누리고 있었지만, 교육도 받지 못하고 기회도 누리지 못하는 절대 다수의 브라질 여성들은 그들과 뚜렷한 대조를 이루었다. 카르도소 내외는 교육제도를 바꾸는 데 초점을 맞추고 있다고 말했다. 브라질의 대부분 지역에서는 공립 초등교육을 하루에 두세 시간밖에 받을 수 없고, 사립학교에 다니거나 가정교사를 둘 여유가 있는 학생들만 좋은 교육을 받을 기회를 누릴 수 있기 때문에 불평등이 더욱 심해졌다. 자질이 있는 학생에게는 고등교육을 받을 기회가 활짝 열려 있었지만, 그들은 대부분 상류층 자녀들이었다.

이런 빈부 격차는 브라질 해안의 살바도르 데 바이아에 들렀을 때 더욱 뚜렷해졌다. 다양한 문화의 영향이 뒤섞여 있는 것으로 유명한 살바도르는 노예로 끌려온 아프리카인의 후예인 아프리카계 브라질인들의 영향으로 고동치는 도시다. 기쁨에 넘쳐 춤추고 노래하고 법석을 떠는 사람들로 가득 찬 광장에서 나는 올로둠 악단의 공연을 보았다. 폴 사이먼의 노래 반주를 맡아 세계적 명성을 얻은 올로둠 악단은 이곳에서 선풍적인 인기를 얻고 있었다. 모양도 크기도 다양한 드럼을 신나게 두드려대는 수십 명의 젊은이로 구성된 올로둠 악단의 연주는 귀가 먹먹해질 만큼 시끄러웠지만, 듣는 사람을 흥분시키는 짜릿한 음악이었다. 군중은 광장에 깔린 자갈 위에서 음악에 맞춰 춤을 추었다.

올로둠 악단이 살바도르 사람들의 삶을 긍정적으로 표현했다면, 내가 이튿날 아침에 방문한 산부인과 병원은 일상의 고단한 삶을 나타내고 있었다. 환자의 절반은 아기를 낳은 산모였고, 나머지 절반은 부인병 환자였다. 이들이 부인병에 걸린 이유는 대부분 뒷골목의 돌팔이 의사한테 엉터리 낙태 수술을 받았기 때문이다. 병원 방문에서 내 안내역을 맡은 보건부 장관은 법률로 낙태를 금지하고 있는데도 "돈 많은 여자들은 원하면 피임을 할 수 있지만 가난한 여자들은 그렇지 못하다"고 퉁명스럽게 말했다.

서반구 퍼스트 레이디 회의에 참석하기 위해 파라과이의 수도 아순시온에 도착했을 때쯤에는 라틴아메리카가 수많은 문제에 직면해 있다는 증거만이 아니라 일반 대중이 나름대로 해결책을 마련했다는 증거도 보았다. 회의에서 우리는 모든 어린이에게 홍역 예방주사를 맞히고 소녀들이 학교에 다닐 기회를 확대하는 문제에 대해 논의했다. 후안 카를로스 와스모시 대통령과 영부인 마리아 테레사 카라스코 데 와스모시가 대통령궁에서 주최한 리셉션에 참석하기 위해 버스를 타자, 상냥해 보이는 백발 노부인의 옆자리가 비어 있었다. 노부인은 왠지 낯익어 보였지만 아무리 생각해도 누군지 기억이 나질 않았다. 나는 실마리를 잡기 위해, 파라과이까지 오는 데 얼마나 걸렸느냐(이것을 알면 그 나라의 지리적 위치를 대충 알 수 있을 테니까), 당신 나라 사정은 어떠냐고 물어보았다. "좋아요." 그녀는 돌처럼 굳은 얼굴로 대답했다. "교역 금지 조치만 빼고는."

나는 하필이면 피델 카스트로를 대리하여 회의에 참석한 카스트로의 처제 빌마 에스핀의 옆자리에 앉았던 것이다. 내가 그 자리에 앉은 것을 쿠바에 대한 화해 제스처로 오해한 사람은 다행히 아무도 없었다.

이 여행은 닷새 만에 끝났지만 내가 장차 중남미와 카리브 해를 여행할 때의 청사진이 되었고, 개인적인 인간 관계는 공식적인 국가 관계도 더욱 강화해주었다. 이렇게 관계를 강화하면 중요한 프로젝트에 대한 협력이 원활해질 수 있다.

나는 이미 중동 지역에서 그런 관계의 중요성을 깨달았다. 내가 남미로 떠나기 몇 주 전, 요르단의 누르 왕비와 이스라엘의 레아 라빈과 이집트의 수잔 무바라크가 요르단 서안의 일부 도시에 대한 이스라엘의 군사 점령을 끝내는 역사적인 평화협정에 조인하기 위해 남편들과 함께 워싱턴에 왔다. 1995년 9월 28일 '이스트 룸'에서 정식 조인식을 거행하기 전에 나는 조인식에 참석한 중동 지도자의 부인들을 초대하여 차를 대접했다.

본관 2층의 '옐로 오벌 룸'에서 레아와 수잔과 누르와 나는 오랜 친구처럼 서로 반갑게 인사를 나누었다. 우리는 이 모임의 신참 멤버가 된 팔레스타인 지도자의 아내 수하 아라파트를 환영하려고 최선을 다했다. 나는 수하 아라파트에 대해 좀더 알고 싶었다. 나는 그녀가 팔레스타인의 명문 집안 출신이고, 모친인 레이몬다 타윌은 유명한 시인이자 수필가이며 그 문화권의 관습에 얽매이지 않는 개방적인 여성이라는 것을 알았다. 아라파트보다 훨씬 젊은 수하는 '팔레스타인 해방기구(PLO)'를 위해 일하다가 아라파트 의장과 결혼하여 세상을 깜짝 놀라게 했다. 수하는 최근에 딸을 낳았는데, 이것이 우리에게 공통된 화젯거리를 제공해 주었다. 우리는 저마다 수하의 마음을 편안하게 해주려고 애썼지만 그래도 수하는 자리가 불편한 듯했다.

레아와 수잔과 누르와 나는 진행되고 있는 협상에 대해 자주 이야기를 나누었다. 국가 기밀은 누설하지 않았지만, 우리는 정보와 그에 대한 반응을 주고받는 비공식 채널을 제공할 수 있었다. 누르와 레아는 이따금 나에게 전화를 걸어, 요르단 국왕이나 이스라엘 총리가 비공식 채널을 통해 미국 대통령에게 전달하고 싶어하는 메시지를 전했다.

1995년 가을의 그 평온한 오후를 이제 와서 돌이켜보면 '폭풍 전야의 고요'였다는 생각이 든다.

그날 오후 후세인 요르단 국왕은 '이스트 룸'에서 평화협정에 대해 이야기하면서, 내가 백악관에 도입한 금연 규칙에 대해 농담을 했다. "라빈 총리와 나도 여기 있는 동안은 담배를 피우지 않았습니다…… 그 점에서 영부인의 강력한 영향력에 감사드립니다." 나는 후세인 국왕과 라빈 총리한테는 금연 규칙을 풀어주겠다고 제의했지만 후세인 국왕은 어떤 '특권'도 사양한다고 말했다. 그러고는 이렇게 덧붙였다. "게다가 담배를 피우지 않으면 말씨름하는 시간도 짧아질 겁니다."

그날 저녁 '코코란 갤러리'에서 열린 리셉션은 웅변대회장으로 바뀌었다. 야시르 아라파트가 장대한 서사시처럼 긴 연설을 한 뒤, 마침내 연단을 차지한 이츠하크 라빈은 아라파트를 똑바로 바라보며 말했다. "……이스라엘에는 이런 속담이 있습니다. 유대인의 스포츠가 뭐지?…… 연설하는 것." 라빈은 말을 끊고 숨을 한번 들이마셨다. "아라파트 의장, 당신도 유대인을 많이 닮았다는 생각이 드는군요." 청중이 요란하게 웃음을 터뜨리자 아라파트도 거기에 가담했다.

라빈 총리는 이스라엘로 돌아간 뒤, 폭력과 테러로부터 안전한 이스라엘의 미래를 확보하기 위한 노력을 단계적으로 강화하기 시작했다. 그러나 슬프게도 라빈은 그 꿈을 실현하지 못하고 세상을 떠났다.

1995년 11월 4일 토요일, 내가 위층에서 책을 쓰고 있는데 빌이 전화를 걸어왔다. 라빈이 텔아비브에서 열린 평화 집회에 참석했다가 총탄에 맞았다는 것이다. 암살자는 팔레스타인인도 아니고 아랍인도 아니었다. 라빈이 팔레스타인과 협상하여 평화와 땅을 맞바꾸기로 한 데 분노한 광신적인 우익 이스라엘인이었다. 내가 아래층으로 달려 내려가자 빌은 참모들에게 둘러싸여 있었다. 나는 빌을 끌어안고 매달려 있었다. 이것은 뼈아픈 손실이었다. 우리는 라빈을 지도자로서 높이 평가했고, 빌은 라빈을 친구로, 심지어는 아버지 같은 인물로 여기기까지 했다. 빌과 나는 단둘이 슬픔을 삭이기 위해 침실로 들어갔다. 두 시간 뒤 '로즈 가든' 에서 빌은 대통령직을 수행하는 동안 가장 감동적인 연설로 위대한 지도자이자 친구에게 작별인사를 했다. "오늘밤 라빈 총리께서 목숨을 바친 나라가 비탄에 빠져 있습니다. 하지만 나는 그분이 겨우 한 달 전 이곳 백악관에서 한 말을 전세계가 기억해주기 바랍니다. '우리는 젖과 꿀이 흐르는 땅을 피와 눈물이 흐르는 땅으로 만들면 안됩니다. 그런 일이 일어나지 않게 합시다.' 이제 그런 일이 일어나지 않도록 하는 것은 우리의 책임입니다. 이스라엘과 중동 전역에 사는 사람들, 평화를 갈구하고 사랑하는 전세계 모든 사람의 책임입니다. 이츠하크 라빈은 내 파트너이자 친구였습니다. 나는 그분을 존경했고 사랑했습니다. 말로는 감정을 제대로 표현할 수 없기 때문에 그냥 '샬롬, 차베르' 라고만 말하겠습니다. 잘 가시오, 친구여."

마지막의 히브리어는 이스라엘 국민을 결집시키는 효과적인 표어가 되었다. 라빈의 장례식에 참석하기 위해 이스라엘에 도착했을 때 우리는 '샬롬, 차베르' 가 옥외 광고판과 자동차 범퍼 스티커에 인용되어 있는 것을 보았다.

빌은 전직 대통령 지미 카터와 조지 H.W. 부시, 합동참모본부 의장과 40명의 의원들을 비롯한 저명인사들에게 11월 6일 예루살렘에서 열리는 라빈의 장례식에 함께 참석하자고 권했다. 이스라엘에 도착하자 빌과 나는 곧장 총리 관저로 레아 라빈을 찾아갔다. 레아가 가여워서 가슴이 찢어질 것 같았다. 재키 케네디와 마찬가지로 레아도 남편이 총에 맞았을 때 함께 있었다. 레아는 몇 주 전 워싱턴에서 보았을 때보다 훨씬 늙고 초췌해 보였다. 어떤 말로도 우리의 슬픔을 전달할 수 없었다. 하르헤르츨 묘지에서 열린 장례식에서 아랍 국가의 국왕들과 대통령들과 총리들은 평화를 위해 죽은 전사에게 경의를 표했다. 빌이 추도 연설을 한 뒤 레아는 빌을 오랫동안 끌어안았다. 가장 아프게 가슴을 때리는 추도사는 가장 개인적인 것이었다. 라빈의 손녀인 노아 벤 아르치 펠로소프는 사랑하는 할아버지에게 말했다. "할아버지, 할아버지는 캠프 앞에 서 있는 불기둥이셨는데, 이제 우리는 어둠 속에 혼자 남겨진 캠프입니다. 너무 추워요."

아라파트는 안전을 이유로 장례식에 참석하지 않았지만, 빌은 무바라크 이집트 대통령과 후세인 요르단 국왕, 그리고 이스라엘 총리 대행인 시몬 페레스를 만났다. 페레스는 오슬로 협정을 협상했고 1994년에 아라파트 · 라빈과 함께 노벨평화상을 공동 수상했다. 라빈의 손녀가 일깨워주었듯이, 평화란 끊임없이 신경을 쓰지 않으면 꺼져버리는 약한 화톳불과 같다.

워싱턴까지 먼 길을 돌아오는 '에어포스 원'(대통령 전용기) 안에서 빌은 카터 전 대통령과 부시 전 대통령을 회의실로 초대하여 라빈을 회고하고, 중동 평화의 현재 상태를 논의했다. 카터는 이스라엘과 이집트의 캠프 데이비드 협정을 성공적으로 이루어냈고, 부시는 역사상 처음으로 중동 문제의 당사자들이 평화회담을 위해 모두 한자리에 모였던 마드리드 회의를 소집했다. 마침내 휴식을 취하기로 결정했을 때, 빌과 나는 비행기 앞쪽에 있는 대통령 전용 구역으로 갔다. 그곳에는 사무실과 욕실과 소파 침대 두 개가 놓여 있는 침실이 있었다. 빌과 나는 두 전직 대통령의 잠자리를 어디에 마련해야 할지 몰라서, 쾌적하고 비교적 널찍한 의사와 간호사들의 방에 있는 간이침대를 제공했다. 나머지 손님들은 비행기 뒤쪽에 있는 VIP실의 소파나 의자에 길게 드러누웠다. 며칠 뒤에 우리는 뉴트 깅리치가 잠자리에 분개한 것을 알았다. 게다가 앤드루스 공군기지에 도착했을 때 깅리치를 비롯한 손님들이 내린 출구도 깅리치를 화나게 했다. 깅리치는 손님들을 주방 출입문으로 통하는 뒷계단 같은 곳으로 나가게 하다니, 이런 실례가 어디 있느냐고 분개했다.

국회를 장악한 공화당이 '미국과의 계약'의 원칙을 반영하는 법안을 입안하기 시작한 지난 봄부터 연방 예산을 둘러싼 힘겨루기가 진행되고 있었다. 공화당은 7년 동안의 대폭 감세와 균형 예산을 동시에 요구했다. 세금을 줄이면서 재정 적자를 없애라는 요구는 산수 법칙을 무시한 것이었고, 교육과 환경 보호, 메디케어와 메디케이드 같은 의료보장 예산을 대폭 줄여야만 충족시킬 수 있는 것이었다. 공화당은 18세 미만의 미혼모에게 복지 수당을 주지 않는 따위의 가혹한 사회공학적 발상을 포함한 복지 개혁안을 제시했다. 공화당은 메디케어 보험료의 단계적 감액을 폐지하여 노인의 보험료를 사실상 올리겠다고 공언했다.

빌은 언제든지 공화당과 협력할 태세가 되어 있었지만, 공화당의 예산안은 도저히 받아들일 수 없는 것이었다. 빌은 메디케어를 약화시키고 어린이들에게 해로운 영향을 주고 저소득층에 대한 사회 안전망을 없애는 어떤 법안도 거부하겠다는 뜻을 밝혔다. 그리고 깅리치처럼 사회복지 예산을 줄이거나 엉터리 숫자를 제시하지 않고 균형 잡힌 예산안을 제출하겠다고 선언했다. 여름의 휴회 기간이 끝날 때까지도 공화당은 여전히 예산안에 동의하지 않았고, 연방 회계연도가 끝나는 9월 30일 정부 운영 자금이 바닥났다. 국회와 대통령은 협상이 진행되는 동안 재무부에 수표 발행 권한을 부여하는 '계속 지출 결의(CR)'—임시 예산 연장—에 합의했다. 하지만 이 미봉책도 11월 13일 자정에 기한이 끝날 예정이었다. 새 예산안도 확정되지 않았고, CR을 다시 연장한다는 합의도 이루어지지 않았다.

예산안 처리 마감 시한이 다가오고 있을 때 나는 내 책의 출판 마감 시간을 맞추기 위해 미친 듯이 원고를 쓰고 고쳐 쓰는 작업을 계속하고 있었다. 하지만 나는 직접 또는 내 참모들을 통해서 간접적으로 예산 문제에 개입하여, 깅리치가 주장하는 예산 우선 사항에 저항하는 것을 내가 얼마나 중요하게 생각하고 있는지를 빌에게 전했다.

공화당은 정부를 임시 휴업 상태로 만들겠다고 협박했지만, 빌은 라빈의 장례식 이후 공화당이 보내온 훨씬 가혹한 새 결의안을 거부했다. 깅리치는 빌이 물러서기를 기대하고 정치적 '허세'를 부리고 있는 모양이었지만, 상대를 얕보았다. 빌은 이 결의안도 거부했다.

빌은 '웨스트 윙'에서 밤낮없이 협상을 벌이면서, 특정한 문제에 대한 내 의견을 자주 묻곤 했다. 빌은 내가 메디케어와 메디케이드에 대한 공화당의 제안에 관심이 많은 것을 알고 있었다. 나는 내 참모인 제니퍼 클라인이 협상에 참여해서 공화당의 제안이 어떤 식으로 메디케어를 위태롭게 하고 메디케이드를 무너뜨릴지를 정확히 분석하고 입증할 수 있게 해달라고 부탁했다. 나는 이 민감한 문제에서 빌의 참모진과 직접 연결되는 채널을 갖고 싶었다. 빌은 내 요구를 받아들였고, 예산 투쟁이 계속되는 동안 제니퍼는 대통령의 의료 담당 보좌관인 크리스 제닝스—나는 백악관에서 지내는 동안 이 전문가를 신뢰하고 의지했다—를 도와 메디케어와 메디케이드를 비롯한 의료보장 프로그램을 지키려는 정부의 노력을 이끌었다.

11월 13일, 정부가 쓸 돈이 바닥났다. 법률에 따르면 대통령은 정부를 폐쇄하고 임시 휴업 상태에 들어가야 했다. 빌에게는 너무나 고통스러운 결정이었고, 그 고통이 얼굴에 그대로 드러났다. 빌은 정부를 폐쇄하고 80만 명에 달하는 연방 공무원을 잠정 해고하는 사태의 후유증을 걱정했다. '필수요원' 으로 간주되는 공무원들만 법적으로 직장을 유지하면서 무보수로 일할 수 있었다. 노인이나 장애인에게 식사를 배달하는 '급식 배달 서비스' 프로그램은 자금이 지원되지 않아서, 여기에 기대 사는 약 60만 명의 노인을 위험에 빠뜨렸다. 연방주택국은 수천 건의 주택 매각 절차를 진행할 수 없었다. 재향군인관리국은 미망인을 비롯한 수혜자들에게 마땅히 지급해야 할 연금 지급을 중단했다. '몰' 의 국립기념관은 문을 닫았다. 옐로스톤 국립공원과 그랜드캐니언은 관광객을 돌려보냈다. 워싱턴에서 해마다 열리는 '평화 행진' 에 쓰일 예정이었던 두 트럭 분량의 크리스마스 트리는 국립공원관리국이 나무를 하역하거나 심을 수도 없었기 때문에 오하이오 주 어딘가에서 오도가도 못하고 있었다.

백악관에는 기묘한 적막이 내리덮였다. 본관과 '이스트 윙' 의 직원들은 대부분 귀가 조치되었다. 경호원들은 필수요원으로 간주되었다. 사무직원이나 용역직원은 필수요원으로 간주되지 않았다. '웨스트 윙' 의 직원은 430명에서 90명 정도로 줄어들었다. 내 공식 참모는 네 명으로 줄었다. 인턴 직원과 자원봉사자들은 정식 직원들을 대신하여 어떤 상황에서도 업무가 중단되지 않도록 하려고 애썼다. 하지만 이런 것은 사소한 불편일 뿐이었다. 결의가 없으면, 진짜 문제는 연방 공무원들에게 봉급을 주어야 하는 11월 말에 시작될 터였다. 또 다른 국가 비상사태나 국제 위기가 발생하면 그때는 어떻게 할지 걱정이었다.

양쪽은 정부의 임시 휴업 사태를 상대방 탓으로 돌리며 서로 비난했지만, 깅리치는 11월 15일 기자들과의 조찬 간담회에서 속내를 드러내고 말았다. 백악관에 가혹한 예산 결의안을 보낸 것은 라빈 총리 장례식에 참석하고 돌아오는 길에 대통령 전용기에서 홀대를 받은 데 대한 반발이라고 털어놓은 것이다.

"사소한 일이지만…… 25시간 동안 비행기를 탔는데 아무도 말을 걸지 않고, 목적지에 도착해서는 뒷계단으로 내리라는 말을 듣는다면…… 여러분도 이렇게 생각할 겁니다. 저 사람들은 예의도 모르나? 사람을 이렇게 푸대접할 수 있는 거야?"

이튿날 『뉴욕 데일리 뉴스』 1면에는 '울보'라는 대문짝만한 표제 밑에 깅리치가 기저귀를 차고 울어대는 풍자만화가 실렸다. 그날 오후 백악관은 백악관 전속 사진사인 보브 맥닐리가 찍은 사진 한 장을 공개했다. 깅리치가 비행기에서 대통령과 다수당(공화당) 원내총무인 보브 돌 의원과 함께 더없이 기꺼운 표정으로 이야기를 나누고 있는 사진이었다. 깅리치의 말과 그 사진은 언론을 뒤덮었다. 깅리치는 함부로 뱉은 말로 자신의 신뢰성에 구멍을 냈고, 미국 국민은 정부의 임시 휴업 사태에 대한 책임이 정부가 아니라 국회에 있다는 사실을 분명히 알게 되었다. 싸움은 끝나지 않았지만, 전쟁터는 바뀌고 있었다.

정부는 6일 동안 문을 닫았다. 미국 역사상 가장 오래 계속된 휴업이었다. 양쪽은 마침내 12월 15일까지 정부의 운영 자금을 조달하는 또 한 번의 CR에 합의했다. 많은 사람이 엄청난 불안과 고초를 겪었지만, 나라를 위한 장기적인 안목에서 보면 빌은 자신의 입장을 고수할 필요가 있었다.

1995년의 마지막 석 달 동안 우리가 소화한 일정을 살펴보면, 그렇게 많은 사건과 이슈를 다루고 있었다는 게 믿기 어려울 정도다. 나는 캠프 데이비드에서 친구들에게 둘러싸여 추수감사절을 보내는 동안 마침내 『아이 하나를 키우려면 마을 전체가 필요하다』의 마지막 마무리를 끝냈다. 그 일이 끝나자 '평화 행진'과 '크리스마스 트리 점등식'으로 크리스마스 시즌을 시작할 때가 되었다.

11월 28일, 빌과 나는 영국 · 아일랜드 · 독일 · 스페인을 공식 방문하기 위해 미국을 떠났다. 나는 1973년 예일대 법대 졸업식에 참석하지 않고 빌과 함께 처음 영국에 갔다. 우리는 가난한 학생이었기 때문에 할인 운임으로 비행기를 탔고, 침대와 아침식사를 제공하는 싸구려 여관이나 친구네 집 소파에서 잠을 잤고, 모든 일정을 우리가 직접 관리했다. 하지만 1995년에는 '에어포스 원'을 타고 가서 방탄 리무진을 타고 거리를 달리고 1분 단위로 짜인 일정에 맞춰 움직였다.

빌과 메이저 영국 총리의 관계는 불안정하게 시작되었다. 메이저 내각이 부시 행정부에 협력하여, 베트남 전쟁에 반대하는 학생들의 항의 시위가 한창일 때 빌이 영국에서 활동한 기록을 발굴하려 했다는 사실을 우리가 알게 되었기 때문이다. 그런 기록은 애초에 존재하지도 않았지만, 영국 보수당이 미국 정치에 개입한 것은 곤혹스러운 일이었다. 1994년에 빌이 아일랜드 공화군(IRA)의 정당인 신페인당의 제리 애덤스 당수의 미국 입국을 승인하자 양국 관계는 더욱 긴장되었다.

미국의 역대 대통령들은 아무도 아일랜드 사태를 중재하러 나서지 않았지만, 빌은 문제 해결을 돕기로 결심했다. 제리 애덤스가 과거에 어떤 식으로든 IRA 활동에 관여한 것은 의심할 여지가 없었고, 미국 국무부는 애덤스의 입국 승인에 항의하는 영국 정부의 주장에 동의했다. 하지만 아일랜드 정부는 애덤스와 신페인당과 관계를 맺는 것이 합리적이라고 판단했다. 그들은 빌이 평화협상에 유리한 환경을 조성하는 역할을 할 수 있다고 주장했다. 이 경우만이 아니라 다른 경우에도 빌은 친구들과 다소 소원해질망정 적과 대화를 나누지 않으면 적과 화해할 수 없다는 것을 입증하기 위해 정치적 위험을 무릅쓰곤 했다. 빌은 애덤스의 입국을 승인하기로 결정했고, 이 도박은 기대 이상의 성과를 거두었다. 북아일랜드는 전투를 중지했고, 우리는 이제 곧 정전을 축하하기 위해 벨파스트에 갈 예정이었다.

빌의 대통령 임기 8년 동안 우리는 많은 여행을 했지만, 이 여행은 그 중에서도 가장 특별한 여행이었다. 빌은 외가인 캐시디 집안을 통해 물려받은 아일랜드인의 혈통을 늘 자랑스러워했다. 첼시는 어렸을 때 아일랜드 전설을 무척 좋아했다. 첼시는 1994년에 우리와 함께 러시아로 날아가다가 한밤중에 섀넌 공항(아일랜드 서부, 섀넌 강 어귀에 위치한 리머릭 근교의 국제공항—옮긴이)에 내려 재급유를 받는 동안 난생 처음 아일랜드를 보았다. 첼시는 들판에 나가 아일랜드의 흙을 만져봐도 되느냐고 물었다. 나는 첼시가 아일랜드의 잔디를 집으로 가져가기 위해 뗏장을 조금 떼어서 유리병에 넣는 것을 지켜보았다. 빌과 첼시가 제일 좋아하는 책은 토머스 카힐의 『아일랜드인은 어떻게 문명을 구했는가』였다. 빌은 이 책을 친구와 동료들에게 선물하곤 했다. 하지만 섀넌 공항에 잠깐 내린 것을 제외하면 우리 가족은 남쪽이든 북쪽이든 아일랜드에 가본 적이 없었다.

이제 우리는 아일랜드에 전통적으로 내려오는 아름다운 게일어 인사말— '케아드 밀레 파일테(10만 번의 환영)' —의 감동적인 울림을 느꼈다.

우리가 벨파스트에서 처음 들른 곳은 직물기계를 조립하는 매키 공장이었다. 매키 공장에서는 카톨릭교도와 개신교도가 함께 일하고 있었다. 북아일랜드에서 적대적인 이 두 집단을 성공적으로 통합한 일터는 손가락으로 꼽을 정도였다. 아버지가 1987년에 살해된 카톨릭교도 여학생과 개신교도 소년이 손을 잡고 빌을 안내했다. 오랫동안 지속된 종파

싸움의 영향 때문에 벨파스트 사람들은 대부분 종교적으로 분리된 동네에서 살았고, 교회가 운영하는 학교에 다녔다. 카톨릭교도와 개신교도 아이들이 이렇게 손을 맞잡고 함께 나타난 것은 미래의 새로운 비전을 상징하려는 의도였다.

빌이 여러 파벌의 사람들을 만나는 동안, 나는 평화운동을 이끄는 여성 지도자들을 따로 만났다. 그들은 종파의 경계를 넘어 기꺼이 협력했기 때문에 공통된 기반을 찾아냈다. 나는 생선튀김과 감자튀김을 파는 '램프라이터 트래디셔널' 식당에서 65세의 조이스 매카턴을 만났다. 조이스는 열일곱 살 된 아들이 개신교도의 총에 맞아 죽은 뒤 1987년에 '여성 정보 교환 센터'를 세운 놀라운 여성이었다. 게다가 폭력에 희생된 그녀의 가족은 열 명이 넘었다. 조이스는 다른 여성들과 힘을 합쳐 센터를 안전 가옥으로 만들었다. 센터는 카톨릭과 개신교 여성들이 한데 모여 자신들의 요구와 두려움을 털어놓는 곳이었다. 북아일랜드는 실업률이 높아서, 카톨릭과 개신교 여성들은 할 일이 아무것도 없는 젊은이들을 걱정했다. 탁자에 둘러앉은 아홉 명의 여성은 아들과 남편이 집을 나가면 얼마나 걱정이 되는지, 아들과 남편이 무사히 집에 돌아오면 얼마나 안심이 되는지를 이야기했다. "남자들을 정신차리게 하려면 여자들이 나서야 합니다." 조이스가 말했다.

이들은 정전이 계속되고 폭력이 영원히 끝나기를 간절히 바라고 있었다. 그들은 평범한 스테인리스 찻주전자에서 차를 따랐다. 내가 주전자에 넣어둔 차가 오래 식지 않는다고 감탄하자 조이스는 주전자를 보고 자기들을 기억해달라면서 찻주전자를 억지로 떠맡기다시피 했다. 나는 그 쭈그러진 찻주전자를 백악관의 작은 가족용 부엌에서 날마다 사용했다. 우리가 방문한 직후 조이스가 세상을 떠났다. 1997년에 나는 영광스럽게도 얼스터 대학에서 제1회 조이스 매카턴 추모 강연을 해달라는 요청을 받고 벨파스트를 다시 방문했다. 나는 그 주전자를 가져가서 연단

위에 올려놓고, 부엌에서 차를 마시며 평화로 가는 길을 여는 데 기여한 조이스 같은 아일랜드 여성들의 용기를 이야기했다.

우리는 벨파스트에서 '해병 1호기' 헬리콥터를 타고 북아일랜드 해안을 따라 데리로 갔다. 데리는 북아일랜드 최대의 개신교 정당인 얼스터 통일당의 지도자 데이비드 트림블과 함께 노벨평화상을 받은 평화협상의 설계자 존 흄의 고향이다. 큰 체구와 봉두난발에 친절한 얼굴과 청산유수 같은 말솜씨를 가진 흄은 1970년에 북아일랜드 사태의 평화적 해결을 목표로 창설된 사회민주노동당의 지도자였다. 그는 수십 년 동안 비폭력 화해 운동의 전선에서 싸웠고, 빌은 흄이 사는 공동체에서 그가 신변 위험을 무릅쓰고 평화를 위해 헌신한 노력에 경의를 표하고 싶어했다. "우리는 빌을 원한다, 우리는 빌을 원한다"는 말을 연호하는 수만 군중이 빌과 미국에 대한 지지를 외치기 위해 얼어붙을 듯한 추위 속에서 거리로 몰려나왔다. 남편에 대한 존경심과 자부심이 내 마음을 가득 채웠다.

우리가 크리스마스 트리 점등식에 참석하기 위해 벨파스트로 돌아오자, 이곳 시청에서도 엄청난 군중이 우리를 기다리고 있었다. 대통령을 수행한 젊은 하사관이 수많은 얼굴을 둘러보면서 중얼거렸다. "이 사람들은 모두 똑같아 보이는데, 무엇 때문에 서로 죽였을까?"

나는 군중 앞에 나가서 지속적인 평화를 바라는 아이들의 편지를 낭독했다. 이어서 빌이 그 편지를 쓴 두 아이를 양쪽에 데리고 나가 크리스마스 트리에 불을 켜는 스위치를 넣었다. 빌도 희망과 평화에 대해 이야기하고, 벨파스트와 데리에서 보낸 하루는 우리 인생에서 가장 인상적인 날로 오랫동안 기억에 남아 있을 거라고 말했다. 나는 진심으로 빌의 말에 동의했다.

저녁에는 영국의 북아일랜드 담당 장관인 패트릭 메이휴 경이 주최한 리셉션에 참석했다. 리셉션에는 여러 종파의 대표들이 참석했다. 대다수는 지금까지 같은 방에 함께 있었던 적이 단 한 번밖에 없는 사이였다. 그들이 처음으로 한자리에 모인 것은 지난 3월 성 패트릭 축일(3월 27일. 성 패트릭은 아일랜드의 수호성인—옮긴이)을 기념하기 위해 백악관에 왔을 때였다. 벨파스트 모임에서는 카톨릭 지도자들은 악단 가까이에 서 있었고, 개신교도들은 방의 반대쪽 끝에 모여 있었다. 민주통일당의 강경한 개신교 지도자인 이언 페이즐리는 리셉션에 참석하기는 했지만 '교황 예찬자들' 과는 악수도 하려 들지 않았다. 세계 어디에나 있는 근본주의자들과 마찬가지로 페이즐리도 새로운 현실을 인정하고 싶지 않아서 정지된 시간 속에 고집스럽게 머물러 있는 듯이 보였다.

이튿날 아침 우리는 아일랜드의 수도 더블린으로 날아갔다. 1990년대 초부터 경제학자들은 아일랜드를 '켈트의 호랑이' 라고 불렀다. 폭발적인 경제성장과 새로운 번영은 외국에 나갔던 아일랜드 이민을 다시 고국으로 불러들이고 있었다. 빌은 케네디 대통령의 누이인 진 케네디 스미스를 1993년에 아일랜드 주재 대사로 임명했고, 그녀는 놀랄 만큼 일을 잘해내고 있었다. 더블린에서 우리는 아일랜드 최초의 여성 대통령인 메리 로빈슨을 대통령 관저로 공식 예방했다. 로빈슨 대통령의 남편 닉은 현실적이고 편안한 상대였다. 두 사람은 아일랜드의 평화에 헌신적이었고, 벨파스트와 데리의 상황을 듣고 싶어했다. 로빈슨 대통령은 앞쪽 창문에 켜놓은 등불을 보여주면서, 이 등불은 아일랜드를 떠났다가 고향으로 돌아오는 모든 아일랜드인을 환영하기 위한 것이라고 말했다.

나는 아일랜드 여성들에게 연설하기 위해 대통령 관저에서 국립미술관으로 갔다. 나는 평화를 옹호해온 아일랜드 여성들의 용기를 찬양했다. 그리고 최근에 아일랜드 텔레비전에서 프로그램 진행자가 초청된 여성 의원들에게 "아이들은 누가 돌보고 있습니까?"라고 질문한 것을 빗대어, "남자들도 똑같은 질문을 받는 날이 빨리 오기를 고대합니다"라고 말하여 청중들의 웃음을 자아냈다. 아일랜드에서는 특히 가정생활에서 여성에게 어떤 선택을 '허용' 할 것인가를 놓고 격렬한 논쟁이 벌어졌다. 일주일 전, 아일랜드인들은 국민투표에서 로마 교황청의 맹렬한 반대에도 불구하고 이혼합법화 법안을 아슬아슬하게 통과시켰다. 행사에 참석한 여성들은 여성이 경제적 · 정치적 · 사회적으로 많은 발전을 이룩했지만 아직도 많은 걸림돌이 남아 있다는 것을 잘 알고 있었다.

나는 트리니티 대학 옆에 있는 아일랜드 은행에서 빌을 만나, 보노를 비롯한 U2 악단 멤버들과 함께 시간을 보냈다. 이들은 그후 우리 친구가 되었다. 보노는 빈국의 채무를 탕감해주고 에이즈와 싸우기 위한 재원을 늘리는 등의 세계적인 문제에 앞장섰고, 빌과 나는 그런 문제에서 보노와 협력했다. 빌의 연설을 위해 특별히 만든 연단으로 걸어갈 때 나는 놀라서 숨이 막혔다. 10만이 넘는 군중이 미국 대통령의 연설을 듣기 위해 좁은 도로를 가득 메우고 녹지대까지 넘쳐흐르고 있었다. 빌은 영원히 해결할 수 없는 갈등은 존재하지 않으며, 북아일랜드 사태도 평화로운 미래에 굴복할 수 있다면서 평화를 위해 노력하라고 열심히 권했다.

우리는 '다일' 이라고 불리는 아일랜드 국회에서 또 한 번 연설한 뒤, 쇼핑을 하고 캐시디의 선술집을 방문하기 위해 거리로 나섰다. 우리 선발대는 족보에 대한 정보를 이용하여 빌의 친척일 수도 있는 캐시디를 찾아냈고, 이제 캐시디의 선술집 안에서 우리와 합류하여 기네스(쓴맛이 도는 스타우트 맥주)를 마셨다. 나는 모든 아일랜드인은 어떤 식으로든 핏줄이 이어진 친척 관계라는 결론에 도달했다.

그날 저녁에 우리는 스미스 대사의 관저에서 노벨문학상을 받은 시인 세이머스 히니와 그의 아내 마리를 만나는 감격을 누렸다. 세이머스의 시 「트로이의 치유」는 지금이야말로 아일랜드에서 '희망과 역사가 일치하는' 때라는 빌의 연설 주제에 영감을 주었다.

아일랜드는 나에게 활력과 영감을 주었다. 아일랜드인들의 선의를 병에 담아 집으로 가져갈 수 있다면 얼마나 좋을까 하는 생각이 들었다.

# 말해야 할 때

빌이 벨파스트를 떠나면서 남긴 작별인사—"평화와 선의라는 크리스마스 정신이 여러분 마음속에서 꽃을 피우고 무럭무럭 자라기를 기원합니다"—는 워싱턴에 전달되지 않았다. 워싱턴에서는 당파 싸움이 크리스마스 시즌까지 계속되고 있었다. 12월 5일 백악관이 주최한 연례적인 국회 무도회에는 예산안을 놓고 빌과 싸우고 소환장으로 백악관 현관을 장식하고 있는 바로 그 사람들이 참석했다. 하지만 그들은 우리와 함께 사진을 찍으려고 '영접실'에서 길게 줄을 서서 기다렸다. 물론 빌은 모든 사람을 따뜻하게 환영했다. 이튿날 1996년 회계연도에 대한 예산 조정안을 거부했을 때에야 비로소 빌은 공화당 지도부에 자신의 강철 같은 강인함을 보여주었다.

공화당은 환경 보호, 교육 기금, 메디케이드와 메디케어를 비롯하여 가난한 여성과 어린이와 노인에 대한 지원 프로그램의 예산을 잔인하게 삭감했다. 빌은 린든 존슨이 30년 전 메디케어 법안에 서명할 때 사용한 바로 그 펜으로 거부 통지서에 서명했다. 빌은 "미국의 전혀 다른 두 가지 미래"가 달려 있다고 지적했다. 빌은 공화당이 대통령의 거부권을 무효화하는 데 필요한 표를 확보하지 못한 것을 알고, 공화당이 입장을 누그러뜨려 백악관과 협상을 통해 교착 상태를 깨자고 촉구했다. 하지만 깅리치가 이끄는 혁명적인 초선 의원들은 연방 정부의 힘을 무너뜨리려는 십자군 전쟁에서 한발짝도 물러나기를 거부했다.

돈을 지출할 수 있는 정부의 권한은 12월 16일 자정에 또다시 만기가 되었다. 이번에는 '부분적인' 임시 휴업 사태가 벌어졌다. 일부 연방 공무원들은 잠정 해고되어, 정부가 다시 문을 열 때까지 무보수로 일했다. 다른 때도 아닌 크리스마스 시즌에 국민에게 그런 고초를 강요하는 것은 정말 끔찍한 노릇이었다. 12월 22일 국회가 크리스마스 휴가를 위해 휴회하기 전에 깅리치가 이끄는 공화당 의원들은 급진적인 복지 개혁안을 통과시키는 무정한 짓을 태연히 해치웠다. 그 개혁안이 그대로 성립되면 수백만 명의 힘없는 여성과 노인과 아이들이 위험에 빠질 터였다.

빌의 참모들은 대통령 선거운동 때부터 복지 개혁을 논의해왔다. 선거운동 때 빌은 "지금과 같은 사회복지를 끝장내겠다"고 약속했다. 나는 복지제도가 망가져서 수리할 필요가 있다는 데에는 동의했지만, 우리가 뜻하는 개혁은 복지 혜택을 포기하고 일을 하도록 장려하는 안전망을 확보하는 것이라고 주장했다. 나는 남편만이 아니라 개혁안을 만들고 있는 남편의 참모들한테도 강력하게 내 의견을 밝혔다. 나는 어떤 개혁안도 반드시 메디케이드를 유지하고 일하는 어머니들에게 보육 서비스를 제공해야 한다고 주장했다. 나는 공개 토론에는 참석하지 않았지만 내부 토론에는 적극적으로 참석했다. 나는 빌과 '웨스트 윙'의 정책 참모들이 여성과 어린이에게 해로운 공화당의 비열한 법안에 굴복할 기미를 보이면 공개적으로 반대하겠다는 뜻을 분명히 밝혔다. 나는 빌의 딜레마를 이해했고, 그의 결정에 영향을 미치고 싶었다. 빌의 참모진은 내 참모들과 협력하여, 공화당의 주장에 대한 반박 논리를 세우는 데 상당한 진전을 이루었다. 대통령은 약속대로 공화당의 복지법안을 거부했다.

국민은 마침내 예산안 교착 상태와 정부의 임시 휴업 사태에 대한 책임을 공화당에 묻고 있었다. 공화당 지지율이 떨어지자 공화당의 전선에 균열이 생겼다. 1월에 보브 돌 상원의원은 뉴햄프셔에서 시작될 차기 대통령 선거운동을 내다보았는지, 타협을 거론하기 시작했다. 빌이 물러서기를 기대한 깅리치의 '허세' 전략은 실패로 끝났다. 이제는 빌이 우세해졌기 때문에 우리는 정부의 문을 다시 열고 잠정 해고했던 직원들을 재고용할 수 있게 되었다. 나는 한시름 놓은 기분이었다.

1996년 1월 3일, 제104대 국회의 두번째 회기가 시작되었을 때 깅리치의 '미국과의 계약' 가운데 법률로 성립된 것은 별로 중요하지 않은 세 가지 항목뿐이었다. 빌은 무려 열한 번이나 거부권을 행사했다. 빌은 메디케어와 메디케이드가 잘려나가는 것을 피했고, 도마에 오를 운명이었던 '아메리코(AmeriCorps)'와 '법률구조단(Legal Aid Service)' 같은 봉사 활동 프로그램을 구해냈다. 1월 말에는 양쪽이 타협에 도달하여 정부의 문을 다시 열었다.

정부의 임시 휴업에 영향을 받지 않은 기관은 상원 금융위원회였다. 이 위원회의 업무는 '필수불가결'하다고 여겨졌기 때문이다. 금융위원회는 화이트워터 청문회를 열어 쉬지 않고 우리 친구들과 변호사와 동료들을 의사당으로 불러들였다. 반면에 재향군인관리국에서 운영하는 병원들은 대부분의 환자 진료가 금지되었고, 다른 정부 직원들은 봉급도 받지 못하고 잠정 해고당했다.

우리가 유럽에 있었던 11월 29일, 공화당의 핵심 증인인 L. 진 루이스는 메릴랜드 출신 상원의원 폴 사버네스와 청문회의 민주당측 법률 고문인 리처드 벤-베니스트에게 반대신문을 받았다. 1992년 8월에 리틀록에서 FBI와 연방 검사와 함께 범죄 조회서를 정식으로 제출한 '정리신탁공사(RTC)' 관리인 루이스는 맥두걸 부부만이 아니라 1985년에 '매디슨 상호신용금고' 에서 맥두걸이 빌의 선거자금을 모금하기 위해 열었던 행사에서 돈을 기부한 사람들까지도 모두 중죄 용의자라고 불렀다. 루이스는 빌과 나를 소환 가능성이 있는 증인 명부에 올려놓았다. 벤-베니스트는 루이스가 우리에게 정치적 편견을 가지고 있으며, 1992년 대통령 선거 직전에 범죄 조회서를 제출한 것은 선거에 영향을 미치기 위해서였다고 비난했다. 2002년에 발표된 화이트워터 최종 보고서에 따르면, 선거 직전에 우리를 범죄 수사에 연루시키려고 한 시도는 당시 부시 대통령의 백악관과 법무부 사람들의 사주에 따른 것이었다.

벤-베니스트는 금융위원회 청문회에서 루이스의 증언을 반박하기 위해 격렬한 반대신문을 하고, 그녀가 캔자스시티의 사무실로 찾아온 RTC 관리와 나눈 긴 대화를 우연히 녹음했다고 주장한 것은 거짓말이라고 내비쳤다. 벤-베니스트의 추궁을 받은 루이스는 자신이 보수적인 공화당원이기는 하지만 빌에 대해 어떤 정치적 편견도 갖고 있지 않으며 빌을 거짓말쟁이라고 부른 적도 없다고 주장했다. 그러자 벤-베니스트는 루이스가 1992년에 쓴 편지에서 빌을 거짓말쟁이라고 비난했다면서 그 편지를 증거로 제시했다. 민주당은 또한 루이스가 빌과 나에게 비판적인 메시지를 새긴 티셔츠와 머그잔을 시장에서 팔려고 했다는 증거를 제시했다. 신문이 끝나기 전에 루이스는 쓰러졌고, 청문회장을 나갈 때는 부축을 받아야 했다.

일반 대중은 화이트워터 드라마가 이런 식으로 전개되고 있는 것을 거의 알지 못했다. 텔레비전 네트워크 가운데 루이스가 청문회장에 출두했을 때의 상황을 보도한 것은 C-SPAN뿐이었다. 루이스가 인상적이고 자멸적인 증언을 한 뒤에도 『뉴욕 타임스』는 루이스의 근거 없는 비난을 계속 신뢰했고, 루이스를 '스타 증인' 이라고 불렀다. 다마토가 이끄는 금융위원회는 드러난 사실에도 아랑곳하지 않고 맥두걸의 신용금고와 내 관계를 집요하게 탐색했다. 케네스 스타 특별검사의 수사는 비밀로 되어 있었지만, 그의 특검팀은 고의적으로 언론에 수사 상황을 누설하는 놀라운 재능을 보여주고 있었다.

1995년 말, 딕 모리스가 나에게 묘한 메시지를 전했다. 어떤 혐의인지는 아직 분명치 않지만 내가 기소될 예정이며, 기소장을 받으면 빌에게 재판 전에 나를 사면해달라고 부탁하라고 '스타 검사와 가까운 사람'이 제안했다는 것이다. 나는 모리스가 공화당에 있는 연줄에게 정보를 제공하고 있을 거라고 생각했기 때문에 아주 신중하게 말을 골랐다. "당신 정보원한테 전하세요. 나는 아무 나쁜 짓도 하지 않았지만, 에드워드 베넷 윌리엄스의 불멸의 명언에 따르면 '검사는 마음만 먹으면 햄 샌드위치도 기소할 수 있다'는 것을 잘 알고 있다고 스타 특검팀에 보고하라고 말예요. 그리고 스타가 나를 기소해도 나는 절대로 사면을 요청하지 않을 거예요. 법정에 가서 스타가 얼마나 지독한 사기꾼인지 폭로하고 말겠어요."

"정말로 내가 그렇게 말하기를 바라십니까?" 모리스가 물었다.

"한마디도 틀리지 않게 그대로 전하세요." 나는 대답했다.

예산안과 임시 휴업을 둘러싼 소동에 묻혀, 화이트워터 수사에서 전개된 중요한 사건은 거의 주목받지 못한 채 지나갔다. 크리스마스 직전에 RTC의 화이트워터 보고서가 마침내 공개되었다. 이 독자적인 보고서는 빌과 내가 화이트워터 투자에 최소한으로 관여했으며 매디슨 신용금고의 파산에는 아무런 책임이 없다는 우리 주장을 확인했다. RTC 조사관들은 47명의 증인을 조사하고 20만 건의 자료를 검토하고 360만 달러의 경비를 썼지만, 우리가 부정을 저질렀다는 증거를 전혀 찾아내지 못했고, 화이트워터 '스캔들'의 어떤 측면에 대해서도 그것을 뒷받침해주는 실제 근거를 찾아내지 못했다.

진 루이스의 자멸적인 증언과 마찬가지로 이 보고서도 언론에 최소한으로 보도되었을 뿐이다. 『USA 투데이』는 아예 한 줄도 보도하지 않았고, 『워싱턴 포스트』는 화이트워터 소환장을 다룬 1면 기사의 열한번째 단락에 그 소식을 슬쩍 묻어놓았다. 『뉴욕 타임스』는 그 보고서를 두세 단락으로 짤막하게 보도했다. 공화당은 RTC의 조사 범위가 너무 한정되었다면서 무시해버리고 국회 청문회를 계속했다.

이 소식에 한껏 고무되어 있던 1996년 1월 4일 아침, 나는 정기적인 정보 교환을 위해 백악관에서 데이비드 켄들을 만났다. 데이비드는 자기가 좋아하는 정치 만평을 복사하거나 타블로이드판 주간지에서 스크랩한 기사―"힐러리가 외계인의 아기를 낳았다"는 식으로 그 주일에 꾸며낸 판타지―를 보여줌으로써 브리핑 시간을 즐겁게 만들었다.

우리는 본관 2층의 커다란 침실과 '옐로 오벌 룸' 사이에 있는 가족실에서 만났다. 부시 내외와 레이건 내외는 이 방에서 텔레비전을 시청했고, 해리 트루먼과 프랭클린 루스벨트는 이곳을 침실로 사용했다. 빌과 나는 이 방에 텔레비전과 카드 테이블, 소파와 안락의자를 들여놓았다. 데이비드와 한창 이야기를 나누고 있는데 의전관이 노크하고는 데이비드에게 쪽지 한 장을 건네주었다. 데이비드는 쪽지를 접어 주머니에 넣었다. 이야기가 끝나자 데이비드는 방을 나갔다.

이튿날 아침 데이비드가 전화를 걸어, 중요한 일이 생겼다면서 나를 만나러 가도 되겠느냐고 물었다.

데이비드가 전날 받은 쪽지에 대해 설명했다. 캐럴린 휴버가 보낸 것인데, 나가는 길에 '이스트 윙'에 있는 자기 방에 들러달라는 내용이었다는 것이다. 아칸소에서 오랫동안 우리 조수로 일했던 캐럴린은 우리를 따라 워싱턴으로 와서도 우리의 개인적인 우편물을 처리하고 개인 서류―학교 성적표에서 휴가 때 찍은 사진과 연설문에 이르기까지―를 체계적으로 정리하여 목록을 작성하고 보관하는 일을 맡고 있었다. 이제 그 서류는 수백 개의 상자에 담겨 대통령 관저와 메릴랜드 주에 있는 백악관 특별 창고에 보관되어 있었다. 데이비드는 특별검사가 요구한 서류를 찾아달라고 캐럴린한테 자주 부탁했고, 지난 몇 달 동안 캐럴린은 우리 서류 상자와 자신의 서류철에 들어 있는 수천 장의 문서를 조사했다.

데이비드가 사무실에 들어가자 캐럴린이 서류 다발을 건네주었다. 데이비드는 그 서류가 무엇인지를 당장 알아차렸다. 1992년에 컴퓨터로 출력한 그 서류 다발에는 1985~86년에 나와 로즈 법률회사 동료들이 매디슨 신용금고를 위해 처리했던 법률적인 건들이 자세히 열거되어 있었다. 매디슨 신용금고에 대한 청구서류는 특별검사가 제출하라고 요구한 서류 목록에 포함되어 있었지만, 그 서류는 로즈 법률회사와 매디슨 신용금고에서 찾는 것이 논리적으로 타당하게 여겨졌다. 따라서 그 서류가 우리 문서 목록에 없어도 나는 전혀 놀라지 않았다. 하지만 그 서류를 보면 내가 매디슨 신용금고를 위해 법률적인 일을 거의 하지 않았다는 내 기억이 입증될 거라고 확신했기 때문에, 데이비드와 나는 그 서류가 나타나기를 간절히 바라고 있었다. 그래서 마침내 그 서류가 발견되었다는 말을 듣고 나는 마음이 놓였다.

"도대체 어디 있었어요?" 나는 데이비드에게 물었다.

"저도 모릅니다." 데이비드가 말했다. "캐럴린이 사무실에서 서류 상자를 뒤지다가 우연히 발견했답니다. 캐럴린은 이 서류가 무언지 알아차리자마자 저한테 쪽지를 보낸 것이고요."

"이제 서류가 나타났으니 어떻게 될까요?"

"좋은 소식은 우리가 그 서류를 찾았다는 것이고, 나쁜 소식은 기자와 검사들이 또다시 제멋대로 날뛸 기회를 준다는 겁니다."

그리고 그들은 정말로 흥분해서 날뛰었다. 일찍이 닉슨의 연설문 작성자였던 윌리엄 새피어는 『뉴욕 타임스』 칼럼에서 나를 '타고난 거짓말쟁이' 라고 불렀다. 『뉴스위크』는 표지에 내 사진을 싣고 '성자인가 죄인인가?' 라는 제목을 붙였다. 내가 대배심에 소환되고 화이트워터 수사로 기소될 수도 있다는 이야기가 다시 나오기 시작했다.

나중에 우리는 그 청구서류 사본이 아마 1992년 대통령 선거전 때 만들어졌을 거라고 결론지었다. 빌의 선거운동 참모와 로즈 법률회사가 매디슨 신용금고와 짐 맥두걸과 화이트워터에 대한 기자들의 질문에 답변할 수 있도록 복사했을 것이다. 당시 기자들의 질문을 처리한 빈스 포스터가 서류에 메모를 끼적거려놓았다. 나는 그동안 이렇게 말해왔다. 오래 전에 맥두걸의 신용금고를 위해 일한 적은 있지만, 일한 시간도 대가로 받은 보수도 최소한에 그쳤다고. 서류가 발견되었으니 그 말도 확인되리라고 믿었다.

1996년 1월 9일, '그린 룸'은 백악관 의전관들의 세심한 도움으로 나와 바바라 월터스(미국 ABC-TV의 토크쇼 진행을 맡고 있는 유명한 앵커우먼–옮긴이)의 인터뷰를 위한 임시 스튜디오로 변모했다. 기술자들은 바닥에 케이블을 뱀처럼 늘어놓고 조명장비를 설치했다. 방은 부드러운 황금빛에 싸였다. 그 조명은 인물을 실물보다 돋보이게 해주어서, 가루 뿌린 가발을 쓴 모습으로 벽난로 위의 초상화 속에 들어 있는 벤저민 프랭클린조차 젊음으로 빛나는 듯이 보일 정도였다. 음향 기술자들이 음량을 조절하는 동안 바바라와 나는 유쾌한 잡담을 나누었다.

이 인터뷰는 오래 전에 1996년 1월 9일로 일정이 잡혀 있었다. 원래는 『아이 하나를 키우려면 마을 전체가 필요하다』가 출판되기 직전에 그 책을 홍보하는 것이 목적이었다. 하지만 내가 존경하고 좋아하는 바바라는 이제 다른 화제를 생각하고 있었다. 11개 도시를 돌면서 책을 홍보하는 '북 투어'를 이런 식으로 시작하는 것은 최선이 아니었지만, 나는 이 인터뷰를 최근에 쏟아져 나온 터무니없는 주장들을 반박할 수 있는 기회로 삼고 싶었다. 카메라가 돌아가기 시작하자 바바라는 곧장 요점으로 들어갔다.

"클린턴 여사, 당신의 새 책이 이슈가 되지 않고 오히려 당신 자신이 이슈가 됐군요. 어떻게 해서 당신의 신뢰성이 송두리째 의심받는 이런 지경에 빠지게 됐나요?"

"나도 날마다 그걸 자문해보곤 합니다. 나한테는 너무나 놀랍고 당혹스런 일이니까요. 하지만 우리에 대해서는 지난 4년 동안 줄곧 의혹이 제기되고 그 의혹이 해명되면 또 새로운 의혹이 제기되곤 했어요. 우리는 제기되는 의혹을 해명하기 위해 앞으로도 계속 최선을 다할 겁니다."

"괴로우세요?"

"때로는 좀 고통스럽고, 좀 서글프기도 하고, 화도 나고, 짜증스럽기도 합니다. 그건 아주 자연스러운 일이라고 생각합니다. 하지만 그것도 우리가 헤쳐나가야 할 땅의 일부라는 것을 알고 있습니다. 우리는 그저 열심히 나아가서 땅끝에 도착하려고 애쓸 뿐입니다."

바버라 월터스가 사라진 서류에 대해 물었을 때 나는 말했다.

"한 달 전에는 서류가 사라졌다고 사람들이 펄펄 뛰었어요. 그들은 누군가가 자료를 없애버렸다고 생각했지요. 그런데 이제 서류가 발견되자 사람들은 또 펄펄 뛰고 있습니다. 하지만 나는 서류가 발견된 것을 기쁘게 생각합니다. 1~2년 전에 발견됐다면 더 좋았겠지요. 그 서류들은 내가 처음부터 했던 말이 진실임을 입증해주고 있으니까요. 나는 15개월 동안 일주일에 한 시간쯤 매디슨 신용금고 일을 했습니다. 나한테는 별로 중요한 일이 아니었어요."

바버라는 그 서류를 찾기가 왜 그렇게 힘들었는지 이해하지 못했다.

"당신의 서류가 보관되어 있는 곳은 어떤 상태인가요?"

"뒤죽박죽이에요……"

"그건 이해하기 어렵군요."

"하지만 백악관에는 수백만 건의 서류가 있다는 점을 이해할 필요가 있어요. 백악관 직원들은 벌써 2년이 넘도록 열심히 그 서류를 찾고 있었어요."

백악관으로 이사한 뒤 우리가 어떤 혼란과 무질서 속에서 살았는지를 말로 표현하기는 어려웠다. 우리는 1993년에 모든 짐을 상자에 아무렇게나 꾸려서 백악관으로 들어왔다. 그것은 짐을 보관해둘 수 있는 우리 소유의 집이 없었기 때문이다. 대통령 관저로 이사한 직후에는 백악관을 환경 에너지 기준에 맞추기 위해 난방시설과 에어컨 설비를 수리했다. 인부들이 천장과 벽에 새 도관을 설치하는 동안 짐상자는 벽장과 예비 창고에 쌓아놓아야 했다. 그리고 공사 진행 상황에 맞추어 매주 짐상자를 이리저리 옮겨야 했다.

1995년 여름에는 지붕과 3층에 도관 공사를 했다. 그곳은 손님용 침실과 일광욕실(백악관 살림집 꼭대기층), 사무실, 운동실, 세탁실과 여러 개의 창고가 있는 비공식 구역이었다. 그 가운데 '책방' 이라고 부르는 방은 넘쳐나는 책을 보관하기 위해 서가를 설치한 창고였다. 그 방에는 세탁실과 운동실, 관저에서 일하는 직원들이 사용하는 작은 복도로 통하는 문이 있다. 이렇게 문이 여럿 있기 때문에 그 방은 관저에서 가장 사람 왕래가 잦은 곳이었다. 사람들은 밤낮으로 온종일 그 방을 지나다녔다. 우리는 이 책방에 탁자를 놓고 서류 상자와 개인 물건을 올려놓았다. 이 물건들은 외부 창고에서 백악관으로 가져와 조사하고 목록을 만든 뒤 다시 창고로 돌려보냈다. 게다가 캐럴린은 이 방에 여러 개의 서류 캐비닛을 마련해놓고 자신이 정리하고 있는 서류를 보관해두었다. 공사가 진행되는 동안 천장에서 떨어지는 회반죽과 먼지를 막기 위해 탁자를 천으로 덮어둔 것도 문제를 더욱 복잡하게 만들었다.

게다가 특별검사가 요구하는 서류를 찾느라 혼란이 더욱 가중되었다. 데이비드 켄들은 특검 사무소에 서류를 넘기기 전에 복사할 수 있도록 책방에 복사기를 설치해달라고 나에게 부탁했다. 캐럴린이 나중에 증언한 바에 따르면, 그녀는 1995년 여름에 책방의 탁자 위에서 접혀 있는 서류 다발을 발견했다. 캐럴린은 그것을 자신이 정리하여 보관하려고 거기에 놓아둔 옛날 서류라고 생각했다. 그 서류의 중요성을 모른 채 캐럴린은 다른 서류들이 들어 있는 상자에 넣어 자기 사무실로 가져왔다. 캐럴린의 사무실은 이미 상자로 가득 차 있었다. 캐럴린은 나중에 시간 여유가 생기면 상자 속에 든 서류들을 분류하여 정리할 작정이었다. 몇 달 뒤 마침내 그 서류들을 정리하기 시작한 캐럴린은 접혀 있는 서류를 펴 보고 그것이 오랫동안 행방불명되었던 청구서류임을 알아차린 것이다.

캐럴린은 당장 데이비드에게 그 사실을 알렸다. 이는 정말 잘한 일이었다. 캐럴린은 밀려드는 서류 정리 작업과 특별검사의 서류 제출 요구를 제때에 처리하려고 최선을 다했지만, 캐럴린 자신도 인정했듯이 일을 다 끝내는 데 시간이 꽤 걸릴 때도 있었다. 나는 캐럴린의 증언에 영향을 미쳤다는 비난을 받고 싶지 않아서, 청구서류나 수사에 대해서는 캐럴린한테 한마디도 하지 않았다. 하지만 나는 캐럴린을 전적으로 믿고, 그녀가 그 서류를 못 보고 넘어간 것은 충분히 이해할 수 있는 단순한 실수라고 생각한다.

다마토 상원의원이 이끄는 청문회는 당장 청구서류가 발견되는 것을 방해하거나 위증한 증거를 찾기 시작했지만 결국 아무 증거도 찾아내지 못했다. 금융위원회는 벌써 90만 달러의 세금을 사용한 청문회를 두세 달 연장하기 위해 추가 지원을 요청했다. 몇 달 뒤 RTC는 청구서류가 변호사 활동에 대한 나의 해명을 뒷받침한다고 확인하는 추가 보고서를 정식으로 제출했다. 나는 청구서류를 숨길 하등의 이유가 없었고, 서류가 좀더 일찍 발견되지 않은 것이 유감스러울 뿐이었다.

일은 그런 식으로 진행되었다. 청문회와 언론 보도는 계속되었고, 내가 『아이 하나를 키우려면 마을 전체가 필요하다』에 대해 이야기하기 위해 라디오나 텔레비전의 토크쇼 진행자와 인터뷰할 때마다 청구서류에 대한 질문이 나왔다. 그 한 달 동안 즐거웠던 순간은 서점과 학교와 아동

병원에 가거나 전국의 어린이와 가족을 지원하는 프로그램에 참가했을 때뿐이었다. 엄청난 군중이 나를 환영해주었고, 그들은 따뜻하게 나를 격려해주었다. 이것은 워싱턴과 나머지 지역이 단절되어 있다는 또 하나의 증거였다.

이 단절이야말로 내가 『아이 하나를 키우려면 마을 전체가 필요하다』를 쓰고 싶었던 이유의 하나다. 미국 어린이들이 갈수록 심한 압박을 받고 있는 것을 생각하면, 워싱턴에서 점점 심해지고 있는 당파적이고 부풀려진 말이 이 어린이들의 문제 해결에 아무런 도움도 안된다는 느낌이 들었다.

내가 어린이와 가족에게 최선이라고 믿는 것은 대부분 정치나 이념의 범주에 들어가지 않는다. '북 투어'에서 만난 사람들도 나와 똑같은 느낌이 든다고 말했다. 내 책에 사인을 받으려고 몇 시간씩 줄서서 기다린 사람들은 미국 수도에서 최근에 벌어진 이전투구에 대해서는 관심도 없었다. 그들은 알맞은 가격에 수준 높은 보육시설을 찾기가 얼마나 힘든지에 대해 이야기하고 싶어했다. 근친의 도움을 받지 못하고 아이를 키우는 어려움, 위험한 행동을 찬미하고 가치관을 왜곡시키는 대중문화 속에서 아이를 키우는 고민, 좋은 학교와 적정한 학자금의 중요성, 그밖에 빠르게 변화하는 현대 사회에서 부모와 어른들의 마음을 괴롭히고 있는 다양한 문제들에 대해 이야기하고 싶어했다. 나는 이런 대화에서 용기를 얻었고, 내 책을 계기로 무엇이 미국 어린이들에게 최선인가에 대한 대화가 촉진되기를 바랐다.

『아이 하나를 키우려면 마을 전체가 필요하다』는 공동체 차원에서 개발되어 어린이와 가족의 삶에 영향을 미치는 프로그램과 아이디어에 대한 정보를 제공했다. 한 공동체의 모범적인 프로그램을 다른 곳에서 본받지 않는 까닭은 전달 통로가 거의 없기 때문이다. 예를 들면 애틀랜타의 부모들은 로스앤젤레스에서 10대 비행 청소년을 대상으로 실시하는 혁신적인 방과후 프로그램을 알면 도움을 받을 수 있을 것이다. 나는 일반 대중의 성공적인 시도에 가시성을 부여하여 그것이 전국의 공동체에 전파되기를 원했다. 나는 또한 책의 저자로서 받는 수익금을 모두 아동 자선단체에 기부하고 있었기 때문에 인세가 많이 들어오기를 기대했다. 결국 나는 100만 달러 가까운 돈을 기부할 수 있었다.

나는 '북 투어'에서 개인적인 위안도 얻었다. 1월 17일, 미시간 주 앤아버에서는 수십 명이 '힐러리 팬클럽' 티셔츠를 입고 서점에 나타났다. 메릴랜드 주 실버스프링에서 온 은퇴한 노부부—루스 러브와 진 러브—는 1992년에 자택 부엌에서 팬클럽을 창립했다. 전국에 수백 명의 회원이 있었고, 외국에도 지부가 몇 개 있었다. '러브'라는 성은 그들에게 꼭 들어맞는 이름이었다. 러브 부부는 나한테 언제 격려가 필요한지를 절묘하게 알아차리는 멋진 친구가 되었다. 그들은 내가 여행할 때면 미소와 티셔츠와 손수 만든 피켓으로 나를 환영하도록 '팬'들을 파견하곤 했다.

샌프란시스코에서는 제임스 카빌이 얼마 전에 마련한 레스토랑에서 나를 위해 만찬을 베풀고, 내 기운을 북돋워주기 위해 나와 가까운 친구들을 초대했다. 자유로운 정신을 가진 내 친구 수지 부엘은 워싱턴에서 전개되고 있는 드라마를 다 알지는 못하지만 나한테 해줄 말이 있다고 말했다. "용기를 내." 나에게 필요한 말은 그것뿐이었다.

나는 '북 투어'를 하는 동안 1996년 1월 19일 내 모교인 웰즐리 여대에서 강연을 하고, 그날 밤을 웰즐리 여대 학장인 다이애나 채프먼 월시의 멋진 집에서 보냈다. 학장 사택은 워번 호숫가에 자리잡고 있다. 나는 아침 일찍 일어나 호수를 둘러싸고 있는 오솔길을 따라 오랫동안 산책을 했다. 산책에서 돌아오자 데이비드한테서 전화가 걸려왔다. 케네스 스타가 나한테 대배심에 출두하여 사라진 청구서류에 대해 증언하라는 소환장을 보냈다는 것이다. 이번에는 백악관에서 비공개로 증언을 받지 않을 것이다. 나는 내주에 대배심에 출두하여 증언해야 할 것이다. 나는 심란

했지만, 빌이나 내 변호사들 말고는 누구한테도 내 기분을 드러내면 안 된다는 것을 알고 있었다.

멜라니는 날마다 기자들의 질문 공세에 시달리면서 '북 투어'를 하기가 얼마나 어려운지를 잘 알고 있었기 때문에, 나와 함께 여행하겠다고 고집했다. 개인적인 우정에서 나온 이 행동 때문에 멜라니는 감정적으로나 경제적으로 비싼 대가를 치렀다. 나와 함께 어려운 시기를 헤쳐나가야 했고, 여행 경비도 자기가 부담해야 했기 때문이다. 웰즐리 여대에서 보낸 그날은 특히 힘들었다. 무슨 일이 일어나고 있는지를 멜라니에게 털어놓을 수 없었기 때문이다. 언제나 민감한 멜라니는 내 감정의 흔들림을 재빨리 알아차리고, 나를 보호하러 나섰다. 나는 멜라니의 친절과 헌신을 평생 잊지 못할 것이다.

나는 의기소침한 상태로 백악관에 돌아왔다. 이 최근의 사건이 그동안 내가 유지해온 신뢰성을 모조리 파괴하지나 않을까, 이 일로 빌의 대통령직 수행이 영향을 받지나 않을까 하는 걱정 때문에 마음이 어지러웠다. 빌도 심란해하면서 나를 걱정했다. 빌은 나를 지켜주지 못해서 미안하다는 말만 되풀이했다.

첼시도 나를 걱정했다. 첼시는 때로 내가 바라는 것보다 더 열심히 수사 진전 상황에 관심을 보이고 있었다. 내가 첼시를 지켜주고 싶어했듯이 첼시도 나를 보호하고 위로해주고 싶어했다. 나도 처음에는 내가 겪고 있는 일로 첼시를 걱정시키지 않으려고 애썼지만, 결국에는 첼시도 이제 어른이 되어가고 있으니까 내 기분을 알면 첼시의 기분도 나아진다는 것을 깨달았다.

빌은 정부의 임시 휴업 문제에서 공화당을 이겼지만, 이 정치적 승리가 빌과 나를 사법 절차의 악용으로부터 지켜주지는 못했다. 빌은 케네스 스타 일당 앞에서 무력감을 느꼈다. 분노는 대배심 출두를 준비하기에 가장 좋은 심리 상태는 아니다. 내가 변호사라는 것이 그나마 도움이 되었다. 나는 그 절차를 잘 알고 있었기 때문이다. 하지만 그래도 대배심에 출두하기 전 일주일 동안은 먹지도 자지도 못했고, 몸무게가 5킬로그램이나 빠졌다. 이런 다이어트는 권하고 싶지 않다. 나는 명료하고 솔직하게 증언하려고 애썼지만, 그보다는 이 모든 상황에 대한 분노를 억제하는 데 더 정신을 쏟았다. 대배심의 배심원들은 시민으로서 의무를 다하고 있을 뿐이었다. 스타 검사와 함께 일하는 수사관들은 나에게 존중받을 가치가 없다 해도, 배심원들은 존중받을 자격이 있었다.

데이비드는 나를 대배심에 소환하는 것은 사법 절차를 악용한 부당한 행위라고 스타 특검팀에 강력히 항의했다. 나는 전에 그랬듯이 선서를 하고 비공개로 신문을 받을 수도 있었고, 비디오 테이프로 녹화 증언을 할 수도 있었다. 하지만 스타는 나를 법정에 세워야 한다고 고집했다. 나에게 공개적으로 모욕을 주는 것도 그의 목적 가운데 하나일 테지만, 나는 그의 의도대로 기죽지는 않겠다고 내심 다짐했다. 나는 대배심에 출두하여 증언한 최초의 퍼스트 레이디로 역사에 기록될지 모르나, 대통령의 아내로서가 아니라 나 자신의 책임 아래 증언할 것이다. 데이비드는 경호실의 리무진을 타고 지하주차장으로 가서 엘리베이터를 타고 3층으로 올라가면 법정 밖에 있는 사진기자들과 텔레비전 촬영팀을 피할 수 있을 거라고 말했다. 나는 이 제의를 거절했다. 법정에 몰래 들어가면 내가 뭔가 감출 게 있어서 그런 것으로 보일 것이다.

1월 26일 그 상쾌한 오후 1시 45분에 내가 탄 리무진이 미합중국 컬럼비아 특별구(미국 연방 의회 직할의 특별 행정구로, 미국의 행정 수도인 워싱턴 시와 범위가 일치하므로 흔히 '워싱턴DC'라고 한다—옮긴이) 지방법원 앞에 멈춰섰다. 나는 차에서 내려 군중에게 미소와 함께 손을 흔들고 연방 법원 건물로 들어갔다. 나는 케네스 스타와 그의 불합리한 사법 절차에 대한 내 본심을 감추어야 한다는 것을 알았다. 나는 일주일 내내 정신적으로나 감정적으로 이 순간에 대비했다. 심호흡을 해. 나는 계속 나 자신을 타이르면서 하나님에게 나를 도와달라고 빌었다.

대배심에 들어갈 준비가 되자 나는 변호사들에게 손을 흔들며 말했다. "자, 갑시다. 총살형을 받으러!"

대배심은 3층 대법정에서 열렸다. 대배심에 관한 사법 절차에 따라 증인은 대배심에 변호사를 대동할 수 없다. 나는 혼자였다. 23명의 배심원 가운데 두 명만 빼고는 모두 참석했다. 열 명은 여자였고, 대부분 아프리카계 미국인이었다. 그들은 한결같이 자신이 봉사하는 지역을 대표하는 듯이 보였다. 케네스 스타를 보좌하는 여덟 명의 특검보는 모두 스타와 똑같아 보였다.

스타는 신문을 대리에게 맡기고, 자신은 검사석에 앉아서 나를 노려보았다. 나는 모든 질문에 답변했지만, 똑같은 질문이 몇 번이고 되풀이될 때가 많았다. 도중에 세 번 휴정 시간이 있었다. 한번은 휴정 시간에 복도로 나오자 한 남자 배심원이 다가와서 『아이 하나를 키우려면 마을 전체가 필요하다』를 내밀며 사인을 부탁했다. 데이비드를 쳐다보니 그는 싱글벙글 웃고 있었다. 나는 책에 사인해주었다. 나중에 알았지만, 이 '사건 수사'가 끝난 뒤 그 배심원은 배심원 후보 명부에서 제외되었다.

네 시간 뒤에 대배심이 끝났다. 나는 옆방에서 변호사들—데이비드 켄들, 니콜 셀리그먼—과 백악관의 새 법률 고문인 잭 퀸과 제인 셔번에게 간단히 상황 보고를 들었다. 우리는 밖에서 애타게 나를 기다리고 있는 기자들에게 무슨 말을 할 것인지를 의논했다. 나는 출구로 걸어갈 때 사무실 옆을 지나가다가 직원들이 아무도 퇴근하지 않은 것을 알아차렸다. 많은 사람들이 나에게 손을 흔들거나 격려의 말을 하려고 남아서 기다리고 있었다.

밖으로 나왔을 때는 이미 어두워져 있었다. 나는 기자들에게 간단한 질문 몇 가지만 받기로 동의했다. 기자들은 내 기분이 어떤지 알고 싶어 했다.

"긴 하루였어요." 내가 말했다.

"오늘 어딘가 다른 곳에 있기를 바라셨습니까?"

"물론이죠. 내가 가고 싶었던 곳이 백만 군데쯤은 될 거예요."

사라진 청구서류에 대한 질문이 나왔을 때 나는 말했다. "나도 다른 사람들 못지않게 그 서류가 왜 이제야 나타났는지 알고 싶어요. 나는 특검팀의 수사를 최대한 도우려고 애썼어요."

나는 백악관으로 돌아가기 위해 리무진에 올라타면서 손을 흔들었다. 내가 '영접실' 로 들어서자 빌과 첼시가 기다리고 있다가 나를 다정하게 끌어안았다.

뒤이어 나온 언론 보도에서는 내가 그날 입은 검정 모직 코트에 대해 말들이 많았다. 흐르듯이 드리워진 천에 수를 놓은 코트였는데, 어떤 기자는 "황금빛 용으로 등을 화려하게 장식한 옷"이라고 표현했다. 이 표현 때문에 워싱턴의 시사해설자들은 그 옷의 상징적 의미를 숙고하게 되었다. 용은 토템일까? 힐러리 클린턴은 용과 같은 맹렬 여성인가? 억측이 분분해지자 백악관은 리틀록에서 내 친구였던 디자이너 코니 페일스가 만든 그 코트에 아플리케로 수놓은 소용돌이 장식이 아무 의미도 없다는 성명서를 발표할 수밖에 없었다. 그것은 추상적인 무늬에 불과했고, 어느 패션 칼럼니스트는 그 무늬가 "조가비를 아르데코 양식으로 대담하게 표현한 것"처럼 보인다고 말했다. 내 공보실은 내가 1993년 취임 행사 때 그 코트를 입었다는 사실을 기자들에게 상기시켰지만—그때는 아무도 코트 디자인에 대해 왈가왈부하지 않았다—입방아는 여전히 계속되었다. 그 코트는 어느 기자의 말마따나 "워싱턴의 정치적 로르샤흐 테스트(잉크 얼룩 같은 무늬를 자유롭게 해석하게 하여 성격을 진단하는 검사—옮긴이)"가 되었다. 백 번 옳은 말이었다.

이튿날 밤에 나는 워싱턴의 또 다른 행사인 '알파파 클럽 만찬' 에 참석해야 했다. 이 클럽은 오로지 하나의 목적만을 가진 클럽이다. 해마다 연미복에 흰 나비넥타이를 갖추어야 하는 정식 만찬에서 모의 대통령 지명대회를 여는 것이 유일한 목적이다. 나는 캐피털 힐튼 호텔 무도장 단상에 남편과 각료들과 대법관들과 함께 자리를 잡았다. 그해의 모의 지명자는 콜린 파웰이었다. 그는 연설을 하려고 일어나서, 만찬회에 참석한 고위 인사들에게 이렇게 인사를 했다. "신사 숙녀 여러분, 극우파 공화당원, 민주당원, 그밖에 별볼일없는 분들, 법정에 소환된 손님들." 법정에 소환된 손님들 범주에는 나 한 사람만 들어갈 거라고 나는 생각했다. 그래서 손을 높이 쳐들고 웃음을 터뜨리자 파웰은 나를 돌아보면서 싱긋 미소를 지었다. 파웰이 연설을 끝낸 뒤, 빌의 수석참모 가운데 하나가 나에게 다가와서 속삭였다. "나처럼 대배심 앞에서 적어도 다섯 번 증언하기 전에는 별볼일없는 존재에 불과합니다."

## 전쟁 지역

미국과 프랑스는 오랫동안 복잡한 관계를 맺어왔다. 빌과 나는 양국 관계의 중요성을 알고 있었기 때문에, 1996년 2월 자크 시라크 프랑스 대통령 내외를 위한 첫 공식 만찬에 몹시 신경을 썼다. 드골파 정당의 보수적 정치인인 시라크는 18년 동안 파리 시장을 지냈다. 영어를 유창하게 구사할 줄 알고 또 젊은 시절 미국을 널리 여행하기도 한 시라크 대통령은 미국에 대해 개인적으로는 호감을 가지고 있지만, 그렇다고 해서 그것이 미국의 정책에 대한 프랑스 정부의 지지를 보장해주는 것은 아니었다. 하지만 빌은 프랑스의 협력을 얻으려 애썼고, 특히 1999년에는 유엔의 특별 결의가 없는 상황에서 코소보 사태(1998년 3월 초, 유고연방으로부터의 분리 · 독립을 요구하는 코소보의 알바니아계 반군이 세르비아 경찰을 공격하자, 세르비아는 알바니아계 주민을 대상으로 이른바 '인종청소'라는 대규모 소탕작전을 전개했다—옮긴이)를 해결하기 위한 NATO의 공습에 동참해줄 것을 프랑스에 열심히 설득했다.

외교는 동맹국을 상대할 때도 복잡하고 어려운 일이다. 미국과 프랑스의 긴밀한 우호 관계와 상호 존중은 프랑스가 미국의 독립을 지원해준 데에서 유래했지만, 미국이 주도한 이라크 전쟁에서 보았듯이 프랑스와 미국의 정책이 서로 달라서 양국 관계가 긴장된 적도 있다. 특히 이라크 전쟁에 대해 프랑스 정부는 강력하게 반대 의사를 표명했다.

만찬의 첫번째 걸림돌은 식단이었다. 프랑스인들은 요리에 까다롭기로 유명하기 때문에, 나는 백악관에서 그들에게 흠잡을 데 없는 식사를 대접하려고 신경을 썼다. 미국에서 태어나 미국에서 요리를 배운 백악관 주방장 월터 셰이브는 조금도 겁먹지 않고, 양국의 전통 요리 가운데 최고의 메뉴를 결합시키겠다고 나를 안심시켰다.

공식 만찬장의 원탁에는 다마스크 식탁보를 씌우고 크리스털과 은식기와 장미꽃을 가득 늘어놓았다. 워싱턴에 함박눈이 내리는 가운데 외교관들과 재계 지도자들, 예술가와 영화배우들은 백리향으로 맛을 낸 바다가재와 가지구이를 넣은 수프, 새끼양 갈비구이, 고구마 퓌레에 최고급 미국산 포도주를 곁들여 먹으면서 환담을 나누었다. 이 첫 식사를 포함하여 시라크 대통령 내외를 만날 때마다 빌과 나는 외교의 세계가 실로 복잡미묘할 뿐 아니라 놀라움으로 가득 차 있다는 것도 발견했다.

"물론 나는 미국의 많은 것을 좋아합니다. 미국 요리도 좋아하지요." 내 오른쪽에 앉은 시라크 대통령이 말했다. "실은 전에 하워드 존슨의 레스토랑에서 아르바이트한 적이 있어요."

미국과 프랑스 사이에 이따금 심각한 정치적 견해 차이가 있기는 했지만, 빌과 나는 백악관에서 지내는 동안 시라크 내외와 편안하게 대화를 나누는 관계를 유지했고, 나는 시라크 대통령의 부인인 베르나데트 시라크와 함께 프랑스 중부 지방을 방문하기도 했다. 드골 장군의 부관의 조카인 베르나데트는 1971년부터 코레즈에서 지방 공무원으로 선출된 우아하고 교양있는 분이다. 나는 베르나데트가 스스로 개척한 독자적인 역할에 마음이 끌렸고, 집집마다 찾아다니며 지지를 부탁했다는 이야기에 더욱 매료되었다. 1998년 5월에 프랑스를 방문했을 때는 베르나데트와 함께 코레즈 주를 돌면서 그녀의 선거구 주민을 만나기도 했다. 정말 멋진 하루였다.

곧이어 우리 가족의 획기적인 사건을 축하할 때가 되었다. 첼시가 16세 생일을 맞은 것이다. 나는 우리 딸이 그렇게 빨리 자라고 있는 것을 믿을 수가 없었다. 첼시가 첫번째 무용 교습을 받고 내 무릎으로 기어들어 책을 읽던 때가 바로 어제처럼 느껴졌다. 이제 첼시는 키가 나만큼 자랐고, 운전면허증을 따고 싶어했다. 그것만도 겁나는 일인데, 그보다 훨씬 놀라운 일은 빌이 첼시에게 운전을 가르치고 있다는 사실이었다.

경호실에서는 골프 카트를 빼고는 어떤 차도 빌이 직접 운전하는 것을 허락하지 않았다. 이것은 좋은 일이었다. 빌이 기계에 서투르다는 뜻은 아니다. 다만 어떤 순간에 너무 많은 정보가 한꺼번에 머릿속을 지나가기 때문에 운전에 주의를 쏟지 않을 때가 있다. 하지만 빌은 아버지의 의무를 다하겠다고 고집을 부리면서 캠프 데이비드의 경호실 파견대에서 차를 한 대 빌렸다.

후진과 평행 주차에 대한 첫 교습이 끝난 뒤 나는 '당버들 오두막'으로 돌아온 첼시를 만났다.

"그래, 어땠니?"

"아빠는 아는 게 참 많은 것 같아요."

대통령의 자녀 노릇을 하기란 결코 쉽지 않다. 익명성을 상실하는 것도, 온종일 경호원이 따라다니는 것도 괴롭고 귀찮다. 첼시는 이제 좀더 나이를 먹었지만, 빌과 나는 첼시가 되도록 정상적인 생활을 할 수 있게 해주기로 결심했다. 우리는 그날 무슨 일이 있었는지를 서로 이야기하고 주말 계획이나 가족 여행을 의논할 수 있도록 저녁에는 되도록 일정을 잡지 않고 가족 부엌에서 셋이 함께 식사를 하려고 애썼다. 첼시가 발레 교습을 마치고 돌아올 때쯤에는, 첼시가 나와 이야기하고 싶어할 경우에 대비하여 2층에 올라가 있으려고 애썼다. 적어도 첼시가 제 방으로 사라지기 전에 잠깐이라도 보고 싶었다.

우리는 또한 특별검사 수사와 가혹한 언론 취재로부터 첼시를 지켜주려고 최선을 다했지만, 그 중압감 때문에 첼시의 백악관 생활은 더욱 힘들어졌을 것이다. 첼시는 일찍 성숙해져야 했고 사람을 예리하게 판단하는 인물 감정가가 되어야 했다. 그리하여 첼시는 아첨꾼과 거짓 친구를 확인하여 물리치고, 오늘날까지도 가깝게 지내는 진정한 친구들과 돈독한 관계를 맺었다.

우리는 1996년 2월 27일 저녁에 국립극장에서 뮤지컬 「레미제라블」 공연을 보는 것으로 첼시의 16세 생일을 축하했다. 이어서 빌과 나는 버스 한 대를 가득 채울 만큼 많은 첼시의 친구들을 캠프 데이비드로 초청하여 주말을 함께 보내게 했다. 첼시는 캠프 데이비드에서 친구들과 할 일을 계획했다. 오후에 페인트볼 놀이를 하는 것도 첼시가 세운 계획이었다. 캠프에 주둔하는 해병대원들은 손님들보다 겨우 몇 살 위였기 때문에, 위장복을 입은 10대 아이들의 상대역을 맡아 숲속을 뛰어다니며 서로 페인트볼을 쏘아댔다. 빌은 어느 팀이든 한쪽이 처지는 것처럼 보이면 그 팀을 편들어 큰 소리로 작전 지시를 외쳐댔다. '월계수 오두막'에서 열린 생일 파티에는 백악관의 뛰어난 페이스트리 요리사인 롤랜드 메즈니어가 만든 거대한 당근 케이크가 등장했다. 파티가 끝난 뒤에 우리는 '히코리 오두막'에 다시 모여 영화를 보고, 아이젠하워 대통령이 설치한 볼링장에서 볼링을 했다. 자정이 지난 뒤에야 빌과 나는 마침내 우리가 열여섯 살이 아니라는 사실을 인정했다.

첼시와 친구들은 벌써 고등학교를 졸업한 뒤의 미래를 상상하고 있었다. 첼시가 이제 곧 집을 떠나게 된다고 생각하면 슬펐지만, 그런 내 기분으로 첼시에게 부담을 주지 않으려고 애썼다. 나는 다만 첼시가 워싱턴과 가까운 대학을 선택하기를 간절히 바랐을 뿐이다.

해마다 시드웰 프렌즈 고등학교는 2학년 학생과 학부모를 위해 '대학의 밤'을 주최한다. 빌과 나는 첼시와 함께 학교에 가서, 여러 대학에서 온 관계자들이 대학 입학 자격과 지원 방법에 대해 소개하는 것을 들었다. 첼시는 백악관으로 돌아오는 동안 내내 말이 없었다. 그러다가 불쑥 입을 열었다. "저는 스탠퍼드에 관심이 가는 것 같아요."

나는 반대 심리와 모녀의 역학 관계에 대해 알고 있는 것을 죄다 잊어버리고 엉겁결에 소리를 질렀다. "뭐라고! 스탠퍼드? 거긴 너무 멀어! 그렇게 멀리 가면 안돼. 스탠퍼드는 서해안에 있어. 워싱턴에서 세 시간대나 떨어져 있단 말야. 엄마 아빠는 너를 만나러 가지 못할 거야."

빌이 내 팔을 움켜잡고 첼시에게 말했다. "네가 원하는 곳이면 어디든 괜찮아." 물론 나도 알고 있었다. 첼시가 스탠퍼드에 지원해서 합격한다면 나도 기뻐해줄 것이다. 나는 우리 아버지가 나의 대학 선택에 이러쿵저러쿵 간섭했던 것을 생생히 기억했고, 빌과 나는 절대 그러지 않겠다고 맹세했다. 그래도 나는 첼시가 워싱턴과 같은 시간대에라도 남아있어주기를 간절히 바라고 있었다. 하지만 이날의 대화로 나는 현실과 맞닥뜨릴 수밖에 없었다. 첼시가 어느 대학에 가든, 1년 반 뒤에는 우리 곁을 떠날 것이다. 첼시는 마음의 준비가 되어 있었을지 모르지만 나는 그렇지 못했다. 나는 첼시와 훨씬 많은 시간을 함께 보내기로 결심했다. 적어도 첼시가 나한테 내주는 시간만큼은!

국무부는 지난 11월 조인된 데이턴 평화협정의 중요성을 강화하기 위해 미국 특사로 보스니아-헤르체고비나를 방문해달라고 나한테 요청했다. 크로아티아-이슬람 연합이 미국의 지원으로 기반을 강화한데다 빌이 옹호한 NATO의 공습이 맞물려 세르비아인들도 결국 협정을 맺을 수밖에 없었다. 나는 또한 독일과 이탈리아의 미군 기지에도 들르고, 미국과 NATO의 주요 동맹국인 터키와 그리스에서 일주일을 보낼 예정이었다. 이 두 나라의 관계는 키프로스 문제와 그밖의 문제들로 인해 팽팽히 긴장되어 있었다.

빌과 나는 여행에 동행하는 첼시가 보스니아를 건너뛰어야 할지 어떨지를 의논했다. 우리는 경호상의 위험을 검토해보고, 충분한 예방조치만 취한다면 안전할 거라고 판단했다. 첼시는 경험을 통해 성장할 수 있을 만큼 자라 있었다. 게다가 우리는 가수인 셰릴 크로와 코미디언 신바드를 비롯한 '미군위문협회(USO)' 단원들과 동행할 예정이었다. 이들은 모두 여행에 따르는 위험을 기꺼이 감수할 태세가 되어 있었다.

나는 빌과 국무장관 워런 크리스토퍼와 그의 특사인 리처드 홀브룩 대사가 데이턴에서 세르비아계와 크로아티아계 및 이슬람교도를 설득하여 내전을 끝내고 새로운 정부체제에 동의하겠다는 약속을 받아낸 것은 기적이라고 생각했다. 호전적인 집단을 고립시키고 기본적인 안전을 확립하기 위해 미국은 1만 8천 명의 평화유지군을 파견했고, 이들은 다른 나라들에서 온 4만 명의 병력과 합류할 터였다. 미국 정부는 평화협정이 준수되어야 하고 실제로 집행될 것이라는 강력한 신호를 보내고 싶어했다. 내 참모들은 국무부가 '너무 작거나 너무 위험하거나 너무 가난한 곳에는 힐러리를 보내라'는 훈령을 받은 모양이라고 농담하곤 했다. 나한테는 좋은 일이었다. 외떨어지고 위험한 현장이 가장 매력적인 경우가 많았기 때문이다. 나는 보스니아에 가는 것을 영광으로 생각했다.

3월 24일 일요일, 개조한 707기가 독일의 람슈타인 공군기지에 착륙했다. 바움홀더 근처에 있는 이 공군기지는 미군 제1기갑사단의 주둔지였다. 보스니아에 파병된 미군은 대부분 이 사단 소속이었다.

독일인들은 2년 전 베를린에서 열린 독일 통일 기념식에 참석한 빌과 나를 따뜻하게 환영해주었다. 우리는 헬무트 콜 총리 내외와 함께 브란덴부르크 문을 지나 1989년까지 동독 영토였던 땅에 섰다. 감정이 풍부하고 장난스럽기까지 한 콜 총리는 빌의 친구이자 정치적 파트너가 되었다. 콜은 40년 동안 지속된 분단을 넘어 동 · 서독을 하나의 독일 국가로 통합하는 데 헌신했다. 콜은 또한 유럽연합(EU)을 건설하고 유럽의 단일 통화를 채택하고, 발칸 반도의 분쟁을 종식시키려는 미국의 노력을 지원하는 데에도 기여했다. 양국의 협력은 유럽의 평화와 안전을 이룩하려고 애쓰는 전후 동맹 관계의 생생한 본보기였다.

첼시와 나는 바움홀더에 도착한 뒤, 교회에서 예배를 보고 미군 가족을 만나고 부대 식당에서 셰릴과 신바드의 짤막한 공연을 즐겼다. 이튿날 아침 6시 반쯤 우리 일행은 C-17 수송기를 타고 보스니아-헤르체고비나의 투즐라 공군기지를 향해 떠났다. 비행기에는 연예인들 외에 미국 기업들이 기증한 2,200장의 장거리 전화카드와 비디오 테이프에 담긴 300편의 영화를 포함한 선물과 우편물도 실려 있었다. 백악관은 케이스마다 대통령 문장이 찍힌 'M&M's' 초콜릿 여섯 상자를 기증했다. 전쟁 때문에 학교에 다니지 못한 보스니아 아이들을 위해 미국 기업들은 학용품과 장난감을 기증했다.

나는 거대한 수송기의 동굴 같은 뱃속을 돌아다니며 벤치 같은 보조의자에 끈으로 묶여 있는 기자들이나 승무원들과 잡담을 나누면서 한 시간 40분의 비행 시간을 보냈다. 비행선 안을 돌아다니는 것과 비슷했지만, 비행선보다 훨씬 시끄러웠다. 조종사는 당시 미 공군에 네 명밖에 없었던 C-17 여자 조종사 가운데 하나였다. 비행기는 지대공 미사일과 저격병의 총알이 닿지 않는 상공으로 올라가 황폐해진 땅 위를 순항했다. 비행기 안에서는 반드시 방탄복을 입고 있으라는 지시를 받았고, 경호원들은 착륙하기 전에 첼시와 나를 장갑판으로 보호된 조종실로 데려갔다. 이런 조치는 공식적으로는 전투가 중지되었지만 아직도 위험이 남아 있는 현실을 일깨워주었다. 활주로 위에 이르자 기장은 대공포화를 피하기 위해 날개를 기울이고 거의 수직에 가깝게 착륙했다.

옛 유고슬라비아의 치안 상태는 끊임없이 변하고 있었는데 최근에 다시 악화되었다. 활주로를 둘러싼 구릉지대에 저격병들이 매복해 있다는 정보 때문에 우리는 공항 주기장(駐機場)에서 현지 어린이들과 만나는 행사를 간단히 끝낼 수밖에 없었다. 그래도 아이들과 그들의 교사를 만나, 전쟁 중에도 어떻게든 안전한 곳을 찾아 수업을 계속하려고 애썼던 모험담을 들을 시간은 있었다. 한 여덟 살짜리 소녀가 「평화」라는 자작시를 나에게 주었다. 첼시와 나는 바움홀더의 아이들이 쓴 편지와 함께 가져간 학용품을 선물했다. 바움홀더 학교의 학부형과 교사들은 보스니아 아이들과 편지를 주고받는 펜팔 프로그램을 시작했다. 그후 우리는 서둘러 공항을 떠나 투즐라에 있는 안전한 미군 기지로 갔다. 기지에서는 미국과 러시아 · 캐나다 · 영국 · 폴란드에서 온 2천 명이 넘는 병사들이 거대한 천막촌에서 야영을 하고 있었다.

셰릴 크로와 신바드, 그리고 첼시와 나는 블랙호크 헬기를 타고 전선의 병사들을 찾아갔다. 무장 헬기가 양쪽에서 우리를 호위했다. 이것은 평화를 유지하는 것이 위험한 일일 수도 있다는 증거였다. 우리는 보스니아 북동부의 전초기지인 캠프 베드록에 착륙했다. 미군은 들판과 도로에서 지뢰를 제거하는 시범을 보여주었다. 그것은 섬뜩한 임무였고, 미군 병사들이 얼마나 위험에 노출되어 있는가를 다시 한번 일깨워주었다. 미국 내에서는 보스니아에서 미군이 맡고 있는 역할에 대해 많은 사람들이 의문을 제기하고 있었다. 이스라엘과 이집트가 평화협정을 맺은 뒤의 시나이 사막이나 한국전쟁이 끝난 뒤의 비무장지대처럼 갖가지 요소를 포함하는 시대와 장소에서는 평화 유지가 미군의 역사적 사명이었지만, 보스니아에서는 미군이 '평화 유지'에 개입하면 안된다고 주장하는 이들도 있었다. 그 지역에서 국경의 안전을 유지하는 책임은 미군이 아니라 유럽 군대가 져야 한다고 주장하는 이들도 있었다. 이런 문제 때문에 나는 장병들과 이야기를 나누면서 그들의 의견을 묻고, 그들은 자신의 사명을 어떻게 평가하는지에 귀를 기울였다. 한 중위는 보스니아에 직접

와보기 전에는 미국이 여기서 할 수 있는 역할을 이해하지 못했다고 말했다.

"이곳에 오기 전에는 여기서 벌어지고 있는 일을 상상하기 어려웠습니다." 중위는 한데 어울려 평화롭게 살던 여러 민족집단이 갑자기 종교 때문에 서로 죽이고 있다고 말했다. "마을에 가보면 피해가 얼마나 심한지 알 수 있습니다. 지붕이 날아가버린 집이 수두룩하고, 온 동네가 폭격으로 폐허가 된 곳도 있습니다. 사람들은 몇 년 동안 먹을 음식도 마실 물도 거의 없이 연명해야 했습니다. 하지만 이제는 우리가 가는 곳마다 아이들이 손을 흔들면서 미소를 보냅니다. 저에게는 단지 그것만으로도 이곳에 있을 이유가 충분합니다."

나는 헬기 창문으로 전쟁의 참화를 직접 보았다. 완만한 기복을 이룬 들판은 멀리서 보면 아름답고 푸른 유럽의 전형적인 전원 풍경이다. 하지만 아래로 내려가서 보면 지붕이 무사히 남아 있는 농가는 거의 없고 총알 구멍이 나지 않은 건물도 드물다는 것을 알 수 있었다. 들판은 경작되지 않은 채 버려져 있었다. 아니, 포격으로 갈가리 찢겨 있었다. 봄이었지만 아무도 씨를 뿌리고 있지 않았다. 지뢰와 저격병들 때문에 들에 나가는 것이 위험했기 때문이다. 위험하기는 숲과 도로도 마찬가지였다. 고통이 얼마나 심한지, 보스니아인들이 얼마나 심각한 고통을 겪고 있는지, 또한 그들이 정상적인 생활—아니, 그 비슷한 거라도—을 다시 시작할 수 있으려면 앞으로 할 일이 얼마나 많이 남아 있는지, 생각하면 할수록 끔찍할 뿐이었다.

나는 사라예보에 들러 다민족 대표단을 만나 미국 정부와 민간 기구가 내전으로 엉망이 된 사회를 치유하는 데 어떤 도움을 줄 수 있는지에 대해 그들의 생각을 들을 계획이었다. 하지만 치안 상황 때문에 사라예보 여행을 취소할 수밖에 없었다. 그러자 내가 만나려 했던 사람들이 위험을 무릅쓰고 80킬로미터나 떨어진 투즐라로 나를 만나러 오겠다고 고집했다.

우리는 미군 사령부 회의실에서 만났다. 보스니아 최초의 카톨릭교회 추기경과 세르비아 공화국의 동방정교회 총주교를 포함하여 나를 찾아온 손님들은 그동안 겪은 고초로 기진맥진해 보였지만, 한시라도 빨리 이야기를 하고 싶어했다. 그들은 내전으로 뒤죽박죽이 된 세상에서 정상적인 감각을 유지하려고 얼마나 애썼는지를 이야기했다. 오랜 친구와 동료들이 더 이상 말을 걸지 않을 때, 때로는 적대적인 행동마저 보일 때 얼마나 충격을 받았는지를 이야기했다. 테러가 시작되자 포격과 저격은 하나의 생활방식이 되었다. 코소보 병원 외과병동 부장은 의약품이 바닥나고 전기가 끊긴 뒤에도 병원 문을 계속 열었다고 말했다. 사라예보가 포위되었을 때 열두 살 난 아들을 잃은 유치원 교사는, 원아들이 가족과 함께 피난을 가거나 마구잡이식 폭력에 희생되는 바람에 원아의 수가 크게 줄었다고 말했다. 이슬람교도 보스니아인을 보호했다는 이유로 동포에게 얻어맞고 투옥되었던 세르비아인 기자는 심리적인 상처가 물리적인 황폐보다 더 해로울 때가 많다고 말했다. 내가 방문한 많은 곳에서 전쟁이 시민들의 마음과 정신에 준 상처는 수십 년이 지난 뒤에도, 아니 수백 년 뒤에도 여전히 남아 있었다. 전쟁이 끝난 뒤 망가진 사회 기반 시설을 복구하는 것과 사람들 사이의 신뢰를 회복하는 것은 완전히 별개 문제다.

모임이 끝난 뒤에 나는 기지를 돌면서 병사들의 생활 환경을 살펴보고 병원과 식당과 오락실에 들렀다. 셰릴과 신바드는 투즐라로 돌아와 위문 공연을 가졌다. 여행하는 동안 병사들과 그 가족에게 큰 인기를 얻은 첼시는 늘 다정하고 우아하게 악수를 하고 사인을 해주었다. 공연에서 사회를 본 특무상사는 관중석에 앉아 있던 첼시를 무대로 불러내어 여흥에 끌어들이기까지 했다. 첼시는 조금도 수줍어하지 않고 마이크를 잡고는 특무상사와 농담을 주고받았다.

"아가씨 이름은 첼시지요?" 특무상사가 물었다.

"대충 비슷해요." 첼시는 깔깔 웃으면서 대답했다.

그러자 특무상사는 장병들이 지르고 있는 군대식 환호를 흉내내보라고 요구했다.

"우-와-아!"

"잘했어요! 한 번 더!"

"우-와-아!" 첼시는 고함을 질렀고, 장병들은 박수와 요란한 환호로 응답했다.

이번에도 여느 때와 같은 언론 규칙—첼시와는 인터뷰를 해서도 안 되고, 허락받지 않은 사진을 실어도 안된다—이 적용되었지만, 이 여행에서 첼시는 그 어느 때보다도 자신있고 쾌활한 태도를 보였다. 첼시는 아빠를 닮아서 천성적으로 상냥하고 호기심이 많고 군중 속에서도 느긋했다. 그날 오후 이탈리아 아비아노에 주둔해 있는 미군을 방문했을 때 첼시는 또 한 번 자신의 열정을 보여주었다. 내가 조종사들과 사진을 찍는데 첼시도 함께 포즈를 취했다. 우리가 그곳을 떠날 때 뒤에서 누군가가 소리를 질렀다.

"첼시! 운전 연습은 어떻게 돼가니?"

전투복 차림의 그 젊은이는 첼시에 대한 언론 보도를 열심히 보고 있었던 모양이다. 첼시는 그 젊은이에게 대답하려고 돌아섰다.

"잘돼가요." 첼시는 미소를 지으면서 말했다. 그러고는 몇 걸음 걷다가 다시 돌아서서 소리를 질렀다. "워싱턴에 오면 조심하세요!"

이 여행은 첼시와 나에게 지속적인 영향을 남겼다. 우리는 군복을 입은 미국 남녀들이 무척 자랑스러웠다. 그들은 미국적 가치와 다양성이 얼마나 좋은 것인지를 실증해주었다. 발칸 반도 사람들이 다원주의가 유리하다는 증거를 찾고 싶으면, 투즐라나 캠프 베드록의 식당에 앉아서 온갖 피부색과 종교, 다양한 말투와 용모를 가진 사람들을 둘러보기만

하면 된다. 이 다양성이야말로 미국의 힘이고, 그것은 그들의 힘이 될 수도 있다.

이스탄불과 아테네에서 여행을 끝내기 전에 우리는 터키의 수도 앙카라에서 에페소스로 날아갔다. 터키 남해안에 있는 고대 그리스 도시인 에페소스는 아름답게 복원되어 있었다. 맑고 화창해서 흠잡을 데 없이 좋은 날씨였다. 눈 아래 펼쳐진 해안 풍경과 청록빛 바다는 숨막히게 아름다웠다. 비행하기에 더없이 좋은 날이고, 살아 있기에 더없이 완벽한 순간이라고 생각했던 기억이 난다.

3월 마지막 날 워싱턴으로 돌아왔다. 몸은 피곤했지만 머릿속은 빌에게 전해줄 온갖 정보와 인상들로 가득 차 있었다. 내가 보스니아에서 목격한 문제에 비하면 워싱턴에서 전개되고 있는 드라마는 너무나 시시하고 하찮게 느껴졌다. 그래도 드라마는 계속되었다. 그러나 이번에는 역할이 바뀌어 케네스 스타가 정밀 조사를 받고 있었다.

『뉴욕 타임스』는 특별검사를 비판하는 사설에서 케네스 스타가 백악관을 수사하는 동안에도 1년에 100만 달러를 벌어들이는 사설 변호사 업무를 계속하고 있다고 비난했다. 사설은 "백악관을 수사하는 검사는 공명정대하고 어디에도 얽매인 데가 없어야 한다"고 말했지만 스타가 특별검사를 사임해야 한다고 요구하지는 않았다. 스타의 수사가 도덕적 오점으로 얼룩졌을 가능성은 있지만 "처음부터 다시 시작하기에는 수사가 너무 많이 진행되었다"는 것이 그 이유였다(내 생각에는 터무니없는 이유였지만). 그래도 스타가 담배회사 같은 대기업의 법적 대리인이라는 사실에 대해 언론이 대중의 주의를 환기시킨 것은 신선하게 느껴졌다. 담배회사들과 클린턴 행정부는 분명 이해가 충돌하는 사이였다. 케네스 스타는 특별검사로 임명되었을 때 '커클랜드 · 엘리스' 법률회사의 파트너였지만, 법률회사를 사임하라는 요구나 압력을 받지 않았다. 스타는 또한 클린턴 행정부의 정책에 직접 영향을 받는 소송에 참여하고 있었지만, 큰돈을 벌 수 있는 그 일을 그만두어야 한다는 생각도 하지 않았다.

대담한 몇몇 기자들—『아칸소 데모크랫 가제트』의 진 라이언스와 『뉴욕 옵서버』의 조 코너슨—은 발행 부수가 한정되어 있는 정기간행물에서 케네스 스타의 '이해의 충돌'을 보도하고 있었지만, 이제는 워싱턴의 주류 언론에서도 그 사실을 다루기 시작했다.

레이건 행정부와 부시 행정부에 참여한 스타가 당파심이 강한 공화당원이라는 사실은 이미 잘 알려져 있었다. 종교적 우익 세력과 폴라 존스(클린턴의 아칸소 주지사 시절 일어난 성추문 사건〔트루퍼게이트〕의 여주인공—옮긴이)가 스타와 연결되어 있다는 것도 그보다는 정도가 덜하지만 역시 잘 알려져 있었다. 하지만 스타가 우리의 정적들과 사업상 관계를 계속 유지하고 있다는 사실은 최근까지 간과되었다.

1996년 3월 11일, 『USA 투데이』는 스타가 '바우처 계획'(Voucher program: 공공기관이 사립학교에 대해 수업료 지불을 보증하는 증명서를 발행함으로써 경제적으로 공립과 사립 중 어느 쪽이든 선택할 수 있도록 하는 아동 취학 프로그램—옮긴이)을 지지하는 위스콘신 주를 대리하여 시간당 390달러를 벌고 있다고 보도했다. 바우처 계획은 클린턴 행정부가 반대하는 교육 정책이었다. 스타에게 수임료를 지불한 것은 극우 보수적인 브래들리 재단이었다. 그뿐만이 아니었다. 『네이션』지는 스타가 재직하고 있는 커클랜드·엘리스 법률회사를 '정리신탁공사(RTC)'가 조사하고 있을 때와 같은 시기에 스타가 파트타임 검사 자격으로 RTC를 수사함으로써 실제적인 '이해의 충돌'이 있었다는 사실을 밝혀냈다. RTC는 커클랜드·엘리스 법률회사가 덴버의 한 상호신용금고 사건에서 업무상 과실을 저질렀다는 이유로 법률회사를 고소했던 것이다. 여기에는 커클랜드·엘리스 법률회사의 파트너로서 스타의 금전적 이해관계가 직접 걸려 있었고, 따라서 스타의 '이해의 충돌'이 있어 보였지만, 그러나 언론은 이를 무시했다. 스타는 RTC에 대한 수사에서 스스로 발을 뺐어야 옳았다. 그의 법률회사는 32만 5천 달러를 변제하기로 하고 RTC와 합의했지만, 이 합의는 비밀 협약이라는 구실로 비밀에 부쳐졌다. 반면에 RTC와 국회와 언론은 로즈 법률회사가 매디슨 신용금고를 위해 처리한 법률적 업무를 모든 측면에서 철저히 조사했다. 커클랜드 · 엘리스 법률회사의 합의와 스타의 활동에 대해서는 전혀 조사가 이루어지지 않았다.

3월에 갑자기 스타에게 비호의적인 기사가 나오기 시작했지만, 그것도 스타에게 뚜렷한 영향을 주지는 못했다. 스타는 "화이트워터 수사가 끝날 때까지 법률회사에 휴가를 내고 모든 소송사건에서 손을 떼라"는 『뉴욕 타임스』의 권고를 무시했다. 오히려 그 반대였다. 4월 2일, 스타는 뉴올리언스 주의 제5순회항소법원에서 심리한 중요한 소송사건에서 네 개의 주요 담배회사를 대리했다.

스타와 그의 후원자들에게는 관대하게 책임을 면제해준 반면, 비당파적 배심원과 수사관들을 배제시키기 위해서는 '이해의 충돌' 이라는 카드를 공공연히 사용한 보수파의 이중 잣대에 나는 경악을 금치 못했다. 원래의 특별검사인 로버트 피스크는 스타에게 길을 열어주기 위해 1994년 8월 특별검사 자리에서 밀려났다. 피스크는 '이해의 충돌' 혐의로 배제되었지만, 사실 그 혐의는 스타의 수많은 정치적 · 경제적 '이해의 충돌' 에 비하면 약소한 것이었다. 보수파가 스타에게도 피스크와 똑같은 잣대를 적용했다면 애당초 스타를 특별검사에 임명하지 말았어야 하고, 도중에도 여러 번 스타의 사임을 요구했어야 마땅하다.

아칸소 주의 연방 판사 가운데 가장 명망있는 판사가 다른 소송사건에서 스타한테 불리한 판결을 내리자, 그는 '이해의 충돌' 을 날조하여 법관 기피 신청을 냈다. 물론 이 소송사건은 빌과 나와는 아무 관계도 없었고, 매디슨 신용금고나 맥두걸 부부, 또는 화이트워터 투자와 관련된 어느 누구와도 무관한 사건이었다. 스타는 특별검사의 권한을 이용하여 빌의 후임으로 아칸소 주지사가 된 민주당의 짐 가이 터커를 기소했다. 터커가 텍사스 주와 플로리다 주의 케이블 텔레비전 방송사를 인수한 것을 사기와 음모 혐의로 걸고넘어진 것이다. 1995년 6월에 스타는 협박할 수 있는 사람한테는 기소장을 위협 수단으로 사용하여 겁을 주고, 빌이나 나를 범죄 혐의로 옭아맬 수 있는 말—아무 말이나!—을 하면 눈감아주겠다고 제의하고 있었다. 연방 지방법원 판사인 헨리 우즈가 터커 사건을 맡게 되었다. 우즈 판사는 기소 사실을 검토한 뒤, 그것이 화이트워터 수사와 아무 관계도 없었기 때문에 터커에 대한 스타의 기소를 기각했다. 특별검사법에 대한 우즈 판사의 해석에 따르면 스타가 터커를 기소한 것은 월권 행위였다. 스타는 이 판결에 불복하여 항소를 제기하고, 우즈 판사에 대한 법관 기피 신청을 낸 것이다.

FBI 요원으로 일하다가 변호사로 명성을 날리던 우즈 판사를 연방 판사에 임명한 것은 지미 카터 대통령이었다. 남부에서 판사와 민권 옹호자로 눈부시게 활동한 우즈 판사는 이제 77세로 은퇴를 앞두고 있었다. 15년이 넘게 판사로 재직하는 동안 우즈 판사는 상급 법원에서 뒤집힌 적이 드물 만큼 공정하고 거의 완벽한 판결로 명성을 얻었다. 그가 스타를 방해할 때까지는 그랬다!

연방 법원에서 스타의 항소를 심리한 세 명의 판사는 레이건 대통령과 부시 대통령이 제8순회항소법원 판사로 임명한 보수적인 공화당원이었다. 세 판사는 스타의 요구를 둘 다 받아들여, 터커에 대한 기소를 원상태로 회복시키고 또한 우즈 판사를 심리에서 배제시키기로 동의했다. 그들은 우즈 판사가 편견을 가질 거라고 믿기 때문이 아니라, 우즈 판사에게 비판적인 신문과 잡지 기사가 편견의 '출현'을 초래할지도 모르기 때문에 우즈 판사를 배제시킨다고 말했다.

이 유별나고 전례없는 결정에 나는 변호사로서 분개할 수밖에 없었다. 판사의 판결이 마음에 들지 않는다는 이유로 검사가 판사를 사건 심리에서 배제시키는 것은 결코 용납될 수 없는 일이다. 게다가 이 경우 스타는 우즈 판사에게 법관 기피 신청을 내지 않았다. 우즈 판사에게 기피 신청을 냈다면 우즈 판사는 자신을 변호할 수 있었을 테고, 스타의 주장을 반박할 수 있었을 테고, 문제를 청문회에 회부하여 증언할 수도 있었을 것이다. 스타는 처음부터 항소법원에 법관 기피 신청을 냈기 때문에 우즈 판사는 답변할 기회조차 얻지 못했다.

항소법원 판사들이 우즈 판사의 자격을 박탈하는 데 이용한 비판적인 보도를 거슬러 올라가면, 인종차별주의자인 짐 존슨 판사가 그 근원임을 알 수 있을 것이다. 존슨은 일찍이 아칸소 주지사에 출마하여 '쿠클럭스클랜'(KKK: 미국의 인종차별적 비밀 조직. 남북전쟁 뒤 특권을 빼앗긴 옛 노예주들이 조직했다. 1870년경 해산되었다가 제1차 세계대전 때 다시 조직되어 경제공황과 맞물리면서 급성장했으나 그후 지지를 잃고 소멸했다가 공민권 운동이 한창이던 1960년대에 재건되어 수많은 테러사건을 일으켰다—옮긴이)의 지지를 받았고, 빌과 우즈 판사가 인종 문제에 대해 자유주의적인 '새로운 남부'의 견해를 갖고 있다는 이유로 경멸했다. 우즈 판사와 아칸소 주의 거의 모든 정치인을 공격하는 존슨의 논평은 우익 신문인 『워싱턴 타임스』에 실렸다. 이 논평은 허위 정보로 가득 차 있었지만, 다른 언론매체들은 대부분 이것을 사실로 받아들였다. 우즈 판사는 사건 심리에서 배제된 뒤 『로스앤젤레스 타임스』에 이렇게 말했다. "나는 내가 확인할 수 있는 한 영국과 미국의 역사상 신문 · 잡지 기사와 텔레비전 보도를 근거로 사건 심리에서 배제된 유일한 판사라는 영예를 얻었다."

짐 가이 터커와 그의 아내 베티가 스타의 그물에 걸려든 것은 내 마음을 아프게 했다. 스타의 노력에도 불구하고, 1982년 주지사 예비선거에서 빌에게 패배한 터커는 우리에 대해 거짓말을 하려 들지 않았다. 그래도 스타는 포기하지 않고 터커를 다른 혐의로 기소하여, 1996년 3월 아칸소 주 리틀록에서 짐 맥두걸 부부와 함께 터커를 재판에 회부했다.

이번에 터커와 맥두걸 부부가 받은 혐의는 음모, 전화를 이용한 사기, 우편을 이용한 사기, 신용금고 자금 유용, 신용금고 서류에 허위 사항 기재 등이었다. 이런 기소 사실들은 대부분 아칸소의 수상쩍은 기업인이고 공화당원인 데이비드 헤일과 연결되어 있었다. 기소장은 헤일이 다양한 사업 계획을 추진하기 위해 매디슨 신용금고와 중소기업청에서 대출을 받으려고 짐 맥두걸과 공모했고, 이 대출금은 상환되지 않았으며, 대출금 용도와 적법성의 근거가 허위로 기재되었다고 주장했다. 21가지 공소 사실이 적혀 있는 기소장에 화이트워터 개발회사나 빌이나 내 이름은 단 한 번도 나오지 않았다.

헤일은 노련한 도둑이고 사기꾼이었다. 게다가 그에게는 스타에게 협력할 충분한 동기가 있었다. 헤일은 스타에게 협력하면 과거의 범죄 때문에 장기형을 선고받는 것을 피할 수 있으리라고 생각했다. 중소기업과 저소득층에 혜택을 주어야 할 수백만 달러를 헤일의 회사에 빌려준 중소기업청은 헤일의 부도덕한 활동과 회사 공금 유용과 금지된 거래 때문에 340만 달러를 손해보았다고 보고했다. 중소기업청은 결국 헤일의 회사를 법정관리에 넘겼고, 1994년에 헤일은 중소기업청의 자금 90만 달러를 사취할 음모를 꾸몄다고 유죄를 시인했지만 헤일에 대한 판결은 2년 뒤 맥두걸-터커 재판이 열리기 직전까지 연기되었다. 헤일의 진술은 시간이 흐르면서 크게 달라졌고, 헤일은 검사들이 원하는 증언이라면 무엇이든 제공하고 싶어서 안달이 나 있었다. 피고측 변호인들은 헤일과 우익 활동가들이 밀접하게 연결되어 있고, 헤일이 특별검사 사무소에서 돈을 받았으며, 헤일이 스타와 거래하기 전후에 짐 존슨 판사와 40번이 넘게 통화했고, 스타의 오랜 친구이자 '아칸소 프로젝트'(제1권 307~308쪽 참조—옮긴이)와 우익 월간지인 『아메리칸 스펙테이터』의 고문 변호사인 테드 올슨이 헤일에게 무료로 법률 상담을 해주었다는 증언을 판사가 받아들이게 하려고 애썼다. 올슨은 훗날 조지 W. 부시 대통령 행정부의 법무차관으로 지명되자, 상원 법사위원회의 인사 청문회에서 이런 활동에 개입한 사실을 속였다. 그의 책임 회피에도 불구하고 상원은 그를 인준했다.

맥두걸-터커 재판을 주재한 판사는 헤일이 비밀 거래로 이득을 챙겼다는 증거를 법정 기록에 받아들이려 하지 않았고, 또한 모든 사실이 낱낱이 밝혀지기까지는 그후 몇 년이 걸렸지만, '아칸소 프로젝트'의 비밀 계획이 처음으로 세상에 드러나기 시작했다. 헤일은 빌을 음해하고 빌의 행정부를 끌어내리려는 음모에 가담하여 대가를 받는 앞잡이였다. 헤일은 증언하기로 동의한 뒤 특별검사 사무소에서 현금으로 최소한 5만 6천 달러를 받았을 뿐만 아니라, '아칸소 프로젝트' 측으로부터도 몰래 뒷돈을 받았다. 언론인인 데이비드 브록(제1권 304~308쪽 참조—옮긴이)은 훗날 회고록에서 헤일이 극우파 억만장자 리처드 멜론 스카이프의 재정 지원을 받는 『아메리칸 스펙테이터』의 '교육적' 매수 자금을 받았다고 폭로했다. 브록은 "애당초…… '아칸소 프로젝트'는 헤일이 클린턴을 범죄에 연루시키는 것을 은밀히 지원하기 위한 수단이었다"고 고백했다.

헨리 우즈 판사는 자신에 대한 조직적인 중상모략에 그 집단이 연루됐다는 증거를 발견하자, 연방 정부 차원에서 '아칸소 프로젝트'를 조사해달라고 요청했다. 그 지역의 연방 판사들 중에는 민주당만이 아니라 공화당이 임명한 판사들도 있었지만, 만장일치로 이 요청을 받아들였다. 하지만 우즈 판사의 고발에 대한 조사는 끝내 이루어지지 않았다. 우즈 판사는 1995년에 원로 판사의 지위를 얻었고 2002년에 세상을 떠났다. 그는 스타의 당파적 음해로 더럽혀진 수많은 훌륭한 사람들 가운데 하나였다.

특별검사 사무소가 헤일의 증언에 전적으로 기대다시피 하여 소송을 제기한 뒤, 갈수록 이상해진 짐 맥두걸은 자신을 변호하기 위해 증언대에 서겠다고 고집했다. 많은 논평자들은 맥두걸의 선서 증언이 세 피고 모두에게 심각한 타격을 주었다고 생각했다. 검찰측은 여러 건의 중죄 소인으로 세 피고에 대한 유죄 선고를 받아낼 수 있었다. 터커는 항소재판이 진행되는 동안 주지사를 사임했다. 그러자 케네스 스타는 있지도 않은 범죄 증거를 날조해내기 위해 짐과 수잔 맥두걸 부부에 대한 압력을 강화했다.

화이트워터와 관련된 복잡한 사실들이 마침내 법정에서 밝혀지기 시작했을 때, 나는 워싱턴의 기압에 미묘한 변화가 일어난 것을 감지할 수 있었다. 국회에서는 민주당 의원들이 다마토의 청문회 비용 지원 요청을 봉쇄하기 위해 필리버스터 작전을 펴겠다고 위협하자 다마토 자신이 청문회를 중단했다. 나는 몇 년 만에 처음으로 우리가 화이트워터 악몽에서 벗어날 수 있을지도 모른다는 희망을 갖기 시작했다.

이렇게 희망적인 순간도 있었지만, 1996년 봄은 축하할 때가 아니었다. 4월 3일, 론 브라운 상무장관과 수행원들과 미국 기업인 대표단을 태운 T-43 공군 제트기가 폭풍우 속에서 크로아티아 해안의 언덕 비탈에 추락했다. 론이 발칸 반도에 간 것은 그 어수선한 지역에 평화를 확립하기 위한 미국 정부의 장기적인 전략의 일환으로 투자와 교역을 촉진하기 위해서였다. 이것이 브라운 장관의 전형적인 접근방식이었다. 그는 전세계의 경제적 기회를 증진하는 것이 미국의 전략적 이익에도 도움이 되고 미국 기업에도 유익하다는 것을 본능적으로 알고 있었다. 이 사고로 론을 비롯한 33명의 미국인과 크로아티아인 두 명이 목숨을 잃었다.

나는 깊은 슬픔에 빠졌다. 론과 그의 아내 앨머는 내 친구였다. 그들은 1992년 대통령 선거운동 때 론이 민주당 전국위원회 의장을 맡은 이후 가장 신뢰할 수 있는 우리 동지였다. 유난히 기복이 심했던 그 선거운동에서 론은 침착함과 유머로 민주당을 이끌었다. 무자비한 공격으로 빌의 당선 가능성이 흐려졌을 때에도 론은 결코 흔들리지 않았다. 그는 민주당이 끈기있게 버티기만 하면 빌이 이길 수 있고 반드시 이길 거라고 믿었다. 결국 그가 옳았다. 론은 무척 재미난 사람이기도 했다. 론은 얼굴에 미소를 띠고 눈을 반짝거리며 누구라도 기운을 북돋워줄 수 있었다. 나도 그 덕분에 용기를 되찾은 적이 한두 번이 아니었다. 그는 "깽깽거리는 자들 때문에 풀이 죽으면 안된다"고 나를 일깨워주곤 했다.

추락사고 소식을 듣고 빌과 나는 앨머와 아이들—마이클과 트레이시—을 만나러 갔다. 그들의 집은 소식을 듣고 달려온 가족과 친지들로 가득 차 있었다. 우리는 모두 론에 대한 덕담과 회고를 나누면서 웃고 울었기 때문에 초상집이 흡사 부흥회라도 열린 듯한 분위기였다. 나중에 알았지만, 론이 탄 비행기는 겨우 일주일 전 그 맑고 눈부신 오후에 첼시와 나를 태우고 터키 상공을 날았던 바로 그 비행기였다. 우리가 그 비행기에서 만났던 승무원도 몇 명 희생되었다.

빌과 나는 델라웨어 주 도버에 있는 공군기지에서 성조기에 감싸인 33개의 관을 실은 비행기를 마중했다. 희생자들 중에는 내가 해외 순방을 떠날 때 몇 번 선발대로 떠난 적이 있는 꼼꼼하고 활기찬 로리 페인, 1992년에 빌의 선거운동을 지원하기 위해 자진해서 자전거를 타고 미국을 횡단한 29세의 상무부 직원 애덤 달링도 포함되어 있었다.

영결식은 주기장에서 거행되었다. 추도사에서 빌은, 국가를 위해 봉사하다가 목숨을 잃은 희생자들은 미국이 바칠 수 있는 최선을 상징한다고 말했다. 나는 빌의 연설을 들으면서 눈물을 흘리지 않으려고 눈을 계속 깜박거렸다

"해가 지고 있습니다. 다음에 해가 다시 떠오를 때는 부활절 아침일 것입니다. 부활절은 상실과 절망이 희망과 구원으로 바뀌는 것을 나타내는 날이며, 생명은 우리가 아는 것 이상이고, 때로는 우리가 견딜 수 있는 것 이상이라는 사실을 무엇보다도 잘 일깨워주는 날입니다. 하지만 생명은 영원하기도 합니다…… 해가 떠 있는 동안 그들이 한 일은 영원히 우리와 함께 남아 있을 것입니다."

# 프라하의 여름

1996년 7월 4일, 난생 처음 동유럽으로 여행을 떠났을 때, 옛 소련권 국가들에서는 갓 태어난 민주주의가 그동안 군림해온 공산주의를 밀어낸 뒤였다. 수억 명의 사람들이 철의 장막 뒤의 학정에서 해방되었지만, 내가 직접 보았듯이 민주적 가치를 받아들이는 것은 첫 단계일 뿐이다. 수십 년 동안 독재에 시달려온 곳에서 제구실을 다하는 민주 정부를 세우고 자유 시장을 일으키고 시민 사회를 확립하려면 시간과 노력과 인내가 필요할 뿐만 아니라, 미국 같은 나라들의 경제 원조와 투자, 기술 훈련과 정신적 지원도 필요하다.

빌은 외교 정책의 일환으로 NATO를 대서양에서 동쪽으로 확대하여 과거의 '바르샤바 조약기구' 가맹국을 포함시키는 'NATO 확대안'을 지지했다. 빌은 미국과 유럽의 장기적 관계를 강화하고 유럽 통합을 촉진하기 위해서는 NATO를 확대할 필요가 있다고 생각했다. NATO와 직접 국경을 맞대고 싶어하지 않는 러시아뿐만이 아니라 미국 국내에서도 NATO 확대에 상당한 반대가 있었다. 어떤 나라가 NATO에 가입할 자격을 얻었는지를 결정하는 일도 어려운 일이지만, 장차 NATO 회원국이 되기를 갈망하는 동유럽의 나머지 국가들에 대해 미국이 지속적인 지원을 재확인함으로써 그 나라들이 NATO에 가입할 수 있는 여지를 계속 남겨두는 것도 빌과 그의 참모들이 해내야 할 어려운 과제였다. 나는 미국의 격려가 필요한 곳, 연대감을 보여줄 필요가 있는 곳에 빌을 대신하여 가달라는 요청을 받았다.

나는 이 순방에서 얼마 동안은 유엔 주재 대사인 매들린 올브라이트와 협력했다. 나중에 국무장관이 된 매들린의 가족은 고국 체코슬로바키아에서 나치를 피해 탈출했다가 전쟁이 끝난 뒤에 귀국했지만, 공산 정권이 들어서자 다시 탈출하여 결국 미국에 정착했다. 매들린이야말로 민주주의가 상징하는 기회와 약속의 표상이었다.

나의 순방 여행은 한때 유럽에서 가장 아름다운 수도였던 루마니아의 부쿠레슈티에서 시작되었다. 부쿠레슈티는 20세기 초만 해도 파리와 비교될 정도였지만, 40년의 공산 통치를 거치는 동안 우아하고 화려한 정취를 거의 다 잃어버렸다. 나는 일찍이 카페들로 활기가 넘쳤던 대로에 늘어서 있는, 그러나 지금은 방치된 채 폐허처럼 변해버린 세기말의 건물들에서 과거 코스모폴리탄 시대의 자취를 찾아볼 수 있었다. 이제 부쿠레슈티를 지배하는 건축 양식은 소련식 사회주의 리얼리즘 양식이었다. 끝내 완공되지 못한 채 빈 껍데기만 흉물스럽게 남아 있는 거대한 골조에서도 그 건축 양식을 볼 수 있었다.

공산주의 독재자 니콜라이 차우셰스쿠가 민중 봉기로 몰락할 때까지 루마니아 국민들이 견뎌야 했던 공포가 어느 정도인지는 아무도 헤아릴 수 없을 것이다. 차우셰스쿠는 1989년 12월 25일 축출되어 처형당할 때까지 오랫동안 아내와 함께 공포 정치로 나라를 다스렸다. 내가 처음 들른 곳은 혁명 광장이었다. 이곳에서 나는 차우셰스쿠를 타도한 봉기의 희생자들을 기리는 기념비에 헌화했다. 나는 봉기 첫날을 따서 '12월 21일 연합'이라고 이름지은 정당의 대표들을 만나 혁명 이야기를 들었다.

시내 주요 광장에는 3천여 명의 루마니아인이 나를 환영하기 위해 모여 있었다. 광장은 아름다웠지만 주위 건물들의 벽에 숭숭 뚫린 총탄 자국이 광장의 미관을 손상시키고 있었다. 나는 들개 무리가 거리를 돌아다니는 것을 보고—이것은 어느 도시에서도 보지 못한 광경이었다—깜짝 놀라 안내인에게 물어보았다. "들개는 어디에나 있습니다. 사람들은 애완동물을 키울 여유가 없고, 들개 떼를 처리하는 기관도 없습니다." 루마니아에서 버려지고 있는 것은 개만이 아니었다. 개는 그보다 훨씬 심각한 무관심과 방기(放棄)의 전조일 뿐이었다.

공산 정권의 끔찍한 유산 가운데 하나는 에이즈에 걸린 어린이였다. 이들의 수는 계속 늘어나고 있었다. 차우셰스쿠는 산아제한과 낙태를 금지했고, 여자들은 나라를 위해 아이를 많이 낳아야 한다고 억지를 부렸다. 여자들은 한 달에 한 번씩 직장에서 짐마차에 실려 보건소에 검진을 받으러 갔다고 한다. 여자들은 옷을 벗은 채 길게 줄을 서서, 검진 차례가 올 때까지 경찰의 감시를 받으며 기다렸다. 의사들의 임무는 여자들이 피임이나 낙태를 못하게 감시하는 것이었다. 임신이 확인된 여자는 출산 때까지 감시를 받았다. 미국의 낙태 논쟁에서 나는 합법화를 지지하는 입장이다. 이런 내 입장을 옹호할 때, 국가 차원에서 임신을 감시한 루마니아와 임신을 강제로 중절시키는 중국을 자주 인용한다. 내가 낙태를 법률로 금지하려는 노력에 반대하는 이유는 어떤 정부도 법이나 치안 활동을 통해 여성의 가장 개인적인 결정을 좌지우지할 권리는 없다고 믿기 때문이다. 다른 곳과 마찬가지로 루마니아에서도 많은 아이들이 아이를 원치 않거나 키울 여유가 없는 부모한테서 태어났다. 이 아이들은 고아원에 수용되어 국가의 보호를 받았다. 대부분 병들거나 영양실조 상태인 아이들은 수혈로 치료를 받았다. 차우셰스쿠는 수혈을 정부 시책으로 장려했다. 루마니아에서 공급되는 혈액이 에이즈 바이러스에 오염되자 전국의 어린이들에게 에이즈가 퍼지는 재앙이 일어났다. 부쿠레슈티의

한 고아원에서 수행원들과 나는 에이즈에 그 작은 몸을 약탈당하여 죽어 가고 있거나 온몸이 종양으로 뒤덮인 아이들을 보았다. 수행원들 중에는 건물 한구석으로 가서 흐느끼는 사람도 있었지만, 나는 마음을 모질게 먹고 눈물을 삼켰다.

루마니아의 새 정부는 외국의 원조를 받아 아이들의 상황을 개선하거나 외국 입양의 기회를 좀더 확대하려고 애썼다. 하지만 입양 시스템이 부패에 시달리고 있었다. 가장 비싼 값을 부르는 사람에게 아이들을 팔아넘기고 있다는 비난이 고조되고 유럽연합이 루마니아의 입양 관행을 비난하자 2001년에 결국 국제 입양이 금지되었다. 부패를 일소하고 아동복지시설을 근대화하려는 노력은 아직도 필요하지만, 내가 방문한 이후 온갖 어려움을 이겨내고 인상적인 발전을 이룩한 루마니아는 NATO와 유럽연합의 회원국으로 선정되었다.

폴란드는 1996년에 이미 인상적인 경제적 · 정치적 발전을 이룩했다. 알렉산드르 크바시니에프스키 대통령은 영어를 유창하게 구사했고, 폴란드 공산당원으로 정계에 입문하기 전에 미국을 널리 여행했다고 한다. 1995년에 41세의 나이로 대통령에 취임한 크바시니에프스키는 1980년에 그단스크의 레닌 조선소에서 '연대' 노조의 파업을 주도한 영웅적 지도자로 폴란드 역사상 민주적으로 선출된 최초의 대통령이었던 레흐 바웬사와는 대조적인 세대를 대표했다. '연대'는 폴란드 공산주의를 무너뜨리는 데 이바지했고, 1983년에 노벨평화상을 받은 바웬사는 빌과 내가 1994년에 바르샤바를 처음 방문했을 때 폴란드 대통령이었다. 바웬사와 그의 아내 다누타가 우리를 위해 베푼 공식 만찬에서 빠른 속도의 경제 변화를 주장하는 바웬사 부부와 변화 속도를 늦추고 폴란드 경제를 더욱 보호해야 한다고 주장하는 농민 대표 사이에 활발한 논쟁이 벌어졌다. 국가 관리 경제에서 자유 시장 경제로 전환하는 과정에서는 어려운 경제적 결정을 내리는 것이 불가피하다. 폴란드에서는 그 어려운 결정이 대부분 바웬사의 감독 아래 이루어졌다. 그의 정당은 1995년 선거에서 패배했고, 바웬사의 후임 대통령이 된 크바시니에프스키는 젊은 세대를 자신의 정당으로 끌어들여 공산주의 붕괴 이후 정치적 기반을 넓히는 데 성공했다.

나는 크라코프에서 대통령 부인인 욜란타 크바시니에프스키를 만났다. 고딕식 탑과 회색 첨탑들이 유럽에서 가장 잘 보존된 중세 도시 크라코프를 우아하게 장식하고 있다. 크바시니에프스키 여사는 나와 마찬가지로 외동딸을 두었기 때문에, 우리는 외동딸을 키우는 어려움과 즐거움에 대해 활기찬 토론을 벌였다. 우리는 공산당에 의해 '반체제 분자'로 낙인찍힌 두 지식인—예지 투로비치와 체슬라프 밀로슈—을 방문했다. 투로비치는 공산주의 시절 50년 동안 카톨릭계 주간지를 발행하면서, 그것을 제지하려는 정부 당국의 끊임없는 압력을 꿋꿋이 견뎌냈다. 1980년에 『유폐된 넋』을 포함한 일련의 작품으로 노벨문학상을 받은 밀로슈는 공산주의 시대에 줄곧 자유 사상과 자유 언론을 옹호했다. 놀라운 용기와 신념으로 수십 년 동안 전세계의 반체제 인사들을 격려해준 이 두 사람은 반공 투쟁의 도덕적 명쾌함을 그리워하는 듯이 보였다.

나는 선과 악을 쉽게 규정할 수 있었던 나치와 공산주의 시절을 겪은 다른 사람들한테서도 그와 비슷한 심리를 발견했다. 아우슈비츠와 비르케나우의 나치 강제수용소보다 더 오싹한 악의 증거는 존재할 수 없다. 아우슈비츠의 놀랄 만큼 평범한 벽돌 건물들과 비르케나우에 길게 뻗어 있는 선로를 찍은 다큐멘터리와 영화 장면은 유대인과 반체제 폴란드인과 집시를 비롯한 많은 사람이 죽음으로 내몰렸던 이곳의 공포를 전달할 수 없다. 나는 아이들 옷과 안경, 신발, 틀니, 머리카락으로 가득 찬 방들을 방문했다. 이것들은 나치의 잔학상을 말없이 전해주는 증거였다. 자신의 미래를 그토록 잔인하게 도둑맞은 수백만 희생자들을 생각하자 몸이 마비되고 구역질이 났다. 우리가 가스실로 이어진 선로 옆에 멈춰서

자 안내인이 말했다. 연합군이 폴란드에 진주하자 나치는 자신들이 한 짓의 증거를 없애려고 시체 소각로를 다이나마이트로 폭파해버렸다고.

내가 열 살쯤 됐을 때 아버지와 함께 위놀라 호숫가의 산장 근처에 있는 서스퀘하나 강변의 선술집 식당에 갔던 일이 기억난다. 바텐더가 아버지와 이야기하는 동안, 나는 바텐더의 손목에 숫자가 문신으로 새겨져 있는 것을 보았다. 나중에 아버지한테 물었더니, 아버지는 그 바텐더가 제2차 세계대전 때 미군으로 참전했다가 나치한테 포로로 잡혔다고 설명해주었다. 나는 질문을 계속했다. 아버지는 나치가 수백만 유대인의 팔에도 숫자를 문신으로 새겼고, 유대인을 가스실에서 죽이거나 강제수용소에서 노예처럼 부렸다고 말했다. 나는 외할머니의 새 남편인 맥스 로젠버그가 유대인이라는 것을 알고 있었기 때문에, 맥스 할아버지 같은 사람이 단지 유대인이라는 이유만으로 살해됐을 수도 있다고 생각하자 오싹 소름이 끼쳤다. 멀리 떨어져 있는 악의 존재와 타협하기도 어려운데, 다음에 들른 바르샤바에서는 그 어려움을 몸소 겪고 있는 이들을 만났다.

로널드 로더 재단 유대인 커뮤니티 센터 회의실에서는 최근에야 자신이 유대인이라는 사실을 알게 된 스무 명의 사람들이 기다리고 있었다. 한 50대 남자는 친어머니로 알고 있던 여자한테서 뜻밖의 이야기를 들었다. 친부모가 그를 '홀로코스트'(제2차 세계대전 중 나치 독일에 의해 자행된 유대인 대학살)에서 구하기 위해 그녀에게 양자로 주었다는 것이다. 한 10대 소녀는 부모한테서 할아버지 할머니가 강제수용소에 가지 않으려고 유대인이 아닌 척했다는 이야기를 들었다고 했다. 이제 이 소녀는 '나는 누구인가' 하는 정체성 문제를 해결해야 할 것이다. 1999년 10월에 폴란드를 다시 찾았을 때, 나는 로더 재단을 다시 방문하여 폴란드에 유대주의(Judaism)가 회복된 것을 알았다. 폴란드 언론이 내 말을 보도한 뒤, 시골에 살고 있는 폴란드계 유대인들이 재단으로 전화를 걸거나 편지를 보내왔는데, 내 방문 기사를 읽기 전에는 폴란드에 살아남아 있는 유대인이 자기뿐인 줄 알았다고 말했다. 사회마다 나름의 역사와 직면하고 있듯이, 수많은 개인들도 저마다 자신의 역사와 직면하고 있었다.

나는 체코 공화국에서 매들린 올브라이트를 만났는데, 매들린도 그와 비슷한 경험을 이야기하곤 했다. 매들린도 어릴 때는 부모가 유대인이라는 사실을 까맣게 모르고 있었다고 한다. 매들린은 카톨릭교도로 성장했지만, 조부모 가운데 세 분이 나치 수용소에서 목숨을 잃었다는 것을 나중에 알게 되었다. 매들린의 가족은 체코슬로바키아에서 영국으로 이주했다가 결국 미국 덴버에 정착했고, 매들린은 이곳에서 고등학교를 마치고 웰즐리 여대에 입학했다. 매들린은 자기가 유대인의 혈통을 이어받았다는 것을 알고 놀랐지만, 자식을 보호하려는 부모의 괴로운 노력을 이해한다고 말했다.

매들린과 나는 바츨라프 하벨 대통령을 만났다. 극작가이자 인권 운동가인 하벨은 반체제 활동으로 오랜 세월을 감옥에서 보냈다. 1989년에 공산주의 체코슬로바키아를 민주주의로 바꾸어놓은 평화적인 '벨벳 혁명'이 일어난 뒤 하벨은 초대 대통령이 되었다. 3년 뒤 체코슬로바키아가 두 나라—체코와 슬로바키아—로 분리되었을 때 하벨은 새로운 체코 공화국 대통령으로 선출되었다.

나는 1993년 워싱턴에서 열린 홀로코스트 박물관 개관식에서 하벨을 처음 만났다. 어린 시절을 체코 프라하에서 보냈고 체코어를 유창하게 구사하는 매들린은 하벨과 절친한 친구 사이였다. 그 무렵에는 이미 국제적 인물이 되어 있었던 하벨은 다소 수줍음을 타는 성격이었지만, 달변이고 재미있고 아주 매력적인 사람이었다. 나는 하벨이 저항할 수 없는 매력을 가진 사람이라고 생각했다. 빌과 하벨은 둘 다 음악을 사랑해서 죽이 맞았다. 빌이 1994년에 프라하를 처음 방문했을 때 하벨은 빌에게 색소폰을 선물로 주고, 벨벳 혁명의 중심지였던 재즈 클럽을 함께 방문했다. 하벨은 빌에게 클럽의 악사들과 함께 연주하라고 권하고, 자신은 탬버린으로 빌의 연주에 반주를 넣었다. 빌의 「서머타임」과 「나의 발렌타인」 연주, 그리고 빌과 하벨이 함께 연주한 노래들은 CD로 제작되어 프라하에서 열광적인 인기를 얻었다.

최근에 아내를 여읜 하벨은 프라하 성에 있는 대통령 관저가 아니라 사저에서 저녁을 대접하겠다면서 매들린과 나를 초대했다. 내가 탄 차가 사저로 다가가자, 하벨이 꽃다발과 작은 선물을 들고 인도에서 우리를 기다리고 있었다. 선물은 하벨의 친구인 미술가가 알루미늄에 조각을 새겨 만든 머리띠였다.

멋진 저녁식사가 끝난 뒤 하벨은 우리를 데리고 산책하러 나갔다. 우리는 옛 시가지를 지나 유명한 카렐 다리를 건넜다. 이 다리는 음악가와 10대 청소년과 관광객들에게 인기있는 명소다. 하벨이 반체제 운동을 하고 있을 때 이 다리는 사람들이 모여서 음악을 연주하거나 암시장에서 구한 레코드와 테이프를 교환하거나 당국 몰래 메시지를 주고받을 수 있는 집결지였다. 음악, 특히 미국의 록음악은 1968년 '프라하의 봄'이 소련군에 의해 진압당한 뒤 체코슬로바키아 사람들이 그래도 희망을 간직하는 데 도움이 되었다. 1977년 프랭크 재파의 노래 가사를 따서 '세계의 플라스틱 민족'이라고 불린 체코슬로바키아의 록밴드가 체포되어 재판을 받은 뒤에 하벨은 항의 시위를 주도했다. '77헌장'으로 알려진 인권선언에 서명하고 '반체제 분자'라는 이유로 중노동형을 선고받은 하벨은 자신을 지탱하기 위해 문학에 의존했다. 그가 옥중에서 아내 올가에게 보낸 서간집은 이제 반체제 문학의 고전이다.

극작가이자 정치철학자인 하벨은 세계화가 국가와 민족의 경쟁심을 부채질하는 경우가 많다고 믿었다. 사람들을 공통된 지구 문화로 통합하는 대신에, 모든 사람이 똑같은 청바지를 입고 똑같은 패스트푸드를 먹고 똑같은 음악을 듣는 대중문화가 반드시 사람들을 더 가깝게 만들지는 않는다. 오히려 자신의 정체성에 대한 확신을 상실할 수 있으며, 그것이 뚜렷한 정체성을 입증하고 유지하기 위한 극단적인 노력—종교적 근본주의, 폭력과 테러, 인종청소, 집단학살 등—을 초래할 수도 있다고 그는 주장했다. 하벨의 이론은 특히 동유럽의 새로운 민주주의 체제와 관련되어 있었다. 특히 옛 유고슬라비아와 소련 같은 곳에서는 불관용과 민족주의적 긴장이 폭발하기 시작했다.

하벨은 '라디오 자유 유럽(RFE)' 의 본부를 베를린에서 프라하로 옮기라고 빌을 비롯한 미국 지도자들을 설득했다. 냉전 시대에 미국 정부는 소련 제국의 공산주의 선전에 맞서기 위해 RFE를 후원했다. 냉전 이후의 유럽은 이제 철의 장막으로 분단되어 있지 않고, 따라서 RFE도 새로운 역할—민주주의의 진흥—을 맡아야 한다고 하벨은 주장했다. 빌과 미국 의회는 하벨의 논리에 동의했고, 1994년에 RFE 본부를 프라하로 옮기는 것을 승인했다. RFE 본부는 역사상 중요한 벤체슬라스 광장 한 모퉁이에 있는 옛 소련 양식의 의사당 건물에 들어 있었다. 이 광장은 1968년 여름의 자유민주화 운동을 진압하기 위해 프라하 시내로 들어온 소련군 탱크들이 머물러 있던 곳이다. 하벨은 그 정치적 상징성을 이해했다.

나는 7월 4일 RFE 본부에서 연설을 했다. 미국 독립기념일의 메시지가 동유럽, 그리고 옛 소련에 새로 들어선 독립국가연합의 2,500만 청취자들에게 방송되었다. 나는 RFE가 혁명 이전에 맡았던 역할에 찬사를 보냈다. 당시에는 많은 체코슬로바키아 사람들이 RFE에서 보내는 전파를 잡아 서구 방송에 다이얼을 맞추려고 라디오를 창문 쪽으로 돌려놓았다. 나는 세계화와 문화적 균질화의 위험성을 경고하는 하벨의 말에서 영감을 얻어, 인류가 '21세기에 피할 수 없는 문제' 와 대결하는 것을 도울 수 있는 '민주적 가치 동맹' 을 결성하자고 주창했다. 여기에는 개인과 공동체의 권리가 균형을 이루게 하고, 매스미디어와 소비 문화의 압력 속에서 자녀를 키우고, 지역 및 세계와 협력하면서도 자신의 민족적 자부심과 국가적 정체성을 유지하는 문제가 포함된다.

민주주의는 진행 과정에 있는 작품이고, 민주주의를 시작한 지 2세기가 넘은 미국도 여전히 민주주의를 완성하기 위해 애쓰고 있다고 나는 말했다. 자유로운 사회를 건설하고 유지하는 것은 다리가 세 개인 의자와 같다. 다리 하나는 민주적 정부, 또 하나는 자유 시장 경제이고, 세번째 다리는 시민 사회다. 시민단체, 종교단체, 자원봉사, 비정부기구(NGO), 시민들의 개별적 활동이 모두 모여 민주적 삶이라는 천을 짜내는 것이다. 새로운 자유 국가에서 시민들의 마음과 정신과 일상생활 속에 민주적 가치를 내면화하기 위해서는 자유 선거나 자유 시장 못지않게 시민 사회가 중요한 역할을 한다.

나는 매들린 올브라이트가 1995년에 제2차 세계대전 종전 50주년을 기념하기 위해 체코 공화국 서부를 여행했을 때의 이야기로 내 연설을 마무리했다. 매들린이 가는 곳마다 체코 사람들은 48개의 별이 새겨진 미국 성조기를 흔들었다. 그것은 미군이 반세기 전에 나누어준 성조기였다. 체코 사람들은 소련의 지배를 받는 동안에도 언젠가는 자유가 찾아오리라는 믿음을 간직했듯이, 그 성조기도 소중하게 간직해둔 것이었다.

나는 1995년에 매들린과 함께 중국에서 열린 유엔 여성회의에 참석한 뒤 이번에 또다시 함께 지낼 수 있어서 기뻤다. 매들린과 나는 베이징에서 얻은 성과를 바탕으로 일을 추진하고, 미국 외교 정책에서 여성 문제와 사회 발전의 중요성을 계속 옹호하기로 결정했다. 1997년에 매들린이 국무장관이 된 뒤, 우리는 국무부 7층에 있는 장관 전용 식당에서 그녀의 비서실장인 일레인 쇼커스와 멜라니(클린턴의 두번째 임기 때는 영부인 비서실장을 지냈다—옮긴이)와 함께 정기적으로 점심을 같이 했다. 시간이 지나면서 우리는 생각을 조금 바꾸어, 평등과 포용이라는 미국의 민주적 가치를 좀더 적절히 반영할 수 있도록 외교 정책의 의제를 전환하는 데 이바지했다.

매들린과 나는 공통된 비전과 경험 때문에 동지가 되었다. 둘 다 웰즐리 여대를 다녔다는 것도 우리가 공유하고 있는 경험이었다. 우리는 동지인 동시에 친구가 되었다. 프라하에서 함께 지낸 사흘 동안 매들린과 나는 많은 이야기를 나누었다. 7월 4일에는 우리를 위해 미국 독립기념일을 축하하는 불꽃놀이가 펼쳐지는 가운데 블타바 강에서 배를 타고 프라하 성을 지나가는 멋진 유람을 하면서 쉬지 않고 대화를 나누었다. 우리는 프라하를 여기저기 걸어다녔고, 매들린은 프라하의 명소를 나에게 알려주거나 우리를 환영하는 사람들에게 모국어인 체코어로 인사를 했다.

그 여행에서는 매들린의 재치와 실용주의를 요약해놓은 듯한 순간이 있었다. 바츨라프 클라우스 총리를 만나기 전에 매들린과 나는 비밀 외교 정보를 검토해야 했지만, 둘이 은밀히 만날 수 있는 곳이 전혀 없었다. 그때 갑자기 매들린이 내 팔을 잡고는 어떤 문으로 끌고 갔다.

"따라오세요." 매들린이 말했다. 다음 순간 우리는 숙녀용 화장실에 들어와 있었다. 숙녀용 화장실은 두 여자가 비밀 대화를 나누기에는 안성맞춤인 곳이었고, 그 상황에서 이용할 수 있는 유일한 곳이었다.

매들린과 나는 프라하를 떠나 슬로바키아 공화국 수도인 브라티슬라바로 갔다. 블라디미르 메치아르 총리가 이끄는 슬로바키아는 과거의 독재 정권 시대로 되돌아가 있었다. 메치아르 총리는 NGO들을 자신의 통치에 대한 위협으로 간주해 불법화하고 싶어했다. 우리가 슬로바키아에 가기 전에 NGO 대표들은 나에게 물었다. 이들 단체에 대한 메치아르의 탄압에 좀더 많은 관심을 끌어모으고 또한 메치아르가 민주주의를 싫어한다는 사실을 강조하기 위해, 내가 그곳에 머무는 동안 NGO 집회를 열 예정인데, 거기에 참석해줄 수 있느냐는 것이었다. 내가 슬로바키아 필하모닉 오케스트라의 본거지에서 열리는 집회에 참석하자, 참석자들은 용기를 얻어 소수 민족의 권리와 환경 파괴, 손상된 선거 절차 같은 문제에 대해 솔직하게 발언했고, 그들의 노력을 법으로 금지하려는 정부의 시도를 강력하게 비판했다.

내가 개인적으로 만난 세계 지도자들 가운데 나를 불편하고 곤혹스럽게 만든 사람은 두 명뿐이다. 하나는 짐바브웨의 로버트 무가베인데, 그는 젊은 아내가 이야기하는 동안 웃을 일도 아닌데 끊임없이 킬킬거렸다. 또 한 사람은 그날 오후 내가 슬로바키아 정부 청사에서 만난 메치아르 총리였다. 전직 권투 선수인 그는 작은 소파 끝에 앉았고, 나는 반대쪽 끝에 앉았다. 나는 콘서트홀에서 NGO들과 그 단체들이 하고 있는 일에 깊은 감명을 받았다고 말했다. 그러자 메치아르는 내 쪽으로 몸을 기울이고는 끊임없이 주먹을 쥐었다 폈다 하면서 위협적인 말투로 NGO가 표리부동하며 국가에 도전하는 반정부 집단이라고 말했다. 회담이 끝날 때쯤 나는 메치아르의 거친 태도와 금방이라도 터질 듯한 분노에 놀라서 소파 한쪽 구석에 몸을 웅크리고 있었다. 슬로바키아 사람들은 1998년 9월 선거에서 그를 쫓아냈다. NGO들은 변화를 선택하려는 유권자들의 기분을 최고조로 높여 메치아르 축출에 크게 이바지했다.

내가 방문한 나라들은 모두 NATO에 회원으로 받아들여질 가능성을 논의하고 싶어했다. 헝가리에서는 줄라 호른 총리와 개인적으로 만났을 때 그 문제를 논의했는데, 나는 NATO 확대를 지지했기 때문에 호른 총리의 기운을 북돋워주려고 애썼다. 나는 아르파드 괸츠 대통령도 만났다. 괸츠 대통령은 나치와 공산주의자들의 미움을 받은 것으로 명성을 얻은 영웅적인 인물이다. 하벨처럼 극작가인 그는 헝가리가 민주주의로 전환했을 때 국민이 뽑은 초대 대통령이었다. 괸츠는 대통령 관저로 쓰이는 넓은 저택에 나를 맞아들이면서, 이 많은 방들을 어떻게 해야 할지 모르겠다고 토로했다. "우리 식구는 아내와 나 둘뿐이어서, 우리는 침실

하나만 쓰고 있지요. 아무래도 많은 사람들한테 여기 와서 살라고 해야겠어요!" 백발에 유머 감각이 풍부한 괸츠는 건강한 산타클로스처럼 보였다. 발칸 반도에 대해 논의할 때는 그의 태도가 진지해졌다. 그는 유럽이—아니, 사실은 서양 전체가—오랫동안 민족간 갈등과 싸우게 될 거라는 우려를 표명했다. 그는 이슬람 극단주의자들에 대해 경고했는데, 이 말은 예언처럼 들어맞았다. 괸츠는 16세기에 오스만 제국을 부다페스트 성문까지 이끌어온 것과 똑같은 팽창주의적 충동이, 현대 민주주의의 다원성을 거부하고 신앙의 자유와 여성의 선택권을 부정하는 이슬람 근본주의자들 사이에 또다시 퍼지고 있다고 말했다.

사람들은 내가 방문한 도시들을 얼마나 자유롭게 구경하고 다녔는지, 경호원의 호위를 받지 않고 어디든 갈 수 있었는지를 알고 싶어한다. 나는 대부분 차량으로 이동했고, 경호원들에게 둘러싸여 있었다. 하지만 부다페스트에서는 유명한 군델 식당에서 식사를 하는 흔치 않은 즐거움을 누렸다. 나는 초롱불이 걸려 있는 정원에서 바이올린 연주자의 세레나데를 들으면서 식사를 했다. 그리고 어느 아름다운 오후에는 몇 시간 동안 마음대로 옛 시가지를 둘러보며 걸어다녔다. 멜라니와 리사, 켈리, 그리고 캔자스시티 출신의 일급 선발대원인 로샨 패리스는 관광객으로 위장하려고 최선을 다했다. 나와 동행한 경호원은 수석경호원인 보브 맥도너프 한 사람뿐이었는데, 그도 관광객으로 위장하느라 꽤나 애를 먹었을 것이다. 나는 밀짚모자에 선글라스를 끼고 편안한 셔츠와 바지를 입었다. 우리는 좁은 거리를 따라 상점과 공중목욕탕 유적을 지나서 신고딕 양식의 성당으로 들어갔다. 헝가리 정부는 내가 자기네 나라에 있는 동안은 나를 '보호' 해야 한다고 고집을 부렸기 때문에, 검은 양복 차림에 창이 두꺼운 구두를 신고 무기를 지닌 헝가리 비밀경호원 두 명이 몇 걸음 앞서서 걸어갔다. 우리의 정체를 드러내는 것은 그것뿐이었다. 우리가 밖에 나온 지 한 시간 남짓 지났을 때, 한 미국인 관광객이 길 건너편에서 소리를 질렀다. "힐러리! 안녕하세요!" 내 정체가 밝혀지자 사람들은 놀라서 바라보거나 손을 흔들거나 큰 소리로 인사를 하기 시작했다. 나는 악수와 인사를 하고 다시 몇 시간 동안 산책을 즐겼다.

한번은 젊은 미국인 부부가 우리에게 인사를 하고는 사진을 같이 찍을 수 있느냐고 물었다. 남편은 보스니아에 주둔해 있는 육군 병사였다. 그는 내가 몇 달 전에 보스니아를 방문한 것을 알고 있었다. 그래서 그쪽 사정을 나한테 말하고 싶어했다. "지금까지는 그럭저럭 괜찮습니다." 그는 미국의 전형적인 표현으로 가볍게 말했다. 그 진지한 젊은이 부부를 만나자, 갈등과 반목으로 가득 찬 미래가 올 거라는 귄츠 대통령의 우려가 마음에 되살아났다. 그 젊은 부부와 우리 모두의 앞길에 무엇이 놓여 있는지 궁금했다.

# 재선으로 가는 길

나는 활기 넘치는 대규모 행사라면 사족을 못 쓴다. 7월 19일 애틀랜타에서 열린 1996년 하계 올림픽 개막식은 나를 완전히 사로잡았다. 빌이 팡파르에 맞추어 개막 선언을 하자, 오페라 같은 합창이 수만 명의 선수와 관중으로 메워진 올림픽 스타디움을 뒤덮으며 우렁차게 울려 퍼졌다. 무하마드 알리가 파킨슨병 때문에 불편한 몸을 떨면서도 오른팔을 고정시키고, 활활 타오르는 횃불을 들어올려 성화대에 점화했다. 병을 앓고 있는 챔피언 자신은 물론, 전세계 사람들에게도 잊을 수 없는 순간이었다.

그러나 축제 분위기는 일주일 뒤 공포로 바뀌었다. 경기장 부근의 센테니얼 올림픽 공원에서 파이프 폭탄이 터져 여자 한 명이 죽고 111명이 다친 것이다. 빌은 이를 '사악한 테러 행위'라고 비난했다. 나는 올림픽 공원에 가서 폭발 지점 근처에 헌화했다.

며칠도 지나기 전에 FBI는 파트타임 경비원인 리처드 주얼을 유력한 용의자로 지목했다. 파이프 폭탄을 발견하여 처음에는 영웅 대접을 받았던 주얼은 쏟아지는 비난에 맞서서 자신을 변호하려고 안간힘을 썼다.

몇 달 동안 언론은 그의 집을 감시하면서 24시간 취재한 내용을 방송했다. 10월 말에 마침내 주얼의 혐의가 풀렸고, 폭탄 테러 사건은 결국 광신적인 낙태 반대론자 에릭 루돌프와 연결되었다. 루돌프는 애팔래치아 산맥의 울창한 삼림지대로 달아난 것으로 여겨졌고 끝내 잡히지 않았다.

여객기가 뉴욕의 케네디 공항을 이륙한 직후 대서양에 추락한 사건, 사우디아라비아의 미국 군사시설인 코바르 요새에서 폭탄 테러로 미국인 19명이 사망한 사건을 비롯하여 온갖 비극적인 사건으로 점철된 1996년 여름은 올림픽 공원 폭탄 테러로 어수선하게 막을 내렸다.

빌은 국회에서 연두교서를 발표했을 때부터 세계의 테러리즘을 경고해왔다. 1980년대만 해도 500명 이상의 미국인이 테러에 희생되었지만, 테러리즘을 국가 안보에 대한 절박한 위협으로 여기지는 않았다. 1993년 세계무역센터 폭탄 테러와 1995년 오클라호마시티 폭탄 테러 사건으로 빌의 걱정은 더욱 깊어졌다. 빌은 편리한 교통과 열린 국경과 과학기술이 테러리스트들에게 폭력과 공포를 퍼뜨릴 수 있는 새로운 기회와 수단을 제공하고 있다는 점을 공적으로나 사적으로나 자주 언급했다. 빌은 테러 문제에 관한 문헌을 탐독하고, 화생방전 전문가들을 정기적으로 만나 자문을 구했으며, 관저로 돌아오면 그런 회의에서 오간 이야기를 나한테 말해주곤 했다. 문헌과 전문가들을 통해 알게 된 사실들은 빌을 경악시켰다. 1995년에 빌은 테러리스트를 기소하기 위한 법률을 강화하고, 테러 행위나 테러 단체에 자금을 지원하기 위한 모금을 금지하고, 화학생물 무기의 재료에 대한 통제를 강화하는 포괄적인 반테러법안을 국회에 제출했다. 그런데 1996년에 간신히 국회를 통과한 반테러법에는 빌이 요구한 핵심 내용들이 빠져 있었다. 그래서 빌은 다시 국회에 가서 도청과 화학적 신원 확인에 대한 조항을 포함하여 권한과 자금을 늘려달라고 요청했다. 하지만 빌이 필요하다고 생각하는 조치에 대중의 관심을 끌어모으거나 국회의 지지를 얻어내기는 어려웠다.

여름 전당대회를 앞둔 몇 달 동안은 국내 문제가 민주당과 공화당 양쪽의 의제를 지배했다. 공화당은 여느 때와 다름없는 쟁점들을 집요하게 내세우면서, 돈을 펑펑 써대는 자유주의자들과 '사회공학적' 프로그램—사회복지, 낙태 권리, 총기 규제, 환경 보호 등—을 계속 두드려대고 있었다. 빌의 재선 캠프는 공동체를 건설하고 기회를 확대하고 책임을 요구하고 진취적 활동에 보상을 주는 정부 정책에 중점을 두었다.

나는 어떻게 하면 내가 옹호하는 이슈들을 제시할 수 있는지, 또한 어떻게 하면 그 이슈들을 대중의 관심사와 좀더 잘 결부시킬 수 있는지, 그 방법을 궁리하고 모색했다. 어느 집이나 그렇겠지만, 학교 수업이나 직장 일과를 끝낸 뒤에는 가족들이 식탁에 둘러앉아 저녁을 먹으면서 그 날의 이슈를 가지고 토론을 벌인다. 나는 민주당의 정책 공약을 '식탁 이슈' 라고 부르기 시작했고, 이것이 선거운동의 캐치프레이즈가 되었다. 워싱턴의 일부 정치 평론가들은 식탁 이슈에 대한 논의를 '정치의 여성화' 라고 비웃었다. 이는 가족 휴가나 유방암 검진에 대한 의료보험 적용 범위 확대, 출산한 산모에 대한 충분한 입원 기간 보장 같은 정책을 변두리로 밀어내거나 대수롭지 않은 것으로 보이게 하려는 시도였다. 나는 그것을 염두에 두고, 식탁 이슈가 여성만이 아니라 국민 모두에게 중요하다는 생각을 대중에게 제시하기 위해 '정치의 인간화' 라는 용어를 만들어냈다.

빌은 1992년 선거운동 때 약속했듯이 1996년에는 이미 재정 적자를 절반 이하로 줄였고, 경제 호황을 주도하여 1천만 개의 일자리를 창출했으며, 근로소득세 공제를 통해 1,500만 명에 이르는 저임금 근로자의 세금 부담을 줄여주었고, 근로자들이 일자리를 잃어도 의료보험 혜택을 상실하지 않도록 보호해주었고, 최저 임금액을 인상했다. 그리고 우리는 미국 입양법의 첫 개정안을 통과시키는 데에도 성공했다. 모든 양부모에게 한 아이당 최고 5천 달러까지 세금을 공제해주고, 특별한 보호가 필요한 아이를 입양하는 부모에게는 6천 달러를 공제해주기로 한 것이다. 또한 인종이나 피부색이나 출신 국가를 이유로 입양을 취소하거나 연기하는 것을 금지했다. 나는 법대생 시절 위탁모의 보살핌을 받고 있는 아이들을 위해 일했을 때부터 그런 아이들이 항구적으로 양부모의 사랑을 받으며 안정되게 자랄 수 있는 기회를 늘려주고 싶었다. 입양법에 신설된 조항들은 도움이 되었지만, 나는 아직도 할 일이 많다는 것을 알고 있었다. 나는 1996년에 입양 문제 전문가들을 백악관으로 초빙하여 회의를 열고 새로운 청사진을 그렸다. 그리하여 1997년에 '입양 및 안전한 가족법'이 통과되었다. 이 법률은 주정부가 아동을 위탁 보호에서 항구적인 입양 가정으로 옮기도록 장려하기 위해 처음으로 연방 정부의 재정 지원을 규정했다.

이른바 사회복지 세대를 낳는 데 기여한 사회복지제도는 태어난 지 60년 세월이 흐르면서 수명이 끝나가고 있었다. 빌은 사회복지제도를 개혁하겠다고 약속했고, 백악관은 몇 달 동안 어려운 협상과 치열한 정치투쟁에 몰두했다. 공화당은 일반 국민이 복지 개혁을 강력하게 지지하고 있다는 것을 알고 있었기 때문에, 수백만 명의 복지 수혜자에게 필요한 서비스 제공을 거부함으로써 여성과 아동에게 지나치게 가혹한 법안을 통과시키도록 빌에게 압력을 넣거나, 일부러 가혹한 법안을 마련하여 빌이 거부권을 행사하도록 유도하여, 다가오는 선거에서 그것을 빌에게 불리한 자료로 이용하고 싶어했다. 그런데 복지 개혁은 오히려 빌에게 대성공을 가져다주었다. 나는 복지 개혁을 지지했기 때문에 개인적으로 값비싼 대가를 치르게 되었지만, 제도를 바꿔야 한다고 강력하게 주장했다.

미국에 사회복지 프로그램이 처음 도입된 것은 1930년대였다. 여성의 취업 기회가 거의 없었던 시대에 아이를 키우는 과부들을 돕는 것이 목적이었다. 1970년대 중엽에는 미혼모의 비율이 높아지기 시작했고, 1980년대 중엽에는 미혼모가 복지 수혜자의 대다수를 차지하게 되었다.

그들은 대체로 교육 수준이 낮고 직업 기술도 거의 없는 여성들이어서, 설령 일자리를 찾을 수 있다 해도 가난에서 벗어날 수 있을 만큼 돈을 벌거나 아이들에게 의료보험 혜택을 주는 번듯한 직장을 얻을 수는 없었다. 따라서 그들이 복지 혜택을 포기하고 취업을 선택할 동기는 거의 없었다. 요컨대 일하지 않고 집에서 지내면서 지원금을 받는 것이 그들에게는 합리적인 선택이었다. 하지만 그것은 평생 복지 혜택에 의존하는 계층을 낳았고, 이런 현실은 납세자—특히 빠듯한 수입으로 아이를 키우는 저소득 근로자들—의 분노를 부채질했다. 같은 홀어머니라도 한 여자는 날마다 새벽에 일어나 아이를 탁아소에 맡기고 직장에 나가는데, 다른 여자는 집에 남아 있으면서 지원금이나 타먹고 산다면, 그것은 내가 생각해도 불공평한 처사였다. 빌은 복지 혜택에 의존하는 대신 취업을 선택할 동기를 제공하고, 그런 사람들에게 탁아와 의료보험 같은 지원을 해주는 것이 옳다고 믿었다. 나도 같은 생각이었다.

빌이 처음 주지사가 되었을 때, 아칸소 주는 복지 혜택 대신 취업을 선택하도록 장려하고 지원하기 위한 카터 행정부의 '본보기' 프로젝트에 참여했다. 7년 뒤인 1987년과 1988년에 빌은 민주당 출신 주지사로서 국회 및 레이건 대통령의 백악관과 협력하여 복지제도를 개혁하려고 애썼다. 빌은 '전국주지사협의회' 청문회를 주재하여, 아칸소에서 빌의 프로그램에 따라 복지 혜택 대신 취업을 선택한 여성들의 증언을 제출했다. 이들은 일을 가지기 시작한 뒤 자신과 아이들의 미래에 대해 훨씬 희망을 갖게 되었다고 말했다. 1988년에 레이건 대통령은 빌을 비롯한 주지사들의 요구를 대부분 받아들인 복지 개혁안에 서명하는 의식에 빌을 초대하기도 했다.

빌이 대통령 선거운동을 시작한 1991년에는 그 개혁안이 별다른 변화를 가져오지 못하고 있었다. 부시 행정부가 주정부의 새로운 복지 프로그램에 재정 지원을 하지 않거나 적극적으로 방해했기 때문이다. 빌은

"지금과 같은 복지제도를 끝장내고" 일하는 사람과 가족에게 유리한 복지 프로그램을 마련하겠다고 공약했다.

빌이 대통령에 취임했을 당시, 복지 프로그램인 '저소득 모자 가정 부조'의 경우, 기금의 절반 이상을 연방 정부가 지원하고 있었지만 기금 관리는 지급액의 17~50퍼센트밖에 부담하지 않는 주정부가 맡고 있었다. 연방법은 저소득 모자에 대한 보장 범위를 규정했지만, 매달 지급액을 결정한 것은 주정부였다. 그 결과, 50개 주가 저마다 다른 복지 지원금 지급 시스템을 갖게 되었다. 지급액이 가장 많은 알래스카에서는 두 자녀가 있는 가정에 매달 821달러씩 지급한 반면, 가장 적은 앨라배마 주에서는 137달러밖에 지급하지 않았다. 수혜자들은 식량표(food stamp : 연방 정부가 저소득자에게 발행하는 식권으로, 특정 식품점에서 싼값에 식료품을 구입할 수 있다—옮긴이)와 메디케이드의 혜택도 누릴 수 있었다.

1993년과 1994년의 입법 의제에서 복지 개혁안은 경제 개혁과 북미자유무역협정, 범죄방지법안, 의료 개혁안 등에 우선권을 빼앗겼다. 중간선거의 승리로 국회를 장악하게 된 공화당은 복지 개혁에 대해 나름대로의 복안을 갖고 있었다. 공화당은 복지 혜택을 누릴 수 있는 기간을 엄격히 제한하고, 메디케이드와 학교 급식비 · 식량표를 포함하여 연방 정부가 주정부에 지급하는 복지 기금을 정액 교부금제로 운영하고, 합법적 이민자에게—미국 내에서 취업하여 세금을 내고 있는 경우에도—모든 복지 지원금 지급을 중지하고, 뉴트 깅리치가 주장했듯이 10대 미혼모가 낳은 아이를 고아원에 수용하는 제도를 옹호했다. 공화당의 개혁안은 사람들이 복지 혜택 대신 취업을 선택하도록 최소한의 지원만을 제공하는 게 목적이었다.

빌과 나는 생산적 개혁을 원하는 의원들과 마찬가지로 노동 능력을 가진 사람은 마땅히 일을 해야 한다고 믿었다. 하지만 우리는 사람들이 복지 혜택에서 취업으로 항구적인 전환을 하도록 도우려면 지원과 유인

책이 필요하고, 개혁이 성공하려면 교육과 직업 훈련, 보육비와 교통비 보조, 과도기의 의료보장, 사용자가 복지 수혜자를 고용하도록 장려하기 위한 세금 혜택, 양육비 모금 등에 대규모 투자가 필요하다고 생각했다. 우리는 또한 합법적 이민자에 대한 복지 지원금 지급을 중지하는 데 반대했고, 저소득 부모의 자녀를 고아원에 수용하는 데에도 반대했다.

1995년 말, 정부와 국회는 법안을 통과시키기 위해 진지한 노력을 기울이기 시작했다. 많은 정치적 제스처가 뒤따랐다. 공화당 의원들은 대부분 법안에 '독소 조항'을 충분히 집어넣으면 대통령을 '이래도 손해, 저래도 손해'인 처지에 몰아넣을 수 있다고 기대한 듯하다. 대통령이 법안에 서명하면, 민주당의 주요 지지층을 실망시키고 수백만 명의 가난한 아이들을 무방비 상태에 빠뜨릴 것이다. 반대로 대통령이 거부권을 행사하면, 1996년 대통령 선거에서 공화당은 개혁을 원하면서도 법안의 세부 내용을 모르는 유권자들에게 인기있는 이슈를 갖게 될 것이다.

백악관의 일부 참모들은 국회가 보내오는 개혁안에 대통령이 무조건 서명해야 한다고 주장했다. 그렇지 않으면 다가오는 선거에서 정부와 민주당 의원들이 막대한 정치적 대가를 치르게 된다는 것이었다. 하지만 대다수는 이 주장에 반대하고, 유일한 해결책은 빌이 공화당을 앞질러 대중과 접촉하여 개혁이 자신의 이슈라는 사실을 납득시키는 것이라고 주장했다. 사회복지 문제에 대한 내 생각은 아마 남편보다 깊고 복잡했을 것이다. 나는 복지제도를 반드시 개혁해야 한다고 믿었지만, 오랫동안 저소득 아동과 여성을 옹호해온 경험을 통해 복지제도가 저소득 가정의 일시적 버팀목으로 필요한 경우가 많다는 사실을 알고 있었다. 물론 복지제도가 악용되는 것도 보았지만, 지원금을 이용하여 어려운 시기를 헤쳐나간 사람들에게는 복지제도가 구명줄이 된 경우도 보았다. 나는 지금까지 사적으로는 정부의 결정에 반대할지언정, 정부 정책이나 빌의 결정에 공개적으로 반대한 적은 한번도 없었다. 하지만 이제 나는 메디케이드를 통한 의료보장, 연방 정부의 식량표 보장, 복지 혜택 대신 취업을 선택한 이들을 위한 아동 보육 지원 등을 제공하지 않는 어떤 법안에도 공개적으로 반대하겠다고 빌과 그의 핵심 참모들에게 말했다. 이런 종류의 지원은 저소득 근로자들이 빈곤에서 벗어나는 데에도 도움이 된다고 나는 믿었다.

공화당은 복지 혜택을 받을 수 있는 기간을 엄격히 제한하고, 취업으로 전환한 사람에게 어떤 지원도 제공하지 않고, 합법적 이민자에게 복지 지원금을 일절 지급하지 않고, 주정부가 연방 복지 자금을 지출하는 방법에 대해 연방 정부가 감독도 하지 않고 책임도 지지 않는 법안을 통과시켰다. 요컨대 주정부는 매달 지급액과 아동 보육, 식량표, 의료보장을 어떻게 제공할 것인가, 또는 제공할 것인가 말 것인가를 마음대로 결정할 수 있다는 뜻이다. 백악관 내부에서 격렬한 토론이 벌어진 뒤 대통령은 이 법안에 거부권을 행사했다. 그러자 공화당은 거부된 법안을 최소한으로 손질한 두번째 법안을 통과시켰다. 나는 빌에게 로비할 필요가 없었다. 빌은 이 법안에도 서명할 수 없다는 것을 알고 있었기 때문이다. 빌은 저소득 가정의 아이들은 모두 보육과 영양 보급과 의료 혜택을 받을 권리가 있다고 주장하면서 이 법안도 거부했다.

국회가 통과시킨 세번째 법안은 상원과 하원에서 민주당 의원 대다수의 지지를 받았다. 이 법안은 취업으로 전환한 사람에게 더 많은 지원을 제공했고, 아동 보육비를 신설했고, 식량표와 의료 혜택에 대한 연방 정부의 보장을 부활시켰다. 하지만 합법적 이민자에 대한 복지 혜택을 대부분 중단하고, 연방 복지 혜택을 받을 수 있는 기간을 평생 동안 5년으로 제한하고, 매달 지급액의 상한선을 현 상태로 유지하며 상한선은 주정부가 임의로 정할 수 있게 했다. 연방 정부가 주정부에 양여하는 복지 기금은 수혜자의 수가 사상 최고 수준에 이르렀던 1990년대 초에 주정부가 받았던 액수로 고정되었다. 따라서 주정부는 진정한 개혁이 요구하는 사회보장을 제공하기에 충분한 재원을 갖게 될 것이고, 취업과 자립을 지원하고 장려하는 프로그램에 상당한 자금을 할당할 수 있는 여유가 생길 것이다.

대통령은 결국 이 세번째 법안에 서명했다. 미흡한 점은 있었지만, 미국 복지 개혁의 중요한 첫 단계였다. 일부 자유주의자들, 이민 옹호 단체, 복지 분야에서 일하는 대다수 사람들은 빌과 국회를 노골적으로 비난했지만, 나는 빌의 서명에 동의하고 법안 통과에 필요한 표를 모으려고 애썼다. 빌은 합법적 이민자에 대한 복지 혜택을 되살리기 위해 노력하겠다고 약속했고, 국회와 협력하여 1998년까지는 합법적 이민자 가운데 아동 · 노인 · 장애인을 비롯한 일부 계층에 대해 생명보험과 노후연금 및 식량표를 원래 상태로 회복시키는 데 어느 정도 진전을 이루었다. 복지 기금의 정액 교부금제는 받아들일 만했다. 어쨌든 복지 지원금 지급액을 결정하는 주정부는 복지 혜택에서 취업으로 전환하는 사람들을 돕기 위해 연방 정부로부터 상당히 많은 돈을 더 지급받게 될 것이기 때문이다. 내가 가장 걱정한 것은 복지 혜택을 받을 수 있는 기간을 평생 동안 5년으로 제한한 점이었다. 이 기간 제한은 경제가 호황이든 불황이든, 일자리를 구할 수 있든 없든 상관없이 일률적으로 적용되었기 때문이다. 하지만 모든 점을 고려하면 이것은 의존 지향적 복지제도를 자립 지향적 제도로 바꿀 수 있는 역사적인 기회였다.

법률은 결코 완벽하지 않았다. 거기에 실제 행정이 끼어들 여지가 있었다. 민주당 정부가 법률을 관대하게 집행할 수 있는 위치에 있다는 것을 알고 있었기 때문에 법안에 서명하는 것이 오히려 바람직했다. 빌이 세번째 개혁안에 대해서까지 거부권을 행사하면 공화당이 정치적 횡재를 할 가능성이 있었다. 1994년 중간선거에서 참패한 뒤, 빌은 민주당이 또다시 패배하면 앞으로 복지 정책을 보호할 수 있는 힘을 잃게 될 거라고 우려했다.

빌의 결정과 나의 지지는 오랫동안 친구였던 매리언 라이트 에들먼과 그녀의 남편이자 보건부 차관인 피터 에들먼을 비롯하여 가장 충실한 지지자들을 격분시켰다. '아동보호기금'에서 일한 내 경력(힐러리는 예일 법대를 졸업한 직후 '아동보호기금'에서 매리언 라이트 에들먼 밑에서 일했다—옮긴이) 때문에 에들먼 부부는 내가 당연히 법안에 반대할 것으로 기대했고, 따라서 내가 지지한 것을 이해하지 못했다. 그들은 새 법률이 수치스럽고 비현실적이며 아이들한테 해롭다고 진심으로 믿었다. 매리언은 『워싱턴 포스트』에 기고한 '대통령에게 보내는 공개 서한'에서 자신의 그런 믿음을 표명했다.

사태 직후의 고통 속에서 나는 주창자와 정책 입안자의 경계를 넘어선 것을 깨달았다. 내 신념은 바뀌지 않았지만, 법률에 반대하는 에들먼 부부나 그밖의 사람들의 확신과 열정에는 동의할 수 없었다. 주창자인 그들은 타협할 필요가 없었다. 빌과는 달리 그들은 뉴트 깅리치나 보브 돌과 협상할 필요도 없었고, 의회에서 정치적 균형을 유지하는 문제를 걱정할 필요도 없었다. 나는 의료 개혁안 실패를 지나칠 만큼 잘 기억하고 있었다. 어쩌면 주고받는 양보와 타협이 없었던 것도 실패의 한 원인이었을지 모른다. 정치에서 원칙과 가치는 타협할 수 없지만, 특히 우리처럼 어려운 정치 여건에서 진전을 이룩하려면 전략과 전술은 충분히 유연해야 한다. 우리는 여성과 아동이 좀더 나은 삶을 얻을 수 있도록 동기를 부여하고 필요한 도움을 제공하는 복지 개혁안을 통과시키고 싶었다. 이제 낡은 복지제도가 새것으로 바뀌었으니까 더 중요한 문제인 빈곤과 그 결과—결손 가정, 열악한 주거 환경, 가난한 학교, 의료보험 미가입—에 대해 논의하자고 미국 대중을 설득하고 싶었다. 나는 복지 개혁이 저소득층에 대한 관심의 끝이 아니라 시작이 되기를 기대했다.

빌이 법안에 서명한 지 몇 주 뒤, 피터 에들먼과 역시 우리 친구이자 보건부 차관으로 복지 개혁에 몰두했던 메리 조 베인이 항의의 뜻으로 사표를 냈다. 이것은 신념에 따른 결정이었기 때문에, 나는 법률의 장점과 가능성에 대해 그들과는 다른 견해를 갖고 있었지만 그 결정을 받아들일 수밖에 없었다. 그후에도 나는 이따금 매리언과 피터를 만났고, 2000년 8월 9일 빌이 민권과 아동을 위해 평생 헌신한 공로로 매리언에게 '자유 메달'을 수여했을 때는 가슴이 벅찰 만큼 기뻤다. 매리언은 내 삶에서 중요한 조언자였다. 복지에 대한 견해 차이 때문에 우리 사이에 금이 간 것은 슬프고 안타까운 일이었다.

빌과 내가 백악관을 떠날 때쯤에는 복지 수혜자가 1,400만 명에서 580만 명으로 60퍼센트나 줄어들었고, 수백만 명의 부모가 일자리를 구했다. 주정부는 이런 근로자들에게 계속 의료 혜택과 식량표를 제공하여 대부분 시간제 저임금 노동에 종사하는 그들을 지원했다. 2001년 1월까지 빈곤 아동은 25퍼센트 이상 줄어들어 1979년 이래 가장 낮은 비율을 기록했다. 복지 개혁, 최저 임금액 인상, 저소득 근로자에 대한 세금 감면, 경제 호황 등으로 거의 800만 명이 빈곤에서 벗어났다. 이 숫자는 레이건 시대에 빈곤 수준에서 벗어난 사람의 100배에 이른다.

개혁의 성공에 크게 기여한 것은 '복지에서 노동으로 가는 동반자(Welfare to Work Partnership)'였다. 빌은 오랜 친구인 엘리 세걸에게 요청하여, 사용자들이 복지 수혜자를 고용하도록 장려하는 수단으로 이 사업을 시작했다. 성공한 기업인인 엘리는 빌과 함께 맥거번 대선 운동에 참여했고, 1992년 대선 때는 빌의 선거 참모장으로 일했다. 그후 그는 대통령의 협력자로서 '전국봉사단'과 '아메리코' 창설을 맡았다. 엘리는 내 정책 보좌관인 셜리 새거워와 긴밀히 협력하여 그 단체 설립을 위한 법안을 기초했고, '전국봉사단'의 초대 총재가 되었다. '아메리코'는 1994년부터 2000년까지 기업 및 공동체와 협력하여 20만 명이 넘는 젊은이들에게 공동체를 위해 봉사 활동할 기회와 대학 장학금을 주었다. 엘리는 '복지에서 노동으로 가는 동반자'에서도 그와 같은 방식을 택하여, 복지 수혜자들에 대한 고용과 직업 훈련을 위해 사용자들에게 협력을 요청했다. 그의 지도 아래 '동반자' 사업은 2만 개 이상의 기업이 복지 수혜자 110만 명에게 직업 기술과 일자리와 자립을 제공하는 대성공을 거두었다.

복지 개혁은 경제 사정이 좋을 때 이루어졌다. 경제가 어려워지고 복지 수혜자가 다시 늘어날 때 이 제도는 진정한 시험대에 오를 것이다. 그때는 그 법률이 다시 권한을 부여받아야 할 테고, 나는 상원의원으로서 법률의 성공을 바탕으로 결함을 바로잡기 위해 노력할 작정이다. 미국 내에서 노동에 종사하면서 50억 달러 이상을 세금으로 내고 있는 합법적 이민자들에 대한 복지 혜택은 완전히 원상태로 회복되어야 한다. 복지 혜택 기간을 평생 동안 5년으로 제한하는 조항은 일자리가 없는 사회에서 실직하는 사람들을 위해 폐지되어야 한다. 교육과 직업 훈련에 더 많은 예산을 지출해야 하고, 직업에 필요한 자격이나 기술을 습득하기 위한 시간을 교육 시간에 포함시켜야 한다. 그리고 주정부는 연방 복지 기금을 어떻게 지출하는지, 그 내역을 소상히 밝혀야 한다.

1996년 대선을 몇 달 앞두고 빌의 지지율이 올라가자 상대 진영에서는 빌의 기세를 꺾을 수 있는 방법을 필사적으로 궁리했다. 『타임』지는 7월 초에 이 경향을 인식하고 '스타 요인(The Star Factor)' 이라는 제목의 기사를 실었다. 그 기사는 "지난 몇 달 동안 클린턴은 1996년 선거전을 진검 승부로 바꾸어놓을 공화당의 적수를 기다리고 있었다. 클린턴은 이제 마침내 그 적수를 찾아낸 듯하다. 적수는 보브 돌이 아니다. 대통령을 괴롭히는 심각한 문제들은 모두 케네스 스타와 연결되어 있었다…… 돌의 선거운동이 아직 독자적으로 견인력을 얻을 수 없기 때문에, 공화당은 소환장과 기소로 대통령을 탈진시키는 데 희망을 걸고 있다"고 보도했다.

가장 최근의 허무맹랑한 스캔들은 여름 전당대회 시즌에 때를 맞춘 듯했고, 백악관 인사국 보안과에서 일하는 중간급 직원 두 사람—크레이그 리빙스턴과 앤서니 마세카—의 행동에 바탕을 두고 있었다. 1993년에 그들은 백악관의 정규 보안증을 가진 직원들의 신상 기록을 취합 정리하기 위해 백악관 보안증 소지자에 대한 FBI 신원조회 서류를 요청했다. 보안과는 사실 위압적인 명칭과는 달리 '보안 점검'을 하지 않는다. 그 일을 하는 것은 FBI다. 보안과는 보안을 책임지는 부서도 아니었다. 그것은 비밀검찰국(경호실) 소관이다. 다른 업무가 또 있는지는 모르나, 보안과는 백악관에 재직 중인 직원들을 관리하고 기밀취급 인가증을 갱신하고 백악관에 신규 채용된 직원들에게 보안 규정을 설명해주는 일을 맡고 있었다. 1993년 1월에 부시 대통령이 백악관을 떠날 때, 그의 참모들은 '대통령 기록 처리법'에 따라 보안과의 서류를 몽땅 '부시 기록 보관소'로 가져가버렸다. 따라서 새 행정부는 백악관의 붙박이 관리직원들에 대한 기록(비밀검찰국의 기록과는 별개 기록)도 전혀 갖고 있지 않았다. 리빙스턴과 마세카는 FBI로부터 수백 건의 인사 파일을 넘겨받았을 때, 이 보안과의 기록을 복구하려고 애쓰고 있었다. 이 수백 건의 파일에는 레이건과 부시 시절의 직원들에 대한 서류도 일부 포함되어 있었지만, 리빙스턴과 마세카는 그 착오를 알아차리지 못했다. 마침내 다른 여직원이 착오를 발견했는데, 그녀는 그 서류를 FBI로 돌려보내지 않고 '기록 보관소'로 보냈다. 백악관은 이 사무상의 잘못을 인정하고 사과했다. 그런데도 케네스 스타는 '파일게이트'를 수사 목록에 첨가했다.

사건이 마무리되기 전에, 한 FBI 요원이 크레이그 리빙스턴의 신원조회 서류를 보니 그가 백악관 보안과장 자리를 얻은 것은 그의 모친과 내가 친구였기 때문인 것 같다고 상원 법사위원회 직원에게 말했다. 사실 리빙스턴 부인과 나는 전혀 모르는 사이였고, 백악관 크리스마스 파티 때 여러 사람과 함께 사진을 찍은 적이 있을 뿐이었다. 내가 루마니아의 부쿠레슈티에서 미국 정부의 재정 지원을 받아 교과 과정을 개혁하고 있는 학교를 방문하고 있을 때, 우리를 수행한 기자가 리빙스턴 가족과의 관계를 물었다. 나는 크레이그나 그의 모친을 만난 기억은 나지 않지만 만약 리빙스턴 부인을 만난다면 "혹시 리빙스턴 부인 아니세요?" 하고 물을지 모른다고 대답했다.

8월에 나는 첼시를 데리고 뉴잉글랜드 지역의 대학 순례를 떠났다. 첼시가 대학에 가기 위해 집을 떠나는 순간이 두려웠지만, 첼시와 함께 대학을 방문하는 것은 가슴 설레는 일이었다. 나는 첼시가 내 모교인 웰즐리 여대를 좋아하게 되기를 은근히 바라고 있었다. 아니면 적어도 내가 쉽게 찾아갈 수 있고 첼시도 집에 오고 싶으면 언제든지 올 수 있는 동부의 대학을 선택해주기를 기대했다. 나는 되도록 눈에 띄지 않는 소수의 경호원과 함께 뚜렷한 특징이 없는 승합차를 타고 대학 캠퍼스를 순례할 수 있도록 경호실과 협정을 맺었다. 우리는 비교적 사람들의 주목을 받지 않고 여섯 대학을 방문했다. 첼시가 그 대학들 중에서 하나를 골랐다면 나는 무척 기뻤을 것이다.

하지만 첼시는 스탠퍼드를 보고 싶어했다. 그래서 우리는 스탠퍼드 대학이 있는 캘리포니아 주 팰러앨토에 갔다. 당시 교무처장이었던 콘돌리자 라이스(현재 조지 부시 대통령의 국가안보 보좌관—옮긴이)가 우아하게 우리를 맞이하여 온종일 대학을 안내해주었다. 이 하루 동안의 방문이 첼시를 완전히 사로잡고 말았다. 첼시는 산기슭의 언덕 한복판에 있는 대학의 경치, 온화한 날씨, 미션 양식의 건축물에 홀딱 반해버렸다. 그날 밤에 나는 빌에게 전화를 걸어, 스탠퍼드가 첼시의 제1지망 대학인 모양이라고 말했다. 아이를 독립적으로 키운 대가일 것이다.

우리는 여름 휴가를 보낼 곳으로 또다시 와이오밍 주 잭슨홀을 선택했다. 작년에는 『아이 하나를 키우려면 마을 전체가 필요하다』를 마무리하려고 미친 듯이 글을 썼지만, 올해는 빌과 첼시와 함께 늦여름의 야생화가 온통 피어 있는 그랜드테턴 산맥의 초원을 돌아다니고 가까운 옐로스톤 국립공원을 마음껏 탐험할 수 있었다. 드넓은 초원과 간헐천은 미국 정부가 옐로스톤을 미국 최초의—그리고 세계 최초의—국립공원으로 지정한 1872년에 미래 세대를 위해 보존되었다. 그때부터 미국의 국립공원들은 전세계에 자연 유산 보호의 본보기가 되었다. 나는 미국의 국립공원을 방문할 때마다 참으로 천혜의 풍부한 자연 자원을 가진 축복받은 나라라는 사실을 새삼 깨닫곤 한다. 우리의 임무는 아름다운 풍경을 보존하는 것만이 아니다. 우리는 건강하고 균형 잡힌 환경을 지키는 파수꾼이 되어야 한다. 회색 늑대가 덫사냥꾼 때문에 멸종당한 옐로스톤에서 생물학자들은 포식동물과 먹이의 자연스러운 관계를 회복시키기 위해 소수의 회색 늑대를 공원에 다시 도입했다. 옐로스톤을 방문했을 때 우리는 늑대 무리가 방사에 대비하여 적응 훈련을 받고 있는 곳까지 걸어갔다. 주위에 기자는 한 명도 없고 야생동물 관리원들과 우리, 그리고 깜짝 놀란 경호원 몇 명뿐이었다. 경호원들은 '진짜' 늑대 무리한테서 대통령 가족을 보호해야 할 줄은 꿈에도 몰랐을 것이다.

빌은 옐로스톤 경계에 있는 외국인 소유의 대규모 금광이 오염되지 않은 환경을 위협하는 것을 막겠다는 역사적인 결정을 발표했다. 나는 나이가 들수록 우리 지구를 돌이킬 수 없는 훼손에서 지켜야 한다는 열정이 점점 강해진다. 튼튼한 경제와 깨끗한 환경은 상충되는 목표가 아니다. 오히려 그 둘은 협력 관계에 있다. 모든 생명과 경제 활동은 결국 우리가 자연 환경을 얼마나 잘 관리하느냐에 달려 있기 때문이다. 백악관 시절에 나는 백악관 '녹화 사업'을 지지했다. 이것은 에너지 사용을 줄이고 포괄적인 재활용과 그밖의 조치를 통해 백악관의 환경 보호 수준을 향상시키기 위한 프로젝트였다. 나는 '미국의 보물 지키기'라는 프로그램을 시작했고, 이를 통해 공원 관리 기금을 모금하여 많은 공원을 방문했다. 나는 더 많은 땅을 보호하고 공기와 물을 깨끗이 하고 지구의 기후 변화에 대처하고 에너지 자원을 보존하고 대체 에너지원을 개발하려는 빌과 앨 고어의 노력을 지지했다. 하지만 나는 곧 환경 요인이 우리 건강에 미치는 영향에 주로 초점을 맞추게 되었다. 나는 걸프전 참전 재향군인들의 질병, 아동들 사이에 높아지고 있는 천식 발병률과 여성들 사이에 높아지고 있는 유방암 발병률을 검토하면서, 환경이 건강에 미치는 영향은 장기적으로 연구할 필요가 있다는 것을 깨달았다.

공화당 전당대회는 8월 12일 샌디에이고에서 막을 올렸다. 전통적으로 전당대회를 여는 정당은 후보를 지명하고 선거 공약을 발표하는 동안 마음껏 당과 후보를 선전한다. 반면에 상대 후보자는 옆에서 조용히 기다린다. 나에게 좋은 일이었다. 우리 모두에게 숨돌릴 시간이 필요하다고 생각했기 때문이다. 나는 텔레비전으로 중계되는 공화당의 연설을 보지 않았지만, 전당대회 둘째 날 밤에 엘리자베스 돌이 전당대회장에서 무슨 말을 했는지를 친구들이 당장 알려주었다. 레이건 행정부와 부시 행정부의 각료였던 엘리자베스 돌은 마이크를 들고 군중 속으로 들어가, 남편 보브 돌과 그의 경력과 신념에 대해 애정 어린 투로 이야기했다는 것이다. 침착하고 지적인 엘리자베스 돌은 변호사이자 프로 정치인이었다. 그녀의 풍모와 달변은 남편의 선거운동에 큰 도움이 되었다. 보브 돌은 버거운 상대였지만, 여자가 압력을 받으면서도 당당하게 어려움과 맞서서 찬사를 받는 것은 보기 좋았다. 엘리자베스 돌과 내가 이제 둘 다 상원의원인 것은 묘한 운명의 변전이다.

엘리자베스 돌의 연설은 필연적으로 우리 두 사람이 비교되는 사태를 유발했다. 돌 여사가 무대를 흥분시키자마자 민주당 전당대회에서 내가 연설을 어떻게 처리할 작정이냐는 질문이 내 참모들에게 빗발쳤다. 기자들은 내가 연단에 서서 연설할지, 아니면 엘리자베스 돌처럼 청중 속으로 들어갈지를 알고 싶어했다. 새로운 방법을 시도해보고 싶은 마음도 굴뚝같았지만, 나는 내 주제와 스타일을 고수하는 편이 낫겠다고 판단했다.

나는 8월 25일 일요일에 빌보다 사흘 먼저 시카고에 도착했다. 빌은 첼시와 함께 웨스트버지니아에서 열차를 타고 올 예정이었다. 벳시 이블링은 미시간 호반의 네이비 잔교에 자리잡고 있는 리바 레스토랑에 우리 식구와 친구들이 모이는 자리를 마련했다. 시카고 시민들은 자기네 도시에서 전당대회가 열리는 데 들떠 있었다. 나는 그런 분위기를 재빨리 파악했다. 이제 고인이 된 시카고의 정치 거물 데일리 시장의 아들인 리처드 M. 데일리 시장도 전당대회를 준비하기 위해 애썼다. 그의 아버지가 시장으로 재직하고 있던 1968년의 전당대회 때는 베트남 전쟁에 항의하는 시위대가 거리를 메웠지만, 이번에는 새로 심은 나무들이 거리에 늘어서 있었다. 이번에는 만사가 빈틈없이 순조롭게 진행되었다.

나의 전당대회 연설은 화요일 저녁으로 일정이 잡혀 있었다. 나는 텔레비전의 황금시간대에 전국적인 정치 집회에서 연설하는 최초의 퍼스트 레이디가 될 터였다. 전당대회에서 연설한 최초의 퍼스트 레이디는 엘리너 루스벨트였지만, 그것은 텔레비전 시대가 오기 전인 1940년의 일이었다. 연설을 앞둔 48시간은 온갖 행사로 가득 차 있었다. 나는 민주당 여성당원대회에서 연설했고, 여러 주에서 온 대의원들을 만났고, 제인 애덤스(미국의 사회운동가. 시카고에 사회복지시설〔헐하우스〕을 세워 빈민구제 활동을 벌였고, 여성 참정권 운동과 평화운동에도 참여했다. 1931년 노벨평화상을 받았다. 1860~1935—옮긴이)를 기리는 공원 개장식에 참석했고, 소년원을 방문했다. 연설문도 써야 했다. 연설문은 내가 프롬프터로 연설 연습을 하기 위해 '유나이티드 센터'에 간 월요일 저녁에도 아직 완성되지 않은 상태였다. '유나이티드 센터'는 '시카고 불스' 농구팀의 홈코트이고, 내가 늘 좋아한 정치적 배지 가운데 하나는 거기에서 착상을 얻은 것이었다. 1996년에 '시카고 불스'에는 농구 황제 마이클 조던, 내가 아칸소 시절부터 알았던 스코티 피펜, 그리고 '코트의 악동' 데니스 로드먼 등이 소속되어 있었다. 전당대회에서 팔린 배지에는 로드먼처럼 다채로운 색깔로 머리를 물들인 내 얼굴 사진에 '힐러리 로드먼 클린턴 : 악동이 되고 싶은 힐러리' 라는 설명이 새겨져 있었다.

화요일 이른 아침까지도 나는 연설 원고에 만족하지 못했다. 빌이 그리웠다. 아직 열차에 타고 있는 빌은 내가 기대하는 위안과 도움을 주기에는 너무 멀리 있었다. 12시간 뒤에는 내 평생 가장 많은 청중을 앞에 두고 연설하게 될 것이다. 그런데 나는 아직도 주제와 신념을 전달할 적당한 말을 찾지 못해 속을 태우고 있었다.

보브 돌이 본의 아니게 내 구세주가 되었다. 느닷없이 그 생각이 머리에 떠올랐다. 보브 돌은 공화당 전당대회에서 후보 지명 수락 연설을 통해 내가 쓴 『아이 하나를 키우려면 마을 전체가 필요하다』의 전제를 비난했다. 그는 '마을' 개념을 '국가' 에 대한 비유로 잘못 해석하여, 나와 민주당은 미국 생활의 모든 측면에 정부가 개입하는 것을 지지한다고 내비쳤다. 보브 돌은 연설에서 이렇게 말했다. "이 나라의 초석인 가정이 사실상 황폐해진 뒤, 아이 하나를 키우는 데에는 마을 전체가 필요하다고 합니다. 마을은 곧 공동체이고, 따라서 국가입니다…… 나는 감히 여러분께 말씀드립니다. 아이를 키우는 데에는 마을이 필요한 게 아니라 가족이 필요합니다."

보브 돌은 내 책의 핵심을 놓쳤다. 아동에 대한 책임은 일차적으로 가족에게 있지만, 마을—나아가 사회 전체—도 어린이가 자라는 환경과 문화와 경제에 대한 책임을 분담하고 있다는 것이 내 책의 요점이다. 동네를 순찰하는 경찰관들, 학교의 교사들, 법과 조례를 만드는 의원들, 영화 제작사의 간부들이 모두 어린이의 삶에 영향력을 갖는다.

나는 마을을 주제로 잡았고, 우리는 그 주제를 중심으로 재빨리 연설문 초안을 만들었다. 이어서 나는 마이클 시헌과 최종 리허설을 하기 위해 '유나이티드 센터' 지하층에 있는 작은 방으로 갔다. 나는 그때까지 한번도 프롬프터를 써본 적이 없어서 아무리 연습해도 익숙해질 것 같지 않았지만, 그 방면의 뛰어난 코치인 마이클은 나한테 프롬프터 사용법을 가르치려고 헤라클레스 같은 노력을 쏟았다. 나는 그동안 줄곧 찾았던 적당한 낱말을 마침내 찾았는지는 모르나, 그 말을 로봇처럼 전달하면 연설을 망치게 될 것이다. 그래서 나는 됐다 싶을 때까지 수없이 연습을 반복했다.

마침내 가야 할 시간이 되었다. 첼시는 열차에서 빌과 함께 이틀을 보냈지만, 이제 나와 함께 있으려고 아빠 곁을 떠났다. 첼시는 내 어머니와 두 남동생, 딕 켈리, 다이앤 블레어, 벳시 이블링, 그밖의 많은 친구들과 함께 연단이 잘 보이는 '스카이박스'에 자리를 잡았다.

약 2만 명이 대회장에 빽빽이 들어찼다. 분위기는 한껏 고조되어 있었다. 민주당에서 연설 솜씨가 가장 뛰어난 두 사람—전 뉴욕 주지사인 마리오 쿠오모와 민권운동 지도자인 제시 잭슨 목사—이 나보다 먼저 연설했다. 그들은 지옥불을 연상시키는 구식 연설로 민주당의 가치를 열렬히 선전하여 민주당의 열성 신자들을 선동했다.

내가 무대로 걸어나가자 청중은 열광적인 박수갈채와 함께 내 이름을 연호하면서 발을 굴렀다. 나는 감동했고, 곤두선 신경이 다소나마 가라앉았다. 청중에게 앉으라고 손짓해도 소용이 없었다. 그래서 나는 그저 손을 흔들며 박수갈채의 물결에 나를 내맡겼다.

마침내 소란이 가라앉자 나는 연설을 시작했다. 내 말은 단순하고 직설적이었다. 첼시가 내 나이가 되는 2028년에는 세계가 어떤 모습일지 상상해보라고 말했다. "물론 지금과는 달라져 있을 것입니다. 그것만은 확실히 알 수 있습니다. 하지만 지금보다 진보했을지 어떨지는 확실치 않습니다. 진보는 오늘 우리가 내일을 위해 어떤 선택을 하느냐, 오늘 우리가 어려움에 맞서서 우리의 가치를 지켜내느냐에 달려 있습니다."

나는 가족 휴가법 확대, 입양법 단순화, 산모가 출산한 지 48시간도 지나기 전에 아기와 함께 퇴원당하지 않도록 보장하는 법안 같은 이슈들을 언급한 뒤, 더욱 목청을 높여 보브 돌의 연설에 응수하기 시작했다.

빌과 나에게는 딸아이를 키우는 것보다 더 힘들고 더 보람있고 더 겸허해지는 경험은 없었습니다. 우리는 행복하고 건강하고 희망에 찬 아이를 키우려면 한 가족이 필요하다는 것을 배웠습니다. 하지만 가족만으로는 부족합니다. 선생님도 필요하고, 목사님도 필요합니다. 사장님도 필요하고, 시장님도 필요합니다. 우리의 건강과 안전을 지켜주는 분들도 필요합니다. 우리 모두가 필요합니다.

그렇습니다. 아이 하나를 키우려면 마을 전체가 필요합니다.

대통령도 필요합니다.

제 아이의 잠재력만이 아니라 모든 어린이의 잠재력을 믿는 대통령, 제 가족의 힘만이 아니라 미국의 모든 가족의 힘을 믿는 대통령이 필요합니다.

바로 빌 클린턴이 필요합니다.

또다시 청중이 박수갈채를 터뜨렸다. 그들은 빌이 아이들에게 관심을 갖고 있다고 믿었을 뿐만 아니라, 내가 20세기 말에 아이를 키우는 대다수 미국인들에게 필요한 것이 무엇인가에 대한 공화당의 편협하고 비현실적인 견해와 철저한 개인주의에 정면으로 맞서고 있다는 것을 이해했다.

수요일 밤, 첼시와 나는 빌을 마중하러 갔다. 빌은 심란한 소식을 가지고 열차에서 내렸다. 슈퍼마켓에 널려 있는 타블로이드판 신문에 딕 모리스가 워싱턴에 머무는 동안 콜걸을 자주 호텔로 불러들였다고 주장하는 기사가 실릴 예정이라는 소식이었다. 이튿날 나온 신문에는 콜걸의 말이 길게 인용되어 있었다. 모리스가 부통령의 연설문만이 아니라 내가 전당대회 때 한 연설문도 써주었다고 자랑했다—물론 모리스는 부통령의 연설도 내 연설도 쓰지 않았다—는 것이다. 모리스는 선거운동에서 물러났고, 빌은 그의 노력에 감사하고 그를 '뛰어난 정치 전략가'라고 칭찬하는 성명서를 발표했다. 모리스가 떠난 뒤에도 마크 펜이 계속 치밀한 여론조사와 분석 결과를 제공해주었기 때문에 선거운동은 차질없이 진행되었다.

목요일 밤, 빌이 후보 지명을 수락하기 위해 전당대회장에 나타나 무대로 걸어가자 대의원들은 열광적으로 감정을 표출시켰다. 빌은 입을 연 순간부터 대중의 관심을 사로잡았고, 완벽한 고저장단과 열정으로 자기가 계속 미국을 이끌어야 한다고 주장했다. 빌은 1992년에 미국이 어디에 있었고 자신이 대통령직에 있는 동안 어디까지 왔는가를 이야기하면서, 그동안 미국이 이룩한 진보를 개괄적으로 설명했다. '스카이박스'에 자리잡은 첼시와 나는 명연설을 하고 있는 빌을 자랑스럽게 지켜보았다. 연설이 3분의 2쯤 진행되었을 때 우리는 무대에서 빌과 함께 전당대회의 대단원을 맞기 위해 아래층으로 내려갔다. 우리가 무대 뒤에 도착했을 때는 빌의 연설이 거의 끝나가고 있었다. 빌은 1992년 대선을 회고한 다음 이런 말로 연설을 끝맺었다. "파란만장한 4년이 지난 뒤에도 나는 여전히 '희망'이라고 불리는 곳, '미국'이라고 불리는 곳을 좋아하고 신뢰합니다." 나도 마찬가지였다.

# 두번째 임기

빌과 나는 표를 얻기 위해 전국을 미친 듯이 날아다니며 마지막 선거운동의 마지막 날을 보냈다. 우리는 완전히 녹초가 된 상태였지만, 투표가 끝날 때까지는—또는 빌의 말마따나 마지막 개가 죽기 전에는—어떤 것도 당연하게 생각할 수 없었다. 빌이 프랭클린 루스벨트 이래 처음으로 두 번의 임기를 제대로 마치는 민주당 출신 대통령이 될 것이라는 확신을 얻게 되자 '에어포스 원'의 분위기는 시시각각 밝아졌다. 선거일 전날, 빌과 첼시와 나는 흥분에 들떠서 잠을 이루지 못했다. 그 무렵 미국은 '마카레나' 춤의 열풍에 휩쓸려 있었다. 한밤중에 첼시는 미주리 주 상공 어딘가에서 수행원들을 즉흥적인 마카레나 파티로 끌어들였다. 마이크 매커리 백악관 대변인은 비행기 앞쪽에서 벌어진 '난장판'에 대해 기자들에게 설명할 때, 미국의 최고사령관이 "아주 대통령다운 태도로" 춤을 추었다고 보고했다. 오전 2시가 지났을 때 비행기는 리틀록으로 내려가기 시작했다.

아칸소는 백악관으로 가는 우리 여행이 처음 시작된 곳이었다. 우리는 그곳에서 투표를 하고 결과를 기다리게 될 터였다. 우리는 시내 호텔에 여장을 풀고 휴식을 취한 다음 친구와 가족을 방문했다. 리틀록에는 투표소가 문을 닫았을 때 승리의 축제가 벌어질 것을 기대하고 벌써 수만 명이 모여 있었다. 우리는 투표소에 가서 투표를 하고, 그해에 은퇴할 예정인 데이비드 프라이어 상원의원이 베푼 오찬에 참석한 것을 제외하고는 사람들 눈에 띄지 않는 곳에 머물러 있었다.

낯익은 얼굴들에 둘러싸여 고향 사람들의 열광적인 지지를 받는 것은 고마웠지만, 이번이 빌의 마지막 공직 출마라는 것을 모두 알고 있었기 때문에 벌써부터 향수에 젖은 듯한 분위기가 감돌고 있었다. 대통령은 두 번밖에 중임할 수 없다. 선거운동을 위해 살았던 남자가 마침내 마지막 경주의 결승선에 도달한 것이다. 기쁨에 넘친 군중 사이를 엄숙한 저류가 흐르고 있었다. 오찬 연설에서 프라이어 상원의원은 2년 전 리틀록 시내 도처에서 사업을 시작했는데 아직도 수사를 끝내지 못한 특별검사를 상기시키면서 이렇게 말했다. "당신이 아칸소에서 받을 수 있는 최대의 찬사는, '이 선거를 해치우고 케네스 스타를 집으로 보냅시다' 라고 말하는 겁니다." 프라이어는 특검 수사가 "많은 사람의 삶을 망쳤으며, 많은 사람을 경제적 파탄으로 몰아넣었다"고 지적하고, "이제는 그들이 우리 발목을 놓아줄 때가 된 것 같다"고 말했다.

빌이 무려 8퍼센트 포인트 차이로 이긴 것을 알았을 때 그것은 대통령에게 승리 이상의 의미를 갖는다는 생각이 들었다. 그것은 미국 국민이 대통령의 혐의를 풀어준 것이었다. 미국 국민은 해묵은 정치적 원한과 허무맹랑한 스캔들이 아니라 그들에게 중요한 문제들—일자리, 가정, 가족, 경제—이 이번 선거의 쟁점임을 확인했다. 우리의 메시지는 워싱턴의 유독한 공기를 뚫고 유권자들에게 전달되었다. 1992년 선거운동의 주문—"문제는 경제야, 이 멍청아!"—은 아직도 유효했지만, 되살아나고 있는 경제가 모든 미국인의 삶을 향상시키기 위해 할 수 있는 일을 새롭게 강조했다. 우리는 사람들이 목소리와 표를 이용하여 자신의 뜻을 전달하면 그들의 개인적인 관심사도 정치적인 흐름이 될 수 있다는 것을 깨달았다.

선거일은 기다리는 것밖에는 아무것도 할 일이 없기 때문에 고문당하는 기분이다. 나는 기분을 달래려고 몇몇 친구와 함께 점심을 먹으러 갔다. 점심을 먹은 뒤에 나는 차를 몰고 리틀록의 힐크레스트 구에 있는 어머니 집에 가기로 했다. 나는 내 경호 책임자인 돈 플린을 감언이설로 꾀어서 내 옆자리에 앉혔다. 어머니 댁에 도착했을 때, 무엇 때문인지 돈의 손가락 관절이 하얗게 변해 있었다. 그후 나는 한번도 운전대를 잡지 않았다.

자정이 조금 지났을 때 보브 돌이 패배를 인정하는 연설을 했다. 빌과 나는 손을 잡고, 고어 내외와 함께 아칸소 주 옛 의사당 밖으로 걸어 나왔다. 아칸소 주 최초의 의사당인 이 건물은 1991년 10월 빌의 대통령 선거운동이 출범한 자리이기도 했다.

나는 수많은 군중 속에서 친구와 지지자들의 얼굴을 알아볼 수 있었다. 1977년 1월에 이 건물을 처음 방문했을 때가 생각났다. 그때 우리는 빌이 아칸소 주 검찰총장으로 선서하는 것을 보러 온 사람들에게 리셉션을 베풀었다. 나는 오랫동안 나에게 그토록 많은 것을 베풀어준 아칸소 사람들에게 감사했고, 빌이 아칸소와 아칸소 사람들에게 품고 있는 감정의 깊이를 느꼈다. 빌은 이렇게 말했다. "내 사랑하는 고향 사람들에게 감사드립니다. 나는 오늘밤 다른 어디에도 있고 싶지 않았습니다. 나의 삶과 우리 주의 역사를 지켜본 이 아름다운 의사당 앞에서, 그토록 오랫동안 내 곁에 있어준 여러분에게 감사드립니다. 결코 포기하지 않고, 우리가 더 잘할 수 있다고 믿어준 여러분에게 진심으로 감사드립니다."

빌은 "21세기로 넘어가는 가교를 놓을" 기회를 갖게 될 것이고, 나는 최선을 다해 빌을 도울 것이다. 나는 첫번째 임기 동안 견습으로 훈련을 쌓으면서, 퍼스트 레이디라는 지위를 막후에서 또는 전면에서 좀더 효율적으로 이용할 수 있는 법을 배웠다. 처음에는 의료 개혁에 대한 주요 참모로서 지나치게 눈에 띄는 역할을 맡아 국회 청문회에 나가 증언하고 연설을 하고 전국을 돌아다니고 의회 지도자들을 만났지만, 1994년 중간선거 이후에는 좀더 은밀한—하지만 여전히 적극적인—역할을 맡았다.

나는 백악관 안에서 깅리치와 공화당이 표적으로 삼고 있는 중요한 공공사업과 프로그램을 구하기 위해 정부 관리들과 협력하기 시작했다. 또한 2년 동안 대통령의 고위 보좌관들이 복지 개혁안을 가다듬고 법률 구조와 예술과 교육, 메디케어와 메디케이드에 대한 예산 삭감을 피하도록 도왔다. 의료 개혁을 위한 노력도 멈추지 않았다. 나는 그 노력의 일환으로 아동에게 싼값이나 무료로 백신을 접종하는 포괄적인 프로그램을 시작하라고 민주당과 공화당 의원들에게 로비를 벌였다.

나는 빌의 두번째 임기를 앞두고, 여성과 아동과 가족에게 영향을 미치는 제반 문제들에 대한 백악관의 정책 개발을 돕기 위해 내 의견을 공개적으로 밝힐 계획을 세웠다. 미국 같은 선진 경제에서 많은 사람들이 물질적으로는 더욱 풍요로워졌지만 가정은 큰 압박을 받고 있었다. 빈부격차는 갈수록 심해지고 있었다. 나는 사회보장—의료보험 · 교육 · 연금 · 임금 · 일자리—을 지키고 싶었다. 사회보장은 테크놀로지 혁명과 지구적 단위의 소비 문화가 낳은 변화를 수용하지 못하는 시민들 때문에 구멍날 위험에 빠져 있었다. 나는 1996년 대선 과정에 빌과 함께 가족 휴가, 학자금 대출, 아동과 노인에 대한 의료보장, 최저 임금액 인상 같은 이슈들을 부각시키려고 애썼다. 대중은 선거에서 빌의 리더십을 인정했고, 이제 우리는 국민의 삶을 긍정적으로 변화시키기 위한 노력에 전념할 수 있게 되었다. 큰 정부를 반대하는 공화당의 표어는 사회보장 · 메디케어 · 공교육처럼 널리 인정받고 있는 프로그램의 유효성에 대한 국민의 신뢰를 무너뜨리려는 의도를 갖고 있었다. 고어 부통령이 이끄는 '정부 구조조정' 프로그램을 통해 연방 정부는 케네디 행정부 이래 가장 규모가 작아졌다. 나는 연방 정부의 지속적인 역할은 그 효과를 명백하게 증명할 수 있어야 한다는 것을 알고 있었다. 거리를 순찰하는 경찰관을 늘리거나 학교 교사를 늘리는 것이 그 예였다. 그것은 국민들의 목소리에 귀를 기울이는 것을 의미했다.

1994년에 미국 노동부는 취업 여성들에 대한 사상 최대 규모의 조사를 실시했다. '직장 여성 통계'라고 불린 이 조사는 미국 노동력의 거의 절반을 이루는 수백만 직장 여성들이 무엇을 걱정하고 있는지를 보여주었다. 소득이나 경력에 관계없이 직장 여성들의 주요 관심사는 두 가지였다. 하나는 알맞은 가격의 수준 높은 보육시설이었고, 또 하나는 직장과 가정의 균형을 유지하는 문제였다. 나는 첼시를 키우면서 친구와 가족과 보모에게 의존했다. 그들은 빌과 내가 일하는 동안 우리 집에 와서 첼시를 돌봐주었다. 그렇게 운이 좋은 부모는 그리 많지 않다.

나는 직장 여성들의 생활상을 좀더 알아보기 위해 조사에 참여한 여성들을 만나보았다. 혼자서 아이를 키우는 뉴욕 시의 한 여성은 하루하루 살아남는 비결을 "모든 일을 시간표대로 하는 규칙적인 생활"이라고 설명했다. 그녀는 자신의 하루 일과를 대충 말해주었다. 오전 6시에 일어나 출근 준비를 하고, 아침식사를 준비하고, 고양이한테 먹이를 주고, 아홉 살 난 아들을 깨우고, 아들이 학교에 갈 준비를 하는 동안 밀린 다리미질을 하고, 아들을 학교에 데려다주고, 오후 5시까지 직장에서 일하고, 방과후 프로그램에 참여한 아들을 데려오고, 저녁식사를 준비하고, 아들의 숙제를 도와주고, 청구서를 지불하거나 집안을 정돈하고, 침대에 쓰러진다. 그녀는 시간제 경리에서 정규 사무직으로 승진한 사실을 자랑스럽게 여겼지만, 그것은 심신을 지치게 하는 가혹한 일과였다. 샌타페이의 병원에서 근무하는 서른일곱 살의 간호사는 "우리는 아내, 어머니,

직장인, 그리고 우리 자신이어야 하지만, 이 네번째 역할이 대개 맨 마지막 순서를 차지한다"고 말했다.

뉴욕의 그 어머니는 '경찰 운동 리그'에서 운영하는 방과후 프로그램을 고마워했다. 현지 경찰은 취업 부모가 자녀를 안전하고 건전하게 키우고 싶으면 아이들이 학교 수업을 마친 뒤 시간을 보낼 수 있는 안전하고 생산적인 환경이 필요하다는 것을 깨달았기 때문에 방과후 프로그램을 지원하고 있다고 말했다. 하지만 대다수 부모들은 괜찮은 방과후 프로그램이나 미취학 아동을 보호해주는 수준 높은 시설을 이용하지 못하고 있었다. 탁아소를 갖추거나 보육비를 보조해주는 직장은 많지 않았다. 탁아소는 아픈 아이들을 받아주지 않았다. 그리고 늦게까지 아이를 돌보아주는 경우에는 대부분 비싼 추가 요금을 받았다. 보스턴의 한 어머니는 세 살배기 아들을 탁아소에서 데려와야 하는 시간에 맞춰 퇴근하기 위해 점심을 거르고 일할 때가 많다고 말했다. 그녀와 같은 곤경을 겪고 있는 부모는 수두룩했다. 내가 애틀랜타에서 만난 어느 은행 여직원은 "오후 6시가 지나서 탁아소에 도착하면 추가 요금을 물어야 하기 때문에, 시간에 늦지 않으려고 미친 듯이 달리다가 보행자를 칠 뻔한 적이 많았다"고 말했다. 한 아이의 엄마이기도 한 연방 판사는 이렇게 말했다. "내가 변호사로 일할 때, 동료들의 아내는 모두 전업주부였다. 내 동료들은 세탁소에 맡긴 옷을 찾아오거나 탁아소에서 아이를 데려오는 일을 걱정할 필요가 없었다." 그 말은 1974년에 앨버트 제너가 한 말을 기억나게 했다. 내가 법정 변호사를 지망할지 모른다고 하자, 제너는 아내가 없으면 불가능할 거라고 말했다.

1994년에 카네기 재단 총재인 데이비드 햄버그 박사는 퍼스트 레이디의 역할을 이용하여 미국 아동 보육의 결함을 강조하고 취업 부모에 대한 연방 정부의 지원 확대를 촉진하라고 나를 격려해주었다. 1996년에 복지 개혁에 대한 논쟁이 한창일 때, 나는 복지 혜택을 받고 있는 저소득 어머니들의 취업을 유도하는 데 필수 요소인 아동 보육에 대한 정부 지원을 계속 유지해야 한다고 주장했다. 나중에 나는 어릴 때 아동이 받는 두뇌 자극의 중요성에 관한 연구 결과를 보고 내 주장을 더욱 확대했다. 취지는 보육시설이 이 연구 결과를 반영하여 아동의 조기 발달을 강화할 수 있는 방법을 배우자는 것이었다. 나는 많은 아동 보육 전문가와 주요한 아동 옹호 단체 사람들을 만났고, 아동 보육의 질을 개선하기 위한 다양한 방법과 취업 부모가 선택할 수 있는 보육시설 부족을 해결하는 다양한 방법을 보기 위해 전국을 돌아다녔다. 마이애미 주에서는 주요 기업인들을 만나 아동 보육에 대한 기업의 책임을 논의했고, 그후 백악관에서 다양한 기업들의 성공적인 보육 프로그램을 제시하는 행사를 열었다. 버지니아 주 콴티코에 있는 해군기지를 방문했을 때는 군인 가족을 위한 인상적인 탁아소를 시찰했다. 나는 사회 전체가 이곳을 본보기로 삼기를 기대했다.

나는 백악관에서 두 차례 회의를 열었다. 첫번째는 '아동의 조기 발달과 학습'에 대한 회의였고, 두번째는 '아동 보육'에 대한 회의였다. 우리는 가정생활의 중요한 분야에 전국민의 관심을 집중시키고, 취업 남녀가 생산적인 근로자인 동시에 책임있는 부모가 되는 데 필요한 지원을 제공하려는 연방 정부의 결단을 설명하기 위해 전문가와 주창자, 주요 기업인과 정치인들을 불러모았다. 빌이 1998년 연두교서에서 발표한 혁신적인 정책들은 내 참모들이 대통령의 국내 정책 보좌관들과 긴밀히 협력하여 만든 것이었다. 나는 정부가 앞으로 5년 동안 아동 보육 환경 개선에 200억 달러를 투자하기로 결정한 것이 자랑스러웠다. 그 기금은 저소득 근로자가 아동 보육시설을 이용하고 취학 아동이 방과후 프로그램에 참여할 수 있는 기회를 늘리고, '헤드 스타트'(Head Start: 저소득층 아동을 위한 조기 교육 프로그램)를 확대하고, 기업과 고등교육기관의 아동 보육 투자를 유도하기 위해 세금 혜택을 제공하는 데 쓰일 것이다. '조기 학습 기금' 은 보육교사의 질을 향상시키고 보육교사 1인당 아동 수를 줄이고 자격증을 가진 보육교사를 늘리려고 애쓰는 주정부와 지역 공동체에 재정 지원을 하기 위해 설립되었다. 나는 방과후 프로그램에 참여할 수 있는 기회를 늘리려고 애썼다. 1998년에 정부는 '21세기 공동체 학습 센터' 프로그램을 도입하여 약 130만 명의 아동에게 방과후 프로그램과 여름 학교에 참여할 수 있는 풍부한 기회를 제공하게 되었다. 방과후 프로그램은 읽기와 수학 성적을 올려주는 것으로 밝혀졌다. 또한 이 프로그램은 청소년 폭력과 마약 남용을 줄이고, 덕분에 부모들은 간절히 바라는 마음의 평화를 얻을 수 있다.

나는 대중 앞에 나가서 연설하고 외부 단체만이 아니라 의원들과도 자주 만나고 통화를 하면서, 정부가 발의한 국내 정책들이 국회를 통과할 수 있도록 애썼다. 8년 동안 국내 정책을 담당한 나의 유능한 참모들—셜리 새거워, 제니퍼 클라인, 니콜 래브너, 니라 탠든, 앤 올리어리, 헤더 하워드, 루비 샤미르—은 헤아릴 수 없이 귀중한 존재였다. 빌과 나는 아동에 대한 미디어의 폭력을 억제하고, 학교를 중퇴하는 비율이 높은 히스패닉계 학생들의 교육 수준을 높이고, 미국의 청소년들이 일하면서 공부할 수 있는 기회를 확대하는 방안을 논의하기 위해 백악관에서 전략회의를 열었다.

빌이 1993년에 첫번째로 서명한 법안은 코네티컷 출신 민주당 상원의원인 크리스토퍼 도드가 발의한 '가족 및 의료 휴가법' 이었다. 이 법률은 수백만 근로자들이 실직에 대한 두려움 없이 병든 가족을 돌보거나 가정의 비상사태를 처리하기 위해 최고 12주간 무급 휴가를 얻을 수 있게 해주었다. 수백만 명의 미국인이 이 법률의 보호를 받았고, 그것이 자신들의 생활에 중대한 영향을 미친 것을 깨달았다. 콜로라도 주의 한 여성은 나에게 편지를 보내, 남편이 몇 년 동안 병으로 고생하다가 최근에 울혈성 심부전으로 죽었다고 말했다. 그녀는 '가족 및 의료 휴가법' 에 따라 직장에 휴가원을 내고, 의사와 약속한 시간에 맞춰 남편을 병원에 데려가거나 입원한 남편을 문병하거나 임종하는 남편을 위로할 수 있었다. 남편 인생의 마지막 몇 달, 그 중요한 시간을 남편이 죽은 뒤에 실직자가 되지나 않을까 하고 걱정하면서 보낼 필요는 없었다.

나는 그 법률을 더욱 개선할 방안을 찾아보라고 참모들을 독려했다. 우리는 노동부와 인사국, '여성과 가족을 위한 동반자' 와 협력하여 연방 공무원들이 병든 가족을 돌보기 위해 그동안 쓰지 않고 모아둔 유급 질병 휴가를 최고 12주간 이용할 수 있도록 '가족 및 의료 휴가법' 규정을 고쳤다. 나는 연방 정부의 이 제도가 전국에 본보기가 되기를 기대했고, 주정부가 실업보험을 이용하여 새로 부모가 된 공무원에게 유급 휴가를 제공할 수 있도록 허용하는 규정을 요구했다. 적어도 16개 주의회가 그런 규정을 검토하고 있을 때, 조지 부시 행정부가 규정을 삭제하여 새로 부모가 된 사람들을 지원할 수 있는 길을 막아버렸다.

국회를 통과한 파산법 개정안은 많은 여성들이 의존하고 있는 '배우자와 자녀에 대한 부양 의무 규정' 을 약화시킬 우려가 있었다. 파산 신청을 하는 미국인의 수는 20년 만에 400퍼센트나 늘어났다. 이 엄청난 통계 수치는 미국 경제의 안정에 중요한 의미를 갖고 있었다. 늘어나는 개인 빚에서 벗어나는 재정 계획 수단으로 파산제도를 이용하는 미국인의 수가 늘어나는 것일까? 무자격자에게 마구 카드를 발급해주고 무모하게 카드 사용을 승인해준 무책임한 금융업계와 신용카드업계의 책임일까? 아니면 보험이 적용되지 않는 의료비처럼 혼자 힘으로는 감당할 수 없는 개인 지출이 늘어난 탓일까? 이 질문에 어떻게 대답하느냐에 따라 정치인들이 지지하는 정책적 해결책도 달라졌다. 개인이 짊어진 부채가 늘어난 것은 주로 신용카드업계의 책임이라고 믿는 정치인들은 신용 불량자를 회원으로 받아들이는 공격적인 판매 전략을 제한하는 해결책을 지지했다. 사람들이 당연히 갚아야 할 빚을 떼어먹기 위해 파산제도를 악용하고 있다고 믿는 정치인들은 파산 선고를 더 까다롭게 하거나 파산 선고를 받은 경우에도 면제받는 빚의 액수를 제한하는 해결책을 지지했다.

나는 법률이 명령한 '자녀와 배우자 부양비'에 의존하고 있는 여성과 아동들이 부양비를 지급받지 못하면 어떻게 되는가에 대한 논의가 이 토론에서 완전히 빠져버린 것을 알았다. 파산 선고를 받은 빈털터리 아빠와 전남편이 자녀와 전처에게 부양비를 주지 않아서 그것을 받으려고 소송을 낸 여성이 수십만 명에 이르렀다. 나는 파산법 개정이 여성과 가족에게 중대한 의미를 갖게 되리라는 것을 알아차렸다. 파산 재판에서 신용카드회사는 미납된 카드 대금이 배우자와 자녀에 대한 부양 의무와 똑같은 우선권을 갖기를 바랐다. 그것은 혼자 아이를 키우는 어머니가 법적으로 마땅히 받아야 할 자녀 양육비를 받기 위해 비자카드나 마스터카드와 경쟁해야 한다는 것을 의미했다. 나는 자녀 부양 의무가 우선해야 한다고 믿었고, 파산법 개정안은 채무자와 채권자에게 똑같이 더 많은 책임을 요구해야 한다고 생각했다. 1998년에 나는 소비자보다 신용카드업계에 훨씬 유리한 법안을 거부하겠다는 빌의 결정을 지지했고, 그후 의원들과 협력하여 파산법의 소비자 보호 규정을 강화하고 여성과 부양가족을 보호하는 규정을 추가하려고 애썼다. 내가 상원의원이 된 뒤 맨 처음 통과시킨 법안 가운데 하나는 여성과 아동에 대한 보호를 강화한 법안이었다.

여성이 경제적 권리를 부여받으려면 동등한 임금과 연금을 받기 위한 투쟁을 계속하는 것도 중요했다. 여성은 아직도 남성과 동등한 임금을 받지 못할 뿐만 아니라, 많은 직장 여성들이 충분한 연금을 받지 못하거나 연금 혜택을 전혀 받지 못하고 복지제도에 의존하고 있다. 사회보장 구조는 여성을 보조적인 생계 유지자로 보거나 아예 생계 유지자로 인정하지 않는 구시대적 개념에 바탕을 두고 있다. 어떤 사람이 받는 연금은 그 사람이 직장생활을 하는 동안 내는 분담금에 따라 결정된다. 대부분의 여성은 남자보다 돈을 적게 벌 뿐만 아니라 개인연금도 받지 못하는 경우가 많고, 비정규직으로 일할 가능성이 더 높고, 평균적으로 남편보다 오래 살기 때문에 나이가 들면 취로 가능 인구에서 제외되어 혼자 불우하게 말년을 보내는 경우가 많다. 많은 여성 노인들에게 사회보장은 극빈 상태로 떨어지지 않도록 막아주는 유일한 안전망이다. 나는 이 필수적인 안전망이 지불 능력을 상실하지 않도록 보호하기로 결심하고, 사회보장의 구조적인 여성차별을 찾아내기 위해 1998년에 백악관에서 사회보장에 대한 토론회를 주재했다.

여성과 아동은 의료 시스템에서도 불공평한 대우를 받고 있다. 이것도 내가 의료 개혁을 추진하게 된 애초의 동기 가운데 하나였다. 나는 출산한 지 24시간 뒤에 산모를 퇴원시키는 병원측의 '드라이브 스루 방식의 분만' 관행을 없애기 위한 정부의 노력을 이끌었다. 이제 여성들은 정상 분만인 경우에는 48시간, 제왕절개 수술을 한 경우에는 96시간 동안 병원에 머물 수 있다.

나는 에이즈 활동가 엘리자베스 글레이저의 삶에 감명을 받아, 에이즈에 감염된 아동의 치료제를 포함한 소아용 약품의 검사와 분류를 개선하려고 애쓰기 시작했다. 나는 1992년에 민주당 전당대회에서 엘리자베스를 처음 만났다. 그녀는 1981년에 딸을 낳을 때 수혈을 통해 에이즈에 감염된 일을 감동적으로 이야기했다. 엘리자베스는 에이즈에 감염된 줄도 모르고 모유를 통해 딸에게 병을 옮겼고, 다시 임신한 아들도 엄마의 자궁 속에서 에이즈에 감염되었다. 엘리자베스는 약물 치료를 받을 수 있었지만, 아동에 대해서는 에이즈 치료약의 안전성과 효능이 검증되지 않았다는 이유로 딸과 아들은 치료를 받을 수 없었다. 엘리자베스와 남편 폴 글레이저는 딸이 일곱 살 나이에 에이즈로 죽는 것을 속수무책으로 지켜볼 수밖에 없었다.

엘리자베스는 딸을 잃은 슬픔을 에이즈에 걸린 아동을 위한 사명감으로 전환시켜, 아동의 에이즈 예방과 치료에 대한 연구를 지지하고 장려하는 '소아 에이즈 재단'을 세웠다. 나는 엘리자베스가 1994년에 죽을 때까지 그녀와 함께 치료약을 제대로 검사하여 아동에게 투약할 것을 요구했고, 그후에도 엘리자베스를 추모하여 그 노력을 멈추지 않았다. 엘리자베스의 아들은 진보한 치료법의 혜택을 받아 잘 지내고 있다.

중병에 걸린 아동에게도 투약할 수 없는 약물이 있는 반면, 적당한 투여량이나 해로운 부작용을 거의 이해하지 못하고 타성적으로 처방되는 약물도 있다. 소아용 약품의 분류와 검사를 개선하려는 백악관의 노력을 주도한 것은 내 참모인 제니퍼 클라인이었는데, 그녀는 아들이 천식 치료약을 복용하고 있었기 때문에 이 문제를 잘 알고 있었다. 1998년에 식품의약국(FDA)은 제약회사의 소아용 약품에 대한 검사를 의무화했지만, 일부 제약회사가 소송을 제기했다. 연방 법원은 FDA가 검사를 요구할 권한이 없다고 판결했다. 나는 상원의원으로서 엘리자베스가 주장한 일을 하기 위해 필요한 권한을 FDA에 부여하는 법률을 통과시키려고 애썼다.

지난해(1995년)의 베이징 연설 때문에 전세계에서 내 지명도가 극적으로 높아졌다. 내 사무실에는 강연 요청이 빗발쳤고, 내가 방문할 나라의 여성과 관련된 문제를 논의하는 회의에 꼭 참석해달라는 요구도 쏟아져 들어왔다. 베이징에 가기 전에 빌과 함께 외국을 공식 방문했을 때, 나는—적절하다고 판단될 경우에는—고위 인사의 배우자들을 위한 프로그램에 빌과 함께 참석하기도 했다. 11월 중순에 오스트레일리아 · 필리핀 · 태국을 공식 방문했을 때는 빌의 일정에도 따랐지만 나만의 일정도 따로 마련했다. 우리는 필요한 휴식도 일정에 넣었다. 오스트레일리아에 갔을 때는 시드니와 캔버라에 들른 뒤 그레이트 배리어 리프(오스트레일리아 북동쪽 해안을 따라 발달해 있는 세계 최대의 산호초—옮긴이)를 방문했다. 포트더글러스에서 빌은 전세계 산호초의 침식을 막기 위한 '국제 산호초 보호 운동'을 지원하겠다고 발표했다. 이어서 우리는 보트를 타고 산호초로 갔다. 나는 물 속에 들어가고 싶어서 내 참모들을 부추겼다. "갑시다! 머리가 젖는 것을 걱정하기에는 인생이 너무 짧아요!"

대통령이 수영을 하러 가면 언제나 대소동이 벌어진다. 빌과 내가 청록빛 바닷물 속을 쏜살같이 헤엄치는 무지갯빛 물고기 떼와 거대한 조개에 경탄하는 동안, 오리발에 산소 마스크를 갖춘 경호원들과 해군 잠수부들이 우리를 빙 둘러싸고 있었다.

그 여행에는 그밖에도 멋진 순간들이 있었다. 빌은 오스트레일리아로 날아가는 동안 비행기 통로에서 퍼팅 연습을 한 뒤, 오스트레일리아에서 그 유명한 '백상어'—전설적 골퍼인 그레그 노먼—와 함께 골프를 쳤다. 나는 세계적으로 유명한 시드니의 오페라하우스를 방문하여 여성들에게 연설을 했다. 나는 지난 대통령 선거에 대해 이야기하고, 빌과 내가 여성과 가족 문제를 강조하는 것을 일부에서는 '정치의 여성화'라고 부르지만 나는 '정치의 인간화'라고 생각한다고 말했다.

야생동물 보호구역에서 빌은 첼시라는 이름의 코알라를 안아주었다. 빌이 그 코알라에 접근할 수 있었던 것은 작은 기적—또는 부주의가 낳은 행운의 실수—이었다. 지나치게 열성적인 한 백악관 선발대원은 외국에서 일으킬 수 있는 모든 알레르기에서 빌을 지키는 책임을 스스로 떠맡았다. 캔버라의 총독 관저를 예방했을 때, 빌과 나는 윌리엄 딘 총독 내외와 함께 드넓은 초록빛 잔디밭을 바라보며 경탄하고 있었다. 딘 여사가 빌을 돌아보며 말했다. "캥거루 때문에 걱정을 시켜서 죄송해요. 캥거루는 사람들이 다 붙잡았을 거예요."

빌은 어리둥절한 표정을 지었다.

"무슨 말씀이세요?" 내가 물었다.

"캥거루가 대통령께 접근하면 알레르기 반응을 일으킬 테니까 캥거루를 잔디밭에서 몽땅 몰아내라는 통보를 받았어요."

빌은 사실 캥거루에 대해 알레르기가 없지만, 누군가의 과보호 충동이 발동했던 모양이다. 충성스럽고 헌신적인 선발대는 우리에게 도움이 되고 싶어했고, 나는 우리의 모든 요구를 미리 알아서 처리해주는 그들의 노고에 진심으로 감사하지만, 그들의 지나친 염려가 주위 사람들에게 부담을 줄 때는 정말 곤혹스러웠다. 프랑수아 미테랑 프랑스 대통령 내외가 1994년 파리의 엘리제궁에서 우리를 위해 공식 만찬을 베풀었을 때, 영부인인 다니엘 여사가 식탁에 꽃을 놓지 않아서 썰렁해 보일 거라고 사과했다.

"무슨 말씀이세요?" 내가 물었다.

"대통령이 꽃에 알레르기가 있다는 얘기를 들었어요."

빌은 어떤 꽃에도 알레르기를 일으키지 않는다. 빌은 수년 동안 참모들에게 그렇게 말했지만, 대개는 아무 소용이 없었다. 훌륭한 직원들이 없었다면 우리는 아무 일도 해낼 수 없었겠지만, 이따금 그들은 필요 이상의 도움을 주기도 했다.

내가 대통령과 함께 외국을 방문할 때 어떤 의제를 강조하는지 이제는 잘 알려져 있었다. 그것은 여성 · 의료 · 교육 · 인권 · 환경 문제, 소액 신용 대출을 밑천으로 자립하려 애쓰는 서민들의 노력 등에 대해서였다. 나는 대개 빌의 공식 방문단과는 따로 집이나 일터에서 여성들을 만나고, 의료보장을 확대하는 혁신적인 방안을 채택한 병원들을 방문하고, 특히 여학생을 가르치는 학교를 찾아갔다. 이런 곳에서 나는 현지 문화를 배우고, 국가의 번영이 여성의 교육 · 복지와 직결되어 있다는 사실을 절감했다.

1994년 필리핀을 처음 방문했을 때, 빌과 나는 코레히도르 섬의 전적지를 관광했다. 이 섬의 미군 기지는 제2차 세계대전 때 일본군에게 점령당했다. 더글러스 맥아더 장군은 섬을 포기할 수밖에 없었지만, 떠나면서 "나는 꼭 돌아오겠다"고 약속했다. 필리핀 병사들은 미군과 함께 용감하게 싸웠고, 그 전과를 바탕으로 1944년에 마침내 맥아더가 돌아왔다. 필리핀은 제2차 세계대전 이후 수십 년 동안 뒤틀린 정치적 변화를 겪었고, 국민들은 21년 동안 지속된 페르디난드 마르코스의 독재정치의 영향에서 아직도 완전히 회복되지 못한 상태였다. 코라손 아키노 여사는 남편이 마르코스에게 반대하다가 암살당하자 필리핀의 민주주의 회복을 위해 앞장섰다. '코리' 아키노는 1986년 대통령 선거에 출마하여 마르코스와 맞섰다. 마르코스가 당선자로 선언되었지만, 그것은 온갖 부정과 협잡을 통해 승리한 것이었다. 민중 봉기로 마르코스는 대통령직에서 쫓겨났고 아키노가 대통령이 되었다. 아키노도 가족을 잃은 결과로 정치에 뛰어든 여성이었다.

아키노 대통령의 후계자는 피델 라모스였다. 웨스트포인트(미국 육군사관학교)에서 공부한 장군 출신의 라모스는 막중한 책임을 맡았지만, 유머 감각이 뛰어난 사람이었다. 라모스와 그의 아내 아멜리타는 우리가 두 번 마닐라를 여행했을 때 두 번 다 호스트 역할을 맡았다. 1994년의 공식 오찬 자리에서 라모스는 빌에게 색소폰 연주를 요청했고, 빌이 망설이자 악단을 시켜 빌을 무대로 불러냈다. 빌은 결국 라모스 부인의 피아노 반주에 맞추어 색소폰을 연주했다. 라모스 부인은 옛 대통령 관저의 수많은 벽장 가운데 하나를 나에게 보여주었다. 벽장에는 아직도 이멜다 마르코스의 구두가 가득 들어 있었다.

나는 필리핀 전역에서 온 수천 명의 여성들이 참석한 회의에서 연설한 뒤, 마닐라를 떠나 태국 북부의 산악지방으로 갔다. 빌은 부미볼 국왕의 즉위 50주년 기념일에 맞추어 태국을 국빈 방문할 예정이었고, 나는 나중에 방콕에서 빌을 만나기로 되어 있었다.

나는 라오스와 미얀마의 접경과 가까운 치앙라이로 날아가면서, 눈 아래 펼쳐져 있는 초록빛 논과 굽이쳐 흐르는 강줄기의 장관을 마음껏 즐겼다. 공항 주기장에서는 악단이 북과 심벌즈를 치고 '사'를 연주하면서 나를 환영해주었다. '사'는 가슴에 사무치는 듯한 구슬픈 소리를 내는 현악기다. 산악 부족의 전통 의상을 입은 소녀들이 춤을 추었는데, 손목에 매단 꽃과 촛불이 기적적으로 균형을 유지하고 있었다. 내가 도착한 것과 때를 맞추어 로이크라통 축제가 열렸다. 이때는 꽃과 촛불을 강물에 띄우려고 메핑 강으로 가는 인파가 거리를 가득 메운다. 이 오랜 풍습은 한 해의 불행이 끝나고 이듬해의 희망이 시작되는 것을 상징한다고 한다.

희망에 찬 이 의식은 내가 나중에 방문한 재활 센터의 비참한 생활과 뚜렷한 대조를 이루었다. 이곳에는 일찍이 창녀였던 젊은 여자들이 수용되어 있었다. 태국 북부의 이 지역은 온갖 부정한 거래—마약 · 밀수품 · 여자—의 중심인 '황금의 삼각지대'의 일부였다. 나는 이 지역의 젊은 여성 가운데 10퍼센트 이상이 강제로 매춘 산업에 종사하고 있다는 말을 들었다. 많은 여자들이 사춘기도 되기 전에 창녀로 팔려갔다. 어린 소녀는 창녀들 사이에 만연해 있는 에이즈에 걸리지 않았을 거라는 잘못된 믿음 때문에 고객들이 어린 소녀를 선호했기 때문이다. 치앙마이의 '새생활 센터'에서 일하는 미국 선교사들은 전직 창녀들에게 안전한 피난처를 제공하고, 그들이 스스로 생계를 유지하는 데 필요한 기술을 배울 기회도 마련해주었다. 내가 이 센터에서 만난 한 소녀는 여덟 살 때 아편 중독자인 아버지가 그녀를 창녀로 팔아넘겼다고 말했다. 몇 년 뒤 탈출하여 집으로 돌아왔지만 또다시 매음굴로 팔려갔다. 이제 겨우 열두 살인 소녀는 에이즈에 걸려 센터에서 죽어가고 있었다. 소녀는 뼈와 가죽만 남아 있었지만, 내가 다가가자 작은 손을 합장하여 태국의 전통적인 인사를 하려고 온힘을 쥐어짰다. 나는 그런 소녀를 그저 가만히 바라볼 수밖에 없었다. 나는 소녀의 의자 옆에 무릎을 꿇고, 통역을 통해 소녀에게 말을 걸려고 애썼다. 소녀는 말할 기력도 없었다. 내가 할 수 있는 일은 소녀의 손을 잡아주는 것뿐이었다. 소녀는 내가 방문한 직후에 숨을 거두었다.

시골 마을을 방문했을 때 나는 이 소녀를 죽음으로 몰아넣은 수요-공급 경제의 끔찍한 증거를 목격했다. 초가지붕 위로 텔레비전 안테나가 튀어나와 있는 집은 모두 부잣집을 나타내고, 그것은 대부분 딸을 매음굴에 팔아넘긴 집을 뜻한다고 안내원이 설명했다. 진흙으로 지은 초라한 오두막에서 텔레비전도 없이 사는 가족은 딸을 팔아넘기기를 거부했거나 팔아먹을 딸이 없는 집이었다. 이 방문을 통해서 서로 단절되어 있는 세계의 정치와 지역 생활 사이의 간격을 메우겠다는 내 결심은 더욱 강해졌다. 여성 밀거래는 소녀와 여성을 노예화하는 인권 침해일 뿐만 아니라, 마약 밀거래와 마찬가지로 지역 전체의 경제를 왜곡하고 불안정하게 만든다. 태국만 그런 것도 아니었다.

나는 외국을 여행하는 동안 인신―특히 여성―매매 산업이 얼마나 거대한 산업이 되었는지를 깨닫기 시작했다. 미국 국무부는 해마다 무려 400만 명이 인신매매되는 것으로 추산하고 있다. 나는 이 끔찍한 인권 침해를 공개적으로 거론하고, 미국 정부가 앞장서서 전세계의 인신매매와 싸워야 한다고 요구하기 시작했다. 1999년 터키 이스탄불에서 열린 '유럽안보협력기구(OSCE)' 회의에서 나는 공개 토론회에 참석하여 국제적인 관심과 조치를 촉구했다. 나는 이미 이 문제에 관심을 갖고 있던 의원들 및 국무부와 협력했다. 2000년에 통과된 '인신매매 피해자 보호법'은 이제 미국으로 팔려온 여성들을 돕고, 인신매매와 싸우는 외국 정부와 NGO 단체에 재정 지원과 도움을 제공하고 있다.

우리는 추수감사절에 맞추어 미국으로 돌아와, 가족 모임에 참석하기 위해 곧장 캠프 데이비드로 떠났다. 무엇보다 즐거운 일은 이제 우리에게 조카가 둘이나 생겼다는 것이었다. 내 남동생 토니는 아들 재커리를 낳았고, 빌의 남동생 로저는 아들 타일러를 낳았다. 남자들은 얼어붙을 듯이 추운 날씨에도 골프를 치러 나가서, 그들이 '캠프 데이비드 트로피' 라고 부르는 것을 따기 위해 경쟁했다. 우리는 '월계수 오두막' 에서 식사를 하고 시간을 보냈다. 나는 방 어디에서나 미식축구 중계를 볼 수 있도록 '월계수 오두막' 에 대형 텔레비전을 들여놓았다. 저녁을 먹을 때 우리는 그날 밤 캠프의 극장에서 어떤 영화를 볼 것인지를 결정하려고 투표를 했다. 동점이거나 강력히 반대하는 사람이 있을 경우에는 이따금 영화 두 편을 동시에 상영하기도 했다.

공화당은 하원에서 9석을 잃었고 상원에서는 2석을 잃었지만, 여전히 상하 양원을 장악하고 있었다. 게다가 온건파나 실용주의자들에게 주도권을 주지 않고, 이데올로기 신봉자들에게 좀더 지도적인 지위를 주었다. 하원의 '정부개혁감독위원회' 위원장인 인디애나 출신의 댄 버턴 의원은 국회에서 으뜸가는 음모 이론가였다. 그는 빈스 포스터가 살해되었다는 것을 입증하려고 자기 집 뒷마당에서 수박에 38구경 권총을 발사하는 해괴한 짓을 하여 약간의 명성을 얻었다.

다수당 원내총무인 트렌트 로트를 비롯한 핵심 공화당원들은 이미 클린턴 행정부에 대한 조사를 계속하는 것이 자신들의 '책무' 라고 맹세했다. 하지만 화이트워터 수사는 기세를 잃어가고 있는 듯이 보였다. 다마토 상원의원은 6월의 청문회를 연기했다. 특검 수사가 연장되었는데도 케네스 스타는 웨브 허벨에게서 한마디도 끌어내지 못했다. 웨브는 고객과 동료들을 속인 죄로 18개월 동안 연방 교도소에서 복역하고 있었다.

빌의 두번째 취임식이 다가오자 내각과 백악관 참모진에 많은 변화가 일어났다. 빌의 비서실장인 리언 파네타는 야인으로 돌아가 캘리포니아에서 살기로 결심했다. 당시 그의 대리로 일하고 있던 노스캐롤라이나 출신의 사업가이며 신뢰받는 친구인 어스킨 볼스가 리언 파네타의 후임이 될 예정이었다. 어스킨의 아내인 크랜들은 사업가로 성공한 박식한 여성이었고, 웰즐리 여대에서 내 동급생이었다. 1991년에 빌과 함께 일하기 시작하여 1992년 대통령 선거운동 때 뉴욕 조직책을 맡아 훌륭한 솜씨를 보여준 우리의 오랜 친구 해럴드 아이크스도 자신의 법률회사로 돌아가 컨설팅 업무를 재개했다. 이블린 리버먼은 '미국의 소리' 방송 사장이 되었다. 조지 스테퍼노펄러스는 대학에서 가르치고 회고록을 쓰기 위해 백악관을 떠났다.

나도 비서실장을 잃었다. 매기는 자신의 생활을 되찾고 싶어했다. 그녀는 원래 한 차례의 임기 동안만 일할 작정이었고, 그보다 오래 남아 있을 생각은 전혀 없었다. 나는 매기의 결정을 이해했다. 매기와 그녀의 남편 빌 바렛은 파리로 이주할 예정이었다. 매기를 위해서는 잘된 일이었다. 매기는 주위를 맴도는 특검 수사 때문에 가장 지독한 수모를 감내해야 했다. 그 회오리바람에 휘말린 것은 물론 매기만이 아니었지만, 나는 날마다 매기를 만났기 때문에 지난 몇 년 동안 매기가 치른 곤욕을 잘 알고 있었다.

멜라니 버비어가 매기의 후임으로 내 비서실장이 되었다. 멜라니는 거의 모든 해외 여행에 나를 수행했고, 여성이 지도적인 지위에 대비하여 훈련하고 필요한 자격을 갖출 수 있도록 우리가 지지한 국제 운동을 뒤에서 밀어준 힘이었다. 좋은 친구인 멜라니는 국회에 친구가 많을 뿐 아니라 입법상의 쟁점을 놀랄 만큼 훤히 꿰고 있었다.

선거가 끝난 뒤 국무장관을 비롯하여 내각에 빈자리가 여럿 생겼다. 워런 크리스토퍼가 지난 11월 초에 곧 은퇴할 작정이라고 발표한 뒤, 워싱턴은 누가 그의 후임이 될 것인가를 놓고 내기에 열중했다. 유력한 후보자 명단이 만들어졌는데, 물망에 오른 사람들은 저마다 지지자를 갖고 있었다.

나는 빌이 매들린 올브라이트를 최초의 여성 국무장관으로 임명하는 문제를 고려해주기 바랐다. 나는 매들린이 유엔 대사의 임무를 훌륭하게 해냈다고 생각했고, 매들린의 외교적 수완과 세계 문제에 대한 이해력과 개인적인 용기에 강한 인상을 받았다. 나는 또한 매들린이 영어는 물론 프랑스어와 러시아어 · 체코어 · 폴란드어까지도 유창하게 구사하는 데 탄복했다. 나보다 무려 4개 언어를 더 알고 있었다. 매들린은 발칸 반도에서 미국의 조기 군사개입을 지지했고, 많은 점에서 그녀의 인생 역정은 지난 반세기 동안 유럽과 미국이 걸어온 행로를 반영하고 있었다. 매들린은 억압에서 해방되고 싶다는 사람들의 간절한 소망과 민주주의에 대한 갈망에 본능적으로 공감했다.

워싱턴에서 외교 정책 수립에 관여하는 사람들 가운데 일부는 자신이 선택한 국무장관 후보를 밀고 있었다. 그들은 매들린을 중상하는 소문을 퍼뜨리기 시작했다. 매들린은 너무 진보적이고, 너무 공격적이고, 준비가 안되어 있고, 일부 국가의 지도자들은 여자를 상대하려 들지 않는다는 것이었다. 이어서 1996년 11월 『워싱턴 포스트』에 백악관은 매들린을 단지 '2군' 후보로 고려하고 있을 뿐이라고 주장하는 기사가 실렸다. 아마도 매들린의 적이 그녀가 국무장관 후보에 오르는 것을 계획적으로 방해하기 위해 그런 허위 정보를 흘렸겠지만, 그 전술은 완전히 빗나갔다. 오히려 매들린의 자질과 능력에 더 많은 관심이 쏠렸기 때문이다. 이제 매들린을 국무장관 후보로 진지하게 고려해야 했다.

나는 이 문제에 대해 매들린과 한번도 이야기한 적이 없었고, 나와 가장 가까운 참모조차 내가 매들린을 고려 대상에 포함시키라고 빌에게 권하고 있다는 것을 전혀 몰랐다. 내 남편을 제외하면 내가 그 문제를 의논한 사람은 당시 프랑스 주재 대사였던 파멜라 해리먼뿐이었다. 『워싱턴 포스트』에 그런 기사가 실린 지 며칠 뒤, 파멜라가 백악관으로 나를 찾아왔다. 파멜라는 미국 대사로 4년 동안 파리에 가 있었지만 여전히 워싱턴 사회와 가십에 훤했다. 파멜라는 매들린 올브라이트에 대한 호기심으로 가득 차 있었다.

"나는 '모든 사람'과 이야기해봤어요." 파멜라는 안개에 싸인 것처럼 부드러운 영국식 말투로 이야기했다. "매들린이 정말로 국무장관에 임명될지 모른다고 생각하는 사람도 있더군요."

"그래요?"

"그걸 어떻게 생각하세요?"

"그런 일이 일어난다 해도 난 놀라지 않을 거예요."

"그래요?"

"매들린은 지금까지 일을 잘했다고 생각해요. 그리고 모든 조건이 같다면 여성을 국무장관 자리에 앉히는 것도 멋지지 않겠어요?"

"글쎄요. 난 잘 모르겠어요. 확신이 서질 않아요. 아주 훌륭한 조건을 갖춘 사람들 중에도 국무장관 자리를 원하는 사람이 몇 명 있답니다."

"그건 나도 알아요. 하지만 내가 당신이라면 매들린이 이기지 못한다는 데 돈을 걸지 않겠어요."

나는 빌이 나 말고도 많은 사람에게 의견을 구하고 있다는 것을 알고 있었다. 빌이 결정을 내리면 그것은 빌 혼자만의 결정이었다. 그래서 나는 빌이 심사숙고하는 동안 그의 말에 귀를 기울였고, 이따금 내 의견을 말하거나 질문을 던지곤 했다. 빌이 매들린에 대해 물었을 때 나는 이렇게 말했다. 당신의 정책을 매들린만큼 확고부동하게 지지하는 사람도 없고, 어떤 쟁점에 대해 매들린만큼 명확하고 설득력있게 말하는 사람도 없다고. 나는 또한 매들린을 국무장관에 임명하면 많은 여성들이 자랑스럽게 생각할 거라고 덧붙였다. 1996년 12월 5일 빌이 마침내 매들린에게 전화를 걸어 국무장관을 맡아달라고 말할 때까지 나는 빌이 누구를 선택할지 모르고 있었다. 나는 기뻤다. 새 국무장관이 발표된 뒤 파멜라 해리먼한테서 편지가 왔는데, "앞으로는 절대 당신이나 매들린이 이기지 못한다는 데 돈을 걸지 않겠어요"라고 씌어 있었다.

매들린은 사상 최초의 여성 국무장관이 되었고, 적어도 그녀의 임기 동안은 여성의 권리와 요구가 미국의 외교 정책 의제에 통합되었다. 매들린은 1997년에 국무부에서 '국제 여성의 날' 행사를 주최했을 때 그 점을 분명히 했다. 나는 영광스럽게도 매들린과 나란히 단상에 앉아, 여성의 권리가 세계 진보에 얼마나 중요한 요소인가를 이야기했다. 나는 아프가니스탄에서 정권을 잡은 탈레반의 야만적인 통치를 강력하게 비난했다. 나는 여성을 억압하는 탈레반 정권을 미국이 승인해서는 안된다고 믿었고, 미국 기업이 아프가니스탄에 들어가 송유관 건설 공사나 그 밖의 상업적 사업에 참여해서도 안된다고 생각했다.

두번째 취임식 때는 첫번째 때보다 한결 느긋했다. 나는 선 채로 잠들까봐 걱정하지 않고 행사를 즐겼다. 하지만 1993년에 우리가 맛본 흥분과 경외감도 줄어들었다. 물론 우리의 세계는 이제 완전히 달라져 있었다. 나는 불 속에서 담금질된 강철처럼 내 인생의 새 장에 들어서고 있는 듯한 기분을 느꼈다. 날은 좀 단단해졌지만 내구력이 강해지고 더 유연해져 있었다. 빌은 이제 완전히 대통령다워졌고, 대통령의 지위가 부여한 위엄이 얼굴과 눈빛에 드러나 있었다. 빌은 이제 겨우 쉰 살이었지만, 머리는 거의 백발이었다. 빌은 그의 생애에서 처음으로 나이에 걸맞아 보였다. 하지만 25년 전에 내 마음을 사로잡았던 그 소년 같은 미소와 날카로운 재치, 그리고 전염성을 가진 낙천성은 여전했다. 빌이 방에 들어오면 나는 아직도 마음이 환해지고, 빌의 잘생긴 얼굴을 아직도 감탄하며 바라보곤 했다. 우리는 공직의 중요성에 대한 변함없는 믿음을 공유했고, 가장 절친한 친구 사이였다. 물론 우리 사이에도 문제는 있었지만, 우리는 아직도 서로를 웃게 해주었다. 그것이 앞으로 백악관에서 보낼 4년 동안 우리를 지탱해주리라고 나는 확신했다.

나는 보랏빛 야회복을 입었던 1993년의 내가 아니었다. 4년 동안 백악관 음식을 먹은 뒤라서 그 드레스 속에 몸을 집어넣을 수도 없었다. 나는 나이가 들었을 뿐만 아니라 머리카락도 더 금발이 되었다. 기자들은 끊임없이 변하는 내 헤어스타일을 아직도 유심히 추적하고 있었지만, 패션 부문에서는 마침내 나한테 합격점을 주기 시작했다. 1993년에 우리 부부가 백악관에서 주최한 제1회 '케네디 센터' 상 기념 리셉션에서 디자이너인 오스카 드 라 렌타와 그의 매력적인 아내 아네트를 만난 뒤, 나는 그들과 친구가 되었다. 그때 나는 그가 디자인한 기성복을 입고 있었는데, 아네트와 함께 줄을 서서 영접실로 들어온 오스카가 내 옷을 보고는 어깨가 좀 으쓱하다면서 나를 도와주겠다고 자청했다. 나는 그의 우아한 디자인을 좋아했고, 그는 두번째 취임 축하 무도회를 위해 얇은 황금빛 실크에 수를 놓은 아름다운 드레스와 거기에 어울리는 공단 케이프를 만들어주었다. 나는 취임 선서식에도 그가 디자인한 산홋빛 모직 투피스와 거기에 어울리는 코트를 입었다. 전통을 깨기 위해, 게다가 오스카도 강력하게 권했기 때문에 모자는 과감하게 벗어버렸다. 그날 패션 부문에서 내가 받은 비난은 코트에 브로치를 달았다는 것뿐이었다. 그것은 전적으로 내 결정이었다. 나는 브로치를 좋아한다!

하지만 나는 불만이 있었다. 열여섯 살에서 열일곱 살로 넘어가는 우리 딸 첼시가 장딴지까지 내려오는 코트로 몸을 감싸고 아래층으로 내려왔다. 그래서 나는 백악관을 떠날 준비가 될 때까지 코트 속에 무엇을 입었는지 알아차리지 못했다. 백악관을 떠나려 할 때, 무릎 위로 껑충 올라간 미니스커트가 코트 속에서 언뜻 보였다. 나는 어떤 옷을 입었는지 좀 보자고 말했다. 첼시가 코트 앞자락을 벌렸다. 『타임』지에서 막후 장면을 찍는 임무를 맡고 있는 사진기자 다이애나 워커가 내 표정을 포착했다. 첼시가 옷을 갈아입기에는 너무 늦었다. 내가 제발 옷을 갈아입으라고 사정했다 해도 아마 첼시는 갈아입지 않았을지 모른다. 첼시는 코트를 벗고 행렬에 끼여 걸어갈 때 많은 주목을 받았지만, 손을 흔들고 미소를 지으며 자신만만하고 의젓하게 행동했다. 첼시는 그날 의사당에서 오찬회에 참석했을 때는 침착함—그리고 유머 감각—을 모두 동원해야 했다.

공화당이 국회를 장악하고 있었기 때문에, 국회 오찬장의 자리 배치도 공화당원들이 알아서 했다. 나를 뉴트 깅리치의 옆자리에 앉히고 첼시를 하원의 공화당 원내총무인 톰 딜레이와 사우스캐롤라이나 출신의 유쾌한 90대 노인인 스트롬 서먼드 상원의원(미국 최장수 상원의원이었고 최고령 정치인으로 100세까지 현역으로 활동했다. 지난 6월 26일 고향에서 101세로 사망했다—옮긴이) 사이에 앉힌 것은 아마 누군가의 짓궂은 장난이었을 것이다. 톰 딜레이는 첼시의 아버지에 대해서는 온갖 험담을 하고 있었지만 첼시한테는 상냥했고, 첼시도 거기에 보답했다. 딜레이는 딸도 자기 사무실에서 일하고 있다면서, 가족을 공직 생활에 참여시키는 것이 얼마나 중요한지에 대해 이야기했다. 그리고 첼시에게 의사당을 구경시켜주겠다고 제의했다.

스트롬 서먼드도 첼시와 잡담을 나누었다. "내가 어떻게 이처럼 오래 살았는지 아니?" 서먼드는 그때 아흔다섯 살이었다. 그는 제2차 세계대전 때 노르망디에서 낙하산으로 적진에 침투한 병사들 가운데 가장 나이가 많았고, 일찍이 미인 선발대회에서 여왕으로 뽑힌 두 여자와 차례로 결혼했다. 서먼드 상원의원은 60대와 70대의 나이에 자식을 넷이나 낳았다. "팔굽혀펴기를 해! 그것도 한 팔로! 그리고 달걀보다 큰 음식은 절대로 먹지 마! 나는 하루에 여섯 끼를 먹는데, 한 끼에 달걀 한 개 크기만큼만 먹지!"

첼시는 공손히 고개를 끄덕이고 샐러드를 집어먹었다. 다음 요리가 나왔다.

"너는 네 엄마만큼이나 예쁜 것 같구나." 상원의원은 그에게 명성을 가져다준 남부 특유의 그 부드럽고 매력적인 태도로 말했다.

식사가 절반쯤 진행되었을 때 상원의원은 첼시를 유심히 바라보며 말했다. "너는 네 엄마만큼 예뻐. 네 엄마는 정말 미인이고 너도 미인이야. 그래, 넌 예뻐. 네 엄마만큼 예뻐."

디저트가 나왔을 때쯤 서먼드 상원의원은 이렇게 말하고 있었다. "아무래도 네가 더 예쁜 것 같구나. 그래, 네가 더 예뻐. 내가 일흔 살만 젊었어도 너를 유혹해볼 텐데!"

오찬회에서 나는 첼시만큼 다채로운 대화를 즐기지 못했다. 뉴트 깅리치는 침울해 보였다. 나는 식사하는 동안 그를 참고 견디면서, 특별한 이야기는 전혀 하지 않았다. "어머님은 좀 어떠세요?" "좋아요. 고맙습니다. 댁의 어머님은 어떠세요?" 지난 몇 년은 뉴트 깅리치에게 고약한 시절이었다.

깅리치는 다시 하원의장으로 선출되었지만 국민의 인기를 잃었고 하원에서 기반을 잃었다. 깅리치는 또한 하원 윤리위원회에서 최근에 윤리적 잘못으로 호된 신문을 받았다. 정치 강연 자금을 조달하기 위해 면세 단체를 부당하게 이용했고 자금 조달에 대해 윤리위원회를 속였다는 비난을 받자, 깅리치는 몰라서 실수했을 뿐이라고 주장하면서 자기 변호사를 탓했다. 윤리위원회는 조사 과정에서 그가 열세 번이나 의심스럽고 거짓된 진술을 한 것을 밝혀냈다. 그는 벌금을 물고 견책 처분을 받았다. 나는 깅리치가 하원에서 곤란한 처지에 놓였다 해도 화이트워터 수사를 최대한 오래 끄는 것을 포기하지는 않을 거라고 생각했다. 실제로 나는 정오에 취임 선서식을 한 뒤부터 줄곧 불안한 기분을 떨쳐버릴 수가 없었다.

그날은 우중충하고 쌀쌀했다. 의사당 앞의 공기는 더욱 차게 느껴졌다. 전통에 따라 신임 대통령의 선서식은 대법원장이 집행하지만, 우리와 우리의 정책을 경멸해온 윌리엄 렌키스트와 그렇게 중요한 순간을 공유할 생각을 하자 빌도 나도 기분이 썩 좋지 않았다. 로버트 잭슨 대법원 판사의 사무관으로 일하던 풋내기 시절, 렌키스트는 1896년 대법원이

'플레시 대 퍼거슨 사건' 판결에서 '분리하되 평등한' 원칙을 내세워 인종격리를 옹호한 것을 강력히 지지하는 글을 썼다. 그는 또한 백인만의 예비선거를 허용하는 텍사스 주 법률을 지지했고, 1952년에 쓴 글에서는 "남부의 백인들이 유색인종을 좋아하지 않는다는 사실을 대법원이 직시할 때가 되었다"고 말했다. 또 어느 증언에 따르면, 1964년에 렌키스트는 애리조나 주 선거인 명부에 실린 흑인 유권자들의 자격을 문제삼는 데 앞장섰다. 1970년에는 닉슨 행정부의 법무차관으로서, 1954년의 획기적인 '브라운 대 교육위원회 사건' 판결(1954년 5월, 대법원은 흑인과 백인에게 별개의 교육시설을 제공하는 것은 본질적으로 불평등하며 따라서 위헌이라는 판결을 내림으로써, 학교에서의 인종격리를 폐지하고 흑백 공학을 실현하는 초석을 놓았다—옮긴이)의 효력을 제한하고 혼란시키는 헌법 수정을 제안했다. 1971년에 닉슨은 그를 대법원 판사에 임명했고, 그후 렌키스트는 시종일관 인종 문제에서 대법원이 이룩한 진보—나아가서는 미국이 이룩한 진보—를 되돌리려고 애썼다. 예를 들면 그는 대법원 판사들 중에서는 유일하게 인종간 데이트를 금지하고 이 학칙을 어긴 학생을 퇴학시킨 보브 존스 대학에 면세 혜택을 주는 데 찬성표를 던졌다. 렌키스트는 빌이 대통령에 취임한 이후 줄곧 빌을 음해하려고 애쓴 수많은 극우 보수주의자들과의 우정을 감추려고 하지도 않았다. 나중에 '부시 대통령 당선 무효 소송'에서 온 국민이 알게 되었듯이, 대법원 판사의 종신재직권은 그의 이데올로기적 편향성이나 당파적 열정을 조금도 억누르지 않았다.

나는 빌이 대법원 판사로 임명한 루스 베이더 긴스버그나 스티븐 브라이어에게 선서 의식을 집행해달라고 부탁해보는 게 어떠냐고 제안했다. 하지만 빌은 전통을 존중했다. 그래도 빌의 취임사는 화해와 치유를 주제로 삼았고, '인종 분리'를 '미국의 변함없는 재앙'으로 언급했다.

시간이 되자 첼시와 나는 성서를 받들었다. 빌은 그 성서 위에 왼손을 올려놓고 오른손을 들어 선서를 했다. 렌키스트가 선서 의식을 끝내자 빌은 손을 내밀어 대법원장과 악수를 했다.

"행운을 빕니다." 렌키스트는 웃지도 않고 말했다. 그의 말투에는 심상치 않은 울림이 담겨 있었다. 그 말을 듣자, 우리에게는 정말로 행운이 필요할지 모른다는 생각이 들었다.

# 아프리카로

남편은 두번째로 그레그 노먼과 함께 골프를 친 뒤 몇 달 동안 목발 신세를 져야 했다. 모래 벙커에 떨어진 것도 아니고, 스윙을 심하게 하다가 발목이 접질린 것도 아니었다. 플로리다에 있는 노먼의 집 앞 어두운 계단에서 발을 헛디뎠을 뿐이다. 비틀거리다가 뒤쪽으로 넘어지는 바람에 오른쪽 대퇴부의 사두근이 90퍼센트나 찢어졌다. 사고는 1997년 3월 14일 금요일 오전 1시 무렵에 일어났다. 빌은 병원으로 가는 길에 나에게 전화를 걸어 사고 소식을 알려주었다. 빌은 심한 고통을 겪고 있으면서도, "가장 좋은 다리를 앞으로 내밀려고"('최선을 다하다' '전속력을 내다' 라는 뜻의 숙어—옮긴이) 애쓰는 중이라고 농담을 했다. 빌의 유머 감각이 다치지 않은 것은 그나마 다행이었지만, 걱정을 담당하는 나의 뇌세포들도 '전속력을 내기' 시작했다. 빌은 그저—의사들이 뭐라고 하든—백악관으로 돌아와서 핀란드 헬싱키로 날아가는 일만 걱정하고 있었다. 빌은 다음 수요일에 헬싱키에서 보리스 옐친 러시아 대통령과 만나기로 오래 전에 일정이 잡혀 있었다. 나는 대통령 주치의인 코니 마리아노 박사한테 전화를 걸어서 의견을 물었다. 그녀는 수술이 필요하겠지만 플로리다에서 비행기를 타고 돌아와 워싱턴에서 수술을 받아도 될 거라고 말했다.

나는 금요일 아침에 앤드루스 공군기지에서 대통령 전용기를 마중했다. 그리고 경호원들이 스크럼을 짜서 불멸의 내 남편을 가마 태우고 비행기에서 나오는 것을 주기장에서 지켜보았다. 그들은 휴대용 유압 승강기 위에 놓인 휠체어에 남편을 앉히고 땅으로 내려놓았다. 나는 빌과 함께 승합차를 타고 베세즈다 해군병원으로 달려갔다. 그곳 의사들이 빌의 다리를 수술할 예정이었다. 빌은 살을 도려내는 듯한 통증에 시달리면서도 쾌활했고, 여전히 헬싱키 방문에만 정신을 쏟고 있었다. 나는 수술 경과가 나올 때까지 기다려보자고 말했지만, 빌은 벌써 수술이 잘될 거라고 결정해놓고 있었다. 빌을 보고 있노라면 거름이 잔뜩 쌓인 마구간에서 맹렬히 구덩이를 파고 있는 소년이 연상될 때가 많다. 누군가가 왜 구덩이를 파고 있느냐고 물으면, 빌은 "거름이 이렇게 많은 것을 보면 여기 어딘가에 망아지가 묻혀 있을 게 분명하다"고 말할 것이다.

빌은 전신 마취를 거부했고, 마약성 진통제를 먹는 것도 거부했다. 언제 무슨 사태가 일어나도 대통령으로서 즉각 대처할 수 있도록 하루 24시간 대기 상태로 있어야 하기 때문이라는 것이다. 이 때문에 문제가 생겼다. 빌이 받아야 하는 수술은 슬개골 위쪽에 사두근 힘줄을 다시 고정시키는 힘들고 고통스러운 수술이다. 전신 마취를 하려면, 수정 헌법 제25조에 따라 대통령의 권한을 대기하고 있는 부통령에게 임시로 승계해야 한다. 1985년에 레이건 대통령이 결장암 수술을 받은 이후로는 한 번도 그런 일이 없었다. 빌은 권력 승계 조항을 발동하지 않기로 결정했다. 다가오는 옐친과의 회담은 러시아가 강력히 반대하고 있는 NATO 확대 문제와 관련되어 있었다. 빌은 자신이 약골이거나 약점이 있다는 신호를 보낼 수 있는 보도가 나오는 것을 원하지 않았다. 빌은 국소 마취를 선택했다. 정형외과 전문의가 슬개골에 구멍을 뚫고 찢긴 사두근을 잡아당겨서 그 끝을 근육의 손상되지 않은 부분에 봉합하는 동안, 빌은 유선방송으로 수술실에 들려오는 음악에 대해 의사들과 잡담을 주고받았다.

나는 수술이 진행되는 동안 대통령 가족을 위해 마련된 특별실에서 초조하게 결과를 기다렸다. 첼시도 학교가 끝난 뒤 병원으로 와서 나와 함께 있었다. 우리 가족은 건강을 타고났다. 내가 병원에 입원한 것은 첼시를 낳을 때뿐이었다. 1980년대 초에 빌이 외래 환자로 부비강염 수술을 받았고 몇 년 뒤 첼시가 편도선 수술을 받은 것 말고는 아무도 수술을 받은 적이 없었다.

마침내 세 시간의 수술이 끝나고, 오후 4시 43분에 빌이 바퀴 침대에 누운 채 특별실로 들어왔다. 빌은 핼쑥하고 기진맥진해 보였지만, 마리아노 박사와 정형외과 전문의가 수술이 잘 끝났으며 완치될 가능성이 높다고 말했기 때문에 우쭐했다. 첼시와 나는 기다리는 동안 케리 그랜트가 나온 영화를 보고 있었는데, 빌이 우리를 보고 맨 처음 한 말은 "농구 중계는 어디서 하지?"였다. 우리는 얼른 채널을 돌렸다.

'레이저백스'(razorback: 아칸소 주립대학의 상징 동물. '등에 억센 털이 나 있는 야생 돼지'를 가리킨다—옮긴이) 농구팀을 제외하면 빌이 이야기하고 싶어한 것은 핀란드 여행뿐이었다. 마리아노 박사와 전문의들은 장거리 비행이 위험할 수도 있다고 설명하고, 빌을 설득해서 핀란드 여행을 단념시킬 수는 없겠느냐고 나한테 물었다. 나는 빌의 건강이 달려 있는 문제라면 한번 해보겠다고 말했지만, 성공할 수 있을지는 의심스러웠다. 나는 빌의 국가안보 보좌관인 샌디 버거에게 전화를 걸었다. 샌디와 그의 아내 수잔은 1970년대부터 우리 친구였다. 샌디는 쟁점을 정확히 파악하고, 대통령이 선택할 수 있는 여러 가지 대안을 제시할 때 사실과 논점을 질서정연하게 배열하는 불가사의한 능력을 가지고 있다. 샌디는 내가 외국에서 하는 일을 격려하고, 개발과 인권 문제가 모든 외교 정책 의

제의 중요한 일부라고 믿었다. 샌디는 헬싱키 여행이 중요한 의미를 갖고 있기 때문에 자기는 빌이 갈 수 있기를 바라지만, 빌의 여행을 의료진이 만류한다면 당연히 보류해야 한다고 인정했다. 나는 샌디의 말과 뜻을 빌에게 전했다.

"안돼. 나는 갈 거야." 빌이 말했다.

나는 빌의 침대 옆에서 마리아노 박사에게 전화를 걸었다.

"빌은 가고 싶어해요. 그러니까 빌을 무사히 데려갔다가 다시 데려올 방법을 궁리해야 돼요."

"하지만 그렇게 오랫동안 비행기를 타면 안돼요." 마리아노 박사가 항의했다. "혈전이 생길 수도 있거든요."

나는 잔뜩 부아가 나 있는 남편을 바라보고, 의사들이 못 가게 하면 그들을 집어던질지도 모른다고 생각했다.

"뭐래?" 남편이 물었다.

"옐친이 이리로 오면 안돼?" 나는 되물었다.

"안돼! 내가 가야 돼!"

"빌은 헬싱키에 갈 거예요." 나는 마리아노 박사에게 말했다. "혈전이 생기지 않도록 만반의 조치를 취해주세요."

"그러려면 대통령을 드라이아이스로 포장해야 할 겁니다."

"좋아요. 드라이아이스로 포장해주세요."

마리아노 박사는 결국 마음이 약해져서 핀란드에 따라갈 의료진을 구성하기 시작했다.

첼시는 그날 저녁 오스트리아 대사관이 주최하는 빈 오페라 무도회에 참석할 예정이었기 때문에, 첼시와 나는 그 준비를 하려고 빌의 침대 곁을 떠났다. 첼시는 왈츠 교습을 받았지만 아버지 때문에 무도회에 가는 것을 포기하려 하자 빌이 꼭 가야 한다고 등을 떠밀다시피 했다. 토요일에 나는 백악관의 우리 살림집 구역을 둘러보고 휠체어를 타거나 목발을 짚은 사람이 부딪칠 수 있는 장애물을 모두 찾아낸 뒤 병원으로 돌아갔다. 나는 해군 물리치료사의 도움을 얻어, 빌이 집에 오기 전에 해야 할 일의 목록을 만들었다. 깔개와 전기 코드는 테이프로 고정시켜야 했고, 샤워실에 가드레일을 설치해야 했고, 가구를 옮겨야 했다. 나는 이 일을 하면서, 일찍이 백악관에 거주한 프랭클린 루스벨트를 포함하여 휠체어에 의지하여 살고 있는 사람들의 일상생활을 짐작할 수 있었다.

일요일에 빌이 휠체어용 승합차를 타고 다리를 앞으로 쭉 뻗은 채 백악관에 도착했다. 빌은 곧장 침대로 갔지만, 잠을 자지 않고 진통제를 삼킨 다음 텔레비전으로 중계되는 대학농구 결승전을 보았다.

나는 원래 토요일에 첼시와 함께 아프리카로 떠날 예정이었다. 나는 그 여행을 취소하고 빌과 함께 헬싱키에 가거나, 적어도 빌이 화요일에 미국을 떠날 때까지 우리의 출발을 미루어야 한다고 생각했다. 하지만 빌은 내 말을 들으려 하지 않았다. 우리가 계획을 바꾸면 수술이 성공하지 못했다고 생각하는 사람도 있을 거라고 말했다. 결국 빌은 예정대로 헬싱키로 떠나고, 첼시와 나는 예정보다 하루 늦은 일요일에 아프리카로 떠나기로 타협했다.

으레 나를 수행한 기자들과 사진기자들 이외에 이번에는 『보그』지가 사진작가인 애니 라이보비츠를 파견하여 우리 여행을 기록하게 했다. 애니는 원래 저명인사들의 초상사진으로 유명했지만, 아프리카인과 그들이 살고 있는 풍경의 아름다움과 장엄함을 포착하는 데 과감하게 몸을 던졌다. 나는 라이보비츠가 찍은 사진과 함께 잡지에 실릴 글을 쓰기로 동의했다. 이 기사에서 나는 미국의 대외 원조와 민간 자선단체가 지원하고 있는 아프리카인들의 자활 노력에 조명을 비추고, 여성의 권리를 주장하고, 민주주의를 지지하고, 미국인들이 아프리카에 대해 좀더 많이 배우도록 권하고 싶었다. 이 마지막 목표의 중요성이 실증된 것은 여행을 떠나기 전에 한 기자가 "아프리카의 수도는 어딘가요?" 하고 물었을 때였다. 늘 그렇듯이, 첼시를 데려가는 것은 특별한 기쁨이었다. 첼시의 존재는 젊은 여성들의 요구와 능력이 자주 무시당한 지역에 강력한 메시지—미국 대통령은 딸을 귀중하게 여기며, 신이 주신 잠재능력을 충분히 발휘할 수 있도록 딸에게 필요한 교육과 의료를 베풀 가치가 있다고 생각한다—를 보내주었다.

첼시와 내가 맨 처음 들른 곳은 세네갈이었다. 세네갈은 수백만 명에 이르는 미국인의 조상이 노예로 팔려오기 전에 살던 고향이었다. 그들은 세네갈의 수도 다카르 앞바다에 떠 있는 고레 섬을 거쳐 신대륙으로 팔려왔다. 노예들이 갇혀 있던 작은 요새에는 곰팡이가 슨 감방 벽에 족쇄와 사슬이 아직도 매달려 있어서 인간이 얼마나 사악해질 수 있는가를 일깨워준다. 이곳은 강제로 집과 가족을 떠나 한낱 물건으로 전락해버린 무고한 사람들이 요새 뒤쪽에 있는 '돌아올 수 없는 문'을 지나 해변으로 끌려가서 난바다에 정박해 있는 노예선을 타기 위해 작은 배에 실렸던 곳이다. 나는 눈을 감고 퀴퀴한 냄새 나는 습기찬 공기를 들이마시면서, 나나 내 딸이 납치되어 노예로 팔렸다면 그때 심정이 어떠했을까를 상상해보았다.

나중에 나는 내가 또 다른 형태의 노예화라고 생각하는 문화적 관습—여성 성기 절단—을 없애려는 노력에 대해 알게 되었다. 다카르에서 한 시간 반쯤 걸리는 삼냐이라는 마을에서는 여성들의 삶과 건강에 혁명이 일어나고 있었다. 일찍이 평화봉사단의 자원봉사자였던 몰리 멜칭은 세네갈에 남아서, 마을에 본거지를 둔 소규모 사업과 교육사업을 지원하는 '토스탕'이라는 혁신적인 NGO를 공동 설립했다. 토스탕이 노력한 결과, 사춘기 이전에 소녀들의 성기를 절단하는 오랜 관습이 여성들의 건강에 미친 끔찍한 영향—죽음을 포함하여—과 그 고통을 목격하거나 직접 겪은 여성들이 그 경험을 털어놓기 시작했다. 토스탕이 마을 회의를 열어 이 문제를 토론한 뒤, 마을 사람들은 투표를 통해 이 관습을 폐지하기로 결정했다. 그 마을의 남자 지도자들이 다른 마을에 가서 그 관습이 여자들에게 왜 나쁜지를 설명하자 다른 마을들도 투표를 통해 그 관습을 금지했다. 이 운동은 눈덩이처럼 커져갔고, 운동 지도자들은 나라 전역에서 그 관습을 불법화하라고 압두 디우프 대통령에게 청원했다. 디우프 대통령을 만났을 때 나는 그 시민운동에 찬사를 보내고, 성기 절단 관습을 금지하는 법률을 제정하라는 마을 사람들의 요구를 지지했다. 나는 또한 토스탕에 격려 편지를 보냈고, 그들은 이 편지를 캠페인에 이용했다. 성기 절단 관습을 금지하는 법률은 그해 안에 제정되었지만 실제로 집행하기는 어려웠다. 깊이 뿌리박힌 문화적 전통은 좀처럼 죽지 않는다.

이것은 일반 민중이 생활을 향상시키기 위해 행동에 나선 본보기였다. 나는 여기에서 희망을 얻고, 아프리카 대륙의 변화를 상징하는 남아프리카공화국으로 날아갔다. 넬슨 만델라는 그 변화의 주역이었고, 또 다른 주역은 만델라에게 '진실과 화해 위원회'를 창설하도록 부추긴 아파르트헤이트 반대 운동의 양심적인 대변자 데스몬드 투투 대주교였다. 나는 케이프타운의 평범한 회의실에서 투투 대주교와 '진실과 화해 위원회' 위원들을 만났다. 그 회의실은 몇 세대에 걸쳐 불평등하고 잔학한 행위가 계속된 이 나라에서 진실을 밝혀내고 인종간 화해를 촉구하기 위해 폭력의 피해자와 가해자의 증언을 듣고 있는 곳이었다. 만델라와 투투 대주교는 용서를 제도화하는 어려움과 중요성을 잘 알고 있었다. 그들이 정한 절차에 따르면, 범죄를 저지른 사람도 이곳에 출두하여 자백하면 사면받을 수 있었다. 그리고 피해자들은 마침내 대답을 들을 수 있었다. 어느 피해자가 말했듯이, "나는 용서하고 싶다. 하지만 누구를 용서하고 무엇을 용서할 것인지를 먼저 알아야 할 게 아닌가."

만델라는 용서의 본보기를 세웠다. 만델라는 18년 동안 갇혀 있었던 로벤 섬의 감옥을 첼시와 나에게 보여주면서, 그동안 감옥에서 나가면 무엇을 할 것인지에 대해 생각할 수 있는 시간을 충분히 가졌다고 말했다. 만델라는 자신의 '진실과 화해' 과정을 거쳤고, 그가 취임식에서 자신을 감시했던 간수 세 명을 소개하면서 발언한 그 주목할 만한 언급은 그 성찰에서 비롯한 것이었다. 용서는 언제 어디서나 쉬운 일이 아니다. 생명이나 자유를 잃는 것은 언제 어디서나 늘 고통스럽지만, 마틴 루터 킹 박사가 '증오라는 말라비틀어진 빵'이라고 부른 것이 그 원인이라면 더욱 고통스럽다. 죽음을 피할 수 없는 우리 인간들에게 용서는 앙갚음하고 싶은 욕망보다 훨씬 어렵다. 만델라는 어떻게 하면 용서하고 앞으로 전진하는 쪽을 선택할 수 있는지를 전세계에 보여주었다.

아프리카 대륙의 나머지 지역과 마찬가지로 남아프리카공화국도 빈곤과 범죄와 질병을 극복하기 위해 싸워야 하지만, 나는 (부분적으로는 '미국국제개발청〔USAID〕' 덕분에) 소웨토의 교실에서 영어를 배우고 있는 교복 차림의 아이들에서 케이프타운 대학의 풋내기 과학자나 시인에 이르는 다양한 학생들의 얼굴에서 희망을 보았다. 그리고 케이프타운 변두리의 먼지투성이 땅바닥에서 연설했을 때는 자신과 아이들의 좀더 나은 미래를 실제로 만들어가고 있는 여성들을 만났다. 얼굴에 물감으로 의례적인 표시를 한 그들은 큰 소리로 노래를 부르면서 외바퀴 수레를 밀고, 콘크리트를 붓고, 새 집에 칠할 페인트를 섞었다. 집도 없이 공유지를 무단 점거하고 비참하게 살고 있던 그들은 내가 방문한 인도의 '자영업여성연합회'를 본뜬 '주택신용조합'을 결성했다. 그들은 저축한 돈을 공동 출자하여 삽과 페인트와 시멘트를 사고, 집의 토대를 쌓는 법과 하수관을 설치하는 법을 배워 자신들의 공동체를 만들기 시작했다. 첼시와 내가 방문했을 때는 집이 벌써 18채나 세워져 있었다. 1년 뒤에 빌과 함께 다시 찾았을 때는 집이 104채로 늘어나 있었다. 나는 그들이 부르는 노래 가운데 한 구절이 특히 마음에 들었다. 대충 번역하면 "힘과 돈과 지식—이것 없이는 아무것도 못해요"라는 뜻이었다. 전세계의 여성들에게 좋은 충고다.

나는 남아프리카공화국 지도자들이 직면해 있는 어려움을 잘 알게 되었지만, 그 나라의 미래를 낙관적으로 전망하면서 그곳을 떠났다. 하지만 남아프리카공화국 북쪽에 붙어 있는 내륙국 짐바브웨는 파멸적인 지도자가 국가의 무한한 가능성을 억누르고 있는 나라였다. 짐바브웨가 독립한 1980년부터 국가원수인 로버트 무가베는 갈수록 독재적이 되었고, 반대자에 대한 적개심도 점점 강해졌다. 무가베 대통령은 내가 짐바브웨의 수도 하라레에 있는 대통령 관저로 그를 예방했을 때 거의 아무 말도 하지 않았다. 무가베는 내가 그의 젊은 아내 그레이스와 이야기하는 동안 줄곧 아내에게 세심한 주의를 기울였고, 뚜렷한 이유도 없이 걸핏하면 킬킬거리곤 했다. 나는 무가베가 위험할 정도로 불안정한 사람이라는 인상을 받고, 그가 하루라도 빨리 권좌에서 쫓겨나기를 바라면서 그곳을 떠났다. 내 생각은 최근 몇 년 동안 사실로 입증되었다. 무가베는 모든 정치적 반대를 탄압했고, 백인 농부들을 그들의 땅에서 몰아내고 자신에게 도전하는 흑인들을 협박하기 위해 테러 행위를 용인했다. 그는 짐바브웨 국민을 혼란과 기근으로 몰아넣었다.

나중에 나는 하라레의 한 미술관에서 정치와 전문직과 사업에 종사하는 여성들을 만났다. 그들은 서류상으로는 여성이 권리를 인정받고 있지만 사회에는 아직도 옛날부터 내려오는 관습과 태도가 널리 퍼져 있어서, 그 사이에 팽팽한 긴장이 존재한다고 설명했다. 그들은 '버르장머리가 없다'거나 바지를 입었다는 이유로 남편에게 폭행당하는 여자들에 대해 이야기했다. 한 여성은 자신의 처지를 이렇게 요약했다. "남자는 두 아내를 가질 수 있지만 여자는 두 남편을 가질 수 없다는 법률이 존속하는 한, 우리가 다루고 있는 것은 현실이 아니다."

하라레는 공공 서비스와 편의시설이 열악하고, 장기집권하고 있는 지도자의 실패가 여실히 드러나 있었다. 나는 맥이 풀린 상태로 하라레를 떠났지만, 다음에 들른 빅토리아 폭포에서 다시 기분이 좋아졌다. 이 폭포는 잠베지 강이 웅장한 협곡으로 떨어지는 곳에 형성되어 있다. 첼시와 나는 세차게 떨어지는 물에서 피어오르는 자욱한 물안개 속을 걸어다니면서, 물안개가 아침 햇살을 받아 무지개로 바뀌는 것을 바라보았다. 아프리카의 숨막히는 아름다움과 천연자원은 마땅히 보호되어야 하지만, 그와 동시에 사람들의 경제적 기회도 확대되어야 한다. 하지만 그것은 결코 간단한 문제가 아니다. 나는 동아프리카의 탄자니아를 방문하는 동안 그 점을 분명히 깨달았다. 탄자니아는 1964년에 과거의 두 식민지—탕가니카와 잔지바르—가 합병하여 이루어진 나라다. 나는 어렸을 때 이 두 식민지의 이름에 매혹되었다. 나는 탄자니아의 수도 다르에스살람에서 벤저민 음카파 대통령을 만났다. 언론인 출신인 음카파 대통령은 활달한 성격이었고, 인도양 연안의 전략적 위치와 풍부한 천연자원을 지닌 탄자니아의 경제를 발전시키려고 열심히 일하고 있었다. 나는 여성의 재산 소유와 상속을 제한하는 법률을 폐지하라고 대통령에게 권했다. 우리가 만나는 자리에 동석한 여성 각료들과 음카파 대통령의 부인인 안나 음카파도 내 말에 열렬히 동의했다. 그 법률은 불공평할 뿐만 아니라 인구의 절반을 이루는 여성의 경제적 잠재력을 억누르는 제약이었다. 1999년에 탄자니아는 여성차별적이었던 과거 법률을 폐지하고 대체하는 '토지법'과 '마을법'을 통과시켰다.

탄자니아는 전쟁으로 피폐해진 중앙아프리카에 평화와 안정을 가져오는 데에도 주역을 맡고 있다. 나는 탄자니아의 아루샤에서 르완다의 대학살을 조사하고 있는 '국제형사재판소'를 방문했다. 전범을 재판하고 처벌할 권한을 갖고 있는 이 재판소의 성공적 활동은 모든 아프리카인에게 참으로 중요하지만, 누구보다도 특히 내전의 첫번째 피해자인 여성과 어린이들에게 절대적인 중요성을 갖는다. 르완다에서는 강간과 성

폭행이 대규모로 자행되었다. 그것은 1994년에 벌어진 집단학살에서 주요한 전술적 무기였다. 나는 우간다의 캄팔라에서 르완다 여성 대표단을 만났다. 그들의 부드럽고 음악적인 목소리를 들으면 그들이 그토록 끔찍한 공포를 견디고 살아남았다는 사실을 믿기 어려울 정도였다. 한 젊은 여성은 '마체테' 라고 불리는 큰칼에 팔 하나가 거의 잘려나갔다. 그녀는 덜렁거리는 팔을 끈으로 묶어서 치료를 받으려고 했지만, 어디에서도 치료를 받을 수 없었다. 상처가 감염된 것은 피할 수 없는 결과였다. 팔이 세균에 감염되어 썩어들어가자 그녀는 제 손으로 팔을 잘라냈다. 여자들은 뼈와 해골, 넋나간 생존자들, 부모를 잃은 아이들의 사진으로 가득 채워진 앨범을 나에게 주었다. 나는 차마 그것을 볼 수가 없었다. 내 남편의 정부를 포함한 전세계가 그런 집단학살을 막지 못한 것이 못내 유감스러웠다.

우간다는 다른 이유로 기억할 만한 곳이었다. 아프리카에 에이즈가 퍼지자, 우간다 정부는 개입과 교육 캠페인을 통해 에이즈 바이러스의 확산을 막는 데 몰두했다. 전세계 에이즈 환자의 70퍼센트가 몰려 있는 아프리카의 사하라 이남 지역에서는 세계적인 에이즈 유행의 결과를 가장 심각하게 느꼈고, 그것은 지금도 마찬가지다. 사회의 모든 분야가 이 위기에 영향을 받았다. 우간다처럼 심각한 타격을 받은 나라에서는 1990년대 말에 유아 사망률이 놀랄 만큼 높아지고, 기대 수명은 곤두박질치고 있었다. 경제는 노동력 감소와 과중한 부담을 떠안은 의료체계에 시달리고 있었다. 클린턴 행정부 시절에 미국은 에이즈 예방과 치료 및 건강과 관련된 기본 설비를 갖추기 위해 국제 에이즈 프로그램을 지원하는 기금을 불과 2년 만에 세 배로 늘렸다. USAID는 콘돔 보급을 늘려 전세계에 10억 개의 콘돔을 공급했고, 미국은 다른 나라들과 협력하여 세계협력 기구인 '유엔에이즈프로그램' 을 창설하고 자금을 지원했다. 이 기구는 에이즈 퇴치를 위한 통합 계획을 개발했다. 빌은 아프리카의 절박한 요구를 인정하고, 에이즈와 관련된 약품과 의료 기술을 사하라 이남의 아프리카 국가들이 값싸고 쉽게 이용할 수 있도록 돕기 위한 '대통령령'에 서명했다. 평화봉사단은 아프리카에서 모두 2,400명의 자원봉사자를 에이즈 교육자로 양성하기 시작했다.

USAID의 지원을 받아, 사하라 이남 지역에서 익명으로 에이즈 감염 여부를 검사하고 상담해주는 선구적인 센터가 캄팔라에 세워졌다. 나는 엔테베 공항에서 차를 타고 시내로 들어가는 동안 에이즈 예방의 ABC를 알려주는 광고판을 보았다. A는 절제(Abstain), B는 정절(Be faithful), C는 콘돔(Condom)의 첫 글자를 나타낸다. 이 캠페인은 우간다의 카리스마적 대통령인 요웨리 무세베니가 이끌고 있었다. 그는 아프리카 대륙의 나머지 지역에서 전통적으로 무시하고 방치해온 문제에 정면으로 맞서는 것이 옳다고 믿었다. '국가를 위한 조찬 기도회'에 적극적으로 참여하는 무세베니의 아내 재닛도 에이즈 예방 캠페인에 관여했다. 나는 '에이즈 정보 센터' 개원을 도왔을 때, 어느 미국인 의사한테서 에이즈 검사와 결과 통보를 하루 만에 끝내는 방식이 캄팔라의 센터에서 선구적으로 시작되어 미국에서도 쓰이고 있다는 말을 들었다. 우리는 우간다에서 에이즈 예방 백신과 치료약을 개발하는 사업을 지원했지만, 미국도 그 혜택을 받고 있었다.

아프리카에서 지금 진행되고 있는 충돌—부족간 · 종교간 · 국가간—을 종식시키는 것보다 더 중요한 이슈는 없다. 이런 충돌은 생명을 파괴하고 모든 분야의 진보를 방해한다. 에리트레아는 아프리카에서 가장 늦게 태어난 신생국이다. 에티오피아에서 독립하기 위해 30년 동안 내전을 치른 끝에 태어난 민주주의 국가다. 이 내전에서는 여자들도 남자와 함께 싸웠다. 내가 에리트레아의 수도 아스마라에 도착하여 비행기에서 내리자 적 · 백 · 청색이 어우러진 깃발이 보였다. 그 깃발에는 '맞아요. 아이 하나를 키우려면 마을 전체가 필요해요'라는 글귀가 적혀 있었다. 화려한 옷차림의 여자들이 나한테 팝콘을 던지며 나를 맞이했다. 이 환영 의식은 손님을 재앙에서 지켜주고 행운을 보장해주기 위한 전통 관습이었다. 공항에서 차를 타고 시내로 들어가는데, 또다시 커다란 깃발 하나가 보였다. 거기에는 '환영합니다, 자매여' 라고 적혀 있었다.

에리트레아 대통령인 이사이아스 아프웨르키와 일찍이 자유의 투사였던 그의 아내 사바 하일레는 그들 소유의 작은 집에 살고 있었지만 대통령궁에서 나를 맞이했다. 이탈리아인들이 이곳을 식민지로 점령했을 때 지은 안마당에서 민속무용을 구경하면서, 나는 대학에 다니다 중도에 포기하고 독립 투쟁에 참여한 아프웨르키 대통령에게 긴 내전 동안 춤을 출 시간이 있었느냐고 물어보았다. 그러자 대통령은 이렇게 대답했다. "그럼요. 우리는 전쟁이 없는 세상을 상기하기 위해 춤을 추어야 했습니다."

1998년 5월 말, 에티오피아와 에리트레아 사이에 국경 분쟁으로 또다시 전쟁이 일어났다. 수천 명이 전사했고, 양국 국민에게 평화가 찾아올 가망은 좀처럼 보이지 않았다. 빌은 전에 그의 국가안보 보좌관이었던 토니 레이크와 국무부 아프리카 담당 차관보인 수잔 라이스를 그 지역으로 파견했다. 결국 클린턴 행정부는 평화협정을 중재했다. 이제 나는 그곳에서 보았던 좀더 나은 미래—팝콘과 춤이 있는 평화로운 미래—의 가능성이 두 나라에서 실현될 수 있기를 바랄 뿐이다.

첼시와 나는 아프리카에서 돌아오자 우리가 체험한 모험담으로 빌을 즐겁게 해주었다. 빌과 보리스 옐친의 정상회담은 생산적이었지만, 우리 여행만큼 계발적이거나 이국적이지는 않았다. 빌의 다리는 아물어가고 있었지만, 그는 아직도 목발을 짚고 절뚝거리며 백악관 경내를 돌아다니고 있었다. 공화당은 부상에서 회복될 시간도 허락할 마음이 없었다. 한 달 전인 1997년 2월 케네스 스타의 검찰관 활동에 기묘한 방향 전환이 일어났다. 스타가 특별검사를 사임하고 페퍼다인 대학의 법대 학장 겸 신설된 공공정책학부 학부장 자리를 받아들이겠다고 발표한 것이다. 하지만 스타의 퇴장 전략은 빗나갔다. 우익의 권위자들이 우리를 옭아넣을 증거도 찾기 전에 수사를 내팽개친 스타에게 호된 비난을 퍼부었기 때문이다. 동시에 일부 언론은 공정하다고 주장하는 특별검사와 단연코 당파적인 그의 후원자들을 직접 연결하고 있는 실을 찾아냈다. 스타의 학장 자리는 페퍼다인 대학 이사인 리처드 멜론 스카이프가 대학에 거액을 기부한 대가라는 사실이 밝혀졌다. 며칠도 지나기 전에 스타는 우익의 압력에 굴복하여 학장 자리를 포기했다. 그는 일이 끝날 때까지 특별검사 자리에 남아 있겠다고 아주 죄송한 듯이 발표했다.

어느 쪽이 우리한테 더 나았을까. 모르겠다. 하지만 특별검사 사무소에 남아 있기로 결정한 스타는 수사 연장을 정당화해줄 무언가를 찾아내기 위해 훨씬 더 필사적인 노력을 기울일 가능성이 있었다. 화이트워터에 대한 언론 보도를 면밀하게 추적하고 있던 데이비드 켄들은 스타의 특검 사무소에서 나온 기사가 늘어난 것을 알아차렸다. 신문 보도는 특검 수사관들이 아칸소에서 주 경찰의 주지사 경호원을 비롯한 '정보원'을 다시 찾아다니면서 대통령의 사생활을 캐고 있다는 것을 암시했다. 한편 짐 맥두걸은 형량을 줄여주는 대가로 검찰관들과 거래를 했다. 그는 인터뷰를 허락하고 싶어했고, 또다시 빌과 나를 음모에 연루시키기 위해 진술을 바꾸었다. 그의 전처인 수잔은 화이트워터 대배심에서 증언하기를 거부했기 때문에 감옥에서 고생하고 있었다. 수잔은 자기가 아무리 진실을 말해도 대배심은 그것을 거짓말로 받아들일 테고, 따라서 대배심은 자신을 위증죄로 옭아넣으려는 덫일 뿐이라고 주장했다. 검찰관들이 미국의 형사재판제도를 악용할 리가 없다고 믿는 사람은 수잔이 쓴 『말하려 하지 않는 여자 : 내가 클린턴 부부에게 불리한 증언을 거부한 이유와 감옥에서 알게 된 사실들』이라는 책을 읽어보아야 한다. 이 책은 수잔이 스타 일당에게 당한 학대를 기록한 소름끼치는 보고서이고, 우리의 자유를 지키는 것은 모든 사람이 법의 지배를 보장받느냐 아니냐에 달려 있다는 사실을 정신이 번쩍 나게 깨우쳐주는 책이다.

스타의 특검팀만이 아니라 스타 자신도 대배심의 비밀 증언을 언론에 흘리고 있는 것 같았다. 이것도 역시 법률 위반 행위였다. 1997년 6월 1일, 『뉴욕 타임스 매거진』에 실린 기사에서 스타는 나의 정직성에 의문을 제기하고 나에게 씌울 수 있는 혐의를 암시했다. 여기에는 데이비드 켄들도 더는 참지 못하고, 이제 반격할 때가 되었다고 말했다. 그는 스타가 언론에서 '정보를 누설하고 중상모략하는' 작전을 펴고 있다고 비난하는 서한을 썼다. 빌과 나는 거기에 동의했다. 보수적 공화당원인 전직 연방 검사를 포함한 세 명의 전직 특별검사는 스타 특검팀의 태도가 모욕적이며 양식에 어긋난다는 켄들의 발언에 공개적으로 동의했다. 그래도 선전전은 계속되었다.

한편 폴라 존스의 성희롱 사건은 한숨 돌리고 나서 정상으로 돌아왔다. 지난 1월, 존스 사건에서 빌의 변호를 맡은 보브 베넷은 현직 대통령에게 민사소송으로 부담을 주면 안된다고 대법원에서 주장했다. 이런 일이 허용되면 어떤 대통령도 남의 이목을 끌고 싶어하는 자들이나 정적이 제기한 민사소송에 꼼짝없이 발목을 잡힐 수 있고, 그렇게 되면 국가의 최고행정관인 대통령의 임무 수행 능력이 약화된다는 것이 베넷의 주장이었다. 하지만 1997년 3월 27일 아홉 명의 대법원 판사 전원은 대통령의 면책특권이 민사소송에는 적용되지 않으며 따라서 '존스 대 클린턴 사건' 은 계속 진행될 수 있다는 데 의견이 일치했다. 이것은 끔찍한 판결이었다. 대통령의 정적들에게 대통령을 고소하라고 공개적으로 부추긴 거나 마찬가지가 아닌가.

첼시는 거의 5천 킬로미터나 떨어진 스탠퍼드 대학에 가기로 결정했다. 첼시가 고등학교를 졸업하고 대학으로 떠날 것을 생각하면 가슴이 콱 막히는 듯했다. 나는 첼시 인생의 이 특별한 순간을 망칠까 두려워, 점점 커지는 내 상실감을 내색하지 않으려고 애썼다. 나는 첼시와 함께 되도록 많은 시간을 보내는 것으로 나 자신을 달래고, 시드웰 프렌즈 고등학교에서 신성시하는 전통—'모녀 쇼'—을 한 달 동안 집중적으로 준비하면서 보냈다. 시드웰 프렌즈 고등학교에 딸을 보내고 있는 어머니들은 졸업반 아이들을 은근히 놀리는 우스꽝스런 촌극에 참가하라는 부추김을 받는다. 나는 첼시의 친구 엄마들과 팀을 짜서 촌극에 참여했다. 우리는 제각기 딸의 역할을 맡았다. 내 역할에는 발레리나처럼 발끝으로 돌고 전화로 친구들과 수다를 떠는 장면이 많았다. 첫 장면에서 우리는 침대 시트를 고대 로마의 토가처럼 몸에 걸치고 「나는 날 수 있어요」라는 노래를 불러야 했다. 연기는 서투르게나마 그럭저럭 해낼 수 있었지만 노래가 문제였다. 노래를 부르는 이 장면에서 내 목소리가 다른 엄마들 목소리에 삼켜진 것이 첼시한테는 천만다행이었다.

시드웰 프렌즈 고등학교 1997년도 졸업식은 미국 대통령이 졸업 축하 연설을 했다는 것만 빼고는 다른 학교 졸업식과 비슷했다. 빌은 졸업생들에게 부모님이 "좀 슬퍼 보이거나 좀 별나게 굴 수도 있다"는 것을 받아들이라고 말했다. 나는 그 말에 눈물이 나왔다. 빌은 이렇게 말을 이었다. "오늘 우리 부모들은 여러분이 학교에 들어간 첫날을 기억하고, 그때부터 지금까지 겪은 모든 기쁨과 아픔을 떠올리고 있습니다. 우리는 이 떠나는 순간을 위해서 여러분을 키웠고, 또 여러분을 더없이 자랑스럽게 생각하지만, 마음 한구석에서는 여러분이 아장아장 걸음마를 배울 때 그랬듯이 다시 한번 여러분을 끌어안고 싶습니다. 여러분에게 『달님, 안녕』이나 『호기심 많은 돼지』나 『작은 기관차』 같은 이야기책을 한번만이라도 더 읽어주고 싶은 마음이 간절합니다."

졸업식을 마치고 돌아오자 백악관의 모든 직원이 첼시의 졸업을 축하해주기 위해 '이스트 룸'에 모여 있었다. 모두 롤랜드 메즈니어가 구운 엄청난 크기의 졸업 케이크를 한 조각씩 받았다. 케이크는 졸업 축하 케이크에 어울리게 펼쳐놓은 책 모양을 본뜬 것이었다. 이 남자들과 여자들은 첼시가 치아교정기를 낀 어린애일 때 처음 첼시를 만나, 첼시가 멋진 처녀로 아름답게 피어나는 것을 지켜보고 도와주었다.

# 활력의 목소리

여름이 다가왔을 때 정부는 세 가지 중요한 일을 준비하고 있었다. 균형 예산을 국회와 협상하는 일, 콜로라도 주 덴버에서 경제 정상회담을 여는 일, 논란거리가 되고 있는 NATO 확대에 대해 마드리드에서 고위급 회담을 여는 일.

내가 퍼스트 레이디 시절에 배운 가장 중요한 교훈은 외교 정책이 지도자들 사이의 인간 관계에 크게 좌우된다는 것이다. 이념이 대립하는 나라끼리도 지도자들이 서로 알고 신뢰하면 쉽게 합의에 이를 수 있고, 동맹 관계도 맺을 수 있다. 하지만 이런 외교에 성공하려면 당사자들이 끊임없이 친밀하고 비공식적인 대화를 나누어야 한다. 대통령과 부통령과 내가 자주 외국을 여행한 것은 그 때문이기도 하다.

세계의 주요 산업국—미국 · 영국 · 프랑스 · 독일 · 일본 · 이탈리아 · 캐나다—의 연례 회담인 G-7 정상회담은 원래 경제 토론회로 시작되었지만 갈수록 정치적인 색채를 띠게 되었다. 러시아는 G-7 정상회담에 게스트로 초대되었지만, 보리스 옐친은 미국이 덴버에서 열기로 되어 있는 1997년 G-7 정상회담부터는 러시아를 정식 회원국에 포함시켜달라고 계속 요구하고 있었다. 일부 회원국의 재무장관들은, 아직은 러시아의 경제력이 약해서 G-7과 국제금융기관의 지원에 의존해 있고, 또 장기적인 번영의 필수조건인 개혁에 저항하는 경우가 많다는 이유로 반대했다. 하지만 빌을 비롯한 국가 원수들은 옐친을 지원하는 것이 중요하다고 생각했고, 러시아 국민들은 미국 · 유럽 · 일본과 협력하는 것이 절대적으로 자국에 이롭다는 중요한 메시지를 받게 되리라고 믿었다. 그래서 러시아가 초청되었고, 6월에 덴버에서 열리는 모임은 서둘러 '8개국 정상회담' 으로 이름이 바뀌었고, 나중에 공식적으로 G-8이 되었다.

빌은 옐친을 세계 지도자들의 핵심 그룹에 끌어들이기로 결정했다. 이는 러시아 민주주의의 가장 큰 희망으로 여겨지는 옐친의 국내 지위를 강화해주는 한편, 동유럽에서 NATO의 권역이 확대되는 것을 받아들이도록 러시아인들을 유인하는 전략이었다. 매들린 올브라이트와 국무차관이자 러시아 전문가인 스트로브 탤벗이 행정부 안에서 이 전략을 구상한 주요 설계자였다. 매들린은 모스크바를 살살 달래고 때로는 힘으로 밀어붙여 서양 세력권으로 끌어들이려고 끈질기게 노력했다. 이 지칠 줄 모르는 노력 때문에 매들린은 러시아에서 '강철 부인(Madame Steel)' 이라는 별명을 얻었다고 한다.

빌이 대통령이 된 초기에 나는 국빈 방문의 가치에 의문을 품었다. 외국을 국빈 방문하면 남편들은 남편들끼리 따로 모여서 회담을 하고, 아내들은 아내들끼리 문화 유적지 같은 명소를 돌아다닌다. 이 시찰은 물론 극적인 효과를 내도록 치밀하게 연출된 것이다. 이제 나는 외국 지도자들의 아내와 좋은 관계를 맺는 것이 국가 원수들 사이에 편리하고 내밀한 소통 수단을 제공한다는 사실을 깨달았다. 게다가 지도자 부인들은 대부분 매력적인 상대였고, 몇몇은 나와 좋은 친구가 되었다.

덴버에서 나는 미국에 온 퍼스트 레이디들을 열차 여행에 초대했다. 윈터파크 스키 휴양지까지 열차를 타고 가서 콜로라도 로키 산맥의 경치를 바라보며 점심을 먹기로 한 것이다. 나는 얼마 전에 영국 총리로 선출된 토니 블레어의 아내 셰리 블레어를 이제 막 알게 되었지만, 벌써 그녀가 무척 마음에 들었다. 다른 퍼스트 레이디들은 대부분 과거의 정상회담을 통해 아는 사이였다. 나는 1993년에 도쿄에서 처음 만난 나이나 옐친이 그후 퍼스트 레이디로서 자신의 역할을 차츰 확대해나가는 것을 보면서 감동했다. 나이나는 상수도를 담당하는 토목기사였지만, 그후 러시아 정치라는 불안정한 물 속에 뛰어들었다. 처음부터 나이나는 의연했고, 어린이와 아동 의료에 대한 의견을 분명히 밝혔다. 1995년에 나는 중추신경계에 영향을 미치는 유전병인 페닐케톤뇨증에 걸린 어린이를 치료하는 데 필요한 특수 영양 유동식을 러시아가 안정적으로 기증받을 수 있도록 도와주었다.

1993년에 캐나다 총리로 선출된 장 크레티앵의 아내 알린 크레티앵은 지적이고 관찰력이 날카롭고 우아한 여성이었다. 나는 새로운 도전에 기꺼이 맞서는 그녀의 진취적인 태도와 자기 수양에 깊은 인상을 받았다. 우리가 만난 8년 동안 알린은 피아노를 배워 열심히 연습했다. 알린은 재미나게 지내는 법도 알고 있었다. 1995년에 우리는 오타와를 둘러싸고 있는 얼어붙은 운하에서 함께 스케이트를 타며 즐거운 시간을 보냈다. 일본 총리 부인인 하시모토 가미코는 활기차고 호기심이 많아서 좋은 인상을 주었다. 진지하고 사려 깊은 학자인 이탈리아의 플라비아 프로디는 이탈리아 정치를 설명하려고 애썼다. 이탈리아 사회와 문화는 누가 나라를 다스리든 관계없이 안정되어 있는 반면, 정치는 끊임없이 요동치고 있는 듯했다.

열차가 웅장한 풍경을 뚫고 달리는 동안 사람들은 선로 연변에 나와서 손을 흔들었다. 개중에는 우리 손님들을 환영하는 피켓을 들고 있는 사람도 있었다. 그런데 내가 마지막 객차 승강구에 나와 있을 때 두 젊은이가 어디선가 불쑥 나타나더니, 허리를 구부리고 바지를 끌어내려 우리한테 엉덩이를 드러내보였다. 나는 잠시 충격을 받았지만, 내가 세심하게 준비한 퍼스트 레이디들의 열차 여행에 그런 엉뚱하고 잊을 수 없는 사건이 추가된 것을 웃을 수밖에 없었다.

덴버 회담은 진지하고 긴장될 때도 많았지만, 저녁의 사교 행사에서는 모든 사람을 편안하게 해주려고 애썼다. 한때 야생이었던 '서부(West)' 에 경의를 표하기 위해 주요 만찬의 주제는 '변경(Frontier)' 으로 정했다. 방울뱀과 들소, 약식 로데오 경기, 컨트리 음악과 웨스턴 음악을 연주하는 악단까지 등장했다. 빌은 손님들에게 카우보이 장화를 선물로 주었다. 하시모토 류타로 일본 총리와 장 크레티앵 캐나다 총리는 만찬장에 도착하자 바짓가랑이를 걷어올리고 장화를 자랑했다.

식사를 같이 하는 것은 외교의 중요한 요소이며 때로는 복잡미묘한 요소이기도 하다. 덴버에서 회의가 열리기 전날 밤, 매들린 올브라이트는 러시아 외무장관 예프게니 프리마코프를 현지 레스토랑으로 초대했다. 매들린은 그에게 이 지역의 별미인 '산굴' 을 대접했다. 바삭하게 튀긴 황소 불알을 '산에서 나는 굴' 이라고 고상하게 표현한 것이다. 나는 내가 준비한 식단에는 '산굴' 을 포함시키지 않았다고 퍼스트 레이디들을 안심시켰다.

우리가 외국에 갈 때마다 국무부는 방문할 나라의 자료를 일목요연하게 정리한 인쇄물과 함께 외교 의례에 대한 유용한 조언을 제공했다. 이따금 국무부는 외국에서 진기한 요리를 대접받을지도 모른다고 경고하고, 그럴 때 어떻게 하면 우리를 접대하는 쪽에 불쾌감이나 모욕감을 주지 않고 그 음식을 피할 수 있는지를 알려주었다. 국무부의 어느 노련한 관리는 접시 위에서 음식을 이리저리 돌리고 거칠게 다루면 접시에 묻는 양이 많아서 빨리 음식을 처리할 수 있을 거라고 제안했다. 이것은 다섯 살짜리 아이도 알고 있는 요령이다. 하지만 보리스 옐친이 주최한 만찬에서 내가 겪은 일은 어떤 외교 안내서도 예상치 못했을 것이다.

나는 옐친을 좋아하고 존경한다. 그는 러시아에 민주주의를 두 번씩이나 구해낸 진정한 영웅이라고 생각한다. 첫번째는 1991년 붉은 광장에서 탱크 위로 올라가 쿠데타 기도에 도전했을 때였고, 두번째는 1993년에 군대의 비밀결사가 대통령 관저를 접수하려고 했을 때였다. 이때 옐친은 빌을 비롯한 세계 지도자들의 강력한 지원을 받아 단호하게 민주주의를 옹호했다. 옐친은 나름대로 유쾌한 상대이기도 하다. 그는 마음이 넓고 언제든지 나를 웃게 만들 수 있다. 물론 그는 예측 불가한 인물로 평판이 났고, 자주 입증되었듯이 술을 무척 즐긴다.

나는 공식 만찬에서는 대개 옐친 옆자리에 앉았고, 빌은 옐친과 나이나 사이에 앉았다. 옐친은 영어를 쓰지 않았지만, 우리 뒤에 앉은 통역사가 옐친과 똑같이 귀에 거슬리는 굵고 낮은 목소리로 옐친 특유의 억양까지 그대로 흉내내어 옐친의 말을 빌과 나에게 전달해주었다. 보리스 옐친은 음식에는 거의 손을 대지 않았다. 음식이 차례로 우리 앞에 차려질 때마다 보리스는 음식을 밀어내거나 무시해버리고 이야기를 계속했다. 때로는 음식 자체를 화제로 삼기도 했다.

1994년 9월, 옐친 내외가 워싱턴에 새로 지은 러시아 대사관으로 우리를 초대했다. 빌과 나는 옐친 내외와 함께 단상에 자리를 잡았고, 우리 앞에 놓인 수십 개의 탁자에는 러시아와 미국의 관리들만이 아니라 워싱턴 사교계의 내로라 하는 인물들이 앉아 있었다. 갑자기 옐친이 빌과 나에게 자기 쪽으로 몸을 기울이라는 몸짓을 했다. "히일러리! 비일! 저기 저놈들 좀 보세요. 무슨 생각을 하고 있는지 아시오? 모두 이렇게 생각하고 있을 거요. '어째서 보리스와 빌은 저 위에 앉을 수 있고 우리는 안 된다는 거지?'" 많은 것을 말해주는 발언이었다. 옐친은 그의 적들이 생각하는 것보다 훨씬 영리하고 빈틈없는 인물이었고, 크렘린에서 미국 국무부로 전달되는 중상—옐친은 형편없고 교양없는 사람이다—도 잘 알고 있었다. 옐친은 자신을 비방하는 자들이 빌의 왕성한 활동을 못마땅하게 여기고 또 빌이 아칸소 출신이라고 얕잡아본다는 것도 알고 있었다. 우리는 미소를 짓고 포크를 집어들었지만 옐친은 말을 계속했다. "핫하하!" 옐친은 큰 소리로 웃고는 빌을 돌아보았다. "비일, 당신을 위해 특별한 별미를 준비했소."

속을 채운 돼지새끼 한 마리가 통째로 우리 앞에 놓였다. 옐친은 나이프를 한번 휘두르더니 돼지 귀 하나를 싹둑 잘라내어 내 남편에게 건네주었다. 그러고는 다른 쪽 귀를 잘라서 제 입으로 들어올려 한 입 물어뜯고는 빌에게도 그렇게 하라는 몸짓을 했다.

"자, 우리를 위해서!" 옐친은 돼지 귀가 고급 샴페인 잔이라도 되는 것처럼 높이 들어올리면서 말했다.

빌 클린턴이 튼튼한 위를 갖고 있는 것은 행운이다. 앞에 놓인 것은 무엇이든 먹을 수 있는 능력은 빌이 가진 수많은 정치적 재능 가운데 하나다. 나는 빌처럼 비위가 좋지 못하고, 옐친은 그것을 알고 있었다. 그는 나를 놀리기를 좋아했다. 지금 이 순간, 나는 돼지한테 귀가 두 개밖에 없다는 것을 기쁘게 생각했다.

몇 년 뒤 옐친과 빌의 임기가 끝나갈 무렵, 우리는 크렘린에서 마지막으로 저녁식사를 함께 했다. 만찬은 그 유서 깊은 궁전의 장식적인 식당들 중에서도 가장 아름다운 성 카타리나 홀에서 열렸다. 식사가 절반쯤 진행되었을 때, 옐친이 그 특유의 덜거덕거리는 목소리로 무슨 음모라도 꾸미듯 나에게 말을 걸었다. "히일러리! 당신이 보고 싶을 겁니다. 사무실에 당신 사진을 놓아두었어요. 그 사진을 날마다 보고 있지요." 옐친의 눈은 장난스럽게 반짝였다.

"고마워요, 보리스. 앞으로도 이따금 만날 수 있으면 좋겠군요."

"예. 나를 만나러 와야 합니다. 나를 만나러 오겠다고 약속해야 돼요."

"만나게 되기를 기대할게요, 보리스."

"좋습니다! 오늘밤에는 당신을 위해서 아주 특별한 별미를 준비했어요."

"뭔데요?"

"그건 말하지 않겠소! 음식이 나올 때까지 기다려야 합니다!"

우리는 차례로 나오는 음식을 먹었고, 계속 건배를 했다. 그러다 마침내 디저트가 나오기 직전에 웨이터가 뜨거운 수프가 담긴 그릇을 우리 앞에 가져다놓았다.

"힐러리, 이게 바로 당신을 위해서 준비한 특별 요리요!" 보리스는 수프에서 피어오르는 자극적인 김을 코로 들이마시면서 싱긋 웃었다. "으음! 정말 좋군!"

"이게 뭐예요?" 나는 숟가락을 집어들면서 물었다.

보리스는 극적인 효과를 내려고 잠시 뜸을 들이다가 말했다. "말코손바닥사슴의 입술이오!"

그랬다. 진한 수프에 떠 있는 것은 정말로 말코손바닥사슴의 입술이었다. 젤리처럼 흐무러진 입술은 신축성을 잃은 고무처럼 보였다. 나는 웨이터가 그릇을 치울 때까지 그 입술을 이리저리 밀어냈다. 나도 별 희한한 음식을 많이 맛보았지만, 말코손바닥사슴 입술은 도저히 먹을 용기가 나지 않았다.

덴버 회담은 성공적으로 끝났지만, 러시아인들과 좋은 관계를 맺는 일은 7월에 마드리드에서 열리는 NATO 정상회담으로 넘겨졌다. 빌과 나는 후안 카를로스 스페인 국왕과 소피아 왕비의 손님으로 지중해의 마요르카 섬을 방문하기 위해서 회의가 시작되기 며칠 전에 유럽으로 떠났다.

후안 카를로스와 소피아는 다정하고 재치있고 현실적이고 매력적인 상대였다. 1993년에 우리는 스페인 국왕과 왕비, 그리고 워싱턴의 조지

(위)나는 대배심에서 증언한 최초의 퍼스트 레이디로 역사에 기록될지 모른다. 하지만 나는 대통령의 아내로서가 아니라 나 자신의 책임 아래 증언했다.
(아래)1996년에 나는 데이턴 평화협정을 선전하기 위해 보스니아-헤르체고비나에 갔다. 나는 대통령을 동반하지 않고 전쟁 지역을 방문한 두번째 퍼스트 레이디가 되었다. 이번에도 역시 엘리너 루스벨트의 발자취를 따라간 것이다. 첼시는 미국의 다양성을 상징하는 미군 장병들에게 큰 인기를 얻었다.

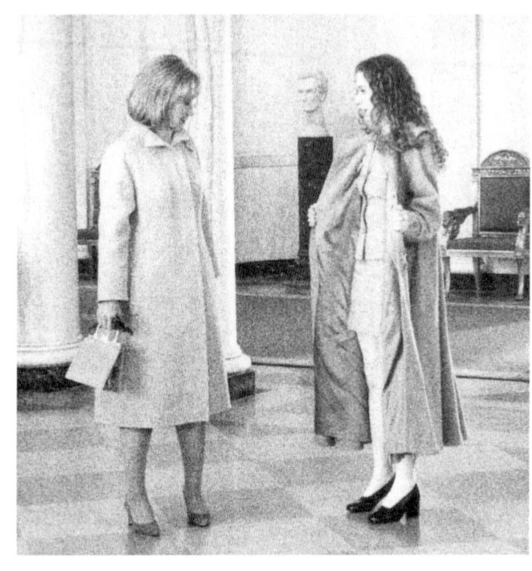

(위)두번째 대통령 선거가 끝난 뒤 나는 불 속에서 담금질되는 강철처럼 내 인생의 새로운 장에 들어가고 있는 듯한 기분이 들었다. 강철을 불에 달구면 날은 조금 단단해지지만 내구력이 훨씬 강해진다. 빌은 이제 완전히 대통령다워졌고, 대통령의 지위가 부여한 위엄이 얼굴과 눈빛에 드러났다.
(아래)취임식 날, 첼시가 입은 미니스커트가 나를 깜짝 놀라게 했다. 옷을 갈아입기에는 너무 늦었다. 시간이 있었더라도 첼시가 옷을 갈아입었을지는 의심스럽다. 나는 10대 청소년의 어머니 노릇에 차츰 익숙해져가고 있었다.

첼시가 아칸소에서는 공립학교에 다녔지만, 워싱턴에서는 사립학교인 시드웰 프렌즈 학교를 선택했다. 사립학교는 언론의 출입금지 구역이었기 때문이다. 학교의 '모녀 쇼'에서 어머니들이 딸로 분장하여 촌극을 공연했다. 첼시는 발끝으로 도는 발레 동작을 무척 좋아했기 때문에, 첼시 역할을 맡은 나는 서투른 연기를 할 수밖에 없었다. 빌은 첼시의 열정에 감화되어 열심히 퍼팅 연습을 했다.

(위)부엌은 내가 살았던 모든 집의 중심이었고, 백악관 2층도 마찬가지였다. 작은 식탁은 우리 가정생활의 중심이 되었다. 우리는 여기서 식사를 하고, 숙제를 하고, 생일을 축하하고, 함께 웃고 함께 울고, 밤늦게까지 이야기를 나누었다.
(아래) '빈 둥지 증후군' 에 대한 진부한 말들은 나에게도 모두 적용되었다. 이제 개를 키워야 할 때였다. 그런데 우리는 고양이 삭스한테 의논하는 것을 깜박 잊었다. 삭스는 버디를 보자마자 경멸했고, 끝내 그 태도를 바꾸지 않았다.

(위)워싱턴에서 온갖 일을 겪었기 때문에 나는 첼시가 워싱턴에서 5천 킬로미터나 떨어진 대학을 선택한 이유를 이해했다. 나는 첼시를 스탠퍼드 대학 기숙사에 데려다주자마자 미친 듯이 일하기 시작했지만, 빌은 우리가 떠날 때가 될 때까지 최면에 빠진 것처럼 굼뜨게 움직였다. 빌은 "저녁을 먹고 나서 돌아가면 안될까?" 하고 물었다.
(아래)르윈스키 스캔들이 터진 뒤에도 나는 약속대로 「투데이」 쇼에 출연했다. 좀더 교묘하게 내 주장을 표현할 수 있었을지 모르지만, 내가 「투데이」 진행자인 맷 로어에게 한 말은 지금도 유효하다. 나는 '우익의 음모'가 존재한다고, 시계 바늘을 거꾸로 돌려 미국이 이룩한 많은 진보를 역행시키고 싶어하는 집단과 개인들이 맞물려 있는 네트워크가 존재한다고 말했다.

나는 내면의 깊은 감정을 일상적으로 쏟아낸 적이 없었지만, 가까운 친구들과 함께 있으면 기분이 한결 좋아졌다. 다이앤 블레어와 그녀의 남편 짐은 내가 1974년에 빌을 따라 아칸소에 갔을 때 처음 사귄 친구들이었다. 다이앤은 아칸소 대학에서 나와 함께 학생들을 가르쳤다(위). 앤 헨리는 페이어트빌에서 우리의 결혼을 축하하는 리셉션을 베풀었다(아래 왼쪽). 버넌과 앤 조던은 다정하고 현명한 의논 상대였다(아래 오른쪽).

(위)영국 총리 토니 블레어와 셰리 블레어는 우리와 공통된 경험을 갖고 있어서, 우리 사이에는 특별한 동류 의식만이 아니라 중요한 철학적·정치적 공통점도 생겨났다. 빌과 나는 다우닝 가 10번지에서 블레어 내외를 만났을 때 우리의 공통된 관심사에 대해 끝없는 대화를 시작했다.
(아래)나는 아홉 살 때부터 두꺼운 안경을 써야 했지만, 6학년 때 안경을 쓰지 않겠다고 고집을 부렸다. 벳시 존슨 이블링은 안경을 쓰지 않은 나를 맹도견처럼 끌고 시내를 돌아다닌 친구였다(가운데). 리키 리케츠는 고등학교 1학년 때 내가 뒤통수에 핀으로 꽂아놓은 가발을 떼어냈다(오른쪽). 우리의 오랜 친구인 수잔 토머시즈는 빌의 대통령 출마를 도와주었다(왼쪽).

(위)라틴아메리카 여행은 잊을 수 없다. 과테말라의 안티과에서는 언젠가 과테말라 대통령이 될지 모르는 세 젊은 여성이 나를 맞이했다. 나는 진심으로 그렇게 되기를 바란다.
(아래)내가 아프리카 여행에 대해 끝없이 열정적으로 이야기하는 것을 듣고, 1998년에 빌은 현직 대통령으로는 처음으로 아프리카 대륙을 널리 여행했다. 가나의 아크라에서 우리는 제리 롤링스 대통령과 그의 아내 나나 코나두, 그리고 내가 난생 처음 보는 엄청난 군중의 환영을 받았다. 우리는 케이프타운도 방문하여 넬슨 만델라를 만났다. 만델라는 "인생의 가장 큰 영광은 한번도 쓰러지지 않는 데 있는 것이 아니라 쓰러질 때마다 다시 일어나는 데 있다"고 우리에게 말한 적이 있다.

Photo Credit : Diana Walker

때로는 여느 때보다 좋은 날도 있었다. 보츠와나에서 보낸 이날도 그런 좋은 날 가운데 하나였다. 빌과 나는 초베 강에서 저물어가는 태양의 마지막 빛을 받고 있었다. 나는 그날이 영원히 끝나지 않기를 바랐다. 워싱턴에서는 그보다 훨씬 가혹한 빛이 우리를 비추곤 했다.

(위)빌의 대배심 증언은 백악관의 '맵 룸'에서 폐쇄회로 TV를 통해 이루어졌다. 빌이 모니카 르윈스키와 부적절한 친교를 맺었다고 증언한 뒤 나는 '일광욕실'에서 데이비드 켄들과 처크 러프, 미키 캔터, 폴 베갈라를 만났다. 어이가 없어서 말이 안 나올 정도였고 가슴이 찢어지는 듯했다. 내가 빌을 믿었다는 게 분했다. 빌이 나를 속인 이유는 그의 사정이고, 그 나름대로 이유를 밝혀야 한다.
(아래)빌 클린턴과 함께 휴가를 가는 것은 내가 가장 원치 않은 일이었지만, 워싱턴에서 벗어나고 싶은 마음이 간절했다. 나는 나 자신과 내 딸, 내 가족, 내 결혼생활, 그리고 내 나라를 위해 내가 해야 할 일에 정신을 집중해야 했다. 나는 대통령의 지위가 불안정한 상태에 놓여 있다는 것을 알았다. 월터 크롱카이트와 벳시의 감동적인 관심 덕분에 나는 기운을 차릴 수 있었다.

스티비 원더는 그 어려운 시기에 누구보다도 친절한 마음 씀씀이를 보여주었고, 노래를 통해 전달된 그의 메시지는 나를 사로잡았다. 그는 백악관에 와서 나를 위해 작곡한 노래를 불러주었다. 그것은 용서의 힘에 대한 노래였다. 그가 연주하는 동안 나는 의자를 움직여 그에게 점점 더 가까이 다가갔다.

(위)탄핵 표결이 끝난 뒤 딕 게파트(가운데)가 이끄는 민주당 대표단이 대통령과의 연대감을 보여주기 위해 백악관을 찾아왔다. 존 포데스타가 이끄는 백악관 참모들은 계속 국정 운영에 전념했다.
(아래)프라하에서 매들린 올브라이트와 나는 기자들을 피해 은밀한 대화를 나누려고 숙녀용 화장실로 들어갔다. 백악관 전속 사진사인 바버라 킨니는 임무에 충실한 나머지 뜻밖의 장소에 불쑥 나타날 때가 많았지만, 이때도 우리를 따라 숙녀용 화장실로 들어왔다.

Photo Credit : AP/Wide World Photos © 2002

(위)수잔 맥두걸은 화이트워터 대배심에서 증언을 거부했기 때문에 감옥에서 몇 달을 보냈다. 수잔은 대배심이 빌과 나를 범죄에 연루시키는 허위 증언을 강요하기 위한 함정이라고 주장했다.
(아래)외국 원수의 배우자들과 좋은 관계를 맺으면 국가 원수들과 이어지는 비공식 루트를 확보할 수 있었다. 내가 괴로운 처지에 빠졌을 때 요르단의 누르 왕비는 전화를 걸어서, 자기네 집에서는 집안에 어려운 일이 닥치면 식구끼리 서로 "돌격 앞으로!" 하고 격려해준다고 말했다. 후세인 왕의 장례식에 참석했을 때 요르단의 암만에서 누르 왕비를 만났다.

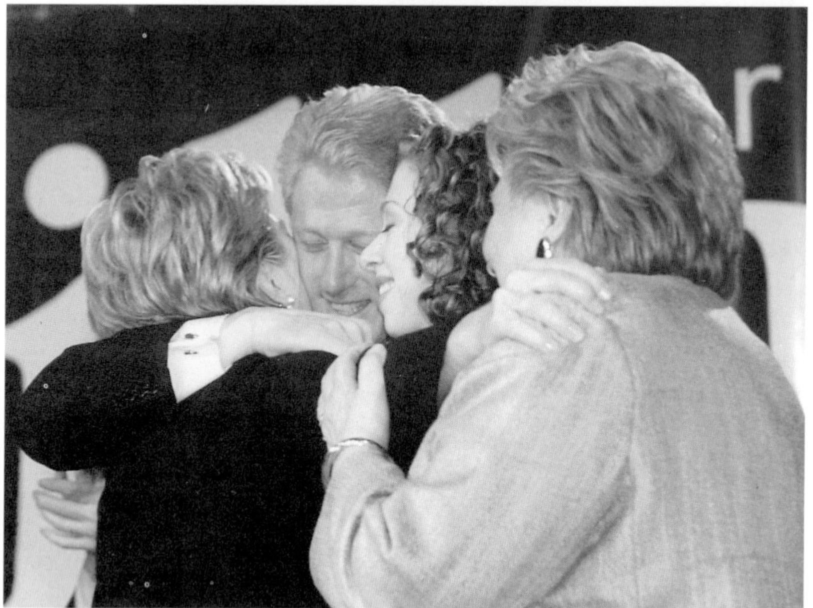

(위)모이니헌 상원의원이 은퇴를 발표한 뒤 뉴욕의 민주당 지도부는 선거전에 뛰어들라고 나를 부추겼다. 2003년에 모이니헌이 세상을 떠난 것은 미국에 큰 손실이었다.

(아래)내 평생 가장 힘들었던 결정은 뉴욕 주에서 상원의원에 출마한 것이었다. 나는 오랫동안 여성이 정치와 정부에 참여하는 것이 중요하다고 주장해왔다. 어느 젊은 운동 선수가 나에게 말했듯이, 이제는 내가 '경쟁을 두려워하지 말고 나서야' 할 때였다. 내 최고의 지지자인 빌과 첼시와 우리 어머니가 내 곁에 있다.

(위)내가 저녁 행사에 나갈 준비를 하고 있을 때 첼시가 들어와서 최근 결과를 알려주었다. 내가 예상했던 것보다 훨씬 큰 차이로 이길 것은 분명했다. 나는 내 선거운동이 성공한 데 만족했지만, 롤러코스터처럼 급변하는 대통령 선거전 때문에 기쁨이 줄어들었다.
(아래)한 노련한 선거운동원과 풋내기 후보가 뉴욕의 장터에서 정치 이야기를 하고 있다. 내 인생 행로는 나를 시카고에서 동부로, 다시 아칸소로 데려갔다. 나는 그곳에서 나중에 대통령이 될 남자와 결혼했다. 2000년에는 전직 대통령의 아들이 백악관 주인이 될 테고, 역사상 처음으로 퍼스트 레이디가 상원에서 일하게 될 것이다.

Photo Credit: Alfred Eisenstaedt/TimeLife Pictures/Getty Images

(위 왼쪽)빌과 나는 우리 인생의 새 장에 들어섰다. 우리는 뉴욕 주 채퍼콰로 이사했다. 이 마지막 길이 우리를 어디로 데려갈지는 예측할 수 없지만, 나는 여행을 떠날 준비가 되어 있다.
(위 오른쪽)내가 빌 클린턴에 대해 맨 처음 알아차린 것 가운데 하나는 손의 모양이었다. 빌은 손목이 가늘고, 손가락은 피아니스트처럼 우아하고 섬세하다. 우리가 법대에서 처음 만났을 때 나는 빌이 책장을 넘기는 것을 지켜보기를 좋아했다. 그후 수많은 사람과 악수를 하고 골프채를 휘두르고 수없이 사인을 하느라, 이제 빌의 손에도 세월의 흔적이 나타나 있다.
(아래)그동안 빌의 선서식에서는 늘 내가 성서를 들었지만, 이 모의 선서식에서는 빌과 첼시가 나를 위해 성서를 들고 있고 앨 고어가 나에게 선서를 시켰다. 나는 이제 힐러리 로댐 클린턴 상원의원이었다.

타운 대학에 다니고 있는 펠리페 왕자를 만난 적이 있었다. 나는 특히 스페인의 파시즘에 저항한 후안 카를로스 왕의 용기에 탄복했다. 그는 1975년에 프랑코가 죽은 뒤 서른일곱 살 나이에 국가 원수가 되자마자 스페인에 민주주의를 확립하겠다고 선언했다. 1981년에 쿠데타가 일어나자 그는 텔레비전에 나와 쿠데타 지도부를 비난하고 장병들에게 부대로 복귀할 것을 명령하여 군대가 국회를 접수하는 것을 혼자 힘으로 막아냈다. 소피아 왕비는 후안 카를로스와 결혼했을 때 그리스 공주였고, 간호대학을 졸업한 소아과 간호사였다. 왕비도 남편 못지않게 매력적이고 교양있는 여성이다. 훌륭한 박애주의자인 소피아 왕비는 소액 신용대출이라는 개념조차 생소하던 시절에 일찍부터 그 사업을 주창했다.

우리는 NATO 정상회담에 참석하기 위해 마드리드로 갔다. 호세 마리아 아스나르 스페인 총리와 그의 아내 아나 보테야가 NATO 회원국 정상들과 그 배우자들을 위해 총리 공관인 몽클로아궁 정원에서 비공식 만찬을 열었다. NATO를 확대하려는 빌의 노력이 마침내 결실을 맺어, 폴란드와 헝가리와 체코 공화국이 가입 요청을 받았다. 이튿날 밤에는 국왕 내외가 이 역사적인 NATO 확대를 축하하기 위해 마드리드 한복판에 자리잡고 있는 궁전에서 대규모 만찬을 주최했다. 우리가 이 궁전을 처음 본 것은 1995년에 국왕 내외가 이곳에서 조촐한 만찬을 열었을 때였다. 진짜 재미는 식사가 끝난 뒤에 시작되었다. 왕은 우리에게 궁전을 구경시켜주면서, 대부분의 방에는 뭐가 있는지 자기도 모르기 때문에 문을 열고 나서 재빨리 이야기를 꾸며내곤 한다고 고백했다. 우리는 모두 그곳에서 일어났을지도 모르는 사건을 상상하여 이야기하기 시작했다. 국왕과 왕비는 둘 다 뛰어난 유머 감각을 갖고 있다. 빌과 국왕은 내가 이제껏 본 식탁 가운데 가장 긴 식탁(손님이 100명은 너끈히 앉을 수 있을 것 같았다)을 눈여겨보면서, 그 식탁 길이만큼의 거리를 달리는 것과 미끄러져 내려가는 것의 장점을 토론했다. 나는 그때가 제일 재미있었다. 그때부터 2년이 지난 지금, 그 기다란 식탁에는 유럽 전역에서 온 국가 원수들과 정부 수반들이 즐비하게 늘어앉아 공식 만찬을 열고 있었다.

공식 임무가 끝난 뒤 카를로스 국왕 내외는 우리를 그라나다의 알함브라 궁전으로 데려갔다. 빌은 나와 처음 데이트를 시작했을 때, 자기가 본 가장 아름다운 자연 풍경은 그랜드캐니언의 석양이고 가장 아름다운 인공물은 그라나다 평원으로 가라앉는 석양빛을 받은 알함브라 궁전이라고 말한 적이 있었다. 내가 국왕에게 그 이야기를 하자, 국왕은 그렇다면 그 광경을 직접 보아야 한다고 주장했다. 우리는 성을 구경한 다음, 수백 년 역사를 가진 레스토랑에서 넋을 잃을 만큼 아름다운 궁전을 바라보며 저녁을 먹었다. 우리는 석양이 궁전 벽을 분홍빛으로 물들이며 서서히 가라앉는 것을 지켜보았다. 우리가 어둠 속으로 나오자 궁전에 불이 켜지는 것이 보였다. 불켜진 궁전도 넋을 잃을 만큼 아름다웠다.

그런 저녁을 보낸 뒤, 나는 다음 목적지인 빈까지 공중에 둥둥 떠서 갈 수 있을 것 같은 기분을 느꼈다. 나는 빈에서 열리는 '활력의 목소리: 민주 사회의 여성'이라는 제목의 공개 토론회에서 기조 연설을 하기로 되어 있었다. 오스트리아 주재 미국 대사인 스와니 헌트가 구상하여 준비했고 멜라니 버비어가 지원한 이 회의에는 1천 명의 저명한 유럽 여성들이 참여했다. 이 회의를 계기로 미국 정부의 '활력의 목소리(Vital Voices)'가 공식 출범했다.

이 프로젝트는 여성 문제를 외교 정책에 포함시키려는 미국 정부의 노력을 보여주는 주요 본보기로서 나에게는 가장 소중한 것이었다. '활력의 목소리'는 베이징 세계여성회의의 부산물이었다. 여기에 참여한 우리 정부 대표들과 NGO와 국제 단체들은 서로 협력하여 세 가지 분야—민주주의 건설, 경제 강화, 평화 회복—에서 여성의 진보를 촉진하려고 애썼다. 여성이 정치 무대에 참여할 권리, 독자적인 수입을 얻을 권리, 재산을 소유할 권리, 학대와 폭력에 대항하여 법률의 보호를 받을 권리를 아직도 누리지 못하는 나라가 너무 많았다. 유엔과 세계은행 · 유럽연합 · 아메리카은행을 비롯한 여러 기구의 도움으로 '활력의 목소리'는 기술적 도움과 기능 교육을 제공하고 다른 사람들과 연대할 기회를 준다. 이것은 여성들이 저마다 자국에서 시민 사회와 시장 경제와 정치 참여를 촉진하는 데 필요한 수단과 방책을 제공한다.

나는 민주주의와 자유 시장 경제에 대한 미국의 외교적 수사에는 정치와 개인의 발전에 대한 인간적 관심이 부족하다고 생각했다. 공산주의에서 자본주의와 민주주의로 넘어가는 힘든 과도기에 여성과 아이들은 유난히 심한 고통을 겪었다. 중앙집권화된 경제체제에서 흔히 볼 수 있는 고정 수입이 사라지고, 국가가 제공하던 무상 교육과 의료에 더 이상 의존할 수 없게 되었기 때문이다. '활력의 목소리'는 남아프리카공화국과 발트 해 연안국 같은 다양한 곳에서 여성의 창업을 장려하고, 쿠웨이트와 북아일랜드에서는 여성을 정치에 참여시키려는 노력을 지원하고, 우크라이나와 러시아에서는 여성과 아동에 대한 인신매매와 싸우도록 여성들의 기운을 북돋워준다. 이 비영리 단체는 효율적이고 광범위한 협력을 통해 전세계 여성들에 대한 교육과 훈련을 계속하고 있다. 이들 가운데 상당수는 자국의 정치 지도자가 되었다.

바쁜 일정이 드디어 끝나고 한숨 돌릴 여유가 생겼다. 8월에 우리는 여름 휴가를 보내기 위해 마사스비니어드(매사추세츠 주 남동해안 앞바다에 있는 섬. 상류층의 휴양지로 유명하다—옮긴이)로 돌아갔다. 마사스비니어드는 우리가 편안하고 느긋한 기분을 느낄 수 있는 곳이었다. 하루는 빌과 함께 골프를 해보라는 설득에 넘어갔다. 빌의 다리는 이제 그가 제일 좋아하는 놀이를 즐길 수 있을 만큼 회복되었다. 솔직히 말하면 나는 골프를 좋아하지 않는다. 골프 실력도 형편없다. 마크 트웨인은 "좋은 산책이 망쳐진 게 골프"라고 했는데, 나도 같은 생각이다.

골프에 대한 혐오감은 중학교 3학년 여름에 일어난 사건까지 거슬러 올라갈 수 있다. 그때 나는 어느 남자 고등학생과 데이트를 하고 있었는데, 어머니한테 데이트 허락을 받아낼 수 있는 방법은 오후 서너 시쯤 그 남학생이 나를 골프장에 데려가는 것뿐이었다. 나는 안경을 벗으면 장님이나 마찬가지였고, 물론 안경을 쓰는 것은 내 허영심이 용납하지 않았다. 골프공도 보이지 않았지만 나는 무조건 하얀 것을 치기로 작정했다. 그래서 골프채를 힘껏 휘둘렀는데, 공이 터지면서 하얀 가루가 흩날렸다. 내가 친 것은 큼지막한 흰색 버섯이었다. 프로에게 두 번 레슨을 받고 콘택트렌즈를 끼어도 내 실력은 나아지지 않았다. 나는 빌이 버넌 조던을 비롯한 골프 친구들과 함께 스윙을 끝낼 때까지 책을 읽거나 바다에서 헤엄을 치는 게 더 좋았다.

8월의 마지막 주말 저녁에 빌과 내가 어느 해변 파티에 참석해 있을 때 참모 한 사람이 빌의 귀에다 무어라고 속삭였다. 멀리서 지켜보고 있던 나는 빌의 얼굴에 깜짝 놀란 표정이 떠오르는 것을 보았다. 이어서 나도 소식을 들었다. 다이애나 왕세자비가 파리에서 교통사고를 당했다는 것이다. 전세계의 다른 사람들과 마찬가지로 우리도 그 소식을 믿을 수가 없었다.

우리는 파티장을 떠나 당장 프랑스 주재 미국 대사에게 전화를 걸었다. 당시 프랑스 주재 대사는 그해 초에 파멜라 처칠 해리먼이 세상을 떠난 뒤 새로 부임한 펠릭스 로하틴이었다. 우리는 무슨 일이 일어났는지 알아내려고 런던과 파리에 전화를 하면서 밤을 꼬박 새우다시피 했다. 다이애나처럼 젊고 아름답고 활기찬 여성이 그렇게 갑자기 죽다니! 나는 그 사실을 받아들이기 어려웠다.

다이애나를 마지막으로 본 것은 두 달 전이었다. 백악관에서 만난 다이애나는 자신의 두 가지 주요 관심사—지뢰 금지와 에이즈 예방 교육—에 대해 열정적으로 이야기했다. 다이애나는 찰스 왕세자와 헤어진 뒤 훨씬 자신감이 강해진 것 같았다. 나는 다이애나가 마침내 자기 자신이 되어가고 있다는 것을 느꼈다. 머지않아 다이애나는 에이즈에 대한 의식을 높이기 위해 태국을 방문하고 지뢰 근절을 위해 아프리카에 갈 예정이었다. 우리는 그 여행 계획에 대해 이야기를 나누었다. 다이애나는 두 아들이 미국에서 공부할 수 있기를 바란다고 말했고, 나는 다이애나와 두 아들을 도와주겠다고 말했다. 다이애나는 분명 미래에 기대를 품고 있었다. 그래서 그녀의 죽음은 더욱 가슴 아팠다.

이튿날 아침 일찍 나는 다이애나 가족의 대리인으로부터 전화를 받았다. 런던에서 열릴 장례식에 참석해줄 수 있느냐는 전화였다. 나는 영광으로 생각했다. 웨스트민스터 사원에서 장례식이 거행되는 동안 나는 토니 블레어 내외와 영국 왕실 사람들과 함께 앉아 있었지만, 누구보다도 다이애나가 그토록 사랑한 두 아들에게 마음이 쏠렸다. 다이애나의 시어머니가 44년 전에 대관식을 거행한 유서 깊은 성당은 사람들로 가득 메워졌고, 바깥 거리에는 100만 명이 넘는 군중이 모여서 확성기를 통해 들려오는 장례식 상황에 귀를 기울이고 있었다. 전세계에서 수억 명이 텔레비전으로 장례식을 지켜보았다. 다이애나의 오빠 찰스는 추도사에서 제 누이에 대한 왕실의 처우를 신랄하게 비난했다. 나는 성당 밖에 있던 청중 속에서 터져나온 박수 소리를 들었다. 몇 킬로미터 밖에서 우르릉거리는 우레 소리가 군중 위를 지나면서 점점 강도를 더하여, 거리를 지나고 웨스트민스터 사원 문을 지나고 중앙 통로의 돌바닥을 지나 성당 앞쪽으로 밀려오는 것처럼 들렸다. 박수 소리가 우렁우렁 울려 퍼지자 우리 구역에 있던 사람들은 모두 얼어붙은 듯했다. 엘튼 존은 「바람 속의 촛불」이라는 노래에 다이애나의 연약하고 덧없는 인생의 통렬함을 포착한 새로운 가사를 붙여 노래했다.

다이애나의 장례식 전날, 세계는 가장 비범한 인물을 또 하나 잃었다. 테레사 수녀가 캘커타에서 세상을 떠난 것이다. 누구나 다 아는 명백한 차이점을 제외하면, 다이애나와 테레사 수녀는 가장 약하고 소외당한 사람들에게 조명을 비추고 남을 돕기 위해 자신의 명성을 교묘히 이용하는 재능을 갖고 있었다. 다이애나와 테레사 수녀가 함께 찍은 감동적인 사진들은 그들의 다정한 관계를 전해준다. 그리고 그들은 둘 다 서로에 대한 애정을 나에게 토로한 적이 있었다.

나는 다이애나의 장례식에 참석한 뒤 마사스비니어드로 날아갔다가, 며칠 뒤 테레사 수녀의 장례식에 참석하기 위해 인도 캘커타로 날아갔다. 백악관은 테레사 수녀를 알았거나 지원한 저명인사들에게 나와 함께 미국 대표로 장례식에 참석해줄 것을 요청했다. 그들 중에는 얼마 전에 병에 걸린 유니스 슈라이버도 있었다. 그녀는 의사의 반대를 무릅쓰고 우리와 동행했다. 나는 비행기 앞쪽에 있는 소파에 누우라고 권했지만, 유니스는 앉아 있는 것이 더 편하다면서 가는 동안 줄곧 의자에 앉아 있었다. 유니스는 미국에서 테레사 수녀의 뜻을 따르는 '사랑의 선교회' 사람들과 함께 기도를 드리고 묵주 신공을 올렸다. 나는 흔들리지 않는 신앙과 현실적인 실용주의로 세계를 감동시킨 여성을 기리는 자리에 남편과 나라를 대리하여 참석할 수 있게 된 것을 기쁘게 생각했다.

뚜껑이 열린 테레사 수녀의 관이 군중으로 가득 메워진 캘커타 거리를 지나 실내 경기장으로 들어왔다. 경기장도 물론 사람들로 가득 차 있었다. 각 나라와 종교 지도자들이 한번에 한 사람씩 호명되어 관대에 하얀 꽃을 바쳤기 때문에 장례식은 몇 시간 동안 계속되었다. 덕분에 짧지만 풍요로웠던 테레사 수녀와 나의 관계를 회고할 시간이 많았다.

우리는 1994년 2월 워싱턴의 한 호텔서 열린 '국가를 위한 조찬 기도회' 에서 처음 만났다. 테레사 수녀가 너무 작아서 놀란 기억이 난다. 나는 테레사 수녀가 그 추운 겨울에 양말과 샌들만 신고 있는 것을 보았다. 낙태 반대 연설을 막 끝낸 테레사 수녀는 나와 이야기를 나누고 싶어했다. 테레사 수녀는 직설적이었다. 수녀는 여성의 낙태 선택권에 대한 내 견해에 반대한다고 솔직하게 말했다. 몇 년 동안 수녀는 같은 내용이 담긴 편지와 메시지를 나한테 수십 번이나 보냈었다. 하지만 나를 훈계하거나 나무란 적은 없었다. 테레사 수녀의 설득은 언제나 사랑이 넘치고 진정이 어려 있었다. 나는 수녀의 낙태 반대론을 존중했지만, 여성과 의사들을 형법에 따라 처벌할 권한을 국가에 주는 것은 위험하다고 믿는다. 그것은 국가가 생식을 통제하는 상황으로 이어지기 쉽다. 나는 중국과 공산주의 시절의 루마니아에서 그런 국가 통제가 낳은 결과를 목격했다. 나는 산아제한에 대해서도 테레사 수녀—그리고 카톨릭교회—와 의견이 달랐다. 하지만 신앙인들은 낙태에 반대하는 의견을 자유롭게 말할 권리가 있고, 낙태하려는 여성들에게 출산을 강요하거나 낙태를 법으로 금지하지 않고 낙태 대신 입양을 선택하도록 설득할 권리가 있다고 생각한다.

테레사 수녀와 나는 낙태와 산아제한에 대해서는 끝내 의견이 일치하지 않았지만, 입양의 중요성을 비롯한 그밖의 여러 분야에서는 많은 공통점을 발견했다. 우리는 계획하지 않았거나 원치 않는 아기를 낙태하기보다는 입양하는 편이 훨씬 나은 선택이라고 확신했다. 나를 처음 만났을 때 테레사 수녀는 인도에 있는 '고아의 집'에 대해 이야기하고, 워싱턴에도 입양될 때까지 아기들을 보살펴줄 수 있는 비슷한 시설을 세울 수 있도록 도와달라고 말했다.

내가 기꺼이 돕겠다고 말하자 테레사 수녀는 지독한 로비스트의 수완을 드러냈다. 일이 조금이라도 지연되고 있다고 느끼면 일의 진척 상황을 묻는 편지를 보내왔다. 사람을 보내 압박을 가하기도 했다. 베트남이나 인도에서 전화를 걸어오기도 했다. 수녀의 메시지는 늘 똑같았다. 언제쯤이면 '고아의 집'을 갖게 될까요?

워싱턴 관료들을 움직여 엄마들이 포기한 아기들을 보살필 집을 짓는 것은 상상했던 것보다 훨씬 어려웠다. 백악관조차 주택 당국이나 복지국 관리들의 관료적 형식주의를 깨는 데 애를 먹었다. 1995년 6월, 마침내 워싱턴의 안전하고 쾌적한 동네에 아이들을 위한 '마더 테레사의 집'이 문을 열었다. 테레사 수녀는 캘커타에서 날아왔다. 나는 개원식에서 테레사 수녀를 만났다. 수녀는 행복한 어린애처럼 그 작고 힘센 손으로 내 팔을 잡고 위층으로 끌고 가서, 새로 페인트칠한 육아실과 즐비하게 놓여 있는 요람들을 둘러보았다. 테레사 수녀의 열정에는 그 누구도 저항할 수 없었다. 그때쯤 나는 이 작은 체구의 겸손한 수녀가 어떻게 많은 나라를 뜻대로 움직일 수 있었는지를 충분히 이해하고 있었다.

테레사 수녀의 영향력은 캘커타의 실내 경기장에서 수많은 나라의 대통령과 총리들이 수녀의 관 앞에 무릎을 꿇었을 때 여실히 드러났다. 나는 문득, 테레사 수녀가 하늘에서 그 장면을 내려다보면서, 어떻게 하면 장례식에 모인 저 많은 사람들이 자기 나라로 돌아가 가난한 사람들을 돕게 할 수 있을까 궁리하고 있는 모습을 상상했다.

테레사 수녀는 강력한 유산과 니르말라 수녀라는 훌륭한 후계자를 남겼다. '사랑의 선교회'에 소속된 니르말라 수녀는 오랫동안 테레사 수녀와 함께 일해왔다. 추도 예배가 끝난 뒤 니르말라 수녀는 나에게 캘커타의 고아원을 방문해달라고 요청하고 교단 본부인 '마더 하우스'의 비공식 모임에 초대했다. 내가 도착하자 니르말라 수녀는 하얀 회반죽을 바른 소박한 방으로 나를 안내했다. 방에는 전기가 들어오지 않고, 벽 앞에 몇 줄로 가지런히 놓인 예배용 촛불이 어른거리며 방을 비추고 있을 뿐이었다. 눈이 어둠에 익숙해지자 뚜껑이 닫힌 테레사 수녀의 관이 보였다. 수녀는 영원한 안식처가 될 이곳으로 돌아와 있었다. 수녀들은 관을 빙 둘러싸고 묵도를 드렸다. 이어서 니르말라 수녀가 나에게 기도를 청했다. 나는 당황했고, 이런 모임에서 내가 기도를 드리는 것은 부적절하다는 생각이 들어서 망설였다. 하지만 곧 고개를 숙이고, 작지만 힘있고 성스러운 이 여성과 알게 해준 하느님께 감사했다. 또한 우리 각자가 하느님을 사랑하고 서로 사랑하라는 테레사 수녀의 충고를 나름대로 실천하려고 애쓰는 것을 수녀가 하늘에서 지켜볼 거라고 말했다.

9월 중순, 내가 몇 년 동안 두려워해온 순간이 마침내 찾아왔다. 첼시가 스탠퍼드 대학에 입학하기 위해 캘리포니아로 떠나게 된 것이다. 나는 이 달콤씁쓸한 인생의 통과의례에 대한 불안감을 줄이기 위해 몇 주 전부터 첼시가 가져가야 할 물품 목록을 작성했다. 첼시와 나는 가정용품 전문점에 쇼핑을 다니면서 기숙사 생활에 필요하겠다 싶은 물건들을 잔뜩 사들였다.

우리는 첼시가 1997년 9월 중순에 대학에 도착하는 일이 되도록 조용히 이루어지기를 바랐다. 스탠퍼드 대학 당국은 첼시의 프라이버시가 침해되는 것을 염려하는 우리 마음을 이해하고, 첼시가 최대한 정상적인 대학 생활을 할 수 있도록 비밀검찰국과 경호 문제를 의논했다. 첼시는 24시간 보호를 받겠지만, 첼시와 대학을 위해 지나치게 드러나는 경호는 삼가기로 했다. 첼시의 경호를 맡은 젊은 경호원들은 대학생 같은 외모와 옷차림을 하고, 첼시의 기숙사와 가까운 기숙사 방에 조용히 거처를 정할 터였다. 스탠퍼드 대학은 기자들이 함부로 첼시의 기숙사 근처에 진을 치거나 첼시의 강의실을 쫓아다니지 못하도록 기자들의 캠퍼스 출입을 통제하기로 했다.

첼시와 빌과 나는 아름다운 가을날 팰러앨토에 도착했다. 우리는 첼시의 대학 입학에 대한 소감과 사진을 얻으려고 전세계에서 몰려든 기자들을 위해 우리가 캠퍼스에 간 첫날 촬영 기회를 한 번만 주기로 동의했다. 촬영이 끝나자 첼시는 기자들한테서 해방되어 스탠퍼드 대학 97학번 동기인 1,659명의 학생들과 똑같이 대학 생활에 들어갔다.

우리는 이제 첼시의 거처가 될 3층짜리 기숙사로 갔다. 첼시가 백악관을 떠나는 마지막 순간까지 쇼핑과 짐꾸리기에 열중하느라 나는 녹초가 되어 있었지만, 어머니들이 대개 그렇듯이 첼시의 기숙사 방에 들어가자마자 몸을 혹사하며 일하기 시작했다. 첼시가 다른 여학생과 함께 쓸 방은 이층 침대와 책상 두 개, 옷장 두 개가 겨우 들어갈 정도밖에 되지 않았다. 나는 첼시의 물건을 정리하면서 동분서주했다. 벽장을 정리하고, 내의와 수건을 넣어두고, 서랍의 크기에 맞추어 접착시트를 자르면서 나는 줄곧 신경질적으로 딸에게 잔소리를 했다. "청소용품은 침대 밑에 넣어두는 게 어떠냐? 세면용품은 여기 놓아두는 게 좋겠다. 책상을 그런 식으로 정리하면 안돼."

한편 빌은 대다수 아버지들과 비슷해 보였다. 아버지들은 캠퍼스에 발을 들여놓은 순간부터 최면 상태에 빠진 것처럼 동작이 느려졌다. 빌은 첼시의 짐을 직접 옮기겠다고 고집했고, 첼시와 룸메이트가 이층 침대를 분리하고 싶다고 하자 소형 렌치로 무장하고 침대에 덤벼들었다. 빌은 침대를 분리하려면 우선 거꾸로 뒤집어놓을 필요가 있다고 판단하고 일단 침대를 뒤집어놓은 다음, 창가로 가서 시무룩한 얼굴로 밖을 내다보았다. 마치 링에서 실컷 얻어맞고 머리가 멍해진 권투 선수 같았다.

나는 딸과의 이별이 코앞에 다가오자 정신없이 허둥거렸다. 이런 내 방식은 첼시를 거의 미치게 했지만, 우리만 그런 게 아니라는 말을 듣고 나는 안심했다. 신입생과 학부모를 위한 집회에서 학생회장인 블레이크 해리스는 몇 년 전 자기 어머니가 어떻게 했는지를 유쾌하게 묘사했다.

"부모님들은 최선을 다하셨습니다. 오늘밤 이곳을 떠나면 자녀가 그리우시겠지요. 그리고 자녀들도 처음 한 달 동안은 하루에 15분쯤 부모님을 그리워할 겁니다. 우리 부모님을 예로 들자면, 어머니는 제가 다니고 싶은 대학을 방문하러 가면 늘 눈물을 흘렸습니다. 스탠퍼드 대학에 도착했을 때…… 어머니는 마지막까지 어머니 노릇을 다하고 싶어서 안달을 했습니다. 어머니는 제 옷장 서랍 안쪽에 접착시트를 붙이는 것이 절대로 필요하다고 판단했습니다. 저는 어머니가 하고 싶은 대로 하게 내버려두었지요. 제 옷이 깨끗하면 서랍에 들어갈 일도 없을 거라고는 차마 말할 용기가 나지 않았습니다." 첼시와 나는 서로 얼굴을 쳐다보고는 배를 쥐고 웃어댔다. 적어도 나는 동지를 얻은 듯한 기분이었다.

늦은 오후에 드디어 모든 학부모가 떠나야 할 시간이 왔다. 해방된 학생들은 부모의 간섭을 받지 않고 물건을 정리하거나 다시 배치할 것이다. 대부분의 어머니들과 나는 쓰다 남은 접착시트를 비롯한 물건을 챙겨서 출구로 걸어가기 시작했다. 몇 주 동안 계획을 세우고 쇼핑을 하고 짐을 꾸렸다 풀기를 되풀이하고 물건을 정리하면서 우리는 이 순간에 대비하여 마음을 모질게 단련시켰다. 실제로 어느 정도까지는 아이들한테 작별인사를 하고 아이들이 새로운 생활을 시작하게 해줄 각오가 되어 있었다.

하지만 아버지들을 관찰해보니, 그들은 그런 준비가 전혀 되어 있지 않다는 것을 알 수 있었다. 떠날 시간이 되자 아버지들은 그제야 집단 최면에서 깨어난 것처럼 자식과 헤어지는 것을 갑자기 걱정하기 시작했다.

"떠날 시간이라니, 그게 무슨 소리야?" 빌이 말했다. "정말로 지금 가야 돼?" 빌은 소중한 존재를 빼앗긴 사람처럼 보였다. "저녁을 먹고 다시 오면 안돼?"

# 제3의 길

나는 1997년 말에 블레어 영국 총리 내외의 초청을 받고 총리 별장인 체커스를 방문했다. 이곳에서 영국과 미국의 정치사상가들이 작은 모임을 가졌다. 총리 내외는 놀라운 볼거리가 많은 체커스를 안내해주었다. 엘리자베스 1세의 반지. 나폴레옹이 세인트헬레나 섬에서 사용한 탁자. 크롬웰의 비밀 통로. 1500년대 중엽에 메리 그레이가 국왕의 허락도 없이 결혼한 죄로 2년 동안 갇혀 있었던 방. 영국 총리는 웅장한 16세기 저택에서 이런 역사의 유물들과 함께 살고 있었다.

토니 블레어는 반년 전에 사회적 · 경제적 이슈에 대한 노동당의 전통적 강령을 새롭게 손질한 진보적 강령을 내세워 총리로 선출되었다. 총리가 된 뒤 그는 영국과 유럽이 세계화와 경제적 · 정치적 안정이라는 어려운 문제에 직면해 있을 때 빌이 노동당과 그에게 다른 방향을 모색해보라는 영감을 주었다고 말했다.

블레어는 빌과 내가 몇 년 동안 생각해온 것과 같은 문제에 초점을 맞추고 있었다. 나는 그가 아직 노동당 당수일 때 이 정치적 공통점을 처음 발견했다. 미국과 영국의 정치에 대해 많은 글을 쓴 미국 언론인이자 작가인 시드 블루멘털은 우리와 블레어 내외가 만나야 한다고 주장했다. 시드는 오랫동안 우리 친구였고, 나는 그의 정치적 분석과 날카로운 재치를 높이 평가했다. 시드는 1997년에 백악관에서 일하기 시작했고, 노련한 조직가이자 주창자인 그의 아내 재키는 1996년부터 정부에서 일했다.

"당신과 블레어 내외는 정치적인 '마음의 벗' 입니다." 시드는 나에게 말했다. "블레어 내외를 만나셔야 합니다."

1996년에 시드와 재키는 자택에서 토니를 위해 리셉션을 베풀고 나를 초대했다. 우리는 전채가 놓여 있는 식탁에서 30분 동안 양국의 정치와 공공 정책에 대한 대화를 나누었다. 나는 당장 그에게 연대감을 느꼈다. 블레어도 역시 세계 정보화 시대에 경제성장과 개인의 권리와 사회정의를 증진할 수 있는 길을 찾기 위해 전통적인 자유주의적 수사와 전제와 입장을 대신할 대안을 모색하고 있었다.

그것을 어떤 식으로—신민주당, 신노동당, 제3의 길, 새로운 중심—부르든 간에, 토니 블레어와 빌 클린턴은 분명 공통된 정치적 비전을 갖고 있었다. 하지만 각자가 직면해 있는 문제는, 미국에서는 레이건주의를 낳고 영국에서는 대처주의를 낳은 1970년대와 1980년대를 거치면서 기력을 잃어버린 진보주의 운동을 어떻게 하면 활성화할 수 있느냐 하는 것이었다.

1964년 대통령 선거에서 공화당의 배리 골드워터 상원의원이 린든 존슨에게 완패당한 뒤, 미국 공화당은 보수주의에 유리한 여론을 만들어 내는 명수가 되었다. 당의 참패에 충격을 받은 공화당의 몇몇 억만장자들은 보수적인 우익 정치철학의 씨를 뿌리고 그 철학을 더욱 발전시킬 수 있는 구체적인 정책을 개발하고 추진하는 전략에 착수했다. 그들은 '싱크 탱크' 에 돈을 대고, 석좌교수 기금과 연구 기금을 기부하고, 사상과 의견을 널리 알릴 수 있는 언론 채널을 개발했다. 1980년에 그들은 이미 '전국보수정치행동위원회(NCPAC)'를 통해 정치 광고 캠페인에 자금을 지원하기 시작했다. 대중 매체를 네거티브 캠페인의 수단으로 이용한 최초의 정치 조직인 NCPAC는 각 가정으로 보내는 우편물과 텔레비전 광고를 통해 상대방의 이력과 입장을 더욱 거칠게 공격하고 민주당 후보들을 사적으로 무자비하게 추적하여, 중앙선거와 지방선거에서 일반적으로 인정되고 있던 금기를 깨버렸다. 이것이 겉으로는 전혀 다른 얼굴—쾌활하고 자신만만한 로널드 레이건—을 내세워 집권에 성공한 공화당 우익의 검은 뱃속이었다. 레이건은 1980년대에 두 번 대통령직을 차지했고, 공화당은 국회에서 다수 의석을 얻었다.

나는 빌의 1980년 주지사 재선 운동 때 처음으로 네거티브 광고를 가까이에서 보았지만, 그 효과에는 회의적이었다. 그런데 내가 틀렸다. 누구나 입으로는 네거티브 캠페인을 혐오한다고 말하지만 실제로는 더없이 효과적인 것으로 밝혀졌기 때문에 결국 민주당도 그 전략을 채택하게 되었다. 하지만 공화당과 그 동맹 세력인 이익집단들은 민주당보다 더욱 효과적으로 네거티브 전략을 이용하고 있다. 대부분의 후보들은 상대의 네거티브 전략에 똑같은 전략으로 반격할 수밖에 없다고 믿지만, 네거티브 광고의 왜곡과 기만은 후보자에 대한 신뢰만이 아니라 정치제도 자체에 대한 신뢰마저 무너뜨렸다.

미국과 영국은 정치체제가 다르고 선거운동 방식도 다르지만, 일반 대중을 상대로 좀더 진보적인 사상을 설득하려고 애쓰는 것은 블레어 내외도 우리와 마찬가지였다. 빌이 선거에서 승리한 것은 정치적 수완 때문이기도 하지만, 민주당이 얼마나 진부해졌는지를 깨닫고 그 해결책을 제시했기 때문이기도 했다. 민주당은 대공황과 제2차 세계대전, 냉전과 민권운동 시대에 미국을 이끌었다. 이제 민주당 지도자들은 그동안 우리에게 중요했던 핵심 가치를 21세기 초에 우리가 직면해 있는 세계 안보 문제와 미국에서 변화하고 있는 노동 유형과 가족 형태에 대한 현대적 해결책으로 전환할 수 있는 방법을 다시 생각할 필요가 있었다. 빌은 '뇌사 상태에 빠진 과거의 정치' —우익과 좌익, 자유주의와 보수주의, 기업과 노동자, 성장과 환경, 친정부와 반정부의 대립—를 넘어 '역동적인 중심' 으로 민주당을 이끌어가려고 애썼다. 빌은 특히 '민주당지도자회의' 와 그 창설자 겸 리더인 앨 프롬과 협력하여, 1980년대에 민주당원으로는 처음으로 민주당의 새로운 철학을 제시하고 정부의 기능에 대한 근대적 통찰을 민주당의 구심점으로 삼았다. 빌과 앨 프롬은 경제적 기회, 개인의 책임, 공동체에 대한 참여 의식을 증진하기 위해 민간 부문 및 시민들과 협력해야 한다고 주장했다.

대서양 건너편에서는 블레어가 노동당을 개혁하기 위해 그와 비슷한 주제를 말하고 있었다. 1980년대 말에 런던에 갔을 때 텔레비전으로 중계된 노동당의 연례 전당대회를 본 기억이 난다. 나는 대부분의 연사들이 서로 '동지' 라고 부르는 데 깊은 인상을 받았다. 그것은 이미 평판을 잃은 과거로 역행하는 시대착오적 표현이었다. 영국에서는 거의 20년 동안 보수당 지배가 계속된 뒤, 1990년대에 블레어가 정력적이고 카리스마적인 노동당의 새 얼굴로 등장했다. 1997년 5월 선거에서 총리로 선출된 블레어는 빌에게 공식 방문을 요청했고, 런던에서 만난 우리는 끊임없이 대화를 나누었다.

둘 다 변호사인 토니와 셰리 블레어 내외는 런던의 한 법조학원(영국에서 변호사 자격을 얻기 원하는 사람에게 필요한 교육을 실시하고 소정의 시험을 치게 하여 그 자격을 부여하는 독점적 특권을 가진 법조 단체—옮긴이)에서 사무관으로 일할 때 처음 만났다. 남편이 총리가 된 1997년에 세 아이의 어머니였던 셰리는 변호사 일을 계속하면서 어려운 형사사건을 담당했을 뿐만 아니라, 유럽 인권재판소에서 의뢰인을 대리하기도 했다. 1995년에 셰리는 '칙선 변호사' (Queen's Counsel: 법정 변호사 중에서 국왕의 변호사로 임명된 상급 변호사. 뛰어난 실적을 올린 변호사에게 주는 명예 칭호다—옮긴이)에 임명되었고—이것은 대단한 명예였다—이따금 판사로 일하기도 했다. 나는 셰리가 정부와 맞서야 하는 사건까지 맡으면서 자신의 직업을 계속 추구하는 데 감탄했다. 셰리는 고용 소송 전문이었고, 의뢰인 중에는 저명인사나 논란거리가 될 만한 인물도 있었다. 1998년에 셰리는 국영철도회사에 고용된 한 동성애자가 비동성애자 동료들과 동등한 권리를 달라고 주장하면서 소송을 제기했을 때 변호인으로 그를 대리했다. 미국의 퍼스트 레이디가 비슷한 상황에서 미국 정부를 상대로 소송을 제기하는 것은 상상도 할 수 없는 일이다!

셰리는 신임 총리의 아내로서 갑자기 쏟아진 공적 요구와 책임에 직면하게 되었지만, 셰리를 도와주는 직원은 일정과 통신 업무를 처리하는 파트타임 보좌역 두 명뿐이었다. 영국 총리 부인의 역할은 대통령 부인보다 덜 상징적이다. 그런 상징적인 역할은 대부분 여왕이 맡고 있기 때문이다. 나를 만났을 때 셰리는 자신의 책임을 감당하는 방법에 대해 논의하고 싶어했다. 나는 본래의 모습대로 자연스럽게 행동하라고 권했다. 내 경험으로 보아 이것은 여간 어려운 일이 아니었다. 나는 또한 자녀들이 타블로이드판 신문의 조명을 받지 않도록 기자들한테서 최대한 멀리 떼어놓으라고 말했다. 셰리는 선거 이튿날 새벽에 벌써 기자들의 포화 세례를 받은 경험이 있었다. 아침에 꽃배달을 받으려고 현관문을 열었다가 잠옷 차림으로 사진이 찍힌 것이다.

셰리와 토니, 빌과 나는 템스 강변의 런던 탑 근처에 있는 레스토랑에서 만나 오랫동안 저녁식사를 했는데, 식사가 끝날 때까지 한번도 대화가 막히지 않았다. 우리는 교육과 복지의 문제점에 대한 생각을 교환했고, 대중을 설득하는 언론의 영향력을 함께 걱정했다. 저녁식사를 하는 동안 우리는 공통된 생각과 전략을 검토하기 위해 보좌관 토론회를 시작하기로 합의했다.

그런데 양국 관리들이 반대하는 바람에 첫 회의를 준비하는 데 몇 달이 걸렸다. 미국의 국가안보회의와 영국 외무부는 미국과 영국만 회의를 가지면 다른 우방국에 불쾌감을 줄 수 있다고 걱정했다. 나는 이른바 양국의 특별한 관계가 그렇게 중요한 의미를 갖는다면 비공식적인 양국간 회의가 다른 동맹국들의 기분을 해칠 리가 없다고 반박했다. 빌과 나는 미국과 영국이 서로에게 무언가를 배울 수 있고 건설적인 정치 환경을 조성할 수 있다는 것을 알았기 때문에 끝까지 버텼다. 하지만 몇 가지는 양보했다. 양국간 회의에 쏠리는 관심을 줄이기 위해, 토니 블레어가 체커스에서 열고 싶어하는 첫 회의에는 빌이 참석하지 않기로 한 것이다. 우리는 또한 세계화 시대인 지금은 국내 정책이 국제적인 중요성을 갖는다는 점을 인정하여, 양국간 회의에 외교 정책을 포함시키지 않고 국내 문제에 초점을 맞추기로 결정했다.

미국 대표의 최종 명단에는 멜라니와 앨 프롬, 당시에는 대통령 보좌관이 되어 있었던 시드 블루멘털, 주택도시개발부 장관인 앤드루 쿠오모, 당시 재무차관이었던 래리 서머스, 예산국장인 프랭크 레인스, 연설문 작성자 겸 컨설턴트인 돈 비어, 하버드 대학 케네디 행정대학원 교수인 조지프 나이가 포함되어 있었다. 토니 블레어는 런던 정경대학 학장인 앤서니 기든스와 고든 브라운 재무장관, 피터 맨들슨 무임소장관, 상원의 원내 부총무인 마거릿 제이, 정책국장인 데이비드 밀리번드를 초대했다.

나는 10월 30일 워싱턴을 떠나, 우선 아일랜드의 더블린과 벨파스트에 들렀다. 아일랜드 신임 총리인 버티 에이헌은 더블린 성의 성 패트릭 홀에서 대규모 리셉션을 베풀었다. 박식하고 온화한 성품의 에이헌은 유능한 총리이자 평화협상의 강력한 지지자의 면모를 드러내고 있었다. 그는 오랫동안 아내와 별거하면서 셀리아 라킨이라는 아름답고 활기찬 여성과 내연의 관계를 유지하고 있었다. 그들의 관계는 누구나 알고 있지만 공개적으로는 인정하지 않는 이른바 공공연한 비밀이었다. 버티는 내 방문을 계기로 셀리아를 대중에 공개하기로 결정했다. 내가 군중에게 연설하기 위해 진 케네디 스미스 미국 대사와 함께 연단 위로 올라가자 버티와 셀리아가 함께 계단을 올라왔다. 아일랜드 기자들은 깜짝 놀랐다. 버티와 내가 연설을 마치자마자 기자들은 전화기와 컴퓨터로 달려갔다. 『아일랜드 타임스』의 미국 특파원으로 워싱턴에서 활동하다가 내 여행을 동행 취재하기 위해 아일랜드로 날아온 수잔 개리티는 한 기자가 전화에 대고 "세상에 이럴 수가! 버티가 애인을 퍼스트 레이디와 함께 연단에 올려놓았어. 믿을 수 있겠어?" 하고 소리지르는 것을 들었다고 나중에 나한테 말해주었다. 하지만 에이헌은 2002년 선거에서 재선되었으니까 이 경천동지할 소식은 그의 정치적 운명에 전혀 영향을 주지 않았고, 나중에 내가 좋아하는 아일랜드인들—세이머스 히니와 마리 히니, 『안젤라의 유해』를 쓴 프랭크 매코트—과 함께 참석한 비공식 만찬에서도 그 일은 조금도 화젯거리가 되지 않았다.

이튿날 아침에 나는 벨파스트로 날아가 얼스터 대학에서 제1회 조이스 매카턴 추모 강연을 했다. 평화를 이루려는 조이스의 헌신적인 노력을 회고하고, 북아일랜드 사태가 지속되는 동안 개인의 상실을 딛고 일어나 서로 다른 관습간의 상호 이해를 높이는 데 이바지하고 이제 평화협상에서 중요한 역할을 맡고 있는 조이스 같은 여성들의 노력을 인정했다. 나는 특히 빌이 협상 진행자로 임명한 조지 미첼 전 상원의원의 주재로 열리고 있는 평화회담에 '여성연합' 대표로 참여한 모니카 맥윌리엄스와 펄 세이거를 높이 평가했다.

이 여행에서 나는 새로 지은 '워터프런트 홀'에서 열린 젊은이들의 원탁회의를 직접 보고, 카톨릭교도와 개신교도 사이에 진행되고 있는 접촉의 중요성을 피부로 느꼈다. '워터프런트 홀'은 미래에 대한 벨파스트의 낙관론에 바쳐진 기념물이었다. 이런 회의는 평화협상을 뒷받침해주었고, 다른 상황에서라면 만나지도 않았을 학생들을 화해시켰다. 그들은 서로 격리된 동네에 살았고, 종파에 따라 엄격하게 구분된 학교에 다녔다. 나는 한 젊은이에게 지속적인 평화를 확립하려면 무엇이 필요하다고 생각하느냐고 물어보았다. 그 젊은이는 이렇게 대답했다. "미국 학생들처럼 우리도 같은 학교에 다닐 필요가 있습니다." 나는 이 대답을 오랫동안 잊지 못할 것이다.

내가 공교육 수준을 높이고 책임을 강화하는 공립학교 개선 방안을 지지하고 '바우처 계획'으로 공립학교를 약화시키는 데 반대하는 이유 중의 하나는 공립학교가 모든 인종과 종교와 배경을 가진 아이들을 통합해주기 때문이다. 공립학교는 미국의 다원적 민주주의를 형성하고 지탱해주었다. 우리 사회가 더욱 다양해질수록, 아이들이 함께 공부하면서 공통된 인간성을 확인하는 동시에 차이를 용인하고 존중하는 법을 배우는 것이 더욱 중요해질 것이다.

벨파스트 회의에는 토니 블레어의 내각에서 북아일랜드 담당 장관을 맡고 있는 마저리 몰램도 참석했다. 마저리는 최근에 뇌종양으로 치료를 받아서 몸이 쇠약해져 있었고 머리카락도 다 빠져버렸다. 그래서 가발을 쓰고 있었는데, 나중에 나한테 가발을 벗어도 되겠느냐고 물었다. 알고 보니 그녀는 공식 회의에서도 가발을 벗고 금발이 듬성듬성 남아 있는 대머리를 드러낸다는 것이었다. 나는 그녀가 가발을 벗는 것이 평화협상에서 아무것도 감출 게 없다는 것을 교묘하게 암시하는 방법인지, 아니면 그렇게 교묘하지는 않지만 자기가 겉모양보다는 알맹이에 더 관심이 많다는 것을 일깨우기 위한 방법인지 궁금했다. 마저리는 유쾌한 새 친구가 되었다.

나는 벨파스트에서 런던으로 날아간 다음, 차를 타고 북쪽으로 60킬로미터쯤 떨어진 버킹엄셔 주로 갔다. 체커스는 완만한 기복을 이룬 넓은 부지에 자리잡은 대저택이다. 거대한 현관은 붉은 벽돌로 지은 영주의 저택 입구를 나타낸다. 이곳이 영국 정부에 기증된 뒤, 1921년부터 총리의 주말 별장으로 이용되었다. 토니 블레어는 청바지 차림으로 그의 트레이드마크인 소년 같은 웃음을 지으며 현관에서 나를 맞이했다.

그날 저녁 블레어 내외와 멜라니와 나는 오붓한 저녁식사를 즐기고, 거대한 벽난로 앞에 앉아서 밤늦게까지 광범위한 주제에 대해 이야기했다. 옐친 대통령과 그의 측근들, 이란과 이라크 문제에 관한 프랑스의 배신, 미국의 보스니아 개입도 화제에 올랐다. 우리는 토니가 '휴대전화 피로' 라고 부른 것에 대해서도 이야기를 나누었다. 요즘에는 '휴대전화 피로' 가 사회 생활에 으레 따라다니는 것처럼 여겨진다. 종교적 믿음과 공적 임무의 관계도 화제가 되었다. 우리의 정치적 신념은 종교적 믿음에 뿌리를 두고 있었고, 신앙은 우리가 사회 활동에 헌신하는 데 영향을 주었다. 나는 감리교회에서 견진성사를 받았을 때 가슴 깊이 받아들인 존 웨슬리의 말—"가능한 모든 방법으로 날마다 네가 할 수 있는 모든 선을 행하라"—에 대해 이야기했고, 신학자들이 '의무 다하기와 은총 받기' 라고 부른 것에 대해서도 이야기했다.

이튿날 아침, 회의에 참석할 인사들이 속속 도착했다. 우리는 2층 거실에서 커피를 마시면서, 가정이 자녀 양육이라는 기본적인 기능을 다할 수 있도록 지원하는 정책과 교육 및 고용 정책을 논의했다. 토론이 끝난 뒤 우리는 지평선까지 뻗어 있는 듯이 보이는 싱그러운 초원을 바라보며 정원을 거닐었다. 영국은 늦가을에는 우중충하고 비가 내리는 날이 많은데, 이날은 하늘이 새파랗고 해가 눈부시게 빛나 주위 풍경을 선명한 색깔로 채색했다. 나는 푸른 잔디밭과 장미 덤불 너머를 바라보면서, 체커스가 경비를 받고 있고 안전하기는 하지만 눈에 띄는 울타리가 전혀 없다는 것을 알아차렸다. 울타리만이 아니라 그곳이 격리된 정부 시설임을 보여주는 것도 하나 없었다.

저녁을 먹을 때 나는 '제3의 길' 에 대해 많은 글을 쓴 훌륭한 학자인 앤서니 기든스 옆에 앉았다. 기든스는 유혈로 점철된 20세기 역사가 씌어지면 과학기술의 놀라운 발전이나 서구 민주주의의 성공적인 방어와 확산 못지않게 여성의 지위 향상이 중요한 역사적 변화로 기록될 거라고 말했다.

시드와 나는 미국으로 돌아오자마자 빌에게 회의 결과를 보고하고 '제3의 길' 토론회를 계속하는 것이 좋겠다고 권했다. 빌은 우리의 권유를 받아들여 1998년에 블레어 내외가 미국을 공식 방문했을 때 백악관의 '블루 룸'에서 '제3의 길' 토론회를 주최했고, 1998년 9월에는 뉴욕대학에서 이탈리아의 로마노 프로디 대통령과 스웨덴의 고란 페르손 총리를 비롯하여 마음이 통하는 다른 지도자들을 포함한 후속 회의를 열었다. 또한 1999년 11월에는 이탈리아 피렌체에서 독일의 게르하르트 슈뢰더 총리와 이탈리아의 마시모 달레마 총리, 브라질의 페르난두 엔리케 카르도수 대통령을 포함한 회의를 열었다.

이 '제3의 길' 회의는 미국 정부가 미국의 전통적 우방들과 협력하는 새로운 방식을 도입했다. 우리에게 이탈리아보다 더 좋은 우방은 별로 없었다. 빌이 주지사로 재직하던 1987년에 우리는 다른 주지사들과 함께 이탈리아의 토스카나와 베네치아를 방문했는데, 그후 나는 이탈리아를 다시 방문할 구실을 열심히 찾았다. 1994년에 우리는 실비오 베를루스코니 이탈리아 총리가 주최한 G-7 정상회담에 참석하기 위해 나폴리에 갔다. 나는 나폴리의 예술과 문화를 탐방하고 폼페이와 라벨로와 아말피 해안을 방문하고 싶다는 평생 소원을 이루었다. 그곳에서 빈둥거리며 시간을 보낼 수 있다면, 적어도 그곳을 다시 방문할 수 있다면 얼마나 좋을까 하는 생각이 들었다. 로마를 국빈 방문했을 때도 나는 모든 순간을 즐겼다. 지금은 뉴욕대 총장이지만 당시에는 뉴욕대 법대 학장이던 존 섹스턴의 지휘 아래 뉴욕대가 공동 주최하는 '제3의 길' 회의 장소가

피렌체로 선정되었을 때 나는 뛸 듯이 기뻤다. 이런 방문을 통해서 나는 이탈리아의 역대 총리들—베를루스코니, 프로디, 달레마, 카를로 참피—을 만날 기회를 얻었다. 이들은 모두 미국의 좋은 동맹자였고, 특히 보스니아와 코소보와 NATO 확대 문제에서 미국을 강력히 지지해주었다.

시칠리아 섬의 팔레르모에서 나는 '활력의 목소리' 의 지도자 훈련 프로그램에 참석하여 복원된 오페라하우스에서 열린 회의에서 연설을 했다. 회의를 후원한 레올루카 오를란도 팔레르모 시장은 문화가 생활과 사회를 변화시키는 힘을 갖고 있다고 믿었다. 오를란도는 팔레르모를 마피아의 손아귀에서 되찾으려는 대중 운동을 이끌었다. 그는 시민의 책임과 관심의 가치를 아이들에게 심어주기 위해, 초등학교 학생들이 자기가 보살필 기념물을 '입양' 하는 운동을 벌였다. 그는 공포의 지배 아래 살고 있는 사람들을 해방시키는 데 도움을 얻기 위해 성직자와 주요 기업인들과 자주 대화를 나누었다. 공직자들을 냉혹하게 암살하는 사건이 잇따른 뒤, 마침내 팔레르모 여성들이 더는 참지 못하고 행동에 나섰다. 그들은 굵은 대문자로 'BASTA(이제 그만)' 라고 쓴 침대 시트를 창문에 내걸었다. 대중 시위와 함께 이 집단적인 힘의 과시는 마피아와 시칠리아의 오랜 투쟁의 형세를 바꾸어놓았다.

사람들이 공포와 폭력에서 벗어나 한숨 돌리게 해준 오를란도의 창조적 행정은 '제3의 길' 의 문제 해결 방식을 보여주는 살아 있는 본보기였다. 삶의 질을 향상시키기 위해 많은 사람의 생각을 개방적으로 받아들이는 것은 훌륭한 지도자의 특징이지만, 때로는 지도자도 격려를 받을 필요가 있다. 특히 새로 민주주의를 받아들인 나라에서 평등과 자치라는 원칙을 처음으로 실행하려고 애쓰는 지도자라면 더욱 그렇다. 미국 정부는 고위급 인사의 방문이 신생 민주주의 국가와 긴밀한 외교 관계를 맺는 데 매우 중요하다고 생각했다. 내가 카자흐스탄 · 키르기스스탄 · 우즈베키스탄 · 우크라이나 · 러시아로 떠나는 비행기에 앉아 있게 된 것은 그런 사정 때문이다. 이 나라들은 내가 이제껏 방문한 어느 곳보다도 멀리 떨어져 있었지만, 우선 그곳에 도착하는 게 문제였다. 이것은 예상했던 것보다 훨씬 신경을 소모시키는 일이었다.

이번에도 나는 켈리와 멜라니를 동반했고, 공보 비서실 차장인 캐런 피니도 나를 수행하게 되었다. 캐런은 키가 크고 유머 감각이 뛰어난 젊은 여성이었다. 11월 9일 일요일 밤, 우리는 과거에 '에어포스 원'으로 쓰였던 보잉 707기를 타고 앤드루스 공군기지를 떠났다. 이륙한 지 10분쯤 지나 내가 첫 기착지인 카자흐스탄에 대한 자료집을 읽기 시작했을 때 한 승무원이 다가와서 엔진 하나에 문제가 생겼기 때문에 앤드루스로 돌아가야 한다고 말했다. 나는 별로 걱정하지 않았다. 그만한 크기의 비행기는 네 개의 엔진 가운데 세 개만으로도 쉽게 날 수 있다는 것을 알고 있었기 때문이다. 게다가 나는 세계 최고인 미국 공군 조종사들을 전적으로 믿고 있었다. 나는 다시 자료집을 읽기 시작했다.

우리가 엔진 세 개만 작동하는 상태로 앤드루스 공군기지에 순조롭게 착륙하자, 당장에 소방차들이 불빛을 번쩍거리며 달려왔다. 엔지니어들이 조사하는 동안 나는 빌에게 전화를 걸어 출발이 지연된 사정을 이야기했다. 그래도 나는 엔진 수리가 끝나면 다시 이륙할 수 있으리라고 생각했다.

몇 시간 뒤에야 마침내 내일 오후까지는 떠날 수 없다는 통보를 받고 우리는 한밤중에 집으로 돌아갔다. 백악관에 도착해보니 빌이 첼시와 전화로 이야기하고 있었다. 첼시는 기숙사에서 CNN의 '긴급 속보'—"퍼스트 레이디가 탄 비행기 회항…… 연료를 쏟아버리고…… 탑승자 모두 안전"—를 보았다고 말했다. 어머니도 내 목소리를 듣고 싶어서 전화를 걸어왔다. 다른 친구들은 『워싱턴 포스트』의 주먹만한 표제— '퍼스트 레이디가 탄 제트기 비행 중지, 중앙아시아 순방 지연'—를 보고 전화를 걸어왔다. 마치 내가 비행기에서 탈출하여 낙하산을 타고 내려오기라도

한 듯한 소동이었다.

이튿날 수리가 끝나자 우리는 다시 출발했다. 몸이 약한 사람에게 적합한 여행은 아니었다. 우리는 불빛도 없고 포장도 되지 않은 활주로에 착륙했고, 삽을 든 사람들이 우리 비행기에서 얼음을 제거하려고 애쓰는 것을 지켜보았고, 가는 곳마다 밤이건 낮이건 수많은 보드카를 마셔보라는 요구를 받았다. 나는 백악관에서 지내는 동안 많은 여행을 했지만, 그렇게 먼 옛날의 추억을 불러일으키는 이국적인 여행은 별로 없었다. 산이 많고 황량하면서도 으스스한 아름다움을 지닌 이른바 '-스탄' 들은 옛날 마르코 폴로가 여행한 실크로드의 거점이었다. 카자흐족과 키르기스족과 우즈베크족은 대부분 칭기즈칸과 쿠빌라이의 군대인 '황금 군단' 의 후예들이었다. 이들 가운데 일부는 아직도 전통적인 고유 의상을 입고 있었다. 옛 소련이 붕괴한 뒤, 이들은 나라와 경제가 21세기에 걸맞게 번영할 수 있도록 현대판 실크로드를 만들려 애쓰고 있었다. 소련 시대에 러시아화되기는 했지만, 각 나라는 뚜렷한 민족적 특징과 놀랄 만큼 다양한 인구 집단을 유지하고 있었다.

카자흐스탄은 석유와 천연가스가 풍부한 나라로서, 공적 부문과 민간 부문의 부패가 국가 수입을 빨아들이지만 않는다면 국민의 생활 수준을 향상시킬 수 있는 잠재력을 지닌 나라다. 나는 미국의 대외 원조로 운영되는 여성 보건소를 방문했다. 공산주의 치하에서는 피임기구를 구할 수 없어서 낙태가 보편적인 가족계획 방식이 되었다. 클린턴 행정부의 정책은 낙태를 '안전하고 합법적이고 드물게' 만드는 것이었다. 우리는 가족계획을 돕고 모성 건강을 증진시켜 낙태를 단념시키고 성병 확산을 최소화하려고 애썼다. 이 정책은 레이건 대통령이 강요했고 부시 대통령이 계승한 세계적인 함구령과는 모순되는 것이었다. 빌은 대통령에 취임한 이튿날 이 함구령을 철회했다(나중에 조지 W. 부시가 원상태로 돌려놓았다). 미국 원조의 재개는 결실을 맺기 시작하고 있었다. '알마티 보건소'의 의사들은 낙태율과 모성 사망률이 둘 다 내려가고 있다고 말했다. 이는 우리의 실제적인 정책이 피임을 반대하는 공화당의 감정적인 접근방식보다 낙태를 줄이는 데 훨씬 효과적이라는 또 하나의 증거였다.

나는 카자흐스탄 남동쪽에 붙어 있는 산악 국가인 키르기스스탄이 의약품을 필요로 한다는 것을 알고 있었다. 나는 옛 소련의 신생 독립국들에 대한 원조를 담당하는 대통령 특별보좌관 리처드 모닝스타와 협력하여 인도주의적인 차원에서 200만 달러 상당의 의약품과 의료기구와 의류를 가져가기로 했다.

우즈베키스탄의 수도인 타슈켄트에 도착하자 나는 곧바로 이슬람 카리모프 대통령을 만나러 갔다. 일찍이 소련 공산당원이었던 카리모프 대통령은 권위주의적인 독재자로 평판이 나 있었지만, 만나보니 내 남편에게 매혹되어 있었다. 그는 빌이 어떻게 대통령의 권위를 잃지 않고 국민과 접촉을 유지하느냐고 물었다. 다른 신생 독립국의 대통령들과 마찬가지로 카리모프도 민주주의를 경험해보지 못했다. 그런 지도자들이 민주주의의 이론과 실제를 떠받치는 공식 · 비공식 '기질'을 배울 수 있는 체계적인 교과 과정은 존재하지 않았다.

그리고 중앙아시아 전역에 사는 이슬람교도들의 가슴과 마음을 얻기 위한 싸움이 진행되고 있었다. 카리모프는 이슬람 근본주의자들을 탄압한다는 이유로 서양의 비판을 받았지만, 그는 이슬람 근본주의자들을 정치 선동자로 생각했다. 그는 다른 사람들에게는 기꺼이 종교적 관용을 베풀었다. 나는 옛 실크로드의 대상로 연변에 있는 고대 시장 도시인 부하라에서 새로 문을 연 유대교회당을 방문했을 때 그것을 알았다. 나는 옆길에서도 조금 들어간 뒷골목에 자리잡은 유대교회당에서 산부인과 의사인 유대교 라비를 만났다. 그는 서기 70년에 예루살렘 성전이 파괴된 뒤 이곳까지 흘러와 한때 번성했던 유대인 사회가 몽골 지배와 소련 지배를 견뎌내고 이제 카리모프 정부의 관용과 보호를 누리고 있다고 설명했다.

사마르칸트의 레기스탄 광장에서 카리모프는 유서 깊은 이슬람 학교인 '시르 도르 마드라사'가 다시 학생들을 받아들여 이슬람교에 대한 전통적인 해석을 가르칠 예정이라고 자랑스럽게 말했다. 일부 아랍 국가에서 도입한 근본주의적 해석은 일부 우즈베크인을 호전적인 급진주의자로 만들었지만, 중앙아시아에 뿌리를 내린 전통적 해석은 그와는 전혀 다르다는 것이었다. 카리모프는 근본주의 세력이 자신의 정부를 약체화시켜 당시 이웃나라 아프가니스탄을 다스리고 있던 탈레반과 비슷한 이슬람 국가를 세우고 싶어한다고 설명했다. 그는 종교 활동을 장려했지만, 외국의 지원을 받는 정치 집단이 종교적 주장으로 위장하여 정부에 반대하는 것은 용납하지 않겠다고 말했다.

나는 미국인으로서 시르 도르 마드라사를 둘러보면서 모순되는 감정을 느꼈다. 이 종교 학교는 오랫동안 소련의 탄압을 받다가 이제 다시 문을 열어 번창하고 있었지만, 소녀들은 교육받을 기회가 없고, 또한 다른 곳의 마드라사들이 급진적인 근본주의를 수출하는 거점이 되었다는 사실 때문에 걱정이 되었다. 2001년 9월 11일 테러 이후 며칠 동안 나는 시르 도르 마드라사와 그밖에 내가 본 마드라사들을 머리에 떠올렸다. 마드라사라는 말은 미국에서는 이제 극단주의자와 잠재적 테러리스트를 양성하는 세뇌 교육 캠프를 연상시킨다.

개발도상국에서 소년과 소녀를 위한 교육시설은 최우선 사항이 되어야 하고, 마드라사가 이슬람 세계에서 맡고 있는 역할을 이해하는 것은 대단히 중요하다. 공립학교가 대부분 비싼 수업료를 받는 파키스탄 같은 나라에서 자녀를 가르치고 싶지만 형편이 안되는 부모들에게는 마드라사가 유일한 선택일 수 있다. 비록 마드라사의 교육이 아랍어로 코란을 암기하는 데 국한된다 해도, 전혀 배우지 않는 것보다는 낫다. 아시아의 새로운 근본주의는 아랍이 주도하는 운동과 마드라사에서 그 근원을 찾을 수 있다. 이 외국의 영향을 두려워하는 카리모프는 과거에 중앙아시아의 특징이었던 종교적 관용을 가르치려 애쓰고 있었다. 그런 나라들이 비급진적인 공립학교를 세울 수 있도록 미국이 더 많은 원조를 제공하면 장차 테러 행위와 충돌을 피할 수 있다는 점에서 오히려 돈을 절약할 수 있고, 귀중한 생명도 구할 수 있을 것이다.

우리가 방문했다는 소문은 사마르칸트 전역에 퍼진 것이 분명했다. 카리모프와 내가 미국국제개발청(USAID)의 후원으로 현지 여성들이 만든 수공예품을 수출하는 곳을 방문하고 나오자 밖에 엄청난 군중이 모여 있고, 언제 어디에나 존재하는 경찰관들이 인간띠를 만들어 사람들의 접근을 막고 있었다. 나는 카리모프에게 말했다. "내 남편이 여기 있었다면 길을 건너가서 저 사람들과 악수를 할 거예요."

"그래요?"

"예. 민주주의에서는 국민이 곧 상전이니까요. 그이는 단순히 우호적이라서가 아니라 자기가 누구를 위해 일하고 있는지 알기 때문에 차단선을 넘어갈 거예요."

"좋아요. 그럼 갑시다."

카리모프는 군중에게 다가가서 손을 내밀었다. 참모들과 경찰과 군중이 모두 깜짝 놀랐지만, 일부 열성적인 우즈베크인은 그가 내민 손을 꽉 움켜잡았다.

나는 미국으로 돌아와서 중요한 입법상의 승리를 축하했다. 11월 19일 '입양 및 안전한 가족법'이 제정된 것이다. 입양과 위탁제도를 개혁하는 것은 내가 예일대 법대에 다닐 때 임시로 맡았던 아이를 입양하고 싶어하는 위탁모를 대리했을 때부터 중요한 관심사였다.

빌의 첫번째 임기 때 나는 패스트푸드 체인점인 '웬디스'의 창업자이자 골수 공화당원인 데이브 토머스와 그밖에 입양제도 개혁에 앞장선 단체 및 재단 지도자들과 협력했다. 입양아 출신인 데이브는 위탁제도를 합리화하는 데 상당한 정력과 재산을 쏟아부었다. 당시 50만 명의 미국 어린이가 위탁 부모의 보호를 받는 어중간한 상태에 묶여 있었다. 그 가운데 10만 명은 집으로 돌아갈 수 없는 형편이었지만, 보통 가정에 입양되는 어린이는 매년 2만 명에 불과했다. 나는 새 법률을 제정하여 그 과정을 촉진하고, 아이를 맡아서 돌보는 위탁 가정이 아이를 입양하는 것을 막는 자의적인 장벽을 제거하고 싶었다.

캔자스 출신의 10대 소녀인 디애나 모핀은 집에서 학대를 받다가 다섯 살 때 위탁모의 보호를 받게 되었다. 1995년에 백악관에서 열린 '전국 입양의 달' 기념식에 연사로 참석한 디애나는 수줍고 불안해 보였지만, 자신과 같은 위탁모의 보호를 받고 있는 아홉 명의 아이들과 한지붕 밑에서 사는 생활이 어떤지를 자세히 설명해주었다. 디애나는 '수양 부모'와 두 명의 사회복지사가 허락하지 않으면 영화도 보러 가지 못하고 교복도 살 수 없다고 말했다. 다음에 다시 만났을 때 디애나는 좋은 가정에 입양되어 자신감이 넘치는 행복한 처녀로 성장해 있었다.

나의 정책 참모들은 재정 지원으로 주정부에 인센티브를 제공하고 적절한 상황에서는 가족이 동거할 수 있도록 지원해주고 입양을 결정하는 데 필요한 시간을 단축하고 아이를 학대하거나 방치하는 부모의 친권을 되도록 빨리 박탈하는 조항이 포함된 새 법안을 만들기 위해 정부 관리 및 국회 직원들과 협력했다. 이 법안을 통과시키는 과정도 유익했다. 우리는 다루기 어려운 국회와 협력하면서, 의료 개혁이나 복지 개혁 같은 광범위한 의제보다는 한 가지 이슈를 목표로 삼았을 때 진전이 빠르다는 것을 배우고 있었다.

입양법의 철저한 변화는 디애나처럼 위탁 부모의 보호를 받고 있는 수천 명의 아이들이 안전하고 안정된 가정에 좀더 빨리 입양될 수 있게 해줄 것이다. 『워싱턴 포스트』는 이렇게 말했다. "이 법률은 아동 복지에 대한 사고방식이 근본적으로 달라진 것을 나타낸다. 아동을 생물학적 부모에게 돌려주는 것을 가장 중요한 고려 사항으로 삼아야 한다는 생각이 아동의 건강과 안전을 가장 중요하게 고려해야 한다는 생각으로 바뀐 것이다." 이 입법상의 성공에서 가장 놀랍고 만족스러운 점은 톰 딜레이와 협력할 기회를 얻은 것이었다. 톰 딜레이는 하원의 강경 보수파 중에서도 가장 당파적이고 영향력있는 지도자였지만, 이 문제에서는 확고하게 우리를 지지했다. 톰 딜레이와 그의 아내는 위탁 부모로서 네 아이를 보살핀 경험이 있었고, 내가 상원의원이 된 뒤에도 우리의 협력은 계속되었다.

'입양 및 안전한 가족법'이 제정된 지 5년 만에 입양된 아동의 수는 두 배가 넘게 늘어나, 법률 제정 당시의 목표치를 넘어섰다. 하지만 나는 끝내 입양되지 못한 채 열여덟 살이 되어 '연령 초과'로 위탁제도의 테두리에서 벗어나는 젊은이가 2만 명에 이른다는 사실을 알게 되었다. 그들은 보호에서 독립으로 넘어가는 중요한 과도기에 연방 정부의 경제적 지원을 받을 자격을 잃게 되고, 그래서 그들 가운데 상당수는 노숙자가 되어 의료보험이나 그밖의 중요한 도움도 받지 못한 채 살아간다. 나는 버클리에 갔을 때, 위탁 부모의 보호를 받고 있는 나이든 아이들과 최근에 연령 초과로 위탁 가정에서 나온 청소년을 지원하고 옹호해주는 단체인 '캘리포니아 청소년회'에서 주목할 만한 젊은이들을 만났다. 그들은 대개 가족이 제공하는 감정적 · 사회적 · 경제적 지원을 전혀 받지 못한 채 어른이 되는 어려움을 강조했다. 대학을 졸업한 금발 미녀인 조이 워렌은 청소년 시절의 대부분을 위탁 가정에서 보냈지만 열심히 공부하여 캘리포니아 대학(버클리 캠퍼스)에 입학했고 그후 예일대 법대에 들어갔다. 조이한테는 여동생이 둘 있는데, 하나는 아직 위탁 부모의 보호를 받고 있었다. 이 때문에 조이는 어린 나이에 동생을 책임져야 한다는 압박감을 더욱 강하게 느꼈다. 조이는 백악관의 내 집무실에 인턴 직원으로 들어와, 연령 초과로 위탁제도의 테두리에서 벗어나는 젊은이들의 요구를 배려한 새 법안을 마련하는 일을 도왔다. 나는 로드아일랜드 출신 상원의원인 존 채피와 웨스트버지니아 출신 상원의원인 제이 록펠러와 협력하여 연령 초과로 위탁 가정의 보호를 받지 못하는 청소년들에게 의료 혜택과 교육받을 기회, 직업 훈련, 주택 지원, 상담을 비롯한 각종 지원과 서비스를 제공하는 법안을 만들었다. 이 법안은 1999년에 '위탁 아동 독립법'으로 제정되었다.

나는 10월에 50세가 되었다. 규정집에는 이것이 어려운 고비라고 씌어 있지만, 첼시 없이 사는 것에 비하면 그것도 하찮게 느껴졌다. 크리스마스 시즌을 앞두고 나의 일상은 밤낮없이 회의와 행사로 꽉 차 있었지만, 첼시의 침실에서 들려오는 음악 소리나 '일광욕실'에서 피자를 먹으며 떠들어대는 첼시 친구들의 키득거리는 웃음소리가 없는 백악관이 황량한 불모지처럼 느껴지는 데에는 놀라지 않을 수 없었다. 첼시가 중앙 복도를 발끝으로 빙글빙글 돌면서 내려오던 모습이 그리웠다. 이따금 나는 빌이 첼시의 침실에 우두커니 앉아서 생각에 잠긴 얼굴로 방을 둘러보는 것을 발견하곤 했다. 나는 남편과 내가 진부한 표현이기는 하지만 '빈 둥지 증후군'에 걸린 것을 인정할 수밖에 없었다. 자녀가 집을 떠나는 것은 인생에서 획기적인 사건이다. 남의 이목에 신경을 쓰는 우리 연령층에 속하는 사람들만이 그것을 '증후군'으로 규정할 것이다. 우리는 이제 단둘이 빈 둥지를 지키고 있었다. 밤에 외출하거나 친구들과 어울릴 때는 더 자유로움을 느꼈지만, 조용한 집으로 돌아오는 일은 신경에 거슬렸다. 둥지를 다시 채울 필요가 있었다. 개를 키워야 할 때였다.

우리는 코커스패니얼종인 지크가 1990년에 죽은 뒤로는 개를 키우지 않았다. 다른 개가 사랑하는 지크의 자리를 차지하는 것은 상상하기도 어려웠다. 지크를 땅에 묻은 직후 첼시가 얼룩고양이 새끼 한 마리를 집에 데려왔다. 첼시가 '삭스'라고 이름지은 그 고양이는 우리와 함께 백악관으로 이사했다. 삭스는 자기가 백악관의 유일한 고양이이기를 바라는 게 분명했다.

하지만 빌의 두번째 임기가 시작되고 첼시의 대학 입학을 앞두게 되었을 때 우리는 개를 키우는 문제를 고려하기 시작했다. 빌과 첼시와 나는 개에 대한 책을 구해서, 다양한 사진을 보고 다양한 품종에 대한 설명을 읽으면서 많은 시간을 보냈다. 첼시는 안고 다닐 수 있는 작은 개를 원했고, 빌은 함께 뛰어다닐 수 있는 큰 개를 원했다. 우리는 고심 끝에 마침내 우리 가족과 백악관에 딱 알맞은 몸집과 기질을 가진 개는 래브라도라는 판단을 내렸다.

나는 그 개를 빌에게 크리스마스 선물로 주고 싶어서, 나무랄 데 없는 강아지를 찾기 시작했다. 12월 초, 기운이 넘치는 생후 석 달 된 초콜릿 빛깔의 래브라도가 대통령과 첫대면했다. 강아지는 빌의 품안으로 곧장 뛰어들었고, 빌과 강아지는 그 자리에서 사랑에 빠졌다. 우리가 해야 할 일은 좋은 이름을 생각해내는 것뿐이었다. 우리는 마음을 정할 수가 없어서 일단 목록을 만들었다. 사람들은 편지로 여러 가지 제안을 해주었고, 개 이름 짓기 경연대회를 제안한 사람도 있었다. 내 마음에 든 후보 이름은 아칸포스와 클린 틴 틴이었다.

이름짓는 일은 점점 감당할 수 없게 되어가고 있었다. 우리는 가엾은 강아지한테 서둘러 이름을 지어주는 편이 낫다는 것을 깨달았다. 마침내 단순하면서도 우리 생각에는 고상한 이름으로 낙착을 보았다. 그 이름은 버디였다.

버디는 남편이 좋아한 이모부 오런 그리샴의 별명이었다. 지난 봄에 세상을 떠난 버디 이모부는 개한테 깊은 애정을 쏟은 개 조련사였다. 빌이 호프에서 자라던 어린 시절에 버디 이모부는 빌이 자기 사냥개들과 놀게 해주었다. 빌은 새로 온 강아지에 대해 이야기할수록 버디 이모부가 생각났고, 그분의 이름을 따서 강아지 이름을 지어야 한다는 것이 더욱 분명해졌다. 다만 백악관 직원들 가운데 버디 카터라는 이름의 집사가 있다는 게 유일한 문제라고 나는 생각했다. 개 이름을 버디라고 지으면 버디 카터가 기분나빠하지 않을까. 그의 기분을 해치고 싶지는 않았다. 그래서 버디 카터에게 물어봤더니 그는 무척 좋아했다. 실제로 그는 그 개한테 일체감을 느끼기 시작한 듯했다. 그는 개가 신문을 물어뜯으면 우리한테 농담을 하곤 했다. "버디가 또 말썽을 부렸습니다. 제가 아니라 다른 버디 말입니다."

몇 달 뒤 버디가 거세 수술을 받으러 가자 버디 카터는 관저로 들어오면서 고개를 설레설레 저으며 중얼거렸다. "오늘은 버디한테 좋은 날이 아닙니다. 전혀 좋은 날이 아니네요."

작은 래브라도는 내 남편의 일과 속에 재빨리 자리를 잡았다. 낮에는 대통령 집무실에 들어가 빌의 발치에서 잠을 잤고, 밤에는 늦게까지 깨어 있었다. 버디는 빌의 특징을 원래부터 많이 지니고 있었거나 후천적으로 그런 특징을 발달시켰기 때문에, 빌과 버디는 서로에게 완벽한 상대였다. 버디는 사람을 좋아했고, 쾌활하고 낙천적인 기질을 갖고 있었고, 기묘할 만큼 무언가에 집중하는 능력을 갖고 있었다. 버디는 두 가지—먹을 것과 테니스 공—에 집착했다. 공을 쫓아다니는 일에는 광적으로 열중했다. 내버려두면 지쳐서 쓰러질 때까지 공을 찾아서 가져왔다. 쓰러져 있다가 조금 기운이 나면 다시 일어나서 먹을 것을 찾으러 가곤 했다.

버디는 금세 우리 가정생활의 중심이 되었다. 고양이 삭스에게는 참기 어려운 일이었다. 삭스는 몇 년 동안 모든 관심을 독차지해왔다. 내가 좋아하는 사진 가운데 하나에는 우리가 워싱턴으로 떠나기 전 아칸소 주지사 관저 밖에서 사진기자들에게 둘러싸여 있는 삭스가 찍혀 있다. 불행히도 삭스는 버디를 경멸했다. 우리는 둘이 사이좋게 지내게 하려고 무진 애를 썼다. 하지만 두 녀석을 한 방에 두었다가 돌아와 보면, 삭스는 등을 활처럼 구부린 채 쉿쉿거리며 버디를 야유하고 있고, 버디는 소파 밑으로 들어간 고양이를 추적하는 데 열중해 있었다. 삭스는 발톱이 뭉툭하게 잘려 있었지만 버디를 후려칠 기회를 절대 놓치는 법이 없었다. 한번은 강아지의 코를 정통으로 때린 적도 있었다. 버디와 삭스는 각자 팬을 갖고 있어서 수천 통의 팬레터를 받았다. 대부분 아이들이 보낸 편지에는 버디나 삭스에 대한 애정—그리고 선호—이 표현되어 있었다. 실제로 나는 그들의 편지에 답장을 보내기 위해 '미국 육군 · 공군 장병의 집'에 별도의 통신부대를 창설해야 했다. 1998년에 나는 그 편지들 가운데 일부를 『사랑하는 삭스, 사랑하는 버디』라는 책으로 엮어서 내고, 책의 수익금을 미국 국립공원 관리기금을 모으는 자선단체인 '국립공원 재단'에 기부했다.

크리스마스는 어느새 왔다가 가버렸고, 우리는 '르네상스 위켄드'에 참가하기 위해 사우스캐롤라이나 주의 힐턴헤드로 떠났다. 그곳에 1,500명의 친구와 친지들이 모일 예정이었다.

나는 친구들과 만나는 게 기다려졌고, '르네상스 위켄드'에서 진행되는 길고 진지한 대화를 좋아했다. 하지만 나한테는 휴식이 필요했다. 우리는 새해가 된 뒤 미국령 버진아일랜드 제도의 세인트토머스 섬에서 나흘을 보낼 계획이었다. 나는 그 나흘을 손꼽아 기다렸다. 작년에도 우리는 이 아름다운 카리브 해의 섬을 방문하여 마젠스 만이 내려다보이는 집에 머물렀다. 올해도 우리는 버디를 데리고 다시 그곳에 가기로 했다.

우리는 버진아일랜드의 수도인 샬럿아말리에의 작은 공항에 착륙한 뒤, 차를 타고 코코넛나무와 망고나무가 줄지어 늘어선 구불구불한 산길을 따라 섬 북쪽의 외딴 곳으로 갔다. 따뜻한 공기와 열대의 산들바람이 반가웠다. 언덕 위에 서 있는 집도 반가웠다. 집에서 구불구불 이어진 계단을 내려가면 작은 해변이 나왔다. 경호실은 옆집에 본부를 차렸고, 연

안경비대는 보안—그리고 사생활 보호—을 강화하기 위해 그 작은 만에서 배들을 모두 몰아냈다. 바다를 바라보면 살아서 움직이는 것은 거의 보이지 않았다. 목가적인 풍경이었다.

빌과 첼시와 나는 휴가 때 으레 하는 일을 했다. 카드놀이와 말놀이를 하고, 1천 개짜리 지그소퍼즐을 맞추었다. 책도 잔뜩 가져와서, 마음 편히 식사를 하면서 책을 읽고, 서로 바꿔 읽고 독후감을 토론했다. 함께 헤엄을 치고, 산책 · 조깅 · 하이킹을 하고, 자전거를 탔다. 빌은 틈만 나면 골프를 치고, 우리 휴가는 대개 미식축구나 농구 시즌과 겹치기 때문에 우리 숙소에는 텔레비전 수상기가 갖추어져 있어야 한다. 하지만 사실 그곳에는 우리만 있는 게 아니었다. 경호원들이 가까이에서 근무 중이었고, 대통령을 수행하는 해군 하사관들이 필요할 때면 언제든지 음식을 만들거나 청소할 준비를 갖추고 있었다. 그리고 물론 필수요원들—주치의 · 간호사 · 군사 보좌관 · 공보 비서 · 안보 보좌관—도 우리와 동행했다. 하지만 우리는 이 수행원들에게 익숙해져 있었고, 그들은 우리의 프라이버시를 존중해주었다. 그러나 파파라치는 그렇지 않았다.

휴가가 절반쯤 지난 어느날 오후, 빌과 나는 수영복을 입고 헤엄을 치러 해변으로 내려갔다. 우리는 까맣게 몰랐지만, 프랑스 통신사인 AFP의 사진기자가 후미 건너편의 공용 해변에 있는 덤불 속에 숨어 있었다. 이튿날 해변에서 슬로댄스를 추고 있는 우리 사진이 전세계 신문에 실린 것을 보면 그는 강력한 망원렌즈를 갖고 있었던 게 분명하다. 백악관 공보 비서인 마이크 매커리는 그 사진기자가 "덤불 속에서 살금살금 돌아다니며 몰래 사진을 찍었다"(사진기자가 기자단에 털어놓은 말이다)는 사실과 프라이버시 침해에 화를 냈다. 분명히 이 사건은 프라이버시만이 아니라 보안에 대해서도 문제를 제기했다. 망원렌즈로 사진을 찍을 수 있을 만큼 우리한테 접근할 수 있다면, 망원경이 달린 총으로 우리를 저격할 수도 있다. 그러나 빌은 화를 내기는커녕, 오히려 그 사진을 무척 좋아했다.

언론에서는 그 사진기자가 언론인 윤리를 어기고 선정적인 흥미를 위해 우리 프라이버시를 침해했는지를 놓고 논쟁을 벌였다. 이 논쟁은 우리가 끌어안고 춤을 추는 모습이 필름에 포착되기를 기대하고 일부러 '포즈'를 취한 게 아니냐는 억측으로 이어졌다.

맙소사! 몇 주 뒤에 나는 어느 라디오 인터뷰에서 이렇게 말했다. "일부러 수영복 차림으로, 게다가 카메라 쪽에 등을 돌리고 포즈를 취할 쉰 살 먹은 여자가 있으면 나와보라고 하세요."

물론 셰어나 제인 폰다나 티나 터너처럼 어떤 각도에서 사진을 찍어도 멋져 보이는 사람은 있을 것이다.

하지만 나는 아니다.

# 어려움을 무릅쓰고

"고맙습니다, 클린턴 여사. 우리한테 필요한 것은 지금으로서는 그것뿐입니다." 케네스 스타를 수행한 특검보가 말했다.

잘못 처리된 FBI 파일에 대한 수사를 마무리하는 단계에서 몇 가지 문제를 해결하기 위해 특별검사가 백악관을 찾아왔다. 내가 '트리티 룸'(조약실)에서 특별검사와 면담하는 동안 데이비드 켄들은 줄곧 내 곁에 앉아 있었다. "이건 형식적인 절차에 지나지 않습니다. 단지 이런 질문을 했다고 말하기 위해서 질문하는 것뿐입니다." 데이비드가 나를 안심시켰다. 그 말이 옳았다. 질문은 짧고 형식적이었다. 케네스 스타는 문답이 오간 10분 동안 한마디도 하지 않았다.

나중에 데이비드는 검사들이 여느 때보다 자기만족에 빠진 듯이 보였다고 말했다. 그 방에 있던 어느 변호사의 말을 빌리면 "카나리아를 집어삼킨 고양이들 같았다". 하지만 나는 그날 아침 여느 때와 다른 주파수를 전혀 포착하지 못했다. 나는 다만 그 사건이 특검 사무소에서 탐색하고 있는 또 하나의 불발 스캔들로 막을 내린 것이 고마울 따름이었다. 그날은 1998년 1월 14일이었고, 스타의 수사는 4년째로 접어든 상태였다. 특별검사의 서류가방에 들어 있는 다른 건과 마찬가지로 '파일게이트'도 기름 한 방울 나오지 않은 빈 구멍이었다. 백악관 보안과 직원이 현재 재직 중인 백악관 직원들에 대한 서류를 FBI에 요청할 때 과거의 직원 명부를 이용하는 실수를 저질렀고, 그 결과 본의 아니게 레이건 행정부와 부시 행정부 시절에 백악관에 재직했던 사람들의 인사 파일을 받게 되었다. 하지만 그것은 음모도 아니고 범죄도 아니었다. 작년 가을, 스타는 마침내 빈스 포스터가 정말로 자살했다고 인정했다(로버트 피스크는 3년 전에 이미 같은 결론에 도달했지만, 그 결론을 확인하는 데 스타의 수사를 포함하여 네 차례의 공식 수사가 필요했다). 스타는 화이트워터 토지 거래에 대한 원래의 수사에서도 막다른 궁지에 몰려 있었다. 우리가 받은 선물을 제대로 기록하지 않은 단순한 사무 착오가 일파만파로 번져 몇 달 동안 수백 건의 뉴스 보도를 낳았을 때 수사 문화라는 것도 백악관에서 실종해버렸다.

우리가 씨름하고 있는 송사(訟事) 가운데 가장 활발하게 진행된 것은 특별검사 수사와는 아무 관계도 없는 민사소송이었다. 폴라 존스의 변호인단은 '러더퍼드 협회'라는 기독교 보수파 성향의 법률구조 단체로부터 보수와 지침을 받고 있었다. 빌의 변호사들은 재판까지 가기 전에 약식 판결을 신청하면 별 문제 없이 해결될 거라고 생각했지만, 대법원은 소송을 계속 진행하라고 판결했다. 따라서 존스는 대통령을 포함한 증인들을 법정에 불러내어 증언을 시킬 권리를 얻게 되었다. 빌은 1998년 1월 17일 토요일에 대배심 증언을 하게 되었다.

폴라 존스와 화해하여 법정 바깥에서 사건을 해결할 기회도 있었지만, 나는 원칙적으로 반대했다. 그렇게 하면 대통령이 성가신 송사에서 벗어나기 위해 돈을 주는 끔찍한 선례를 만들게 되고, 또 그렇게 되면 소송이 끝도 없이 이어질 것이라고 생각했기 때문이다. 물론 이제 와서 생각해보면 존스 건을 빨리 해결하지 않은 것은 우리가 수사와 소송의 십자포화를 처리하는 과정에서 저지른 두번째로 큰 전술적 실수였다. 가장 큰 실수는 애당초 특별검사의 수사를 요청한 것이었다.

전날 밤 빌은 늦게까지 자지 않고 증언을 준비했다. 빌이 백악관을 떠날 때 나는 그에게 행운을 빌고 다정하게 안아주었다. 그리고 관저에서 빌이 돌아오기를 기다렸다. 이윽고 돌아온 빌은 심란하고 지쳐 보였다. 내가 어땠느냐고 묻자 빌은 모든 절차가 형편없는 광대극이었다면서 그저 괘씸할 뿐이라고 대답했다. 우리는 시내의 레스토랑에서 친구들과 식사를 할 계획이었지만, 빌은 약속을 취소하고 집에서 조용히 지내고 싶어했다.

여느 때처럼 연초에는 모두 할 일이 산더미 같았다. 백악관은 다가오는 연두교서 발표를 앞두고 매주 새로운 정책을 양산하고 있었다. 대통령은 균형 예산을 지향하면서 메디케어와 교육 예산을 크게 늘리고, 아동 보육 예산도 크게 늘릴 계획이었다. 내 정책 참모들은 보육비 지원 혜택을 받는 아동의 수를 두 배로 늘려야 한다고 주장했다.

1월 21일 수요일, 빌이 아침 일찍 나를 깨웠다. 빌은 침대 끝에 걸터앉아 이렇게 말했다. "오늘 신문에 어떤 기사가 나왔는데, 당신도 알아두는 게 좋겠어."

"그게 무슨 소리야?"

빌은 말하기를, 대통령이 백악관 인턴으로 근무했던 여자와 정사를 가졌고, 그 일에 대해 폴라 존스의 변호사들에게 거짓말을 해달라고 그 여자한테 부탁했다는 기사가 신문에 실렸다는 것이다. 케네스 스타는 대통령을 형사 고발할 수 있는 혐의를 조사하기 위해 재닛 리노 법무장관에게 이미 수사 확대를 요청하여 허락을 받아낸 상태였다.

빌은 2년 전 정부가 임시 휴업했을 때 '웨스트 윙'에서 자원봉사를 하고 있던 모니카 르윈스키라는 인턴 직원과 친해졌다고 말했다. 빌은 르윈스키와 몇 번 대화를 나누었고, 르윈스키는 빌에게 취직을 도와달라고 부탁했던 모양이다. 이것은 더없이 빌다운 일이었다. 빌은 자신의 관심을 르윈스키가 오해했던 모양이라고 말했다. 이것도 내가 그때까지 수십 번이나 겪은 일이었다. 나에게는 너무나 익숙한 시나리오였기 때문에, 그 비난이 터무니없다고 믿는 것은 그리 어렵지 않았다. 게다가 나는 벌써 6년이 넘도록 존스의 소송과 스타의 수사에 가담하고 있는 개인과 집단이 부추긴 근거없는 주장을 견뎌온 터였다.

나는 그 기사에 대해 빌에게 몇 번이나 물었다. 빌은 어떤 부도덕한 행동도 하지 않았다고 주장했지만, 자신의 관심을 그 여자가 오해했을 수는 있다고 인정했다.

그날 남편의 마음속에 어떤 생각이 오가고 있었는지는 영원히 알 수 없을 것이다. 내가 아는 것은 빌이 참모와 친구들에게도 나한테 말한 것과 똑같은 이야기를 했다는 것뿐이다. 부적절한 일은 결코 없었다고. 왜 빌이 나를, 그리고 친지들을 속여야 한다고 생각했는지는 빌의 사정이고, 그 이유는 빌이 나름대로 밝혀야 한다. 더 나은 세상에서는 남편과 아내 사이의 이런 대화는 우리 부부의 문제일 뿐 남들이 상관할 일이 아닐 것이다. 나는 그나마 남아 있는 우리의 프라이버시를 지키려고 오랫동안 애써왔지만, 이제는 속수무책이었다.

나에게 르윈스키 소동은 정적들이 꾸며낸 또 하나의 악의적인 스캔들로 보였다. 어쨌거나 빌은 공직에 출마하기 시작한 이후, 마약에 손을 댔다는 둥, 리틀록의 어느 창녀한테서 자식을 얻었다는 둥, 온갖 음해와 중상모략을 받았다. 나도 도둑과 살인자라는 욕을 들었다. 나는 백악관 인턴 이야기도 결국에는 타블로이드판 신문 역사의 각주가 될 거라고 생각했다.

그 고발에는 티끌만한 진실도 없다고 남편이 말했을 때 나는 그 말을 믿었지만, 골치 아픈 법률적 문제가 다 끝나려나 보다 생각한 바로 그때 또다시 프라이버시를 침해하는 불쾌하기 짝이 없는 수사를 받게 될 처지에 놓이게 되었음을 깨달았다. 그리고 이번에는 정치적 위협이 현실적이라는 것도 깨달았다. 성가신 민사소송이 케네스 스타의 범죄 수사로 전이된 것이다. 스타는 이것을 최대한 이용할 게 뻔했다. 존스 진영과 특검 사무소가 언론에 정보를 흘렸다는 것은 빌의 증언이 르윈스키와 그의 관계에 대한 다른 증인의 증언과 충돌했을지도 모른다는 것을 암시했다. 존스 쪽의 증인 신문은 오로지 대통령을 위증죄의 함정에 빠뜨리기 위해 고안된 것처럼 보였다. 그렇게 되면 대통령의 사임이나 탄핵을 요구하는 것도 정당화될 수 있다.

아침 한나절에 다 받아들이기에는 나쁜 소식이 너무나 많았다. 하지만 나는 빌과 내가 일과를 처리해야 한다는 것을 알았다. '웨스트 윙'의 참모들은 휴대전화에 대고 속삭이거나 닫힌 문 뒤에서 수군거리며 멍한 상태로 돌아다니고 있었다. 우리가 지금까지 그랬듯이 이 위기에도 당당하게 맞서 싸울 준비가 되어 있다고 백악관 직원들을 안심시킬 필요가 있었다. 나는 모든 사람이 나한테서 단서를 찾으려 하리라는 것을 알고 있었다. 나 자신과 주위 사람들을 위해서는 꿋꿋하게 나아가는 것이 상책이었다. 처음 대중 앞에 나설 준비를 하는 데 좀더 시간을 들일 수도 있었겠지만 그렇게는 되지 않았다. 그날 오후 나는 마틴 루터 킹을 다룬 『바다를 가르며』로 퓰리처상을 받은 옛 친구 테일러 브랜치의 요청으로 구처 대학의 대규모 집회에서 민권에 대한 강연을 하기로 되어 있었다. 테일러의 아내 크리스티 메이시는 내 참모로 일하고 있었다. 나는 대학이나 테일러를 실망시키고 싶지 않아서, 유니언 역으로 가서 볼티모어행 열차를 탔다.

열차에 타고 있을 때 데이비드 켄들한테서 전화가 왔다. 그의 목소리를 들으니 반가웠다. 남편을 제외하면 내가 흉금을 터놓고 대화할 수 있는 상대는 데이비드뿐이었다. 작년에 스타는 내가 백악관 법률 고문과 화이트워터에 대해 나눈 대화의 메모를 제출하라고 요구했고, 법원은 변호인과 의뢰인 사이에 오간 대화의 비밀을 보장하는 특권은 정부로부터 보수를 받는 변호사에게는 적용되지 않는다고 판결했다. 데이비드는 특검 사무소가 르윈스키 사건에 대해 정보를 갖고 있을 성싶은 직원과 친구와 가족에게는 모조리 소환장을 보낼 작정인 듯하다고 말했다.

열차가 메릴랜드 교외를 지나가고 있을 때 데이비드는 존스 쪽 증인들이 증언을 하기 전날부터 단편적인 소문을 듣고 있었다고 말했다. 기자들이 그에게 전화하여 존스 사건에 또 다른 여자가 관련된 것에 대해 질문했다는 것이다. 데이비드는 일이 골치 아프게 전개될지 모른다고 생각했지만, 경보를 울릴 만큼 심각하다고는 생각지 않았다. 이제 데이비드는 1월 16일 리노 법무장관이 세 명의 판사로 구성된 감독위원회에 서한을 보내, 스타가 르윈스키 문제와 그밖의 사법 방해에까지 수사 범위를 확대하도록 허용하라고 권한 것을 확인했다. 나중에 알았지만, 리노 장관의 이런 권고는 특검 사무소가 제공한 불완전하고 거짓된 정보를 근거로 한 것이었다. 빌은 기습 공격을 받았고, 그 부당함 때문에 나는 그의 편에 서서 싸우기로 더욱 굳게 결심했다.

나는 계속 전진하면서 반격하기로 결정했지만, 내 남편에 대해 남들이 하는 말을 듣는 것은 결코 유쾌하지 않았다. 나는 사람들이 "나 같으면 사람들 앞에 나가는 것은 고사하고 아침에 일어날 수도 없을 것 같은데, 힐러리는 어떻게 저럴 수 있지? 힐러리가 남편의 혐의를 믿지 않는다 해도, 그런 말을 듣는 것만으로도 억장이 무너질 거야" 하고 말하고 있다는 것을 알고 있었다. 그건 사실이었다. 정계에 몸담고 있는 여성은 누구나 "무소 가죽처럼 질긴 피부를 키워야 한다"고 엘리너 루스벨트는 말했지만, 번갈아 닥쳐오는 위기와 맞서는 동안 엘리너의 그 말은 나에게 일종의 주문이 되었다. 그동안 내 갑옷이 꽤 두꺼워진 게 분명하다. 덕분에 사태를 그런 대로 견딜 수 있었는지는 모르나, 그래도 견디기가 쉽지는 않았다. 어느날 아침 잠에서 깨어나, "아무리 악의적이고 비열한 짓을 당해도 난 신경 쓰지 않겠다"고 말할 수는 없는 노릇이었다. 나에게 그것은 고립무원의 참담한 경험이었다.

두꺼운 갑옷 때문에 내가 내 진정한 감정에서 멀어지는 것은 아닐까 하는 것도 걱정이었다. 일부 사람들이 만평에서 비판하는 것처럼 내가 단단하지만 쉽게 깨지는 사람으로 바뀌지 않을까. 남들이 어떻게 생각하고 뭐라고 말하든 나에게 옳은 일을 하기로 결정하고 내 감정에 따라 행동할 수 있으려면 먼저 내 감정에 솔직해져야 했다. 많은 사람들의 주목을 받는 상황에서 자아의식을 유지하기는 쉬운 일이 아니지만, 지금은 두 배나 더 어려웠다. 나는 현실을 부정하거나 감정의 동맥경화가 일어난 징후를 찾으려고 끊임없이 내 마음을 진찰했다.

구처 대학에서 강연을 마치고 볼티모어 역으로 돌아오자 수많은 기자와 카메라맨들이 나를 기다리고 있었다. 오랫동안 그렇게 많은 사람들한테 둘러싸인 적은 없었다. 기자들은 큰 소리로 질문을 외쳐대고 있었지만, 그때 누군가가 다른 사람들보다 훨씬 큰 소리로 고함을 질렀다. "고발이 거짓이라고 생각하십니까?" 나는 걸음을 멈추고 마이크 쪽으로 돌아섰다.

"물론 거짓이라고 믿습니다. 절대로 확신합니다. 사랑하고 존경하는 사람이 공격당하는 것은, 그리고 내 남편이 받은 것과 같은 무자비한 비난을 받는 것은 누구에게나 힘들고 괴로운 일일 것입니다."

—빌 클린턴은 왜 공격당하고 있습니까?

"대통령의 정통성을 약화시키고, 빌이 지금까지 이룬 것 대부분을 원상태로 되돌리고, 빌을 정치적으로 이길 수 없으니까 인간적으로 공격하려는 조직적인 노력이 있었습니다."

내가 이 말을 한 것은 처음도 아니었고, 마지막이 되지도 않을 것이다. 운이 좋다면 사람들이 내 말을 이해하기 시작할지도 모른다. 내가 보기에 검사들은 투표함에서 잃은 정치 권력을 되찾기 위해 자신들의 권한을 남용하여 대통령을 음해하고 있었다. 그 시점에서 그들의 행동은 모든 사람의 문제가 되었다. 나는 내 남편과 내 나라를 지켜야 하는 이중 책임을 짊어진 기분이었다. 그들은 빌의 지위나 빌의 정책적 성공을 때려부술 수 없다. 빌의 인기를 무너뜨릴 수도 없다. 그래서 빌을 헐뜯고, 나아가 나까지 헐뜯는 것이다. 이 일에 걸린 판돈은 최대한으로 높아졌다.

나와 마찬가지로 빌도 전에 한 약속을 취소하지 않았다. 빌은 일정이 잡혀 있었던 공영 라디오 및 PBS 텔레비전과 예정대로 인터뷰를 했다. 인터뷰에서 빌은 1월 27일 화요일로 예정된 연두교서와 외교 정책에 대해 이야기했다. 이어서 빌은 사생활에 대한 질문에 참을성있게 답변했다. 답변은 본질적으로 모두 똑같았다. 고발은 사실이 아니다. 나는 누구한테도 거짓말을 해달라고 부탁한 적이 없다. 나는 수사에 기꺼이 협력하겠지만, 이 시점에서 더 이상 이야기하는 것은 적절치 않다는 내용이었다.

우리의 오랜 친구인 해리 토머슨이 우리를 도우러 날아왔다. 전에 텔레비전 프로듀서였던 해리는 대중을 상대로 한 빌의 주장이 자신 없어 보이고 지나치게 법률 위주로 흐르는 것 같다면서, 터무니없는 주장에 대해 얼마나 격분하고 있는지를 분명하게 드러내 보이라고 권했다. 그래서 빌은 그렇게 했다. 1월 26일 기자회견은 아동의 방과후 프로그램을 지원하는 문제에 초점을 맞추도록 되어 있었고, 앨 고어와 리처드 릴리 교육부 장관과 내가 배석했다. 그 자리에서 대통령은 르윈스키와 성관계를 가진 적이 없다고 강력하게 부인했다. 내가 알고 있는 것과 같은 상황이라면 빌이 분노를 드러내는 것은 당연하다고 생각했다.

워싱턴은 히스테리에 가까울 만큼 그 스캔들에 집착했다. 불법적인 은밀한 테이프 녹음을 포함하여, 대통령의 발목을 잡으려는 함정 수사 기법에 대해 날마다 새로운 사실들이 드러나고 있었다. 정부는 다가오는 연두교서에 들어 있는 정책을 예고편으로 보여주려고 애처롭지만 씩씩하게 노력했다. 하지만 공중파 방송은 빌이 과연 대통령직에 남아 있을 수 있느냐에 대한 억측과 예언에만 몰두했다.

이튿날은 연두교서를 발표하는 날이었다. 나는 오래 전에 약속한 대로 그날 아침 뉴욕에 가서 「투데이」 쇼에 출연했다. 취소할 핑계라도 있으면 좋았겠지만, 취소하면 그 자체가 또 수많은 억측을 불러일으켰을 것이다. 그래서 나는 뉴욕에 갔다. 나는 진실을 알고 있다고 확신했지만, 공중파 텔레비전에서 그런 문제에 대해 이야기할 생각을 하니 두려웠다. 빌과 측근들은 온갖 조언을 해주었다. 특별검사의 수사가 당파성을 갖고 있다고 말하면 스타가 나에게 적개심을 품을 거라고 염려하는 사람도 있었다. 데이비드 켄들은 그런 걱정 때문에 말조심할 필요는 없다고 생각했다.

맷 로어는 그날 아침 혼자서 「투데이」 쇼를 진행하고 있었다. 공동 진행자인 케이티 쿠릭의 남편 제이 모너헌이 사흘 전에 결장암과의 투병에서 비극적으로 패배했기 때문이다. 뉴욕 록펠러 센터에 마련된 세트는 침울한 분위기였다. 나는 맷 건너편에 자리를 잡았다. 7시 뉴스가 끝나자마자 맷은 인터뷰를 시작했다.

"요즘 이 나라 사람들의 마음을 온통 차지하고 있는 한 가지 의문이 있습니다. 당신의 남편과 모니카 르윈스키의 관계는 정확히 어떤 성격의 것인가 하는 의문입니다. 부군께서 그 관계의 진상을 당신한테 설명해주셨습니까?"

"우리는 오랫동안 이야기했어요. 이 문제가 밝혀지면 온 국민이 더 많은 정보를 얻게 되겠지요. 하지만 우리는 지금 점점 심해지는 광란의 한복판에 있어요. 사람들은 온갖 말을 떠들어대고 소문을 퍼뜨리고 억측을 해대고 있습니다. 내가 오랫동안 정치에 관여해오면서, 특히 남편이 대통령에 출마한 뒤에 배운 것은, 이런 경우에는 그저 인내심을 갖는 게 상책이라는 겁니다. 숨을 한번 깊이 들이쉬고 꾹 참고 견디면, 언젠가는 진실이 밝혀지겠지요."

"당신 친구인 제임스 카빌은 이번 상황을 대통령과 케네스 스타 사이의 전쟁으로 묘사했더군요. 당신도 몇몇 가까운 친구한테 이건 최후의 대전쟁이라고 말한 것으로 알고 있는데요. 이번에야말로 어느 쪽이든 한 쪽이 거꾸러질 거라고."

"글쎄요. 내가 그렇게 극적인 말을 한 것 같지는 않은데요. 그건 멋진 영화 대사처럼 들리는군요. 하지만 이게 전쟁이라고 믿는 건 사실이에요. 이 일에 관련된 사람들을 보세요. 그들은 모두 엉뚱한 무대에서 느닷없이 튀어나왔어요. 여기서 누구나 알고 싶어하고 쓰고 싶어하고 설명하고 싶어할 만한 어마어마한 이야기는 바로 내 남편이 대통령 출마를 선언한 그날부터 시작된 우파의 거대한 음모예요. 몇몇 기자들이 그 음모를 어느 정도 포착하고 설명하긴 했지만, 아직 일반 대중에게 충분히 밝혀지지는 않았어요. 그런데 묘하게도 이번 일로 어쩌면 그 음모가 백일하에 드러날지도 몰라요."

나중에 데이비드 켄들이 나의 텔레비전 출연에 대해 이야기하려고 전화를 걸어왔을 때, 나는 인터뷰를 하려고 들어가면서 당신을 생각했다고 말했다.

"당신의 지혜로운 말이 귓전에 울리는 걸 들었어요."

"믿을 수 없을 만큼 지혜로운 말이었던 모양이군요. 도대체 어떤 말을 들으셨습니까?" 데이비드가 유혹에 넘어가서 물었다.

"젠장맞을!" 나는 웃음을 터뜨렸다.

"그건 옛날부터 내려오는 퀘이커식 표현입니다." 퀘이커교도인 데이비드는 킬킬거리며 부끄러운 듯이 말했다.

"'빌어먹을'과 비슷한 말인가요?"

우리는 둘 다 실컷 웃으면서 울분을 풀고 있었다.

'거대한 음모' 라는 대사가 스타의 관심을 끌었다. 스타는 이례적으로 내가 자신의 수사 동기를 비방했다고 투덜대는 성명서를 발표했다. 음모가 있다는 주장은 '넌센스' 라고 그는 말했다. 아칸소에는 '맞은 개가 짖는다' 라는 말이 있다. 내 말이 스타의 신경을 건드린 것 같았다.

돌이켜보면 내 생각을 좀더 교묘하게 표현할 수도 있었겠지만, 스타의 수사에 그런 성격을 부여한 것은 옳다고 믿는다. 그 시점에서 나는 빌에 대한 고발의 진상을 몰랐지만, 스타가 어떤 인물인지는 알고 있었고, 또 내 남편의 정적들과 스타의 관계도 알고 있었다. 나는 시계 바늘을 거꾸로 돌리듯 미국이 이룩한 수많은 진보—민권과 여권에서부터 소비자 보호와 환경 규제에 이르기까지—를 원상태로 되돌리고 싶어하는 집단과 개인들의 긴밀한 네트워크가 존재했고 지금도 존재한다고 믿는다. 또한 그들은 목적을 이루기 위해서는 온갖 수단 방법—돈 · 권력 · 영향력 · 언론 · 정치—을 다 동원한다고 믿는다. 최근 몇 년 동안 그들은 타인의 인격을 파괴하는 수법에도 능숙해졌다. 그들은 수십 년 동안 진보적 정치인이나 진보적 사상과 싸워온 극단주의자들에게 자극을 받아, 리처드 멜론 스카이프 같은 개인과 단체와 재단의 자금 지원을 받고 있다. 그들 대부분은 벌써 그들을 찾아나선 적극적인 기자들을 위해 공적인 명부에 공공연히 이름을 올려놓았다. 일부 언론은 이미 탐색을 시작했다.

한편, 그날 밤 연두교서에 대한 뉴스에 추측 발언이 포함되었다. 대통령은 스캔들에 관해 언급할까? (아마 언급하지 않을 것이다.) 의원들이 연두교서를 보이콧할까? (일부 공화당 의원들은 한번도 박수를 치지 않고 냉담한 반응을 보이겠지만, 출석을 거부하고 의사당을 떠나는 의원은 극소수에 그칠 것이다.) 남편을 지원하기 위해 퍼스트 레이디가 나타날까? 물론 나는 나타났다.

말할 나위도 없는 일이지만, 우리는 모두 빌이 국회에서 어떤 대접을 받을지를 걱정했다. 하지만 나는 방청석의 내 자리에 앉으려고 회의장에 들어가자마자 만사가 잘되리라는 것을 알았다. 방청객은 동정심에서 우러나온 우레 같은 박수로 나를 맞아주었고, 환호를 지른 여자들도 꽤 많았다. 나보다 훨씬 열렬한 박수갈채를 받으며 성큼성큼 들어온 빌은 느긋하고 자신만만해 보였다. 나는 그의 연설이 감동적이라고 생각했다. 정말로 빌이 지금까지 한 연설 중에서 최고였다. 빌은 미국이 지난 5년 동안 이룩한 진보를 요약하고, 대통령 임기 동안 이룩한 것을 단단히 굳히기 위해 앞으로 취할 조치들을 개괄했다. 빌은 예정보다 3년 앞당겨 균형 예산을 이루겠다고 약속하고, 눈앞에 다가온 베이비붐 세대의 은퇴 물결에 대비하여 "사회보장을 우선 구하겠다"고 약속했다. 이 약속에는 여당의 일부 의원들도 놀랐고, 야당은 경악했다. 경제는 호황을 맞고 있었다. 빌은 최저 임금액 인상을 제안했다. 또한 교육과 의료와 아동 보육 예산을 크게 늘려야 한다고 주장했다. "정부가 적이라고 말하는 이들과 정부가 해결책이라고 말하는 이들이 쓸모없는 논쟁을 벌이는 시대는 이미 지났습니다. 우리는 제3의 길을 발견했습니다. 우리 정부는 35년 만에 가장 작은 정부지만, 가장 진보적인 정부입니다. 우리 정부는 작아졌지만, 우리 나라는 더욱 강해졌습니다."

몇 달 전, 나는 연례행사인 '세계경제포럼'에서 연설해달라는 요청을 받았다. 이 포럼은 알프스의 아름다운 스키 마을인 스위스의 다보스에서 열린다. 해마다 2월이면 전세계에서 약 2천 명의 정계·관계·재계 및 시민 지도자와 지식인들이 모여 세계 문제를 논의하고, 새로운 동맹을 맺거나 기존의 동맹을 강화한다. 내가 이 포럼에 참석하는 것은 처음이었고, 이것 역시 취소하는 것은 생각할 수도 없는 일이었다.

나는 다보스 회의에 참석한 미국인 가운데 버넌 조던과 리처드 데일리 시장 같은 옛 친구들이 포함되어 있는 것을 보고 마음이 놓였다. 엘리와 매리언 위젤 부부는 특히 친절했다. '홀로코스트'에서 살아남은 경험 때문에 엘리 위젤은 감정이입의 천재였다. 그는 절대로 남의 고통을 보고 꽁무니를 빼지 않는다. 그의 가슴은 친구의 고통을 서슴없이 받아들일 만큼 넓고 깊다. 그는 오랫동안 나를 끌어안고 물었다. "미국은 뭐가 잘못됐습니까? 무엇 때문에 이런 짓을 하는 겁니까?"

"저도 몰라요, 엘리."

"매리언과 나는 당신의 친구라는 것, 그리고 언제든지 당신을 돕고 싶어한다는 것만 알아주십시오." 그들의 이해심은 그들이 나에게 줄 수 있는 최고의 선물이었다.

내가 다보스에서 알게 된 다른 사람들도 나를 격려해주려고 애썼지만, 아무도 워싱턴에서 벌어지고 있는 소동을 입에 올리지 않았다. 그들은 "우리와 함께 저녁을 먹으러 갑시다"라고 권하거나 "자, 제 옆에 앉으세요. 기분은 좀 어떠세요?" 하고 물었다.

나는 항상 좋다고 대답했다. 그 말밖에는 할 수가 없었다.

내 연설은 주최측이 제안한 밋밋한 제목—'21세기의 개인과 집단의 우선 사항'—에도 불구하고 잘되었다. 나는 근대 사회의 필수적인 세 요소—효율적인 정부, 자유 시장 경제, 활기찬 시민 사회—를 설명했다. 삶을 가치있는 것으로 만들어주는 모든 것—가족 · 신앙 · 자원봉사 · 예술 · 문화—은 시장과 정부가 아닌 시민 사회에 존재한다. 나는 인간 경험의 가능성과 현실에 대해 이야기했다. "완전한 제도는 존재하지 않습니다. 완전한 시장은 오직 경제학자들의 추상적인 이론에만 존재할 뿐입니다. 완전한 정부는 오직 정치인들의 꿈속에만 존재할 뿐입니다. 완전한 사회는 존재하지 않습니다. 우리는 불완전한 존재이기 때문에, 불완전한 인간들끼리 협력해야 합니다." 이것은 내가 날마다 배우고 있는 교훈이었다.

연설한 이튿날 아침, 나는 가까운 스키장에서 스키를 탈 기회를 잡았다. 나는 스키를 잘 타본 적이 없지만 스키를 무척 좋아한다. 완전한 육체적 감각에 몰두하는 것은 멋진 기분이었다. 산을 미끄러져 내려갈 때

쏜살같이 나를 스치고 지나가는 차갑고 맑은 공기. 몇 시간이고 스키를 타고 싶었다. 경호원들이 내 뒤를 따라오고 있었지만, 나는 잠시나마 중압감에서 해방된 기분이었다.

# 미래를 상상하며

정적들은 이따금 예기치 않은 곳에 나타난다. 빌과 나는 백악관의 임시 관리자로서 휴일 집회와 중요한 축하 행사에 백악관을 개방했다. 그리고 우리는 우리의 정치활동에 반대하는 사람들의 블랙리스트를 만들지 않았다. 그 때문에 이따금 '영접실'에서 어색한 일이 벌어졌다. 르윈스키 스캔들이 터진 직후인 1998년 1월 21일, 빌과 나는 백악관 복원 공사를 위한 민간 기금을 모금하는 비영리 단체인 '백악관 기부 재단'이 모금을 끝낸 것을 축하하기 위해 만찬회를 베풀 예정이었다. 로절린 카터가 시작하고 바버라 부시가 뒤를 이은 이 재단은 2,500만 달러를 목표로 정했다. 내가 퍼스트 레이디가 되었을 때는 목표액의 절반 정도가 모금된 상태였는데, 우리가 원래 목표를 초과 달성할 수 있어서 기분이 좋았다. 이는 내가 백악관에 대한 사랑 때문에 좋아서 한 일이었고, 만찬회는 돈을 기부한 모든 이에게 고마움을 표할 수 있는 기회였다.

빌과 내가 '블루 룸'에서 손님들을 맞이하고 있을 때 얼굴이 보름달처럼 동그란 한 남자가 악수를 하려고 손을 내밀었다. 백악관 직원이 그의 이름을 말하고 백악관 전속 사진사가 그의 사진을 찍을 준비를 했을 때 나는 그가 리처드 멜론 스카이프라는 것을 알아차렸다. 스카이프는 빌의 대통령직을 망치려는 프로젝트에 줄곧 뒷돈을 댄 그 반동적인 억만장자였다. 나는 스카이프를 한번도 만난 적이 없었지만 다른 손님들을 대하듯 상냥하게 인사를 했다. 그 순간은 아무도 눈치채지 못한 채 지나갔다. 하지만 나중에 손님 명단이 발표되자 기자들은 내가 스카이프를 초청하는 데 동의한 것을 알고 깜짝 놀랐다. 왜 그를 초청했느냐고 기자들이 물었을 때, 나는 스카이프가 부시 행정부 시절에 백악관 보존 기금을 기부했기 때문에 당연히 행사에 참석할 권리가 있다고 답변했다. 하지만 스카이프가 적과 만나기 위해 기꺼이 줄을 서서 기다린 데에는 나도 놀랐다.

다음 행사는 1998년 2월 5일 토니 블레어 영국 총리를 위해 베푼 공식 만찬회였다. 미국과 영국의 역사적 유대와 특별한 관계만이 아니라 빌과 내가 블레어 내외와 맺은 우정을 생각해서라도 나는 그들을 위해 모든 노력을 다하고 싶었다. 그래서 우리는 백악관에서 그때까지 우리가 주최한 만찬 가운데 최대 규모의 모임을 준비했다. 국빈 식당은 너무 작았기 때문에, 만찬회는 '이스트 룸'에서 열렸다. 식후 여흥으로는 엘튼 존과 스티비 원더의 합동 공연을 준비했다. 그야말로 영국과 미국의 위대한 음악적 동맹이었다.

하원의장인 뉴트 깅리치가 만찬 초청을 받아들였을 때, 나는 그를 내 왼쪽에 앉히기로 결정했다. 토니 블레어는 의전에 따라 내 오른쪽에 앉을 예정이었다. 깅리치는 블레어를 변형 정치 지도자로 높이 평가했다. 이것은 언젠가 깅리치가 자신을 묘사할 때 사용한 표현이었다. 나는 그들이 서로 무슨 말을 할지 궁금했고, 스타의 최근 고발에 대한 깅리치의 속내를 조금은 엿볼 수 있을지도 모른다고 생각했다. 많은 시사해설자들이 탄핵을 떠들어댔고, 헌법 규정에 따르면 탄핵을 발의할 만한 근거는 전혀 없었지만 그렇다고 공화당이 탄핵 시도를 단념하지 않을 것은 분명했다. 깅리치가 열쇠를 쥐고 있었다. 그가 돌격 명령을 내리면 미국은 거칠게 날뛰는 야생마를 길들이려고 애를 먹을 수밖에 없었다.

만찬 테이블에서 NATO 확대와 보스니아와 이라크에 대해 오랫동안 이야기를 나눈 뒤, 깅리치가 내 쪽으로 몸을 기울였다. "당신 남편에 대한 고발은 웃기는 짓이에요. 그걸 어떻게든 이용해보려고 애쓰는 건 부당합니다. 설령 그 고발이 사실이라 해도 그건 무의미합니다. 아무짝에도 쓸모가 없을 거예요." 내가 듣고 싶었던 말이지만, 그래도 놀랐다. 나는 빌과 데이비드 켄들에게 깅리치가 빌에 대한 고발을 별로 심각하게 생각지 않는 것 같더라고 전했다. 깅리치는 나중에 태도를 180도 바꾸어, 빌의 탄핵을 향한 공화당의 진격을 진두 지휘했다. 하지만 나는 그때 당장은 이 대화를 깅리치가 내 생각보다 훨씬 복잡하고 예측 불가한 인물이라는 증거로 받아들였다. (몇 달 뒤 깅리치 자신의 외도가 폭로되었을 때, 나는 그가 그 문제를 대수롭지 않은 것으로 물리치고 싶어한 이유를 더 잘 이해할 수 있었다.)

2월에 스타는 경호실 요원들을 소환하여 대배심 증언을 강요하기로 결정했다. 스타는 존스 사건에서 빌이 했던 증언을 반박할 증거를 찾고 있었고, 경호원들이 대통령을 경호하는 과정에서 엿들었을지 모르는 대화나 목격했을지 모르는 행동을 알고 싶어했다. 경호원에게 증언을 강요하는 것은 전례없는 일이었다. 스타의 소환장은 그들을 난처한 처지로 몰아넣었다. 경호원은 비정치적인 전문가들이고, 그들의 업무는 긴 근무시간과 힘든 근무 조건과 엄청난 중압감을 수반한다. 그들은 불가피하게 경호 대상 인물의 비밀을 알게 되지만, 그 비밀을 절대 누설하면 안된다는 것도 알고 있다. 경호원이 대통령의 신뢰를 받지 못하면 임무 수행에 필요한 만큼 대통령에게 접근할 수 없을 것이다. 그들의 임무는 특별검사나 그밖의 수사 기관을 위해 대통령 가족의 말을 엿듣는 것이 아니라,

대통령 가족이 해를 입지 않도록 보호하는 것이다.

나는 몇 년 동안 만났던 경호원들을 존경하고 높이 평가한다. 보호자와 피보호자는 직업상의 거리를 유지하려고 애쓰지만, 잠자는 시간만 빼고는 거의 온종일을 함께 지내다 보면 신뢰하고 좋아하는 관계가 생기게 마련이다. 우리 가족은 경호원들이 따뜻하고 재미있고 신중한 사람들이라는 것도 알게 되었다. 차례로 내 수석경호원을 지낸 조지 로저스, 돈 플린, A.T. 스미스, 스티븐 리차르디는 모두 한결같이 허물없는 태도와 직업 의식을 절묘하게 조화시켰다. 9월 11일 테러가 일어났을 때, 친구와 함께 맨해튼에 간 첼시의 안전을 확인하기 위해 첼시에게 전화를 걸던 스티븐 리차르디의 침착한 태도를 나는 평생 잊지 못할 것이다.

베트남전 참전용사로 '대통령 경호실' 을 이끌었고 그후 비밀검찰국장이 된 루 멀레티는 스타의 소환장을 가져온 수사관들을 만나, 경호원들에게 증언을 강요하는 것은 경호원과 대통령 사이에 반드시 필요한 신뢰 관계를 무너뜨려 차후 대통령의 신변 안전을 위태롭게 할 거라고 경고했다. 레이건 대통령과 부시 대통령과 클린턴 대통령을 경호한 멀레티는 이 분야에서 쌓은 오랜 경험으로 평가받고 있었다. 비밀검찰국을 감독하는 재무부는 스타의 요구를 취소하라고 법원에 요청했고, 부시 전 대통령은 경호원들에게 증언을 강요하려는 스타의 시도에 반대하는 서한을 발표했다. 그래도 스타는 소환을 고집했다. 경호원들의 근무 조건과 경호실의 독특한 역할은 스타의 계산법에서는 거의 고려되지 않았다. 7월에 스타는 경호실장 래리 코컬에게 증언을 강요했고, 다른 경호원들의 증언을 강요하기 위한 신청서를 제출했다. 결국 법원은 경호원과 피보호자는 변호사와 의뢰인이나 의사와 환자의 경우와는 달리 법정에서 진술을 강요받지 않는 '비밀 보장 특권' 을 주장할 수 없다는 법률적 이유로 스타의 손을 들어주었다. 1998년이 끝나기 전에 스타는 백악관에 파견된 20명이 넘는 경호원들에게 증언을 강요했다.

1998년 이른 봄에 이미 대중은 스타의 수사에 넌더리를 내기 시작했다. 많은 미국인이 특별검사 사무소에서 나오는 외설적이고 선정적인 폭로에 화를 냈고, 빌이 설령 사생활에서 실수를 저질렀다 해도 그런 외도가 대통령의 책무를 수행하는 능력을 손상시키지는 않았다고 인정했다.

언론은 우리를 음해하려는 조직적인 노력이 존재할 가능성을 추적하기 시작했다. 2월 9일, 『뉴스위크』지는 '음모냐 우연의 일치냐?' 라는 제목의 2쪽짜리 도표를 게재했다. 이 도표는 스타가 수사한 다양한 스캔들에 연료와 자금을 공급한 23명의 보수 정객 · 칼럼니스트 · 언론사 간부 · 작가 · 변호사 · 단체들의 상호 관계를 추적했다.

이어서 『에스콰이어』지는 4월호에 데이비드 브록이 대통령에게 보내는 공개 서한을 실었다. 그는 1994년 『아메리칸 스펙테이터』지에 실린 자신의 '트루퍼게이트' 기사에 대해 사과했다. 이 기사가 결국 폴라 존스의 소송을 낳은 발단이었다. 데이비드 브록이 쓴 『우익에 눈이 멀어』라는 책은 빌과 그의 행정부를 망치려는 조직적인 노력에 자신이 연루된 것을 고백하고, 미국 우익 운동의 경향과 전술과 목표를 상세히 밝히고 있다.

우리는 법률 전선에서 공세를 취했다. 특검 사무소는 연방법에 따라 대배심의 정보를 발표하는 것이 금지되어 있었다. 하지만 스타의 특검 사무소는 대배심의 정보를 거의 일상적으로 누설했고, 대개는 자신에게 호의적인 기사를 쓰는 기자들에게만 슬쩍 흘려주었다. 데이비드 켄들은 법정 모욕죄로 처벌해달라는 신청서를 제출했고, 기자회견을 열어 화이트워터 대배심을 감독하는 노마 할러웨이 존슨 판사에게 그런 정보 누설을 금지해줄 것을 요청할 작정이라고 발표했다. 이 조치는 효과가 있었다. 당분간 정보 누설이 중단된 것이다.

4월 1일, 빌과 내가 아프리카 순방을 끝내가고 있을 때 보브 베넷이 전화로 대통령에게 중요한 소식을 전했다. 수잔 웨버 라이트 판사가 폴라 존스 소송사건이 사실상으로나 법적으로 심리 대상이 되는 사안의 내용이 결여되어 있다고 판단하고 소송을 기각하기로 결정했다는 것이다.

봄에 스타는 자신의 이미지를 높이기 위해 홍보 전문가인 찰스 바칼리를 고용했다. 6월에 스타가 노스캐롤라이나 주의 변호사협회에서 연설한 것도 아마 바칼리의 조언이었을 것이다. 여기서 스타는 자신을 하퍼 리가 쓴 『앵무새 죽이기』의 주인공인 남부의 용감한 백인 변호사 애티커스 핀치에 비유했다. 이 소설에서 핀치는 앨라배마 주의 소도시에서 백인 여성을 강간한 혐의로 기소된 한 흑인 남자의 변호를 맡는다. 핀치는 목적을 위해 증거를 왜곡한 검사의 고삐 풀린 권력에 맞선다. 그것은 도덕적으로 용기있고 영웅적인 행위다. 나는 빈스 포스터를 애티커스 핀치 같은 사람이라고 늘 생각했었다. 그런데 도덕적 우월감을 내세워 규칙과 절차와 예의를 무시하고 있는 스타가 감히 자신을 핀치에 비유하는 것은 데이비드도 나도 도저히 참을 수 없었다. 데이비드 켄들은 6월 3일 『뉴욕 타임스』에 기고한 칼럼으로 포문을 열었다. "공직자는 애티커스 핀치처럼 회의적일 필요가 있다. 자신의 동기에 대해, 적의 동기에 대해, 그리고 자신이 생각하는 '진실'에 대해 의문을 품어야 한다."

6월 중순에 존슨 판사는 특검 사무소가 정보를 불법적으로 누설하고 있다고 믿을 만한 '상당한 근거'가 있으며, 데이비드는 누설한 장본인을 찾기 위해 스타와 그의 대리인들을 법정에 소환할 수 있다고 판결했다. 지극히 당연한 일이지만 연방 대배심은 광범위한 수사력을 갖고 있기 때문에, 대배심의 비밀 유지는 매우 중요하다. 법률은 대배심에서 조사만 받고 고발당하지 않는 이들의 인권을 존중하여 대배심 소송 절차의 비밀 유지를 엄격하게 규정하고 있다. 존슨 판사는 특검 수사의 정보 누설이 '심각하고 반복적'이며 특검 사무소가 '기밀'의 범위를 너무 좁게 규정하고 있다는 것을 발견했다. 존슨 판사의 결정은 우리한테 유리했지만 대배심의 소송 절차와 관련되어 있었기 때문에 '봉인된 상태'로 전달되었다. 당시 스타의 수사와 관련하여 언론에 새어나가지 않은 몇 안되는 사실 가운데 이 존슨 판사의 결정이 포함되어 있었던 것은 얄궂은 일이었다.

이런 배경에서 빌은 1998년도 전반기 내내 '3인방'—깅리치 · 딜레이 · 딕 아미—과 싸우며 자신의 정책을 착실히 추진했다. 나는 '인문학 연구 재단'에 대한 정부 예산을 없애고 전국의 문화 활동에 대한 연방 정부의 지원을 줄이려는 3인방의 계획에 반대했다. 1995년에 나는 『뉴욕 타임스』에 칼럼을 써서 예술에 대한 연방 정부의 지원이 중요하다고 주장했다. 나는 또한 공영 텔레비전을 지지했고, 「세서미 스트리트」(숫자나 글자 따위를 가르치는 텔레비전의 어린이 프로그램)에 나오는 인물들을 백악관으로 초청하여 기자회견을 열었다. 우리는 모든 예술에 대한 연방 정부의 지원을 유지하기 위한 싸움을 계속했다. 연방 정부의 지원은 비록 제한적이었지만 필수불가결한 것이었다.

빌은 새 유엔 대사에 리처드(딕) 홀브룩을 지명했지만, 상원의 공화당 의원들은 홀브룩을 인준해줄 마음이 전혀 없었다. 딕은 '데이턴 평화 협정'을 협상했고, 클린턴 행정부에서 독일 주재 대사와 국무부의 유럽 · 캐나다 담당 차관보를 지냈다. 딕이 적을 얻은 것은 대체로 그에게 명예가 되는 이유 때문이었다. 그는 대단히 지적이고 자신감이 넘치고 무뚝뚝하고 세상에 무서운 게 없었다. 보스니아 전쟁을 끝내기 위해 협상하는 동안 딕은 이따금 나에게 전화를 걸어 새로운 착상을 의논하거나 빌에게 정보를 전해달라고 부탁하곤 했다. 1998년 6월에 빌이 딕을 유엔 대사로 지명하자 딕을 비방하는 사람들은 그의 임명을 분쇄하려고 애썼다. 멜라니와 나는 상원의 인준을 받아내려고 열심히 노력했고, 가혹한 인준 절차를 거치는 동안 인내심을 가지고 꿋꿋이 버티라고 딕을 격려했다. 까다로운 인준 절차 때문에 자질과 능력을 갖춘 적임자들이 중요한 자리에 지명받는 것을 포기하는 경우가 점점 늘어나고 있다. 딕은 14개월 뒤인 1999년 8월에야 겨우 인준을 받고 유엔으로 갔다. 그의 노력으로 오랫동안 지연되어온 미국의 유엔 분담금 지급 결의안이 국회를 통과했다. 딕은 또한 유엔 사무총장 코피 아난과 협력하여 전세계적으로 유행하는 에이즈 문제를 유엔의 우선 사항으로 삼았다.

1998년 봄의 하이라이트는 빌이 오랫동안 고대하던 아프리카 순방이었다. 빌이 아프리카 대륙에 간 것도 처음이었고, 미국의 현직 대통령이 사하라 이남의 아프리카를 광범위하게 순방한 것도 처음이었다. 빌은 나를 만난 이후 내 지평을 국내에서 세계로 넓혀주었지만, 이번에는 내가 이미 발견한 것을 빌에게 보여줄 차례였다.

우리는 1998년 3월 23일 가나의 수도 아크라에 도착하여 수많은 군중의 환영을 받았다. 타는 듯한 열기 속에서 50만 명이 넘는 사람들이 빌의 연설을 듣기 위해 독립광장에 모여 있었다. 1973년에 빌이 나를 영국과 프랑스에 데려간 이후 나는 빌과 함께 여행하기를 좋아했다. 빌은 어떤 돌발사태가 일어나도 임기응변으로 대처했고, 낯선 사람들과 만나 대화하기를 좋아했고, 새로운 경험에 대한 욕망이 강했다.

빌은 연단에 서서 엄청난 군중을 바라보며 나에게 뒤를 돌아보라고 말했다. 우리 뒤에는 화려한 색깔의 옷으로 맵시를 내고 금붙이로 치장한 추장들이 즐비하게 앉아 있었다. 빌은 내 손을 꽉 움켜잡았다. "우리가 아칸소에서 정말 멀리까지 왔군."

정말 그랬다. 가나 대통령 제리 롤링스와 그의 아내 나나 코나두는 대통령 관저인 오수 성에서 우리를 위해 오찬을 베풀었다. 한때 이 성의 지하감옥에는 노예와 죄수들이 갇혀 있었다. 1979년에 쿠데타로 집권한 롤링스는 나라를 안정시켜 비판자들을 당황하게 만들었다. 1992년에 대통령으로 선출되고 1996년에 재선에 성공한 그는 2000년에 실시된 자유선거에서 평화적으로 권력을 내놓았다. 그의 아내 나나는 단아한 여성이었고, 켄테(가나에서 생산되는 화려한 색깔의 수직포)라는 천으로 손수 디자인하여 만든 인상적인 옷을 입고 있었다. 나나와 나는 우연히도 같은 사람과 친분을 갖고 있었다. 내가 리틀록에서 첼시를 낳을 때 도와준 가나 출신의 조산원 하가르 샘은 롤링스의 네 아이를 받은 산파였다. 전세계에서 진취적 기상을 가진 사람들은 미국으로 유학을 오는 경우가 많았다. 하가르도 미국으로 건너와 리틀록의 침례병원에서 공부한 뒤, 내 주치의인 산부인과 의사 밑에서 조산원으로 일했다.

빌에게는 하루하루가 눈이 휘둥그레지는 놀라운 경험이었다. 우간다에서는 무세베니 대통령 내외가 우리와 함께 나일 강의 발원지 근처에 있는 와냥게 마을을 방문했다. 나는 무세베니와 빌에게 소액 대출의 긍정적인 결과를 강조해달라고 부탁했다. 우리는 여러 집에서 성공의 증거를 발견했다. 소액 대출을 받은 사람들은 그 돈으로 토끼장을 짓거나 큰 냄비를 사서 음식을 만들어 팔거나 물건을 사서 시장에 내다 팔았다. 어느 집 밖에서 빌은 또 다른 빌 클린턴—이틀 전에 태어난 사내아이—과 마주쳤다. 산모가 미국 대통령에게 경의를 표하여 갓난 아들의 이름을 빌 클린턴이라고 지은 것이다.

빌은 르완다에 가서 집단학살에서 살아남은 사람들을 만나고 싶어했다. 그곳에서는 100일 남짓한 기간에 50만 내지 100만 명이 살해된 것으로 추정되었다. 경호실은 안전을 이유로 공항에서 생존자들을 만나야 한다고 고집했다. 인류 역사상 최악의 집단학살 가운데 하나인 르완다 사태의 생존자들과 공항 라운지에 앉아 있으려니까 인간이 어떻게 같은 인간에게 이런 짓을 저지를 수 있을까 하는 생각이 또다시 나를 사로잡았다. 두 시간 동안 피해자들은 자신이 '악'을 만난 상황을 차례로 털어놓았다. 미국을 포함하여 어떤 나라도, 어떤 국제적인 영향력도 살육을 막기 위해 개입하지 않았다. 당시 미국은 소말리아에서 미군 장병을 잃은 직후였고 정부는 보스니아의 인종청소를 막으려고 애쓰는 중이었기 때문에 르완다에 군대를 파견하기가 어려웠을 것이다. 하지만 빌은 미국과 국제 사회가 참사를 막기 위해 좀더 많은 노력을 기울이지 않은 것에 대해 공개적으로 유감의 뜻을 밝혔다.

케이프타운에서 빌과 나는 만델라 대통령의 영접을 받았다. 만델라 대통령은 빌이 남아프리카공화국 의회에서 연설하도록 의사당으로 안내했다. 연설이 끝난 뒤 우리는 다양한 민족으로 이루어진 의원들과 함께 점심을 먹었다. 독립하기 전이었다면 그들이 사교적인 모임에서 서로 만나는 일은 결코 일어나지 않았을 것이다. 빌은 빅토리아 음셍게도 방문하여, 1년 전 첼시와 내가 방문한 이후 100채가 넘는 집이 새로 지어진 것을 보았다. 그곳에는 내 이름을 붙인 도로도 있었다. 그들은 내 이름이 적힌 도로표지판을 나에게 기념으로 주었다.

남아프리카에서는 여름이 끝나가고 있었다. 빌이 만델라와 함께 로벤 섬의 감옥을 둘러볼 때는 으스스할 만큼 공기가 쌀쌀했다. 흑인 죄수들이 석회암 채석장에서 일할 때는 추운 날씨에도 반바지를 입어야 했다. 유색인이나 혼혈인 죄수들은 긴 바지를 입었다. 몇 시간씩 돌을 깨는 단조로운 노동을 하는 동안, 만델라는 간수들이 보지 않을 때 동료 죄수들에게 글을 가르치려고 석회암 가루 속에 글씨를 쓰곤 했다. 오랫동안 부식성 먼지에 노출되었기 때문에 만델라는 눈물관이 손상되어 눈이 가렵고 눈물이 났다. 하지만 새 연인인 그라샤 마셸과 함께 있을 때는 눈이 빛나곤 했다. 그라샤 마셸은 1986년에 의문의 비행기 추락사고로 사망한 모잠비크 대통령 사모라 마셸의 미망인이었다. 그녀는 전쟁으로 황폐해진 나라를 이끄는 등불이었고, 아프리카 전역의 여성과 아동을 옹호했다. 만델라와 그의 아내 위니는 결혼한 뒤 수십 년의 별거와 투옥과 추방을 겪었지만, 그들의 결혼은 결국 파경을 맞았다. 만델라는 그라샤 와 함께 있을 때 편안해 보였고, 분명 그라샤 한테 반해 있었다. 그들은 만델라의 오랜 친구인 투투 대주교의 강력한 권유로 1998년 7월 결혼했다.

만델라는 빌과 나에게 자신을 부족의 이름인 마디바로 불러달라고 요구했다. 우리는 그를 '대통령 각하' 라고 부르는 것이 더 편했다. 그만큼 우리는 만델라를 존경하고 높이 평가했다. 만델라는 왜 첼시를 데려오지 않았느냐고 물었다. "내가 미국에 가면 나를 만나러 와야 한다고 첼시한테 전해주시오. 내가 어디에 있든지 간에."

빌과 나도 첼시를 데려오지 않은 것이 아쉬웠다. 우리는 육지로 둘러싸인 불모의 나라 보츠와나로 가고 있었다. 보츠와나는 사하라 이남의 아프리카에서 1인당 국민소득이 가장 많은 나라인 동시에 세계에서 에이즈 감염률이 가장 높은 나라라는 대조적인 특징을 갖고 있었다. 정부는 에이즈 확산을 막고 환자를 치료하기 위해 갖은 노력을 기울이고 있었지만, 국제 원조를 받지 못해 에이즈 치료약이 턱없이 비쌌다. 이 방문을 통해 빌은 2년 만에 국제 에이즈 프로그램에 대한 미국의 자금 지원을 세 배로 늘리고 예방 백신 개발에 상당한 자금을 지원해야 한다고 확신하게 되었다.

그때까지 우리 여행은 유쾌했지만, 빌은 작년에 첼시와 내가 경탄한 야생동물을 볼 기회를 아직 갖지 못했다. 초베 국립공원을 방문했을 때 빌과 나는 아침에 차를 타고 야생동물을 보러 가기 위해 동이 트기도 전에 일어났다. 우리는 코끼리와 하마 · 독수리 · 악어, 어미 사자와 새끼 네 마리를 구경한 뒤, 보트를 타고 초베 강을 내려가면서 늦은 오후를 보냈다. 우리가 보트에 단둘이 앉아 있을 때 해가 기울었다. 영원히 잊지 못할 하루가 저물어가고 있었다.

마지막 순방국인 세네갈에서 빌은 전에 내가 그랬듯이 고레 섬을 방문했다. 빌은 '돌아올 수 없는 문' 을 보고, 노예 무역에서 미국이 맡은 역할을 사과하는 감동적인 연설을 했다. 이 사과는 일부 미국인들 사이에 논란을 불러일으켰지만, 나는 적절한 말이라고 생각했다. 말은 중요하고, 특히 미국 대통령의 말은 전세계에서 큰 무게를 지닌다. 르완다의 집단학살과 미국 노예제도의 유산에 대해 유감의 뜻을 밝힌 것은 가난과 억압 · 굶주림 · 문맹 · 전쟁이 얽히고 설켜 어려움에 직면해 있는 아프리카인들에게 관심과 존중의 메시지를 보낸 것이다. 하지만 아프리카에는 말 이상의 것이 필요하다. 아프리카 경제가 발전하려면 투자와 교역이 필요하다. 그러려면 대부분의 정부가 상당히 달라져야 하고 미국과 협력해야 한다. 빌이 제안하여 국회에서 통과된 '아프리카 성장 및 기회법' 이 그토록 중요한 이유는 바로 그것이다. 이 법률은 미국 기업이 아프리카에서 사업을 하도록 인센티브를 제공한다.

아프리카에서 돌아온 지 한 달도 지나기 전에 빌과 나는 여전히 아프리카를 생각하고 아프리카에 대해 이야기하면서 중국을 국빈 방문하기 위해 다시 여행길에 올랐다. 이번에는 첼시와 우리 어머니도 함께 갈 수 있어서 기뻤다. 그리고 1995년에 중국을 방문했을 때보다 오래 머물면서 더 많은 것을 볼 수 있다고 생각하자 가슴이 설레었다.

중국은 이미 경제를 근대화하고 있었다. 중국이 앞으로 나아갈 방향은 미국의 국익에 직접 영향을 미칠 것이다. 빌은 중국과의 관계 개선에 찬성했지만, 내가 1995년에 깨달았듯이 그것은 말처럼 쉬운 일이 아니었다. 우리는 오래 전부터 계획된 국빈 방문을 떠나면서, 중국의 인권 침해와 맞서는 한편 중국의 시장 개방과 대만 문제에 대해서도 어느 정도 합의가 이루어지기를 기대했다. 하지만 양쪽의 균형을 맞추는 일이 여간 어렵지 않았다.

국빈 방문이었기 때문에 중국 정부는 베이징에서 환영식을 거행했다. 이런 행사를 우리는 대개 백악관 '남쪽 잔디밭' 에서 거행하는데, 중국인들은 대개 천안문 광장에서 거행한다. 천안문 광장은 1989년 6월 중국 당국이 탱크를 동원하여 민주화 시위를 강제 진압한 현장이다. 빌과 나는 그곳에서 열리는 환영식에 참석할 것인지를 놓고 논쟁을 벌였다. 빌은 중국의 억압적인 정책과 인권 침해를 지지하는 것으로 보이고 싶지는 않았지만, 천안문 광장이 중국 역사에서 갖는 중요성을 이해하고 중국인들의 요구를 존중하기로 했다. 나는 1989년에 텔레비전으로 본 천안문 광장을 머리에 떠올렸다. 그곳에서 일어난 사건이 마음을 떠나지 않았다. 중국 대학생들은 미국의 '자유의 여신상'과 비슷한 '민주주의의 여신'을 임시로 만들어 세우고 군인들에게 도전했다. 그 군인들은 미국 대통령의 사열을 기다리며 정렬해 있는 의장대와 같은 부류의 사람들이었다.

나는 1997년 10월 중국의 장쩌민 국가주석이 부인 왕예핑 여사와 함께 미국을 국빈 방문했을 때 장쩌민 주석을 만난 적이 있었다. 장쩌민은 영어를 잘해서 쉽게 대화를 나눌 수 있었다. 장쩌민이 미국을 방문하기 전에 내 친구들은 중국이 티베트를 억압하는 문제를 제기하라고 요구했다. 나는 달라이 라마를 만나 티베트인들의 곤경에 대해 논의한 적이 있었기 때문에, 중국이 티베트인과 그들의 종교를 억압하는 이유를 말해달라고 장쩌민 주석에게 요구했다.

"그게 도대체 무슨 뜻입니까? 티베트는 역사적으로 중국의 일부였고, 중국은 티베트인을 해방시켰습니다. 티베트인들은 이제 전보다 더 잘 살고 있는 것으로 알고 있습니다."

"하지만 티베트인의 전통과 종교를 신봉할 권리는 어떻게 되죠?"

그러자 장쩌민은 열을 올리며 탁자를 내리치기까지 했다. "그들은 종교의 희생자였소. 지금은 봉건주의에서 해방됐습니다."

세계화 시대를 맞아 전세계의 공통된 문화가 발전하고 있지만, 같은 사실을 전혀 다른 역사적 · 문화적 프리즘을 통해 바라볼 수 있고, 또 실제로 그런 경우가 많다. 그리고 사람들은 자신의 정치적 견해에 적합하도록 '자유'라는 낱말의 뜻을 정의한다. 장쩌민은 세상 물정에 밝은 사람이고, 중국 경제의 개방과 근대화에 성공한 사람이었다. 나는 그가 티베트에 대해 솔직하게 말하고 있다고는 생각지 않았다. 중국인들은 역사적 · 심리적 이유 때문에 국내의 분열을 피해야 한다는 강박관념에 사로 잡혀 있었다. 티베트의 경우, 그것은 과잉 반응과 억압으로 이어졌다. 강박관념은 그런 결과를 낳는 경우가 많다.

중국을 방문한 동안, 빌과 나는 또다시 티베트 문제와 중국의 전반적인 인권 상황을 제기했다. 예상대로 중국 지도자들은 완강하고 거부적인 태도를 보였다. 미국 대통령이 그렇게 심각한 의견 차이를 가진 나라를 방문하는 이유가 뭐냐고 묻는다면 내 답변은 늘 똑같다. 인류 역사상 가장 다양한 나라인 미국은 이제 어느 나라와도 비교할 수 없는 막강한 힘을 가지고 있다. 하지만 미국은 세계에서 고립되어 다른 나라들과 그들의 견해에 대해 잘 모를 수도 있다. 미국 지도자들과 국민은 세계 속에 살면서 다른 나라들과 경쟁하거나 협력하려고 애쓴다. 우리가 사는 세계에 대해 더 많이 아는 것이 우리에게 이롭다. 우리가 다른 나라 사람들과 얼마나 많은 공통점을 가지고 있느냐에 관계없이 역사와 지리와 문화는 뚜렷한 차이를 만들어내고, 그 틈은 오직 직접 경험과 관계를 통해서만 메울 수 있다. 방문국과 미국에서 강한 관심을 불러일으키는 대통령의 방문은 적어도 상호 이해와 신뢰를 강화하는 바탕이 될 수 있다. 중국은 중요한 나라이기 때문에 공식 방문의 필요성은 논란의 여지가 없었다.

베이징 대학의 '여성 법률 연구 및 법률구조 센터'는 내가 젊은 변호사 시절에 아칸소 대학에서 운영한 것과 비슷한 소규모 법률구조 사무실이다. 센터는 여성의 권리를 증진하기 위해 적극적으로 법률을 이용하고 있었다. 이는 1992년에 제정된 여권 보호법을 시행하는 첫 단계였다. 센터는 몇 달 동안 임금을 받지 못한 공장 근로자들을 대리하여 집단 소송을 제기하고, 여성 기술자들에게 남자 동료보다 이른 퇴직을 강요한 사용자를 고발하고, 강간범에 대한 기소를 지원하면서 여권 보호법을 실제로 시행하려고 애썼다. 나는 센터의 의뢰인을 몇 명 만나보았다. 회사의 가족계획 담당 부서의 승인을 받지 않고 아이를 가졌다는 이유로 해고당한 여성도 있었다. '포드 재단'의 자금 지원으로 1995년에 설립된 이 센터는 벌써 4천 명 가까운 사람들을 상담했고, 100건이 넘는 소송사건에서 무료 변론을 맡았다. 이런 변호만이 아니라 중국이 실시한 마을 민주주의 실험도 고무적이었다. 중국이 변하고 있는 것은 확실하지만, 더 많은 자유를 향해 나아가고 있는지는 불확실하다. 나는 중국과 좀더 긴밀한 유대 관계를 맺고 상호 이해를 강화하는 것이 미국의 이익과 직결된다고 생각한다.

중국 정부는 빌과 장쩌민 주석의 기자회견—여기서는 티베트를 포함한 인권 문제에 대해 광범위한 의견 교환이 이루어졌다—과 빌의 베이징 대학 강연을 검열하지 않고 방송하도록 허락하여 우리를 놀라게 했다. 빌은 베이징 대학 학생들에게 "경제적 자유만으로는 진정한 자유를 이룰 수 없다"고 강조했다.

빌과 첼시와 어머니와 나는 자금성과 만리장성을 관광했다. 일요일에는 중국의 종교적 자유 확대를 공개적으로 지지하기 위해 국가의 인가를 받은 충원먼(崇文門) 교회에서 예배를 보았다. 대부분의 중국인들은 교회에서 예배를 볼 권리도 인정받지 못하고 있다. 어느날 아침 일찍 우리는 '노천시장'을 방문했다. 노천시장은 커다란 천막을 친 상설시장에 자리를 얻지 못한 행상들이 천막 바깥의 땅바닥에 상품을 벌여놓은 벼룩시장이다. 장쩌민 주석은 빌과 나를 위해 인민대회당에서 화려한 공식 만찬을 베풀었다. 만찬장의 핵심은 중국의 전통 음악과 서양 음악 공연이었다. 공연이 끝나기 전에 두 지도자는 교대로 인민해방군 군악대를 지휘했다. 이튿날 밤 장쩌민은 자신을 비롯한 고위 관리들이 살고 있는 특별구역에서 조촐한 비공식 만찬을 열고, 빌과 나만이 아니라 첼시와 우리 어머니까지 초대했다. 오래된 찻집에서 식사를 한 뒤, 우리는 여름 밤의 온화한 대기 속으로 나가서 작은 호숫가 둔덕 위에 앉았다. 베이징의 불빛이 멀리 희미하게 보였다.

베이징이 중국의 워싱턴이라면, 상하이는 뉴욕이다. 빌의 스케줄은 기업인들과의 만남과 상하이 증권거래소 방문 등으로 빽빽이 채워져 있었다. 나는 중국 정부의 통제를 보여주는 재미있고 인상적인 사례와 부닥쳤다. 우리는 빡빡한 공식 일정에서 잠시 숨을 돌리기 위해 식당에서 비공식적으로 점심을 먹을 예정이었다. 우리가 식당에 도착하자, 선발대로 가 있던 보브 바넷이 말했다. 몇 시간 전에 경찰들이 나타나서 근처 가게에서 일하는 사람들을 그 구역에서 모조리 몰아냈다는 것이다. 가게에서는 그들 대신 서양옷을 입은 잘생긴 젊은이들이 일하고 있었다.

근대적인 상하이 도서관은 어느 도시에 갖다놓아도 건축술의 보배가 될 만하다. 이곳에서 나는 여성이 하늘의 절반을 떠받친다는 중국의 격언을 중심으로 여성의 지위에 대해 강연했다. 하지만 무보수 가사노동과 소득을 낳는 일을 병행하면, 대부분의 경우 우리 여성들은 하늘의 절반 이상을 떠받치게 된다고 덧붙였다.

올브라이트 국무장관과 나는 신앙의 자유를 강조하고 싶어서, 새로 복원된 '오헬 라헬' 유대교회당을 방문했다. 상하이에서는 유대인들이 유럽과 러시아에서 상하이로 탈출한 19세기와 20세기에 대규모 유대인 공동체가 번영을 누렸는데, 오헬 라헬은 그때 세워진 여러 교회당 가운데 하나다. 공산당이 정권을 잡은 뒤 중국 정부가 유대교와 교회당을 공식적으로 인정하지 않았기 때문에 유대인은 대부분 중국을 떠났다. 그후 오헬 라헬은 수십 년 동안 창고로 쓰였다. 시어도어 매커릭 추기경과 도널드 아규 박사와 함께 중국의 종교적 자유의 실상을 빌에게 보고한 뉴욕의 파크이스트 유대교회당의 아서 슈나이더 라비는 복원된 언약궤에 넣을 새 '모세 오경'을 오헬 라헬에 기증했다.

우리는 상하이에서 정신없이 바쁜 일정을 마치고, 수세기 동안 화가들의 사랑을 받은 구이린(桂林)으로 날아갔다. 리장강(灃江)이 첨탑처럼 높이 솟은 석회암 봉우리들 사이를 굽이치며 흐르고 있다. 중국의 가장 아름다운 산수화 가운데 상당수가 이 아름다운 명승지를 묘사하고 있다.

중국에서 돌아오자마자 나는 미국의 문화사와 미술사에 관심을 가지고, 지난 몇 달 동안 생각했던 새천년 축하 행사에 초점을 맞추었다. 미국을 세운 위대한 지성들, 풍부한 상상력과 철학적 원칙으로 미국의 지속적인 정치체제를 상상하고 고안한 그 지적 거인들의 놀라운 위업을 계승하려면 민주주의는 지적 자본의 대대적인 축적을 필요로 한다. 225년 동안 우리의 민주주의를 지탱하고 있는 것은 외국과의 생산적인 동맹 관계를 비롯한 미국의 풍요로운 과거를 이해하고 후세를 위해 우리가 창조해야 할 미래를 상상할 수 있는 미국 시민들이다. 나는 지난 몇 년 동안 공적 담론에 드러나는 거만한 반지성주의를 우려하게 되었다. 의원들 중에는 한번도 미국 밖으로 나가본 적이 없는 것을 무슨 훈장이나 되는 것처럼 자랑하는 이들도 있었다.

새천년의 도래는 미국을 인류 역사상 가장 장수를 누리고 있는 민주주의 국가로 만들어주고 미래를 준비하는 미국 시민들의 마음가짐에 중요한 의미를 갖는 미국의 역사와 문화와 사상을 과시할 수 있는 기회였다. 나는 특히 미국의 문화사와 예술사에 관심을 집중시키고 싶었다. 나는 뛰어난 창의력을 가진 비서실 차장 엘렌 매컬러프 로벨에게 도움을 청하여, 내 바람을 한마디로 요약한 "과거를 기리고 미래를 상상하라"를 새천년 축하 행사의 주제로 채택했다.

나는 백악관 '이스트 룸'에서 일련의 강연과 공연을 개최했다. 학자와 역사가 · 과학자 · 예술가들이 미국 재즈의 문화적 뿌리에서부터 유전학과 여성사에 이르기까지 다양한 문제를 탐색했다. 뛰어난 과학자 스티븐 호킹은 우주론에서 최근에 이루어진 비약적 발전을 설명했다. 빈턴 서프 박사와 에릭 랜더 박사는 우리 인간의 유전자 구조를 밝혀줄 인간게놈 프로젝트에 대해 이야기했다. 모든 인간의 유전자가 99.9퍼센트 동일하다는 사실은 이미 알려져 있다. 이는 지나치게 폭력적인 세계에서 평화로운 공존이 가능하다는 중요한 암시를 내포하고 있다. 뛰어난 트럼펫 주자인 윈턴 마살리스는 재즈가 왜 민주주의의 음악인지를 설명했다. 미국의 계관시인들은 청소년들과 함께 자신들의 작품을 낭송했다. 이 포럼들은 백악관에서 처음으로 인터넷을 통해 중계되어, 전세계 사람들이 포럼을 즐기고 질의응답에 참여할 수 있었다.

2년 동안 계속된 새천년 축하 행사의 일환으로 나는 '미국의 보물 구하기'를 시작했다. 이것은 전국의 문화적 · 역사적 표지물과 인공물을 복원하고 인정하는 프로그램이다. 모든 공동체에는 우리 미국인이 누구인가를 말해주는 무언가—기념물 · 건물 · 예술작품—가 있다. 하지만 우리는 그 역사를 무시하고 거기에서 교훈을 얻지 못하는 경우가 너무 많다. 우리 국가(國歌)에 영감을 불어넣은 성조기는 국립역사박물관에 누더기가 된 채 걸려 있다. 그 깃발을 수선하려면 수백만 달러가 들겠지만, 그 깃발을 잃는 손해는 계산할 수도 없다.

'미국의 보물 구하기'의 첫 단계로 빌과 나는 랠프 로렌 회사가 미국 국가에 영감을 불어넣은 그 깃발을 복원하는 자금으로 1천만 달러를 기부했다고 발표했다. 그후 2년 동안 '미국의 보물 구하기'는 연방 보조금 6천만 달러와 개인 기부금 5천만 달러를 합쳐 옛 영화를 복원하고, 인디언 마을을 새로 단장하고, 극장들을 수리하고, 그밖에 미국의 많은 유산을 구했다.

7월에 나는 워싱턴에서 뉴욕 주 세네카폴스(1848년 미국에서는 처음으로 여성 참정권 운동이 일어난 곳—옮긴이)까지 버스를 타고 가면서, 가는 도중에 있는 중요한 곳—볼티모어의 맥헨리 요새, 뉴저지 주에 있는 토머스 에디슨 공장, 뉴욕 주 뉴버그에 있는 조지 워싱턴 사령부, 뉴욕 주 빅터에 있는 이러쿼이족 문화공원, 뉴욕 주 오번에 있는 해리엇 터브먼의 집—에 들르는 나흘간의 버스 여행을 떠났다.

해리엇 터브먼은 내가 존경하는 여장부다. 노예였던 그녀는 '언더그라운드 레일로드'(남북전쟁 이전에 노예를 탈출시킨 비밀 조직—옮긴이)의 도움으로 탈출하여 자유를 찾은 뒤, 용감하게 다시 남부로 돌아가 다른 노예들을 자유로 이끌었다. 이 놀라운 여성은 남북전쟁 때 북군의 간호사 겸 정찰병으로 활약했고, 남북전쟁이 끝난 뒤에는 새로 해방된 흑인 아이들을 가르치고 입히고 재우기 위한 돈을 모금하는 민중 운동가가 되었다. 그녀는 대단한 영향력을 가진 사람이었고, 인종을 불문하고 모든 미국인을 감화시켰다. 그녀는 예속에서 자유로 가는 험난한 길을 따라 노예들을 이끌면서 말했다. "지치고 힘들어도 계속 가라. 겁이 나도 계속 가라. 배고파도 계속 가라. 자유를 맛보고 싶거든 계속 가라."

이 버스 여행의 절정은 세네카폴스의 '여권 국립역사공원'에서 1만 6천 명이 참석한 가운데 열린 행사였다. 이 행사는 엘리자베스 스탠턴과 수잔 앤서니가 주도했던 여성 참정권 운동의 150주년 기념식이었다.

나는 미국과 여성들에게 이 작은 마을이 상징하는 역사에서 영감을 얻어, 150년 전 워털루 근처에서 장갑을 만들며 살았던 열아홉 살의 샬럿 우드워드의 이야기로 말문을 열었다. 샬럿은 결혼하면 임금과 자녀는 물론 몸에 걸친 옷까지도 모두 남편 소유가 되리라는 것을 알면서도 쥐꼬리만한 임금을 받기 위해 열심히 일했다. 1848년 7월 19일 마차를 타고 세네카폴스에 가서 미국 최초의 '여권 집회'에 참석했을 때 샬럿을 사로잡았던 호기심과 흥분을 상상해보라고 나는 청중들에게 말했다. 샬럿은 자기와 비슷한 여성들이 길을 가득 메우고 있는 것을 보았다. 그것은 평등으로 가는 길을 나아가는 긴 행렬이었다.

나는 노예폐지론자인 프레더릭 더글러스에 대해 이야기했다. 더글러스는 자유를 위한 필생의 투쟁을 계속하기 위해 세네카폴스에 왔다. 나는 청중에게 말했다. "여권 선언에 서명한 용감한 남녀들이 아직도 참정권을 갖지 못한 여성이 얼마나 많은지를 알면 뭐라고 할까요? 그들은 놀라고 분개할 겁니다…… 150년 전 세네카폴스에 모인 여성들은 다른 사람들 때문에 침묵해야 했습니다. 그러나 오늘날에는 우리 여성 자신이 우리 자신을 침묵시키고 있는 것입니다. 우리에게는 선택권이 있습니다. 목소리가 있습니다."

끝으로 나는 세네카폴스에 모였던 그 용기있는 여성들의 비전과 지혜를 길잡이로 삼아 미래로 나아가자고 촉구했다.

"과거와 현재와 마찬가지로 미래도 완전하지 않을 것이고, 완전할 수도 없습니다. 우리의 딸과 손녀들은 오늘날 우리가 상상조차 할 수 없는 새로운 도전에 직면하게 될 것입니다. 하지만 어떤 위험이 닥치더라도, 어떤 대가를 치르더라도, 정의와 평등, 여권과 인권을 소리 높이 외치고, 역사의 옳은 쪽에 서기 위해 우리 각자가 최선을 다하면, 그 미래를 준비하는 일을 도울 수 있습니다."

이 역사의 무대는 내가 지난 봄과 여름에 깨달은 것을 마무리하기에 알맞은 곳이었다. 나는 중국과 아프리카, 동유럽과 라틴아메리카에 뿌리를 내린 민주주의가 가냘프게나마 꽃을 피운 것을 보았다. 그들 나라에서 자유를 향한 추진력은 미국을 만든 바로 그 추진력이었다. 해리엇 터브먼과 넬슨 만델라를 잇는 고리는 같은 인생 행로의 일부였다. 나는 그 인생 역정을 기릴 수 있는 최선의 방법을 찾고 있었다. 미국과 전세계에서 참정권을 얻기 위해 흘린 피가 너무 많았기 때문에, 나는 참정권을 비종교적인 성체성사로 여기게 되었다. 공직에 출마하는 것은 참정권을 얻기 위해 자신을 희생한 이들에게 경의를 바치는 것이다. 나는 완전하지는 않지만 활력에 넘치는 우리 정치체제에 새삼 경외심을 느끼고, 모든 시민이 그 정치체제에서 도움을 얻을 수 있는 새로운 방법을 궁리하면서 집으로 돌아왔다. 워싱턴에서 빌과 나는 아직도 걸림돌에 부닥쳐 있었지만, 나는 해리엇 터브먼이 우리 모두에게 물려준 영감의 우물 속에 몸을 깊이 담그고, 그 어떤 난관이 닥쳐도 계속 가겠다고 맹세했다.

# 1998년 8월

1998년 8월은 끔찍한 달이었다. 그때 일어난 사건들은 희망찬 10년이 끝나는 전환점을 알리는 듯했다. 세계의 대부분 지역에서 1990년대 중엽은 화해와 안정의 시기였다. 소련은 또 다른 세계대전을 일으키지 않고 해체되었다. 러시아는 좀더 안전한 미래를 건설하기 위해 미국 · 유럽과 협력하고 있었다. 남아프리카공화국은 자유선거를 실시했다. 라틴아메리카에서는 거의 모든 나라가 민주주의를 받아들였다. 보스니아에서는 인종청소가 끝나고 재건 작업이 시작되었다. 북아일랜드의 평화협정과 정전은 성공적이었다. 끔찍한 좌절을 겪기는 했지만, 중동의 지도자들은 평화를 향해 나아가고 있는 듯이 보였다. 지구 곳곳에는 여느 때처럼 갈등과 고통이 있었지만, 많은 적대 행위가 상당히 누그러졌다.

비교적 평온한 이 시기는 이슬람 테러분자들이 케냐와 탄자니아의 미국 대사관을 동시에 폭파한 8월 7일 산산이 부서졌다. 미국인 사상자 12명을 포함하여 264명이 숨지고 5천여 명이 다쳤다. 희생자는 대부분 사무실에서 일하거나 길을 가던 아프리카인이었다. 이것은 외국에서 일어난 대미 테러 공격 가운데 가장 파괴적인 것이었고, 앞으로 다가올 참극의 전조였다. 빌은 테러 작전의 진원을 알아내고 주모자들을 고립시키는 데 어느 때보다도 주의를 집중했다. 첩보기관의 조사를 통해 오사마 빈 라덴이라는 사악한 사우디 망명자가 이슬람 세계에서 일어나는 테러 행위의 대부분을 조직하고 자금을 대고 있다는 사실이 차츰 분명해졌다. 게다가 그의 공격은 점점 대담해지고 규모도 커지고 있었다.

이라크에서는 사담 후세인이 무기 사찰단의 군사시설 접근권을 완전히 보장하라는 유엔의 요구를 또다시 거부했다. 빌은 후세인에게 어떻게 대처하는 것이 바람직한지를 검토하기 위해 유엔 관리 및 동맹국 지도자들과 오랫동안 협의를 거듭했다. 사람들은 빌이 워싱턴의 정치적 혼란 속에서도 국제 위기에 그렇게 정신을 집중할 수 있는 것을 놀라워했지만, 빌과 그의 국가 안보팀은 국회의 관심과 정부의 역량을 국내외에서 점점 고조되는 위협 쪽으로 돌리는 데 애를 먹고 있었다. 그것은 언론과 국회와 FBI가 대통령의 사생활을 캐내는 데 너무 많은 정력을 쏟고 있었기 때문일 것이다.

7월 말, 나는 데이비드 켄들한테서 스타가 모니카 르윈스키와 면책협정을 맺었다는 말을 들었다. 르윈스키는 8월 6일 화이트워터 대배심—명칭과는 달리 이 대배심은 이제 화이트워터와는 아무 관계도 없었다—에서 증언했다. 스타는 대통령을 대배심에 소환하여 증언을 듣기로 결정했고, 빌은 협조할 것인지 말 것인지 결단을 내려야 했다. 빌의 변호인들은 수사의 표적이 되어 있는 사람이 대배심에서 증언하면 안된다고 주장하면서 대배심 출두에 반대했다. 재판이 열리면 빌의 대배심 증언이 그에게 불리하게 이용될 수도 있을 터였다. 하지만 증언하라는 정치적 압력은 강력했다. 또다시 중간선거가 다가오고 있었다. 빌은 이 문제가 중간선거에 암운을 던지는 것을 바라지 않았다. 나는 빌이 증언해야 한다는 데 동의했고, 빌이 증언해도 걱정할 이유는 전혀 없다고 생각했다. 그것은 넘어야 할 또 다른 장애물 정도로 여겨졌다. 데이비드 켄들은 빌과 나에게 스타의 수사 진행 상황을 정기적으로 보고하고 있었다. 나는 특별검사가 이유도 구체적으로 밝히지 않은 채 대통령의 혈액 샘플을 요구한 것을 알았다. 데이비드는 특검팀이 빌의 증언을 앞두고 허세를 부려 빌을 겁주려는 수작일 수도 있다고 생각했다.

나는 대배심에서 증언해본 경험이 있었기 때문에, 대배심 출두가 신경을 몹시 곤두서게 만든다는 것을 알고 있었다. 8월 14일 금요일 밤, 보브 바넷이 '옐로 오벌 룸'에서 나를 만났다. 대배심 증언과는 관계없는 일에 대해 의논하고, 친구로서 내가 어떻게 견디고 있는지 알아보기 위해서였다. 보브는 걱정이 되느냐고 물었다. "아뇨. 그저 우리 모두가 이 일을 견뎌야 한다는 게 유감스러울 뿐이에요."

"당신이 모르는 사실이 밝혀지면 어떡할 겁니까?"

"그런 건 없어요. 빌한테 몇 번이나 물어봤는걸요."

그래도 보브는 끈질기게 말했다. "스타가 빌한테 느닷없이 뭔가를 들이대면 어떡합니까?"

"나는 경험상 스타의 말이나 행동은 아무것도 믿지 않을 거예요."

"하지만 그 뭔가가 진실일 수도 있다는 사실을 직시해야 합니다."

"이봐요, 보브. 내 남편은 결점이 있을지는 몰라도 나한테 거짓말을 한 적은 한번도 없었어요."

이튿날은 8월 15일 토요일이었다. 빌이 몇 달 전처럼 아침 일찍 나를 깨웠다. 하지만 이번에는 침대 끝에 걸터앉지 않고 방을 오락가락했다. 그러다가 이렇게 말문을 열었다. 사태가 전에 생각했던 것보다 훨씬 심각하다. 부적절한 친교가 있었다고 증언할 수밖에 없는 상황이다. 짧은 기간 동안 드문드문 관계를 가졌다. 일곱 달 전에 당신한테 고백하지 못한 것은 너무 부끄러워서 도저히 인정할 수 없었기 때문이고, 당신이 얼마나 화나고 상처받을지 알고 있었기 때문이다.

나는 거의 숨을 쉴 수가 없었다. 숨을 한번 꿀꺽 삼키고, 울음을 터뜨리면서 그에게 고함을 질러대기 시작했다. "그게 무슨 소리야? 도대체 무슨 말을 하고 있는 거야? 왜 거짓말을 했어?"

나는 점점 더 분노에 사로잡혔다. 빌은 그냥 우두커니 선 채 같은 말만 되풀이했다. "미안해. 정말 미안해. 당신과 첼시를 보호하고 싶었어." 나는 내 귀에 들려오는 말을 믿을 수가 없었다. 지금까지 나는 빌이 어리석게도 그 젊은 여자한테 조금 관심을 보였을 뿐이라고 생각했고, 부당한 누명을 쓰고 있다고 확신했다. 그가 우리 결혼과 우리 가족을 위험에 빠뜨릴 짓을 하리라고는 도저히 믿을 수가 없었다. 너무 기가 막혀서 말이 나오지 않았다. 가슴이 찢어지는 것 같았다. 내가 빌을 철석같이 믿었다는 게 분통이 터졌다.

이윽고 나는 이 일을 첼시한테 말해야 한다는 것을 깨달았다. 첼시한테는 당신이 말하라고 하자 빌의 눈에 눈물이 가득 고였다. 빌은 우리 사이의 믿음을 배신했다. 그것이 돌이킬 수 없는 파국으로 이어질 수도 있다는 것을 우리는 둘 다 알고 있었다. 게다가 빌은 첼시도 속였다. 우리는 아빠가 너한테 거짓말을 했다고 첼시에게 말해야 했다. 우리 모두에게 끔찍한 순간이었다. 그런 쓰라린 배신 행위가 일어난 뒤에도 결혼 관계가 지속될 수 있을지—아니, 결혼을 지속해야 할지—알 수가 없었다. 하지만 나는 내 시간표에 따라 내 감정을 조심스럽게 처리해야 한다는 것을 깨달았다. 말벗이 필요했다. 누군가에게 내 심정을 털어놓고 싶었다. 그래서 나는 카운슬러이기도 한 친구에게 전화를 걸었다. 내 인생에서 가장 지독하고 충격적이고 괴로운 경험이었다. 나는 어떻게 해야 할지 알 수가 없었지만, 내 감정을 처리하기 위해서는 내 가슴과 머리 속에서 차분하고 평온한 곳을 찾아야 한다는 것을 알았다.

다행히 그 주말에는 대중 앞에 나서야 할 일이 없었다. 우리는 원래 마사스비니어드로 휴가를 떠날 예정이었지만, 빌이 대배심에서 증언한 뒤로 출발을 미룬 상태였다. 빌은 감정적으로 완전히 녹초가 되어 있었지만, 증언을 준비하고 국민에게 발표할 성명서를 작성해야 했다.

우리가 이 사적이고 공적인 위기와 싸우고 있을 때 세계는 또 다른 현실로 우리를 좌절시켰다. 북아일랜드의 오마에서 아일랜드 공화군 일당이 사람들로 붐비는 시장에서 자동차 폭탄을 터뜨려 28명이 숨지고 200여 명이 다친 것이다. 이 사건은 빌이 아일랜드 지도자들과 그토록 오랫동안 애써온 평화협상을 물거품으로 만들어버렸다. 그 토요일 오후 사상자에 대한 보고가 들어왔을 때 나는 아일랜드 전역의 여성들과 만났을 때의 일을 떠올렸다. 그때 우리는 북아일랜드 사태에 대해 이야기하고, 평화와 화해에 도달할 수 있는 방법을 찾았다. 지금 가슴이 찢어지는 고통 한복판에서 괴로워하고 있는 내가 해야 할 일도 바로 평화와 화해에 도달하는 길을 찾는 것이었다.

빌은 월요일 오후 백악관의 '맵 룸'에서 네 시간 동안 증언했다. 스타는 대배심 소환을 철회하기로 동의했고, 빌의 증언은 비디오 테이프로 녹화되어 대배심에 폐쇄회로로 중계되었다. 이것으로 빌은 대배심에 소환된 최초의 현직 대통령으로 법정에 출두하는 굴욕은 면할 수 있었지만, 그날 빌이 모면한 굴욕은 그것뿐이었다. 오후 6시 25분에 증언이 끝나자 빌은 침착하지만 화가 머리끝까지 난 표정으로 방에서 나왔다. 나는 그의 증언에 입회하지 않았고, 그와 이야기할 준비도 되어 있지 않았지만, 그의 몸짓만 보고도 그가 지독한 시련을 겪은 것을 알 수 있었다.

데이비드 켄들은 빌이 동부 표준시로 오후 10시에 국민에게 짤막한 성명을 발표할 예정이라고 텔레비전 네트워크에 알렸다. 빌이 가장 신뢰하는 측근들—백악관 법률 고문인 처크 러프, 폴 베갈라, 미키 캔터, 제임스 카빌, 람 이매뉴얼, 해리와 린다 토머슨 부부—이 빌의 성명서 작성을 도우려고 일광욕실에 모였다. 데이비드 켄들도 함께 있었고, 첼시도 무슨 일이 일어나고 있는지 이해하려고 애쓰면서 거기에 있었다. 나는 처음에는 근처에 가지도 않았다. 내 도덕 관념과 프라이버시를 침해하는 문제에 대해 공개 성명서를 쓰는 것을 도와줄 마음은 내키지 않았다. 하지만 결국 나는 위층으로 올라갔다. 그렇게 버릇이 들어서였을까. 어쩌면 호기심이 동했거나 아니면 사랑 때문이었는지도 모른다. 오후 8시쯤 내가 일광욕실로 들어가자 누군가가 재빨리 텔레비전 소리를 죽였다. 그들은 내가 텔레비전에서 하는 말을 도저히 참을 수 없으리라는 것을 알고 있었다. 나는 일이 어떻게 되어가고 있느냐고 물었다. 빌은 아직도 국민에게 뭐라고 해야 할지 결단을 내리지 못한 게 분명했다.

빌은 가족과 친구와 국민을 속인 것을 깊이 후회하고 있다는 것을 국민에게 알리고 싶어했다. 그리고 존스 소송에서 증언했을 때는 질문이 너무 서툴렀기 때문에 자기가 거짓말을 했다고는 생각지 않는다는 것을 국민에게 알리고 싶어했다. 하지만 그것은 법률 위주의 궤변처럼 들렸다. 빌은 끔찍한 실수를 저지르고, 그것을 은폐하려 애썼고, 이제 그 사실을 사과해야 했다. 동시에 빌은 정적이나 미국의 적들에게 약한 모습을 보일 수는 없다고 생각했다. 8월 5일, 사담 후세인은 유엔의 무기 사찰 연장에 반대한다고 발표하여 이라크 문제를 교착 상태에 빠뜨렸다. 빌이 나에게 고백하기 전에 우리는 며칠 동안 그 문제를 논의한 바 있었다. 빌이 개인적 불륜에 대해 성명을 발표한 지 몇 시간도 지나기 전에 미국은 케냐와 탄자니아 대사관 폭파사건에 대한 보복으로 아프가니스탄에 있는 오사마 빈 라덴의 테러리스트 훈련 캠프에 미사일 공격을 개시할 예정이었다. 미국 첩보기관이 그 시각에 빈 라덴과 그의 참모들이 그 캠프에 있을 거라는 정보를 입수했기 때문이다. 이 미사일 공격 계획을 알고 있는 사람은 빌의 외교 정책팀을 제외하면 빌과 나뿐이었다. 전 세계가—대다수는 이게 도대체 무슨 소동인가 하고 의아해하면서—지켜보고 있기 때문에 빌은 미국 대통령이 텔레비전에서 나약한 모습을 보일 수는 없다고 생각했다.

성명을 발표할 시각이 다가오는데도 일광욕실에 모인 사람들은 중구난방으로 저마다 의견을 말하고 있었다. 이것은 빌에게 전혀 도움이 되지 않았다. 빌은 이 기회를 이용하여 스타의 수사가 불공정하고 지나치다는 점을 지적하고 싶어했지만, 특별검사를 직접 겨냥할 것인지 어떤지를 놓고 격렬한 논쟁이 벌어졌다. 나는 빌에게 잔뜩 화가 나 있었지만, 빌이 얼마나 심란해 있는지 알 수 있었다. 정말 보기가 딱할 정도였다. 그래서 마침내 입을 열었다. "빌, 이건 당신 연설이야. 당신을 이런 곤경에 빠뜨린 건 당신 자신이니까, 거기에 대해 뭐라고 말할지 결정할 수 있는 사람도 당신뿐이야." 그러고 나서 첼시와 나는 그 방을 나왔다.

결국 다른 사람들도 모두 빌을 혼자 놓아두고 일광욕실을 떠났다. 빌은 혼자 성명서를 마무리했다. 연설이 끝나자마자 사과가 충분치 않다는 (아니, 빌이 스타를 비난했기 때문에 사과가 조금도 진실해 보이지 않는다는) 비판이 쏟아졌다. 나는 아직도 속이 뒤집혀 있어서 그 문제에 대해서는 아무 생각도 나지 않았다. 우리 친구들 가운데 가장 논쟁적이고 누구하고나 정면으로 맞서서 한치도 양보하지 않는 제임스 카빌은 아무래도 스타를 공격한 것이 실수인 듯싶다면서, 지금은 순순히 잘못을 인정하는 정도로 그쳐야 할 때라고 말했다. 나는 아직도 누가 옳은지 알 수가 없었다. 언론은 빌의 성명서를 못마땅하게 여겼지만, 그후 며칠 동안 대다수 미국인의 반응은 언론과는 딴판이었다. 그들은 성인들이 합의하여 관계를 가진 것은 사적인 문제라고 생각했고, 그것이 업무 수행 능력에 영향을 준다고는 생각지 않았다. 판사나 의사나 국회의원이나 대통령의 사생활은 법정이나 수술실이나 의사당이나 대통령 집무실에서 일하는 데 아무 지장도 주지 않는다는 것이다. 여론조사 결과, 대중에게 빌의 인기는 여전히 높았다. 나에게 빌의 인기는 밑바닥으로 떨어졌다.

내가 세상에서 가장 원치 않은 일은 빌과 함께 휴가를 가는 것이었지만, 워싱턴에서 벗어나고 싶은 마음이 간절했다. 첼시는 좋은 친구들이 기다리고 있는 마사스비니어드에 가고 싶어했다. 그래서 빌과 첼시와 나는 이튿날 오후 마사스비니어드 섬으로 떠났다. 우리 개 버디도 빌을 상대해주려고 따라왔다. 아직도 기꺼이 빌을 상대해주는 가족은 버디뿐이었다.

섬으로 떠나기 직전, 어떤 일에도 동요하지 않는 내 공보 비서 마샤 베리가 나를 대신하여 한마디 논평을 발표했다. "오늘이 영부인의 생애에서 최고의 날이 아닌 것은 분명합니다. 지금 영부인은 강한 종교적 믿음에 의지하고 있습니다."

섬에서 빌린 집에 여장을 풀었을 때쯤에는 위기에 대처하기 위해 분비되었던 아드레날린도 이미 바닥나 있었다. 나에게 남은 것은 깊은 슬픔과 실망과 풀리지 않는 분노뿐이었다. 나는 빌과 말을 할 수도 없었고, 어쩌다 입에서 나오는 말은 신랄한 비난뿐이었다. 나는 책을 읽고, 해변을 산책했다. 빌은 아래층에서 잠을 잤고 나는 위층에서 잤다. 낮은 밤보다 견디기 쉬웠다. 어려울 때 늘 도와주는 제일 좋은 친구가 당신에게 상처를 주었다면 당신은 누구한테 의지하겠는가? 나는 견딜 수 없는 외로움을 느꼈고, 빌도 마찬가지라는 것을 알 수 있었다. 빌은 계속 변명하고 사과하려고 애썼지만, 나는 그를 용서하기는커녕 같은 방에 있을 마음도 나지 않았다. 우리의 결혼생활에 남아 있는 믿음을 찾아내려면, 화해에 이르는 길을 찾아내려면 나 자신과 내 종교적 믿음 속으로 깊이 들어가야 할 것이다. 이 시점에서 나는 어떻게 해야 할지 정말로 알 수가 없었다.

섬에 도착한 직후, 빌은 아프가니스탄에 있는 오사마 빈 라덴의 훈련캠프에 대한 미사일 공격을 지휘하러 잠시 백악관으로 돌아갔다. 미국은 빈 라덴과 그의 참모들이 틀림없이 목표 지점에 있다고 정보원이 확인해줄 때까지 기다렸다가 미사일 공격을 개시했다. 하지만 빈 라덴은 겨우 몇 시간 차이로 미사일 공격을 피한 게 분명했다. 어느 쪽을 선택해도 비난받는 상황은 역사에 수두룩하지만, 이것은 그 전형적인 사례였다. 빈 라덴이 대사관 폭파사건의 주모자라는 뚜렷한 증거가 있는데도, 비난을 받은 것은 오히려 공격 명령을 내린 빌이었다. 빌이 공격 명령을 내린 것은 공화당과 시사해설자—이들은 테러리즘과 특히 오사마 빈 라덴이 제기하는 위험을 아직도 깨닫지 못하고 있었다—사이에서 고조되고 있는 탄핵 논의와 자신의 곤경에서 관심을 다른 데로 돌리기 위한 술수라는 것이다.

빌은 깊은 침묵에 싸인 마사스비니어드 섬으로 돌아왔다. 그와 함께 집에 틀어박혀 있는 것은 몹시 괴로웠지만, 밖에 나가기도 어려웠다. 기자들이 섬을 계속 감시하면서 우리가 사람들 앞에 나타나자마자 습격할 태세를 갖추고 있었다. 나는 사교생활을 즐길 기분이 아니었지만, 주위에 모여든 친구들에게 감동했다. 버넌과 앤 조던 부부는 물론 나를 동정해주었다. 남편의 외도 때문에 고통을 겪은 적이 있는 캐서린 그레이엄은 나를 점심식사에 초대했다. 이어서 월터 크롱카이트가 찾아와 요트를 타고 바다로 나가자고 첼시와 빌과 나를 설득했다. 월터는 이렇게 말했다. "그 사람들은 인생을 몰라요. 나는 살 만큼 살았기 때문에, 훌륭한 결혼생활도 어려운 시기를 겪는다는 걸 알고 있습니다. 우리는 아무도 완전하지 않아요. 자, 배를 타러 갑시다!"

우리는 그의 제의를 받아들였다. 당시에는 감각이 마비되어 있어서 오랜만에 한숨 돌렸다는 말도 못했지만, 탁 트인 바다로 나오자 기분이 상쾌해졌다. 그리고 크롱카이트 부부의 친절한 관심은 내 기운을 북돋워 주었다.

여름마다 마사스비니어드에 온 모리스 템플스먼도 나를 친절하게 대해주었다. 나는 재키가 죽은 뒤 그를 더 잘 알게 되었고, 그는 백악관으로 우리를 찾아오기도 했다. 그는 나에게 전화를 걸어 자기한테 들러달라고 말했다. 어느날 저녁에 나는 모리스의 요트에서 그를 만나, 메넴샤 항구로 들어오는 배들의 불빛을 바라보았다. 그는 세상을 떠난 재키를 몹시 그리워하면서 한동안 재키에 대해 이야기하다가, 재키가 이따금 힘든 시기를 겪은 것을 알고 있다고 말했다.

"부군께서는 당신을 진심으로 사랑하고 있습니다. 난 알아요. 당신이 남편을 용서해줄 수 있으면 좋겠군요."

모리스는 빌을 용서해주라고 부드럽게 충고했다. 나는 그의 충고를 고맙게 받아들였다. 우리는 그런 대화를 나눈 뒤 물가에 말없이 앉아 있었다. 좋은 친구와 함께 그저 조용히 앉아 있는 것만으로도 나에게는 큰 위안이 되었다.

나는 밤하늘을 쳐다보았다. 반짝이는 별들이 하늘을 흐르고 있었다. 어렸을 때 파크리지에서 어머니와 함께 담요 위에 누워 밤하늘에 총총한 별들을 바라본 기억이 났다. 나는 세계를 탐험하러 떠난 최초의 뱃사람들이 별의 위치를 이용하여 집으로 돌아오는 길을 찾은 이후 별자리가 전혀 달라지지 않은 것을 생각했다. 내가 예정된 방향에서 벗어나지 않게 해준 것은 행운과 신앙이었다. 그 덕분에 나는 평생 동안 미지의 영역에서 내가 나아가야 할 길을 찾을 수 있었다. 지금은 내가 얻을 수 있는 모든 도움이 필요했다.

이번 일을 겪으면서 나는 내 어린 시절의 목사님인 돈 존스에게 격려와 조언을 받은 것을 고맙게 생각했다. 내 평생 친구가 된 돈 존스는 독일 신학자 파울 틸리히의 고전적인 설교—"너는 받아들여진다"—를 나에게 상기시켰다. 돈은 언젠가 파크리지에서 우리 청소년들에게 그 설교를 읽어준 적이 있었다. 설교의 주제는 죄악과 은총이 평생 동안 끊임없는 상호작용을 하면서 공존한다는 것이다. 죄악과 은총은 하나가 없으면 다른 것도 존재할 수 없다. 은총은 일부러 찾는다고 해서 찾을 수 있는 것이 아니다. 바로 그것이 은총의 신비다. "은총은 우리가 큰 고통과 불안에 빠져 있을 때 우리에게 내린다"고 틸리히는 말했다. "은총은 일어나거나 일어나지 않는다."

은총은 일어난다. 은총이 일어날 때까지 내가 할 일은 왼발을 오른발 앞에, 그리고 오른발 앞에 왼발을 내디디면서 또 하루를 살아가는 것이다.

# 탄핵 소동

8월이 끝날 무렵에는 우리 가정에 평화는 아니지만 데탕트가 찾아왔다. 나는 슬픔에 잠겨 있었고 빌에게 실망했지만, 혼자 많은 시간을 보내면서 내가 아직도 빌을 사랑한다는 사실을 인정하게 되었다. 하지만 우리의 결혼생활이 지속될 수 있을지, 아니 결혼생활을 지속해야 할지는 아직도 알 수가 없었다. 하루하루는 미래보다 예측하기 쉬웠다. 우리는 워싱턴으로 돌아갈 것이고, 영원히 끝나지 않을 정쟁의 새로운 국면이 시작될 것이다. 나의 결혼생활을 지키기 위해 싸울 것인지 말 것인지는 결정하지 않았지만, 나의 대통령을 지키기 위해 싸우기로 결심했다.

나는 감정을 다스리고 내가 해야 할 일에 정신을 집중해야 했다. 내 공적 · 사적 의무를 다하려면 다양한 감정이 필요했고, 다양한 생각과 다양한 판단이 필요했다. 빌은 20년이 넘도록 내 남편이자 최고의 친구였고, 삶의 희로애락을 함께 나눈 동반자였다. 빌은 딸에게 다정한 아버지였다. 이제 빌은—그 이유는 빌 자신이 해명해야 하겠지만—내 신뢰를 저버렸고, 나에게 깊은 상처를 주었다. 우리는 몇 년 동안 정적들의 음해와 당파적 수사와 소송을 견뎌왔는데, 이제 빌은 그들에게 이용해먹을 수 있는 진짜 빌미를 주고 말았다.

나의 사적 감정과 정치적 신념은 그대로 가면 서로 충돌할 수밖에 없는 노선을 달리고 있었다. 아내로서 나는 빌의 목을 비틀어버리고 싶었다. 하지만 빌은 나의 남편일 뿐만 아니라 나의 대통령이기도 했다. 어쨌든 빌은 미국과 세계를 훌륭하게 이끌어가는 지도자였고, 나는 그의 노선을 여전히 지지하고 있었다. 나는 빌이 무슨 짓을 했든, 그런 수모를 당하는 것은 온당치 않다고 생각했다. 아무리 나쁜 짓을 저질렀다 해도 그렇게 굴욕적인 대접을 받아 마땅한 사람은 없을 것이다. 빌의 프라이버시, 나의 프라이버시, 모니카 르윈스키의 프라이버시, 우리 가족의 프라이버시는 잔인하고 불필요하게 침해되었다. 물론 내 남편이 한 일은 도덕적으로 잘못되었다고 생각한다. 나한테 거짓말을 한 것도, 국민을 속인 것도 도덕적으로 잘못된 일이었다. 하지만 빌은 나라를 배신하지는 않았다. 빌을 탄핵할 근거는 전혀 없었다. 나는 워터게이트 탄핵 조사에 참여했던 경험으로 그렇게 확신했다. 스타 일당이 대통령을 거꾸러뜨리려는 당파적이고 악의적인 목적을 달성하기 위해 헌법을 무시하고 권한을 남용할 수 있다면, 미국이 걱정스러웠다.

빌의 대통령직, 제도로서의 대통령, 그리고 헌법 수호가 위태로운 지경에 놓여 있었다. 앞으로 며칠, 아니 몇 주 동안 내가 하는 말과 행동은 빌과 나의 장래만이 아니라 미국의 미래에도 영향을 미치게 되리라는 것을 나는 깨달았다. 나의 결혼생활도 위태롭게 흔들리고 있었다. 저울이 어느 쪽으로 기울지, 아니 어느 쪽으로 기우는 게 옳은지는 나도 알 수 없었다.

시간은 계속 흘러갔고, 나도 시간과 함께 흘러갔다. 9월 1일, 나는 빌과 함께 모스크바를 국빈 방문했다. 그런 다음 아일랜드로 날아가 토니 블레어 총리 내외를 만나고 폭탄 테러가 일어난 오마 시의 거리를 걸어

다녔다. 사람들로 붐비는 중심가에서 500파운드에 달하는 폭탄 차량이 터졌지만, 테러범들의 기대와는 달리 정전은 깨지지 않았다. 오히려 평화를 위해 더욱 열심히 노력해야겠다는 마음을 사람들에게 불어넣었을 뿐이다. 충격을 받은 양쪽 강경파는 태도를 누그러뜨렸다.

아일랜드 공화군의 정당인 신페인당의 제리 애덤스 당수는 영국의 지배를 끝내려는 77년 동안의 전쟁에서 폭력은 이제 "과거의 것이 되었다"고 선언했다. 애덤스의 공개 성명에 이어, 얼스터 통일당 지도자 데이비드 트림블은 처음으로 신페인당과 만나기로 동의했다. 빌 클린턴과 그의 특사인 조지 미첼 상원의원의 외교적 노력이 없었다면 사태가 이렇게 희망적인 방향으로 전개되지는 않았으리라는 것이 모든 당사자들의 일치된 견해였다.

오마의 고통은 빌이 세계 평화를 위해서 무릅쓴 위험과 빌이 이룩한 성과를 상기시켜주었다. 빌은 아일랜드인 · 보스니아인 · 세르비아인 · 크로아티아인 · 코소보인 · 이스라엘인 · 팔레스타인인 · 그리스인 · 터키인, 그밖에도 수많은 사람들에게 과거의 원한을 잊고 평화를 가로막는 장벽을 뛰어넘으라고 설득하면서 헤아릴 수 없이 많은 시간과 노력을 바쳤다. 빌의 노력은 성공할 때도 있었고 실패할 때도 있었다. 나중에 중동 평화협상이 깨졌을 때 새삼 깨달았듯이, 성공한 경우에도 언제 다시 원상태로 돌아갈지 위태위태할 때가 많았다. 하지만 설령 실패했다 해도, 분쟁 당사자들은 상대방의 고통과 인간성을 서로 알게 될 수밖에 없었다. 나는 빌이 평화와 화해를 끈기있게 추구하는 것이 늘 고맙고 자랑스러웠다.

러시아와 아일랜드로 대통령을 수행한 대규모 기자단은 평화 사절에 대한 기사만 찾고 있는 게 아니었다. 그들은 우리의 관계가 어떤 상태인지를 알려주는 단서를 찾으려고 빌과 나를 유심히 관찰하고 있었다. 우리가 가까이 붙어 서 있는가, 멀찌감치 떨어져 있는가? 내가 검은 선글라스 뒤에서 눈살을 찌푸리거나 울고 있지는 않은가? 내가 더블린에서 빌에게 스웨터를 사준 의미는 무엇인가(빌은 한 달여 만에 처음 골프를 치러 리머릭에 갈 때 그 스웨터를 입었다)? 나는 나 자신과 가족의 프라이버시 영역을 되찾고 싶었지만, 과연 그것이 가능할지는 의심스러웠다.

빌이 해외에서 외국 지도자들과 협상하고 있을 때, 국내에서는 코네티컷 출신 상원의원인 조셉 리버먼이 빌을 공개적으로 질책하고 있었다. 리버먼이 1970년대 초에 코네티컷 주 상원의원에 처음 출마했을 때 빌은 그의 선거운동을 도와주었다. 그때부터 빌의 친구였던 리버먼이 이제 연방 상원의원으로서 대통령의 처신을 비난하고 나섰다. 대통령이 그런 본을 보이면 "하나의 대가족인 미국인들에게 그런 행동을 해도 용납될 수 있다는 메시지를 보내게 되기" 때문에, 대통령의 행동은 부도덕하고 유해하다는 것이었다.

아일랜드에 있던 빌은 기자들이 리버먼의 발언에 대한 소감을 묻자 이렇게 대답했다. "기본적으로 나는 그의 말에 동의합니다. 내가 큰 잘못을 저질렀다는 것은 이미 인정했습니다. 그것은 변명할 여지가 없는 잘못이었고, 진심으로 후회하고 있습니다. 정말 미안합니다." 앞으로 남편은 긴 속죄의 길을 걸으면서 무조건 공개 사과를 수없이 되풀이하게 되지만, 이것이 그 첫번째였다. 하지만 나는 사과만으로는 공화당 강경파를 만족시킬 수 없고, 민주당 내부가 녹아내려 폭발하는 사태를 피할 수도 없으리라는 것을 깨달았다. 미주리 출신의 리처드 게파트 하원의원, 뉴욕 출신의 패트릭 모이니헌 상원의원, 네브래스카 출신의 보브 케리 상원의원을 비롯한 민주당 지도부도 대통령의 처신을 비난하고, 어떤 식으로든 책임을 져야 한다고 말했다. 하지만 탄핵을 지지하는 사람은 아무도 없었다.

워싱턴으로 돌아왔을 때쯤 내 마음은 개인적으로나 정치적으로 여러 가지 고민을 안고 있었다. 빌과 나는 우리의 결혼 관계를 구제할 것인지를 결정하기 위해 정기적으로 심리 상담을 받기로 합의했다. 나는 한편으로는 감정적인 전쟁 신경증에 걸려, 내가 받은 쓰라린 상처를 치료하려 애쓰고 있었다. 또 한편으로는 빌이 좋은 사람이고 훌륭한 대통령이라고 믿고 있었다. 나는 대통령에 대한 특별검사의 공격을 단계적으로 확대되는 정치적 전쟁으로 생각했고, 이 전쟁에서 나는 빌의 편이었다.

사람들이 그렇게 고통스러운 시기를 어떻게 견뎌냈느냐고 물으면, 나는 가정에 위기가 발생해도 날마다 아침에 일어나 일하러 가는 것은 조금도 별난 일이 아니라고 말한다. 우리는 누구나 인생에서 한번쯤은 그런 시기를 겪어야 하고, 위기에 대처하는 데 필요한 기술은 퍼스트 레이디든 지게차 운전기사든 다를 게 없다. 나는 다만 세상의 주목을 받으면서 그 고통을 견뎌야 했을 뿐이다.

나는 나 자신의 장래에 대해서는 결정을 내리지 못했지만, 빌의 사적인 행동과 그것을 은폐하려는 잘못된 노력이 헌법에 따라 탄핵을 받을 만한 법적 · 역사적 근거를 구성하지는 않는다고 확신했다. 빌은 자신의 행동에 대해 나와 첼시에게 책임을 져야 마땅하지만, 탄핵 절차를 악용하여 빌에게 책임을 물을 수는 없다고 나는 생각했다. 하지만 야당은 언론을 이용하여, 법률과는 관계없이 탄핵이나 사임을 요구하는 정치적 압력이 점점 강해지도록 분위기를 조성할 수 있었다. 나는 민주당 의원들이 앞다투어 빌의 사임을 요구하고 나서지나 않을까 걱정스러웠다. 그래서 11월 중간선거에서 그들의 재선을 돕는 데 전념하려고 애썼다. 국민의 대다수가 탄핵에 반대한다는 여론조사에도 불구하고 재선을 노리는 많은 민주당 의원들은 대통령을 비난하지 않으면 의석을 잃게 될 거라고 생각했다. 사실 일부 지역구에서는 그런 걱정을 하는 것도 이치에 맞았다. 하지만 대부분의 지역구에서는 탄핵과 특검 수사가 그것을 악용하려 드는 공화당 후보들의 평판을 오히려 떨어뜨릴 수 있었다.

9월 초, 데이비드 켄들은 특검 사무소가 하원 법사위원회에 탄핵 권고안을 보낼 준비를 하고 있다는 것을 알아냈다. 그러면 법사위원회는 그 문제를 하원 본회의의 표결에 부칠 것인지 여부를 결정하게 될 것이다. 1974년에 나는 하원 법사위원회의 탄핵 조사팀에서 일할 때 탄핵 발의에 필요한 증거를 기준으로 대통령 탄핵 절차를 요약한 비망록을 작성하면서, 법률의 이 분야를 철저히 공부한 적이 있었다. 헌법에 따르면 탄핵안을 발의하기 위해서는 하원 재적 의원 과반수의 찬성을 얻어야 한다. 이는 연방 공무원을 형사 고발하는 경우와 비슷하다. 하원이 탄핵 소추를 의결하면, 탄핵안은 상원으로 넘어가 재판을 받게 된다. 형사 재판에서는 배심원단이 유죄 평결을 내리려면 배심원 전원의 의견이 일치해야 하지만, 탄핵 재판에서는 상원 재적 의원 3분의 2만 찬성하면 유죄를 선고하고 공직을 박탈할 수 있다. 헌법은 가장 심각한 범죄 행위－ '반역, 수뢰, 그밖에 공공 도덕에 반하는 파렴치한 범죄와 비리' －에 대해서만 그 법적 제재 수단으로 탄핵을 규정하고 있다. 미국 헌법을 만든 '헌법 제정자들' 은 연방 공무원－특히 대통령－을 공직에서 쉽게 몰아낼 수 있으면 안된다고 생각했기 때문에 탄핵 절차를 시간도 오래 걸리고 힘도 많이 들도록 고안한 것이다.

1868년에 연방 하원은 앤드루 존슨 대통령이 남북전쟁 이후 남부에 가혹한 재건 정책을 부과하라는 의회의 요구를 거부했기 때문에 대통령을 탄핵했다. 나는 하원이 잘못했다고 생각했지만, 적어도 그들은 대통령의 공식 활동을 이유로 존슨에게 반대했다. 존슨은 상원에서 재판을 받고 한 표 차이로 탄핵을 면했다. 리처드 닉슨은 탄핵 절차에 직면한 두 번째 미국 대통령이었다. 나는 탄핵 절차가 헌법 조문의 형식과 정신에 따라 대배심의 증거를 얼마나 주의 깊게 보호하는지를 직접 경험으로 알고 있었다. 그 조사는 8개월 동안 빈틈없는 보안과 기밀이 유지되는 가운데 이루어졌고, 이어서 닉슨이 대통령으로서 한 행동과 관련된 탄핵안이 하원 법사위원회에 제출되었다. 법사위원장 피터 로디노와 존 도어 특별검사는 신중하고 공정한 직업 정신의 본보기를 세웠다.

데이비드 켄들은 답변 초안을 만들 수 있도록 특검 사무소가 하원 법사위원회에 보낼 탄핵 권고안의 사본을 요청했다. 이것은 공정함에 근거를 둔 요구였고, 닉슨 탄핵 때도 그런 선례가 있었다. 그런데 스타는 거부했다. 9월 9일, 특검보들은 밴트럭 두 대를 의사당 계단 앞까지 몰고 가서 11만 단어가 넘는 '스타 보고서'와 증거 서류 36상자를 국회 수위들에게 전달했다. 눈길을 끌려는 스타의 과장된 연기는 소름이 끼칠 정도였다. 하원 운영위원회가 보고서 전문을 인터넷에 올리기로 잽싸게 결정한 것은 더욱 놀라웠다.

연방법은 대배심 증거에 대한 비밀 유지를 명령하고 있다. 검사가 반대신문이라는 정화 장치를 거치지 않고 증인으로부터 끌어낸 증언이 무고한 사람을 해치거나 사건에 대한 편견을 심어주지 않도록 하기 위한 조치로, 이것은 미국 사법체계의 기본적인 신조다. 스타 보고서는 반대신문을 받지 않은 증인한테서 끌어낸 날것 그대로의 대배심 증언을 모아놓은 것이었는데, 그것이 공정성이나 균형을 전혀 고려하지 않고 대중에게 공개된 것이다.

나는 스타 보고서를 읽지 않았지만, 445쪽 분량의 보고서에 '섹스'라는 낱말(또는 그 낱말의 변형)이 무려 581번이나 나온다는 말을 들었다. 스타의 수사 대상으로 되어 있는 '화이트워터'라는 낱말은 겨우 네 번 나오는데, 그나마도 '화이트워터 특별검사'처럼 인물을 구별하기 위한 형용어로 쓰였을 뿐이다. 스타가 보고서에 나열한 설명용 그림들은 지나치게 사실적이었고 대통령과 헌법의 품격을 떨어뜨리는 천박한 그림들이었다. 그 보고서를 일반에 공개한 것은 미국 역사에서 참으로 저급한 순간이었다.

스타는 열한 가지의 가능한 탄핵 사유를 검토해보라고 하원 법사위원회에 권고했다. 나는 그것이 스타의 법적 권한을 넘어서는 행위라고 확신했다. 헌법은—행정부와 사법부의 창조물인 특별검사가 아니라—입법부가 탄핵할 만한 범죄 행위의 증거를 조사하도록 요구하고 있다. 스타의 임무는 알려진 사실을 공정하게 요약하여 법사위원회에 전달하는 것이고, 그러면 법사위원회는 자체 요원을 동원하여 증거를 수집할 것이다. 그런데 스타는 빌 클린턴을 탄핵하고 싶은 열망에 사로잡힌 나머지 검사와 판사와 배심원까지 자임하고 나섰다. 스타가 권한을 남용하고 있다는 생각이 강해질수록 나는 빌을—적어도 정치적으로는—점점 동정하게 되었다.

스타가 열거한 탄핵 사유에는 대통령이 대배심 증언에서 개인 행동에 대해 거짓말을 했고, 사법을 방해했으며, 권한을 남용했다는 혐의가 포함되어 있었다. 빌은 사법을 방해한 적도 없고 권한을 남용한 적도 없었다. 그리고 빌은 증언에서 거짓말을 하지 않았다고 주장했다. 거짓말을 했든 안했든, 절대 다수의 헌법 전문가와 역사학자들의 견해에 따르면 민사소송에서 선서한 상태로 사적인 문제에 대해 거짓말을 한 것은 탄핵 사유가 아니었다.

스타가 의회에 보고서를 전달한 이튿날, 빌과 나는 '민주당기업협의회' 리셉션에 참석했다. 여기서 나는 빌을 "내 남편인 우리 대통령"으로 소개했다. 개인적으로는 아직도 빌을 용서하려고 애쓰는 중이었지만, 고의적으로 빌을 음해한 자들에 대한 분노가 나의 그런 노력을 도와주었다. 내 일정은 행사로 빽빽하게 차 있었고, 나는 모든 행사에 얼굴을 내밀었다. 그날은 연설문 작성 회의, 결장암 예방을 위한 행사, '아메리코' 리셉션이 있었고, 그밖에도 몇 가지 행사에 참석했다. 내가 여느 때와 다름없이 내 역할을 계속하는 것을 보면 백악관 직원들도 기운을 얻어 열심히 일할 거라고 생각했다. 내가 그날을 견뎌낼 수 있다면 백악관 직원들도 견뎌낼 수 있을 터였다.

지난 몇 주 동안 빌은 나와 첼시만이 아니라, 그가 속이고 실망시킨 친구들과 정부 각료들, 참모와 동료들에게도 계속 사과했다. 9월 초, 종교 지도자들을 백악관에 초청한 연례 조찬 기도회에서 빌은 자신의 실수를 감동적으로 인정하고 모든 국민의 용서를 구했다. "나는 지난 몇 주 동안, 진정한 나는 누구인가, 그리고 우리 모두가 선 자리는 어디인가에 대해 가장 근원적인 진실을 찾아 깊이 사색하는 고통의 시간을 가졌습니다…… 용서받기 위해서는 슬픔보다 더한 것이 필요합니다. 먼저 진실한 참회가 있어야 하고, 달라지겠다는 확고한 의지, 그리고 잘못을 만회하려는 노력이 절실합니다." 그러나 대통령직을 포기할 생각은 추호도 없었다. "타당한 논거를 총동원해서 강력한 답변서를 준비하라고 변호사들한테 지시하겠습니다. 하지만 내가 잘못을 저질렀다는 사실을 법률 용어로 덮어버릴 생각은 추호도 없습니다. 나의 참회가 진실하고 한결같다면, 그리고 내가 상심한 마음과 강건한 마음을 모두 유지할 수 있다면, 그것은 나와 내 가족만이 아니라 우리 나라를 위해서도 전화위복이 될 수 있을 것입니다. 이 나라의 아이들은 정직이 중요하고 이기심은 나쁘지만 하나님은 우리를 변화시킬 수 있고 부러진 부위를 더욱 강하게 만들어주실 수 있다는 걸 절실히 깨달을 수 있을 것입니다."

빌은 국민에게 자신의 정치적 운명을 맡겼다. 빌은 국민의 동정을 구한 다음, 백악관에 온 첫날부터 줄곧 그랬듯이 헌신적으로 국민을 위해 일하는 데 몰두했다. 그리고 빌과 나는 정기적으로 심리 상담을 받으면서, 오랫동안 끊임없이 계속된 선거운동 때문에 미루어놓았던 어려운 문제들을 서로 묻고 답해야 했다. 이제 나는 할 수만 있다면 우리 결혼을 지키고 싶었다.

빌의 진솔한 사과에 대한 대중의 반응에 나도 기운이 났다. 위기가 지속되는 동안에도 여론은 대통령의 직무 수행에 확고한 지지를 보냈다. 또한 미국인의 절대 다수인 약 60퍼센트는 국회가 탄핵 절차에 착수하는 데 반대했고, 빌의 사임에도 반대했고, 스타 보고서의 노골적인 세부는

'부적절'하다고 응답했다. 나에 대한 지지율은 사상 최고치에 가까워지고 있었고, 나중에는 70퍼센트까지 치솟았다. 이는 미국 국민이 기본적으로 공정하고 동정심이 많다는 증거였다.

탄핵 주장은 국민에게 인기도 없었고 헌법 기준에도 맞지 않는 부당한 것이었지만, 하원의 공화당 의원들은 가능하다고 생각하면 끝까지 밀고 나갈 거라고 나는 생각했다. 탄핵을 피하는 방법은 11월 중간선거에서 압승하는 것뿐이었다. 하지만 1994년에도 그랬듯이 중간선거에서는 전통적으로 집권 여당이 의석을 잃고, 특히 대통령의 두번째 임기 때는 그런 경향이 두드러진다. 당연한 일이지만, 전국의 민주당 후보들은 대통령의 정치적 건강에 신경을 곤두세우고 있었다.

9월 15일, 하원의 민주당 여성 의원 25명이 '옐로 오벌 룸'에서 나를 만났다. 의원들은 소파와 의자에 앉았고, 백악관 집사들이 커피와 파이를 돌렸다. 여성 의원들은 다가오는 선거에서 공적인 역할을 맡아줄 것을 나에게 강력히 권하러 왔지만, 내가 어떻게 견디고 있는지 보고 또 앞으로 어떻게 할 작정인지 듣고 싶은 마음도 있었을 것이다. 내가 진지하게 헌법과 대통령과 민주당을 옹호할 작정이라는 것을 알자 그들은 자기들을 위해 선거운동에 나서달라고 부탁했다.

우리는 유권자들의 관심을 탄핵에서 유권자들에게 중요한 문제—학급당 학생수를 줄이고 학교를 더 많이 짓기 위한 연방 정부의 지원, 사회보장과 의료보험, 위탁 보육과 입양제도 개선, 환경 보호—로 되돌릴 방안을 논의했다.

"최선을 다해서 여러분을 돕겠습니다." 나는 말했다. "하지만 저도 여러분의 도움이 필요합니다. 당을 통합하고, 민주당 간부들의 이탈을 막는 일을 도와주세요. 민주당 간부라면 마땅히 헌법과 대통령을 지지해야 합니다."

모임이 끝난 뒤, 린 울지 하원의원은 기자들에게 말했다. "우리는 대통령의 행동에 대해 이야기하러 온 게 아닙니다. 우리가 여기에 온 것은 이 나라 국민들에게 더 중요한 문제에 대해 논의하기 위해서입니다…… 여자들은 긴급할 때는 한번에 여러 가지 일을 할 수 있습니다. 우리는 여자니까 그것을 알고 있다고 영부인께 말했습니다…… 그래서 영부인께 부탁했습니다. 영부인의 목소리를 듣고 싶어하는 곳에 가달라고."

그래서 나는 그렇게 했다. 수십 명의 선거운동을 지원하느라 온종일 정신없이 바쁜 일정을 보냈다. 하지만 밤은 견디기 어려웠다. 특히 첼시가 스탠퍼드 대학으로 돌아간 뒤에는 빌과 단둘이 지내야 했고, 단둘이 있으면 여전히 서먹하고 어색했다. 전처럼 빌을 피하지는 않았지만, 우리 사이는 아직도 긴장되어 있었고 웃음도 사라졌다. 전에는 남편과 함께 날마다 큰 소리로 웃곤 했는데 이제는 웃을 일이 없었다.

나는 가까운 친구들에게도 깊은 내면의 감정을 일상적으로 쏟아내는 성격이 아니다. 우리 어머니도 그렇다. 우리 모녀는 감정을 좀처럼 드러내지 않는다. 내가 세상의 주목을 받는 생활을 시작한 뒤 이런 기질은 오히려 더욱 강해졌다. 9월 중순에 친구 다이앤 블레어와 벳시 이블링이 백악관에 와서 나와 함께 며칠 지낸 것은 반가운 기분전환이 되었다. 나는 운좋게도 가까운 친구가 많았지만, 그 무자비한 수사가 시작된 뒤에는 친구들이 조사에 끌려가는 것을 막으려고 친구들을 멀리할 수밖에 없었다. 1998년 8월 이후에는 빌과 말도 나누고 싶지 않았기 때문에 나는 더욱 심한 소외감과 고독감을 느꼈다. 나는 기도하고 책을 읽으면서 혼자 많은 시간을 보냈다. 하지만 오래 전부터 나를 아는 친구들, 내가 임신하고 아프고 행복해하고 슬퍼하는 것을 본 친구들, 내가 지금 겪고 있는 고통을 충분히 이해할 수 있는 친구들과 함께 지내자 기분이 한결 나아졌다.

다이앤과 벳시가 백악관에 머물고 있던 9월 17일, 스티비 원더가 백악관으로 나를 만나러 가도 되겠느냐고 전화를 걸어왔다. 전날 밤 스티비 원더는 바츨라프 하벨 체코 대통령과 그의 새 아내 다그마르를 위해 베푼 공식 만찬에 참석했었는데, 이제는 개인적으로 다시 백악관에 와서 나를 위해 지은 노래를 들려주고 싶다고 말했다.

캐프리샤는 스티비와 그의 일행을 본관 2층 복도로 안내했다. 그곳에는 빌렘 데 쿠닝(추상표현주의 운동의 개척자로서, 현대 미술의 대표적 화가의 한 사람으로 꼽힌다. 1904~97－옮긴이)의 대형 그림 밑에 그랜드피아노가 놓여 있었다. 다이앤과 벳시는 긴 의자에 앉았고 나는 피아노 옆의 작은 의자에 자리를 잡았다. 스티비는 좀처럼 잊을 수 없는 경쾌한 멜로디를 연주하기 시작했다. 가사는 아직 다 완성되지 않았지만, 노래는 '물 위를 걸을 필요는 없어요……'라는 후렴으로 용서의 힘을 말하고 있었다. 그가 연주하는 동안, 나는 의자를 피아노 쪽으로 조금씩 움직여 마침내 스티비 바로 옆에 이르렀다. 스티비가 연주를 마쳤을 때 내 눈에는 눈물이 가득 고여 있었다. 친구들을 돌아보니 벳시와 다이앤의 얼굴에도 눈물이 흘러내리고 있었다. 믿을 수 없을 만큼 힘들었던 이 시기에 남에게서 받은 가장 친절한 몸짓이었다.

『보그』지 편집장인 애나 윈투어가 12월호에 내 기사와 사진을 싣고 싶다고 제의한 것도 나를 감동시켰다. 그런 제안을 한 애나는 대담했고, 나도 결코 즉흥적으로 그 제안을 받아들인 것은 아니었다. 사실 그 경험은 기적적으로 내 기운을 북돋워주었다. 나는 표지 사진을 찍기 위해 오스카 드 라 렌타가 지은 눈부시게 아름다운 진홍빛 벨벳 드레스를 입었다. 나는 하루 동안 메이크업과 패션의 세계로 도피했다. 애니 레이보비츠가 찍은 사진은 정말 대단해서, 기분이 바닥까지 가라앉아 있는 나를 사뭇 매력적으로 보이게 해주었다.

빌이 뉴욕에서 유엔 총회 개회 연설을 한 9월 21일은 부조리 광대극처럼 진행되었다. 스타 보고서가 빌을 사임시키지 못하자, 공화당 지도부는 판돈을 올려 비디오 테이프에 녹화된 대통령의 대배심 증언을 공개했다. 빌이 유엔 총회 회의장에 열광적인 기립 박수를 받으며 입장했을 때, 미국의 주요 텔레비전에서는 지난 8월 빌이 스타 특검팀에게 조사받는 장면이 녹화된 테이프가 동시에 방영되고 있었다. 몇 시간에 걸친 고통스러운 증언이 공중파에서 지루하게 방영되는 동안 빌은 유엔에서 힘찬 연설을 하고 있었다. 빌은 국제 테러리즘의 위협이 점점 높아지고 있으며 모든 문명인이 힘을 합쳐 거기에 대처하는 것이 시급하다고 말했다. 빌은 테러분자들이 제기하고 있는 위험을 경고했지만, 그 경고를 들은 미국인은 거의 없었던 게 분명하다. 빌이 연설을 끝내자 각국 대통령과 총리와 대표들은 또다시 빌에게 열렬한 박수갈채를 보냈다. 국제 동료들의 따뜻한 반응은 빌의 지도력을 확인해주고, 빌이 미국 대통령으로서 이룩한 업적을 시기 적절하게 인정해주었다.

빌은 나와즈 샤리프 파키스탄 총리를 만나 이 나라의 핵 개발 계획을 억제하는 문제와 핵 확산이 인도 아대륙에 제기하는 전반적인 위협에 대해 논의했고, 코피 아난 유엔 사무총장과는 유엔 결의안을 계속 무시하고 있는 이라크에 대한 대책을 논의했다. 그후 빌은 뉴욕 대학에서 열린 지구 경제 포럼에 나와 함께 참석했다. 이 회의에는 로마노 프로디 이탈리아 대통령, 고란 페르손 스웨덴 총리, 페타르 스토야노프 불가리아 대통령, 그리고 우리 친구인 토니 블레어 영국 총리도 참석했다.

이튿날 우리가 백악관으로 돌아왔을 때쯤에는 공화당의 홍보 전략이 실패한 것처럼 보였다. 누구도 대답하기 싫을 만큼 상스러운 질문에 집중 공격을 받으면서도 침착성을 잃지 않는 대통령의 모습을 보고 국민들은 빌의 곤경을 더욱 동정하게 된 듯싶었다.

이튿날 저녁, 유엔 총회에 참석한 넬슨 만델라가 새 아내인 그라샤 마셸과 함께 백악관을 방문했다. '이스트 룸'에서 열린 아프리카계 미국인 종교 지도자를 위한 리셉션에서 만델라는 빌을 진심으로 사랑하고 존경한다고 말했다. 만델라는 빌이 남아프리카공화국을 비롯한 아프리카 국가들과 맺은 관계를 상찬한 뒤, "우리의 도덕률은 친구를 버리는 것을 용납하지 않는다"고 부드럽게 말했다. 그러고는 빌을 돌아보며 직접 덧붙였다. "오늘밤 우리는 말해야 합니다. 당신의 생애에서 가장 힘들고 불확실한 이 시기에 우리는 당신을 생각하고 있다고 말입니다." 만델라가 "이 나라의 가정 문제에는 개입하지 않겠다"고 말하자 웃음과 박수가 터졌다. 하지만 그는 분명 미국 국민에게 탄핵 쇼를 끝내도록 요구하라고 호소하고 있었다. 자신의 분노를 억제하고 간수들을 용서한 만델라는 여느 때처럼 철학적이었다.

"하지만 우리의 기대가 실현되지 않아도, 우리의 기도와 꿈이 이루어지지 않아도, 인생의 가장 큰 영광은 한번도 쓰러지지 않는 데 있는 것이 아니라 쓰러질 때마다 다시 일어나는 데 있다는 사실을 명심해야 합니다."

나는 아직도 일어나려고 애쓰고 있었다. 순간순간을 충실히 살고 아침마다 다시 시작하면서, 나도 모르는 사이에 내 인생을 한번에 하루씩 다시 세우고 있었다. 빌을 용서하는 것은 어려운 도전이었다. 우파에 고용된 총잡이들을 용서하는 것이 내 능력 범위를 벗어나는 일로 여겨지는 것과 마찬가지였다. 만델라가 용서할 수 있다면 나도 노력은 해보겠지만, 많은 친구들과 역할 모델들이 도와주어도 그것은 역시 힘든 일이었다.

만델라가 백악관을 방문한 지 몇 주 뒤에 달라이 라마가 백악관으로 나를 찾아왔다. '맵 룸'에서 만난 그는 하얀 기도용 면사포를 선물로 주고, 나와 내 힘든 노력을 자주 생각한다고 말했다. 달라이 라마는 고통과 부당함에 직면했을 때 원한과 분노에 굴복하지 말고 꿋꿋이 버티라고 격려해주었다. 달라이 라마의 메시지는 내 기도회의 지원과 긴밀하게 연관되어 있었다. 특히 백악관으로 찾아와 나와 함께 기도해준 홀리 리치먼과 수잔 베이커, 당시 대통령 경호실장이었던 브라이언 스태퍼드, 가장 힘들었던 그 시기에 대통령 대변인을 지낸 마이크 매커리는 나에게 큰 힘이 되었다. 그들은 모두 고통 속에서 지내고 있는 나를 일부러 찾아와 위로의 말을 건네주었다. 민주당 의원들은 나에게 전화를 걸어, 뭘 해주기를 바라느냐고 물었다. 어떤 의원은 "당신이 내 누이라면 내가 빌의 코를 정통으로 때려줄 거요!" 하고 말했다. 일부 공화당 의원들은 탄핵을 계속 추구하겠다는 지도부의 결정에 반대한다고 털어놓았다.

10월 7일, 하원 초선의원 대표단이 백악관으로 나를 만나러 왔다. 이번에도 우리는 햇빛이 창문으로 쏟아져 들어오는 '옐로 오벌 룸' 에서 만났다. 그들은 공화당이 중간선거 이전에 탄핵 표결을 강행할 거라고 걱정했다. 나는 최대한 그들을 격려해주었다. "공화당이 대통령을 쫓아내도록 내버려둘 수는 없어요. 이런 식으로 쫓아내는 건 용납할 수 없습니다. 여러분은 하원의원입니다. 여러분의 임무는 헌법을 수호하는 것이고, 이 나라에 바람직한 일을 하는 겁니다. 그러니까 이 문제를 정면으로 돌파합시다." 이어서 나는 25년 전의 경험을 바탕으로 탄핵에 대한 헌법 조문을 설명하고, 헌법 제정자들은 탄핵 권한이 어떻게 이용될 거라고 상상했는지, 그후 200여 년 동안 탄핵 권한이 어떤 식으로 해석되었는지를 설명했다. 모임이 끝나자 나는, 탄핵안이 표결에 부쳐지면 의원들 각자가 양심과 선거구민의 뜻에 따라 투표해주기 바란다고, 의원들이 어떤 결정을 내려도 대통령과 나는 충분히 이해한다고 말했다.

민주당 의원들과 몇몇 온건파 공화당 의원들은 견책이 대통령의 행동에 가장 타당한 제재 방법이라는 데 의견이 일치했다. 하지만 공화당 강경파는 타협에 완강히 반대했다. 하원 법사위원장인 헨리 하이드는 견책 결의를 '함량 미달의 탄핵' 이라고 조롱했다. 그는 유난히 비타협적이었다. 9월 16일에 인터넷 잡지인 『살롱』이 그의 불륜을 보도하자, 그는 이를 두고 백악관을 비난했다. 그의 아내는 최근에 세상을 떠났지만, 그는 아내와 결혼생활을 하고 있던 1960년대에 다른 여자와 오랫동안 내연의 관계를 가졌다. 그는 40대에 저지른 이 불륜을 두고 '젊은 시절의

무분별한 짓' 이라고 변명했다. 그는 언론이 그런 사적인 불륜을 폭로한 데 분개했고, 공화당은 그 인터넷 잡지에 대한 수사를 요청했다. 나는 정치적으로나 이념적으로 하이드와 많은 차이가 있고, 하이드가 자신의 이중 잣대를 깨닫지 못하는 데에는 어리둥절할 수밖에 없었지만, 그래도 그의 고통을 동정했다.

나는 가을 내내 전국을 종횡무진으로 누비고 다니며 마라톤 선거운동을 벌였다. 나는 국민들에게 이번 선거에 자신의 인생이 달려 있다는 마음으로 투표하라고 당부했다. 나는 주로 치열한 접전이 벌어지고 있고 또한 내 인기가 높은 곳을 집중 공략했다. 6년 전에 그랬듯이 이번 중간 선거에서도 나는 캘리포니아 주에서 강력한 도전자와 맞서고 있는 바버라 박서 상원의원과 '테니스 신발을 신은 엄마' 인 워싱턴 주 출신의 패티 머리 상원의원을 위해 열심히 뛰었다. 일리노이 주 출신인 캐럴 모즐리 브라운 상원의원의 선거운동도 도와주려고 애썼다. 나는 선거운동이 끝나기 전에 오하이오 주와 네바다 주에 들렀다가 아칸소 주로 돌아와 블랑슈 링컨이라는 젊고 활기찬 상원의원 후보를 위해 선거 유세를 펼쳤다. 나는 위스콘신 주 제인스빌에 모인 군중에게 말했다. "우리는 미국인들이 진정한 쟁점에 관심이 있다는 분명한 신호를 공화당 지도부에 보내야 합니다. 미국인들은 교육과 의료와 사회보장에 관심이 있습니다. 그리고 미국인들은 그들의 관심사에 관심을 쏟는 의원을 원합니다."

나는 뉴욕 주의 앨 다마토 상원의원과 싸우고 있는 찰스 슈머 하원의원의 선거운동에 열의를 쏟아부었다. 찰스 슈머는 지적이고 진보적인 민주당원이고, 가장 확고한 빌의 지지자 가운데 하나였다. 다마토는 상원의 화이트워터 청문회를 주재하면서 아무 죄도 없는 백악관 참모들과 심지어 관리직원들까지 줄줄이 불러냈지만, 그들에게 변호사 비용만 잔뜩 안겨주었을 뿐 아무것도 찾아내지 못했다. 다마토는 슈머의 강력한 도전에 약점을 드러내고 있었다.

뉴욕에서 슈머를 위한 모금 행사에 참석했을 때, 나는 오른쪽 발이 퉁퉁 부어서 구두를 신기도 어려운 것을 알아차렸다. 백악관으로 돌아오자 나는 코니 마리아노 박사에게 진찰을 받았다. 박사는 내 발을 살펴보고는, 내가 쉬지 않고 전국을 돌아다녀서 혈전이 생긴 게 아닌지 검사하기 위해 당장 나를 베세즈다 해군병원으로 데려갔다. 실제로 내 오른쪽 정강이에 당장 치료할 필요가 있는 커다란 혈전이 있었다. 마리아노 박사는 적어도 일주일은 가만히 누워서 혈액 희석제를 투여해야 한다고 말했다. 나도 나 자신을 돌보고 싶었지만, 여기서 선거운동을 멈출 수는 없었다. 그래서 우리는 타협했다. 마리아노 박사는 나에게 필요한 약을 처방해주고 내 상태를 수시로 점검하도록 간호사 한 명을 딸려보냈다.

선거일이 다가오자 공화당은 스캔들에 초점을 맞춘 대대적인 광고 전술을 개시했다. 그러나 이 전술은 성공하지 못했다. 유권자들은 대통령의 사생활보다 공화당의 정치적 책략에 더 염증을 느끼는 듯했다. 더 많은 민주당 후보가 공화당 후보들에게 무엇 때문에 그토록 열정을 가지고 대통령을 탄핵하려 드는지 그 이유를 설명해달라고 요구했다면, 민주당은 더 많은 의석을 추가할 수 있었을 것이다. 하지만 워싱턴의 통념을 거스르는 것은 너무나 큰 도박이어서, 대다수 후보들은 감히 위험을 무릅쓰지 못했다. 잘난 체하는 시사해설의 권위자들은 아직도 공화당의 압승을 예상하고 있었다.

드디어 선거일이 왔다. 출구조사 결과가 속속 들어오기 시작했다. 빌은 기분이 좋았다. 빌은 '웨스트 윙'에 있는 존 포데스타의 방에서 참모들과 함께 결과를 지켜보았다. 실제적이고 빈틈없는 정치 참모인 존은 빌의 첫 행정부에서 차관으로 일했지만, 최근 어스킨 볼스가 사임한 뒤 대통령 비서실장으로 복귀했다. 한 참모가 빌에게 인터넷으로 개표 결과를 검색하는 법을 가르쳐주자, 빌은 존의 컴퓨터 앞에 앉아서 정치 웹사이트를 서핑하는 데 열중했다. 늘 그렇듯이 나는 가슴이 떨려서 도저히 개표 결과를 지켜볼 수가 없었다. 그래서 나는 법률 고문실의 노련한 변호사인 체릴 밀스와 매기 윌리엄스에게 함께 영화나 보자고 말했다. 우리는 백악관 극장에서 「비러브드(Beloved)」라는 영화를 보았다. 이 영화는 토니 모리슨(미국 현대문학을 대표하는 흑인 여성 소설가로 1993년에 노벨문학상을 받았다. 『비러브드』는 사랑하는 딸이 노예가 되는 것을 막기 위해 그 어린 딸을 살해하는 흑인 여인의 이야기를 다루고 있다—옮긴이)의 소설을 오프라 윈프리(토크쇼의 여왕으로 불리는 방송 진행자)가 제작하고 주인공으로 출연한 비극적인 서사 드라마였다.

그날 밤늦게 극장에서 나오자 좋은 소식이 기다리고 있었다. 투표는 그야말로 역사적이었다. 민주당은 하원에서 5석을 추가해 공화당과의 의석 차이를 좁혔다. 하원의 양당 의석은 이제 223석 대 211석이었다. 상원은 공화당 55석, 민주당 45석을 그대로 유지했다. 바바라 박서 상원의원은 재선에 성공했다. 하지만 그날 밤 최고의 소식은 찰스 슈머가 뉴욕 주에서 앨 다마토를 물리친 것이었다. 공화당과 시사해설자들은 민주당이 하원에서 최고 30석을 잃고 상원에서는 4석 내지 6석을 잃을 거라고 예상했었다. 그런데 민주당은 하원에서 의석을 늘려, 1822년 이후 처음으로 대통령의 두번째 임기 때 집권당 의석이 늘어나는 기록을 세웠다.

곧이어 놀라운 일이 또 하나 일어났다. 사흘 뒤인 11월 6일 금요일, 모이니헌 상원의원이 뉴욕 텔레비전의 전설적 앵커인 게이브 프레스먼과의 인터뷰에서 5선에 도전하지 않겠다고 선언한 것이다. 이 인터뷰는 일요일 아침에 방송될 예정이었지만 불출마 소식은 일찍 새어나왔다.

금요일 밤늦게, 백악관의 전화 교환수가 할렘 출신의 원로 하원의원이자 좋은 친구인 찰리 레인절의 전화를 연결해주었다.

“방금 모이니헌 상원의원이 은퇴를 선언했다는 소식을 들었소. 당신이 출마를 고려해주었으면 합니다. 당신이 출마하면 당선은 따놓은 당상이니까 말이오.”

"저를 그렇게 생각해주시는 건 영광이지만, 전 관심 없어요. 게다가 우리는 지금 당장 해결해야 할 중요한 문제가 몇 가지 있어요."

"나도 압니다. 하지만 이건 내 진심이오. 한번 고려해보세요."

찰리는 물론 진심으로 말했겠지만, 나는 모이니헌의 후계자로 뉴욕 주에서 상원의원에 출마하는 것은 당치도 않은 일이라고 생각했다. 물론 그런 이야기가 처음 나온 것도 아니었다. 1년 전 백악관에서 크리스마스 리셉션 파티가 열렸을 때, 내 친구이기도 한 민주당 뉴욕 지부장 주디스 호프가 모이니헌 상원의원이 이제 더는 선거에 출마할 것 같지 않다면서 이렇게 말했다. "모이니헌이 출마하지 않으면 힐러리가 출마했으면 좋겠어요." 그때는 주디스의 말이 당치 않다고 생각했고, 그 생각은 아직도 변함이 없었다.

나에게는 다른 고민거리가 있었다.

## 은총을 기다리며

1998년 중간선거는 또 하나의 놀라운 사건을 낳았다. 하원의장 뉴트 깅리치가 의원직 사퇴와 정계 은퇴를 발표한 것이다. 처음에는 이것도 우리 쪽 승리처럼 보였고, 탄핵 사건이 틀어질 가능성도 있어 보였다. 루이지애나 출신 보브 리빙스턴이 깅리치의 후임 하원의장으로 결정되었지만, 다수당(공화당) 원내총무이자 실세인 톰 딜레이는 견책 같은 타협안에 반대하라고 공화당 의원들에게 압력을 넣고 있었다. 어스킨 볼스(백악관 비서실장)가 올바르지도 않고 헌법상 적법하지도 않은 방침을 공화당이 계속 밀고 나가려는 이유가 도대체 뭐냐고 따져 묻자 깅리치는 "우린 할 수 있으니까"라고 대답했다.

의회 구성은 이렇게 결말이 났고, 그 결과를 초래한 화이트워터 수사와 폴라 존스 사건은 거의 잊혀졌다. 존스의 변호인단은 라이트 판사의 기각에 대해 항소를 제기했고, 한 달 전부터 폴라 존스가 100만 달러로 합의할 용의가 있다는 신호를 보내오고 있었다. 법률은 분명 빌 편이었지만, 제8순회항소법원 합의부를 구성하고 있는 세 명의 판사 가운데 두 명은 일찍이 헨리 우즈 판사를 화이트워터 관련 사건에서 배제시키고 그에게 변명할 기회도 주지 않은 바로 그 보수파 공화당원이었다. 그런 전력 때문에 빌은 당파 정치가 또다시 법률과 선례를 무시하고 항소법원 합의부 판사들이 폴라 존스 사건을 재판에 회부할 수 있다는 결정을 내릴 가능성이 크다고 우려했다. 11월 13일, 빌의 변호사인 보브 베넷은 존스가 85만 달러에 고소를 취하하기로 동의했다고 빌에게 말했다. 폴라 존스 사건은 빌이 이미 이긴 사건이고, 라이트 판사는 그 사건에 법적 · 사실적 심리 대상이 되는 사안 본래의 내용이 결여되어 있다고 판단했다. 빌은 그런 사건을 합의로 해결하는 게 싫었지만, 이 사건을 확실하게 끝낼 수 있는 방법은 그것뿐이라고 판단했다. 빌은 사과하지 않았고 잘못을 인정하지도 않았다. 베넷은 이렇게 말했을 뿐이다. "대통령은 이 문제에 더 이상 단 한 시간도 할애할 마음이 없다는 결정을 내렸다." 그 사건은 그렇게 끝났다.

몇 주 동안 나는 하원 법사위원회가 1974년의 닉슨 탄핵 사건 때 그랬듯이 소환장을 잔뜩 발부할 거라고 예상하고 있었다. 법사위원회는 특별검사의 주장에 무조건 승인 도장을 찍어주는 것이 아니라 자체 조사를 실시할 의무가 있다. 법사위원장 헨리 하이드는 법사위원회가 케네스 스타를 주요 증인으로 소환할 예정이라고 발표했다. 나는 정나미가 떨어졌다. 스타는 두 시간 동안 쉬지 않고 떠들어댄 다음, 오후에는 법사위원회 소속 의원들의 질문에 답변했다. 밤 9시가 다되어서야 데이비드 켄들에게 스타를 반대신문할 기회가 주어졌다. 법사위원회의 다수파인 공화당 의원들은 터무니없이 비현실적인 제한 시간을 부과했다. 데이비드는 시간에 쫓기면서 우선 그동안의 경과를 간단히 요약했다.

"나는 특별검사가 두 시간 동안 쉬지 않고 계속한 증언만이 아니라, 지난 4년 동안 4,500만 달러의 비용과 최소한 28명의 변호사와 78명의 FBI 요원과 인원수 미상의 사설 조사원이 동원된 수사에도 응답해야 합니다. 컴퓨터로 계산한 결과, 11만 4,532건의 신문기사가 이 수사를 다루었고, 공중파 텔레비전은 2,513분의 방송 시간을 할애했습니다. 하루 24시간 스캔들만 취재 보도하는 케이블 방송은 더 말할 나위도 없습니다. 445쪽에 이르는 보고서, 비밀 대배심 증언을 기록한 서류 5만 쪽, 네 시간 분량의 녹화 증언, 22시간 분량의 녹음 증언, 이 녹음 증언 가운데 일부는 불법적으로 수집되었습니다. 그밖에 수십 명에 이르는 증인들의 증언. 이 증인들 가운데 반대신문을 받은 사람은 하나도 없습니다. 그런데 나에게 주어진 시간은 고작 30분입니다."

여론 조작을 위한 소련식 재판 절차가 진행되는 동안, 스타는 대배심이 열리기 전에 단 한 명의 증인도 직접 조사하지 않은 것을 인정할 수밖에 없었다. 스타는 자신의 보고서에 덧붙일 것이 아무것도 없었다. 하지만 그는, 이른바 트래블게이트와 파일게이트 수사에서 대통령이 탄핵 사유가 될 만한 범죄 행위를 저지르지 않은 것을 특검팀이 마침내 밝혀냈다고 발표했다.

날카롭고 수완 좋은 매사추세츠 출신 민주당 하원의원인 바니 프랭크는 그 결론에 도달한 것이 언제냐고 스타에게 물었다.

"몇 달 전입니다." 스타가 말했다.

"그런데 중간선거 전에 대통령에 대한 부정적인 자료로 가득 찬 보고서를 보낼 때는 그것을 덮어두고 이제 와서…… 선거가 끝난 지 몇 주가 지난 뒤에야 대통령에게 혐의가 없다는 면죄부를 우리한테 내놓은 이유가 뭡니까?"

특별검사는 아무 대답도 하지 못했다.

이튿날 특검 사무소의 윤리 고문인 샘 대시는 스타의 증언에 항의하여 사임했다. 그는 스타와 그의 부하들이 저지른 과거의 잘못을 알아차리지 못한 것 같다. 1973년과 1974년에 상원 워터게이트 위원회의 법률 고문이었던 대시는 스타가 자신의 지위를 남용하여 '불법적으로' 탄핵 절차에 끼여든 것을 비난하는 서한을 보냈다. 그의 사임은 탄핵 절차에 뚜렷한 영향을 주지 못했다. 뉴욕 시립대의 공동 후원자인 아서 슐레진저 2세, 프린스턴 대학의 숀 윌렌츠, 예일 대학의 밴 우드워드를 비롯한 400여 명의 역사학자들은 탄핵을 위한 헌법적 기준이 충족되지 않았다는 이유로 국회에 탄핵 거부를 촉구하는 공개 서한을 보냈지만, 이것도 탄핵 절차에 영향을 주지 못했다. 그들의 성명서는 시민론 강좌에서 필독서가 되어야 할 것이다.

> 우리는 시민이자 역사학자로서 현재의 대통령 탄핵 공세를 개탄해 마지않는다. 이 공세가 성공한다면 우리의 헌정 질서에 지극히 심각한 타격이 가해질 것이라고 우리는 믿는다.
>
> 우리 헌법에서 대통령에 대한 탄핵은 엄숙하고 중대한 조치다. 헌법 제정자들은 대통령이 권한 행사에서 공공 도덕에 위배되는 파렴치한 범죄나 비리를 저지른 경우에만 탄핵 절차를 밟을 수 있다고 명시적으로 규정했다. 제임스 매디슨에 따르면, 그밖의 다른 이유로 대통령을 탄핵하면 대통령의 임기가 '상원의 뜻'에 좌우되고, 따라서 공권력 남용을 막는 주요한 안전 장치인 '견제와 균형' 시스템이 무너지고 만다.
>
> 우리는 클린턴 대통령의 개인적 행동이나 국민을 속이려 한 점을 묵과하지 않지만, 현재 벌어지고 있는 대통령에 대한 고발은 헌법 제정자들이 규정한 탄핵 사유에서 벗어나 있다. 전면적이고 무제한적인 심문을 실시하겠다는 하원의 결의는 대통령을 축출할 수 있는 범죄 혐의를 찾아내려는 새로운 다목적 수사를 야기한다.
>
> 이런 노력에 내재해 있는 탄핵론은 우리 역사에 전례가 없는 것이다. 새로운 절차는 우리 정치제도의 미래에 극도로 불길한 전조가 된다. 이 절차를 계속 진행할 경우, 대통령직은 사상 유례를 찾아볼 수 없을 만큼 의회의 변덕에 내맡겨져 기형적으로 훼손되고 권위를 잃

게 될 것이다. 역사적으로 우리가 커다란 국가적 시련을 겪을 때 리더십의 중심이었던 대통령직은 미래의 불가피한 도전에 직면하여 큰 손상을 입게 될 것이다.

우리는 헌법을 지킬 것이냐 무너뜨릴 것이냐의 선택에 직면해 있다. 미래의 대통령들을 괴롭힐 선례를 만들고 우리 정부가 장기간의 수사 · 고발의 고통에 묶여 꼼짝 못하게 되기를 바라는가? 아니면 헌법을 지키고 정부가 다시 공무로 돌아가기를 바라는가?

공화당 의원이든, 민주당 의원이든, 무소속 의원이든, 모든 의원은 위험한 탄핵론에 반대하고 우리 연방 정부의 정상적인 기능 회복을 요구해야 할 것이다.

12월 초, 부통령의 부친인 앨버트 고어가 테네시 주 카시지의 자택에서 91세를 일기로 타계했다. 12월 8일, 빌과 나는 전쟁기념관에서 열린 장례식에 참석하기 위해 내슈빌로 날아갔다. 앨 고어는 국기를 덮은 관 옆에 서서 선친에게 바치는 감동적인 추도 연설을 했다. 앨 고어의 아버지는 한때 용감하고 유력한 연방 상원의원이었지만, 베트남 전쟁에 반대했기 때문에 1970년에 의석을 잃었다. 가슴에서 우러나온 앨의 추도사는 유머와 공감으로 가득 차 있었다. 내가 그때까지 들은 앨의 연설 가운데 최고였다.

그동안 탄핵 사태가 고어 내외와 우리의 관계에 어떤 영향을 미쳤는지에 대한 억측이 무성했다. 8월에 빌이 잘못을 인정했을 때 고어 내외는 다른 사람들과 마찬가지로 충격과 상처를 받았지만, 그 어려운 시기에 사적으로나 정치적으로 줄곧 도움을 아끼지 않았다. 고어 내외는 우리가 필요할 때는 언제든 우리 곁에 있었다. 때로는 우리가 그들에게 도움을 청했고, 때로는 우리에게 도움이 필요하다는 것을 그들이 먼저 알아차렸다.

12월 11일 시작되어 12일 자정이 넘어서야 끝난 법사위원회는 공화당의 당파적 방침에 따라 탄핵안 가운데 4개 조항을 하원 본회의의 표결에 넘기기로 의결했다. 우리는 여전히 견책이라는 타협안이 충분한 지지를 얻을 수 있으리라는 희망을 버리지 못했지만, 법사위원회의 의결은 전혀 놀라운 일이 아니었다.

의회가 탄핵을 추구하는 동안 빌은 대통령 직무에 전념했고 나는 내 의무에 전념했다. 나는 퍼스트 레이디로서 공적 책임을 계속 수행할 의무가 있다고 믿고, 하원의원들과 함께 허리케인 '조지'가 가져온 피해를 복구하고 있는 푸에르토리코와 도미니카공화국과 아이티를 순방하면서 구호품을 전달하고 시민들을 위로하기로 결정했다. 규칙적인 일정에 따라 생활하는 것이 나를 일으켜 세우고 앞으로 전진하게 할 때가 많았다. 침대에 들어가 이불을 뒤집어쓰는 식의 호강은 생각지도 않았다.

12월 12일부터 15일까지 빌과 나는 중동을 방문했다. 우리는 벤야민 네타냐후 이스라엘 총리와 그의 아내 사라와 함께 유대인의 저항과 순교를 상징하는 마사다(사해 서안에 있는 언덕 요새. 서기 73년, 이곳에서 농성하던 960명의 유대인이 로마군에 투항하기를 거부하고 전원 자결했다—옮긴이)에 갔다. 우리는 17년 전에 이곳을 처음 방문한 적이 있는데, 빌이 다니던 남부 침례교회의 W.O. 보트 목사가 이끄는 성지 순례에 참가했을 때였다. 보트 목사는 그후 세상을 떠났다. 나는 그분이 빌에게 격려도 해주고 야단도 치는 정신적 스승으로 가까이 있었다면 얼마나 좋을까 하고 아쉬워할 때가 많았다. 세 분의 목사님이 길잡이가 되어준 것은 정말 고마웠다. 필 와거먼 목사, 토니 캄폴로 목사, 고든 맥도널드 목사—이분들은 빌이 이해와 용서를 구할 때면 정기적으로 만나 빌과 함께 기도를 드리곤 했다.

17년 전 성지 순례 때 우리는 베들레헴에도 갔었다. 이제 우리는 야시르 아라파트와 함께 다시 베들레헴에 가서 예수탄생 교회를 방문하고,

기독교를 믿는 팔레스타인인들과 함께 크리스마스 캐럴을 불렀다. 우리는 여전히 평화협상에 대한 기대를 버리지 못했다. 빌은 팔레스타인 민족회의에서 처음으로 연설을 하고 팔레스타인인들과 회담할 예정이었다. 우리는 새로 지은 가자 국제공항에 착륙했다. 가자 공항 개항은 빌이 팔레스타인인들의 경제적 기회를 증진하기 위해 아라파트와 네타냐후 사이에서 중재 역할을 하여 최근에 맺어진 와이 평화협정에 포함되어 있었기 때문에, 이 공항에 착륙한 것은 매우 중요한 행사였다.

당시 중동은 긍정적인 양상을 보여주고 있었지만, 빌은 이라크에서 유엔 무기 사찰을 재개하는 것을 거부한 사담 후세인의 도전을 계속 면밀히 감시하고 있었다. 정치적 관점에서 보면 지금은 후세인에게 군사적으로 대응하기에 가장 좋지 않은 시기였다. 탄핵 표결을 눈앞에 둔 상황에서는 대통령의 어떤 행동도 국회의 관심을 다른 데로 돌리거나 표결을 지연시키려는 의도로 의심받을 수 있었다. 반면에 빌이 이라크 공습을 보류하면 정치적 압력을 피하기 위해 국가 안보를 희생한다는 비난을 받을 수 있었다. 이슬람교의 신성한 달인 라마단(단식월)이 코앞에 다가와 있어서 공격할 기회가 사라져가고 있었다. 12월 16일, 국방과 첩보를 담당하는 빌의 보좌관들은 지금이 공격하기에 적당한 때라고 보고했다. 빌은 이라크의 대량 살상 무기가 있는 곳으로 이미 알려져 있거나 의심스러운 곳과 그밖의 군사 목표에 대한 공습 명령을 내렸다.

폭격이 시작되자 공화당 지도부는 대통령의 의도에 대한 공개적인 의혹을 제기하면서도 탄핵 논의를 연기했다. 공화당 하원의원인 조엘 헤플리는 "클린턴이 이라크를 폭격하기로 결정한 것은 자신의 사적 이득을 위해 군사력을 이용하는 뻔뻔스럽고 수치스러운 행위"라고 말했다. 상원의 공화당 원내총무인 트렌트 로트는 대통령의 판단에 공개적으로 이의를 제기했다. "군사행동의 시기와 방침이 둘 다 의심받을 만하다"는 그의 발언은 국회가 국가 안보보다 당파 정치를 우선한다는 증거로 해석되었다. 그러자 로트는 재빨리 뒤로 물러섰다.

1월이 되면 공화당과 민주당의 의석 차이가 11석으로 줄어들기 때문에, 공화당 지도부는 그 전의 '레임덕' 기간에 탄핵 표결을 강행하기로 결정했다. 12월 18일, 이라크에 폭탄이 떨어지고 있을 때 탄핵 논의가 시작되었다. 나는 몇 달 동안 직접적인 공개 발언을 삼가고 있었지만, 그날 아침에는 기자들에게 말했다. "대다수 국민은 나와 마찬가지로 대통령이 우리 나라를 위해 하고 있는 일을 지지하고 자랑스럽게 여기리라 믿습니다. 더구나 지금은 크리스마스와 하누카(유대교의 신전 정화제)와 라마단을 축하하고 지난 일을 반성하고 화해하는 신성한 계절입니다. 이런 시기에는 서로 화합해야 훨씬 많은 일을 할 수 있기 때문에 불화를 끝내야 한다고 생각합니다."

민주당 하원 원내총무인 딕 게파트는 탄핵 표결이 시작되기 직전에 의사당에서 민주당 간부들을 만나달라고 나에게 요청했다. 나는 이튿날 아침 민주당 의원들 앞에 서서, 헌법과 대통령직과 내 남편을 지원해준 데 감사했다.

"여러분은 모두 빌 클린턴한테 몹시 화가 나 있을 것입니다. 물론 저도 남편이 한 짓이 못마땅합니다. 하지만 탄핵은 올바른 해결책이 아닙니다. 우리의 주의를 정말로 중요한 문제에서 다른 데로 돌리는 것은 위험한 짓입니다. 여기에는 너무나 많은 것이 걸려 있습니다." 나는 우리가 모두 법치주의 아래 살고 있는 미국 시민이고, 헌법에 따르는 것은 우리의 정치체제에 대한 당연한 의무라는 점을 의원들에게 상기시켰다. "탄핵 사건은 경제와 교육, 사회보장, 의료, 환경, 북아일랜드와 발칸 반도와 중동의 평화—이것들은 모두 우리가 민주당원으로서 지지하는 정책들입니다—에 대한 대통령의 정책을 방해하기로 작정한 세력이 벌이는 정치적 전쟁의 일환입니다. 그런 일이 일어나도록 내버려둘 수는 없습니다. 오늘 표결이 어떤 결과로 끝나든, 빌 클린턴은 결코 사임하지 않을 것입니다."

탄핵을 피하려는 최후의 노력이 실패로 끝나리라는 것을 우리는 모두 알고 있었다. 나는 미국 역사의 대부분을 지켜본 대리석 복도를 지나 의사당 밖으로 나오면서 내 조국을 위해 슬퍼했다. 의회가 쿠데타 기도나 다름없는 짓으로 우리의 소중한 법체계를 모욕했기 때문이다. 나는 법대를 졸업한 풋내기 변호사 시절 정치적 동기로 촉발된 앤드루 존슨 대통령의 탄핵 사건을 공부한 적이 있었다. 그리고 리처드 닉슨에 대한 의회 탄핵 조사팀의 일원으로서, 나는 탄핵 절차가 헌법에 따라 공정하게 이루어지도록 얼마나 노력했는지를 알고 있었다.

그런데 하원에서 벌어진 해괴한 드라마가 사람들의 관심을 사로잡는 바람에 탄핵이라는 이 중대한 사건은 거의 관심 밖으로 밀려나 있었다. 표결이 시작되기 전날 밤, 하원의장으로 지명된 보브 리빙스턴의 간통 사실이 폭로되었다. 토요일 아침에 리빙스턴이 하원 본회의장에서 동료 의원들 앞에 섰을 때는 그가 '탈선'을 인정한 것을 모르는 사람이 없었다. 그는 의석에서 터져나오는 야유와 성난 고함 소리를 들으며 대통령의 사임을 요구한 뒤, 의장직을 사퇴한다고 발표하여 모든 사람을 아연실색하게 만들었다. 그는 당파적 인격 파괴 공작에 예기치 않게 희생된 또 하나의 피해자였다. 깅리치와 마찬가지로 그는 의원직까지 사퇴하여 정계에서 은퇴했다.

탄핵 사유 가운데 두 가지는 무효가 되고 두 가지는 채택되었다. 대배심에서 위증한 혐의와 사법 방해 혐의였다. 이제 빌은 연방 상원에서 탄핵 재판을 받게 되었다.

탄핵 표결이 끝난 뒤, 민주당 대표단이 대통령과의 연대를 과시하기 위해 버스를 타고 의사당에서 백악관으로 왔다. 나는 로즈 가든에서 그들을 만나기 위해 빌과 팔짱을 끼고 '대통령 집무실'에서 걸어나왔다. 앨 고어는 감동적인 지지 연설을 통해 하원의 탄핵 소추를 "역사책에서 미국의 가장 위대한 대통령 가운데 하나로 꼽히게 될 사람에 대한 가혹한 학대"라고 비난했다. 앨의 지지도는 내 지지도와 마찬가지로 급상승했다. 미국 국민은 무슨 일이 일어나고 있는지를 이해했다.

빌은 자신을 지원해준 모든 이에게 감사하고, 끝까지 포기하지 않겠다고 천명했다. 빌은 "임기 마지막 날 마지막 순간까지 봉사하겠다"고 말했다. 방금 전에 일어난 끔찍한 사건을 생각하면 묘하게도 즐겁고 낙천적인 모임이었다. 나는 빌의 대통령 자격을 공개적으로 증명해준 것이 고마웠지만, 점점 심해지는 허리의 통증을 참기가 어려웠다. 행사가 끝나고 관저로 돌아갈 때쯤에는 서 있기도 힘겨울 정도였다.

시기가 너무 나빴다. 크리스마스 시즌이어서, 탄핵 사건과는 관계없이 백악관에서는 밤낮으로 리셉션이 열렸기 때문이다. 그래서 나는 몇 시간 동안이나 선 채로 손님들을 맞이해야 했다. 몇 번은 간신히 견뎠지만, 나는 곧 병석에 누워 꼼짝도 할 수 없게 되었다. 누적된 긴장과 신발이 초래한 뜻하지 않은 재난이었다.

나를 진찰한 백악관 주치의는 물리치료사에게 도움을 청했다. 물리치료사는 나를 진찰한 뒤에 물었다. "최근에 하이힐을 많이 신으셨습니까?"

"그래요."

"다시는 하이힐을 신으시면 안됩니다."

"평생?"

"예. 평생 신으면 안됩니다." 그는 이상하다는 표정으로 나를 바라보다가 물었다. "도대체 무엇 때문에 하이힐을 신고 싶어하십니까?"

다가오는 상원의 탄핵 재판이라는 유령이 불청객처럼 방안을 돌아다니고 있는데, 여느 때와 똑같은 일을 하면서 크리스마스 휴가를 보내는 것은 야릇하면서도 마음에 위안을 주었다. 나는 격려 편지를 수백 통이나 받았다. 그중에서도 가장 사려 깊은 편지는 텍사스의 집에서 사건의 추이를 지켜보고 있던 버드 존슨 여사(린든 존슨 대통령 부인)가 보내준 편지였다.

친애하는 힐러리,

당신이 나를 기쁘게 해주었어요. 텔레비전에서 당신이 대통령 옆에 나란히 서서(그게 '남쪽 잔디밭'이었나요?) 교육과 의료를 비롯한 수많은 분야에서 우리 나라가 많은 발전을 이룩했지만 아직도 갈 길이 멀다는 사실을 상기시키는 것을 보고 나는 당신의 앞날을 위해 기도했어요. 그러고 나서 당신이 국회에 가서 민주당 의원들에게 연설하고 그들의 지지를 호소한 것을 알았죠.

기분이 좋았어요. 그건 많은 미국 시민들의 생각에 대한 평가 기준이라고 생각해요.

당신에게 격려와 찬사를 보내며.

버드 존슨

경험과 친절한 마음에서 우러나온 버드 여사의 위로에 마음이 훈훈해졌다. 내가 얼마나 심한 중압감에 시달리는지를 이해하는 분이 내가 남편을 지지하기로 결심한 까닭을 알아주는 것은 큰 위안이었다.

우리는 또다시 사우스캐롤라이나 주의 힐턴헤드에서 열린 '르네상스 위켄드'에서 섣달 그믐날을 보냈다. 많은 친구와 동료들이 일부러 다가와 우리를 격려해주었고, 대통령으로서 훌륭한 지도력을 발휘하고 있는 빌에게 감사했다. 가장 감동적인 찬사를 보내준 사람은 베트남 전쟁 당시 해군 작전부장이었던 퇴역 해군제독 엘모 줌월트 2세였다. 줌월트 제독은 첼시에게 '이것이 나의 마지막 말이라면'이라는 제목의 짧은 연설을 했다. 그는 첼시에게, 국회에서 일어나고 있는 사건이 대통령의 업적을 가리려 할 때에도 너는 결코 아버지의 업적을 잊지 말기 바란다고 말했다.

"너의 아버지인 나의 최고사령관은 대통령으로서 기억될 것이다. 15년 동안 계속 내리막길을 걸어온 우리의 군사력을 다시금 오르막길에 올려놓은 대통령, 그리하여 우리 군대의 지속적인 생존력을 보장해준 대통령…… 아이티와 보스니아와 아일랜드와 코소보에서 벌어진 살육을 중단시킨 대통령…… 중동 평화협상에 진전을 가져온 대통령…… 사회보장과 교육제도와 의료보험 범위를 개선하기 위한 논의와 조치를 시작한 대통령……"

줌월트 제독은 첼시에게, 너의 어머니는 여성과 아동의 권익에 "세계가 눈을 뜨게 하고" 여성과 아동의 삶을 향상시키기 위해 기울인 노력, "위기에 빠진 너의 가족을 떠받치고 있는 힘" 때문에 소중히 기억될 것이라고 말했다. 그의 말은 첼시에게—그리고 나에게—헤아릴 수 없이 귀중한 선물이었다.

슬프게도 이것이 첼시가 줌월트 제독에게 들은 그야말로 '마지막 말'이 되고 말았다. 줌월트 제독은 이듬해에 세상을 떠났다. 미국 국민은 그를 그 세대의 위대한 애국자이자 인도주의자로 기억할 것이고, 나와 우리 가족은 그를 진실하고 한결같은 친구로 기억할 것이다.

제106대 국회가 출범한 직후인 1999년 1월 7일, 상원 탄핵 재판이 시작되었다. 대법원장 윌리엄 렌키스트는 그 행사를 위해 특별히 지은 옷을 차려입고 상원에 도착했다. 그것은 판사들이 여느 때 입는 수수한 검은색 법복이 아니라, 그가 손수 디자인한 의상이었다. 옷소매에는 금색 장식띠가 갈매기 모양으로 붙어 있었다. 기자들이 그 옷에 대해 묻자 그는 대답하기를, 길버트와 설리번의 희극 오페라 「욜란테」의 의상에서 아이디어를 얻었다고 말했다. 연극 의상은 정치적 광대극을 주재하는 그에게 딱 들어맞는 복장이었다.

나는 텔레비전으로 중계되는 탄핵 재판을 일부러 보지 않았다. 그것은 내가 그 모든 절차를 중대한 헌법 위반으로 생각했기 때문이기도 하지만, 내가 무슨 짓을 해도 결과에 영향을 미칠 수 없었기 때문이기도 했다. 빌의 사건은 뛰어난 변호사팀의 손에 맡겨졌다. 백악관 법률 고문 처크 러프, 법률 부고문 체릴 밀스와 래니 브뢰어와 브루스 린지, 국무부의 고위직을 떠나 백악관 참모진에 합류한 그레그 크레이그를 비롯한 백악관 변호사들과 빌의 개인 고용 변호사—데이비드 켄들과 그의 파트너인 니콜 셀리그먼—이 한 팀을 이루어 빌을 돕고 있었다.

나는 전략과 연출을 제안하기 위해 변호사팀을 만났지만, 그들을 격려해주는 것 말고는 내가 도와줄 수 있는 일이 별로 없었다. 하원의 탄핵 소추는 검사의 기소와 비슷한 것으로 간주되었기 때문에, 하원의 공화당 의원들이 간사나 '검사'로 상원에 파견되었다. 그들은 탄핵 사유가 될 만한 범죄 행위의 '증거'를 제시하도록 되어 있었고, 빌의 변호사들은 빌을 변호할 터였다. 살아 있는 증인은 한 사람도 소환되지 않았다. 그 대신 하원의 '간사'들은 대배심 증언과 시드 블루멘털, 버넌 조던, 모니카 르윈스키에 대해 실시한 증인 신문에 의존했다. 시드 블루멘털은 얼마 전에 출간한 『클린턴 전쟁』에서 탄핵 사건 때의 경험을 털어놓고, 막후에서 벌어진 일들을 흥미진진하게 묘사했다.

헌법은 대통령을 해임할 수 있으려면 우선 상원 재적 의원 100명 가운데 3분의 2가 대통령에 대한 유죄 선고에 찬성해야 한다고 규정하고 있다. 이런 일은 미국 역사상 한번도 일어난 적이 없었고, 나는 이번에도 그런 일이 일어나리라고는 생각지 않았다. 이 일에 관련된 사람들 가운데 상원의원 67명이 유죄 선고에 찬성할 거라고 진정으로 생각하는 사람은 아무도 없었다. 그래서 하원의 간사들은 직업 검사를 흉내낼 필요성도 전혀 느끼지 못했을 것이다. 게다가 간사들의 경우에는 절차나 제출된 증거에 대한 규정이 거의 없었다. 그래서 탄핵 재판 절차는 진짜 재판과 비슷한 점이 거의 없었다. 그것은 재판이라기보다 오히려 내 남편을 비난하는 집단 장광설과 비슷했다.

5주 동안 계속된 광대극에서 대통령의 변호사들이 제시한 법률과 사실들은 역사학자와 법학자들이 미국 역사의 이 한심한 순간을 이해하는 데 도움이 될 것이다. 체릴 밀스는 대통령을 무죄 방면하면 법치주의를 무너뜨릴 뿐만 아니라 미국의 민권법도 훼손될 거라는 하원 간사들의 주장을 단호하게 반박했다. 아프리카계 미국인인 밀스는 이렇게 말했다. "민권에 대해서는 조금도 걱정하지 않습니다. 클린턴 대통령이 지금까지 민권과 여권, 우리의 모든 권리에 대해 취한 태도에는 혐의를 둘 여지가 전혀 없기 때문입니다…… 내가 오늘 여러분 앞에 선 것은 내가 이 자리에서 자신을 대리할 수 있다고 빌 클린턴 대통령이 믿었기 때문입니다."

아칸소 출신의 전 상원의원 데일 범퍼스는 빌을 강력하게 옹호하는 주장을 폈다. 뛰어난 웅변가이자 빌의 절친한 친구인 범퍼스는 미국 역사와 아칸소 이야기를 교묘하게 짜맞추어 무죄 방면을 설득력 있게 주장했다. 그는 미국 헌법이 시험당하고 있다는 사실을 상기시켰다. 범퍼스는 『변호사가 한 명뿐인 마을의 최고 변호사』라는 회고록에서 빌이 전화로 변호를 부탁했을 때의 일을 털어놓고 있다. 범퍼스는 빌의 부탁을 심사숙고한 뒤, "클린턴 내외가 겪은 시련과 고난은 인간 드라마의 일부이고, 따라서 미국의 모든 가정이 어느 정도는 그것과 관련되어 있을 수 있다"는 것을 깨달았다. 이어서 범퍼스는 이렇게 묻고 있다. "기독교 신앙의 토대인 용서와 구원이라는 요소는 어디로 가버렸는가?"

재판이 진행되는 동안 나는 우리가 결국 이기리라는 것을 한번도 의심하지 않았다. 나는 날이 갈수록 점점 더 신앙에 기대고 있었다. 옛날 주일학교에서 들은 말이 생각났다. 믿음은 벼랑 끝에서 허공으로 발을 내딛고 두 가지 결과 가운데 하나를 기대하는 것과 비슷하다. 딱딱한 땅에 착륙하거나 하늘을 나는 법을 배우거나.

## 경쟁을 두려워하지 마라

제106대 국회 구성이 마무리되자, 민주당 쪽에 유리하게 조성된 정치 환경은 내가 뉴욕 주 상원의원 선거전에 뛰어들 거라는 억측을 더욱 부추기는 배경이 되었다. 나는 여전히 모이니헌 상원의원의 지역구에 출마할 마음이 전혀 없었지만, 1999년 초에 이미 민주당 지도부는 내 마음을 바꾸려고 총공세를 펴고 있었다. 내가 존경하는 민주당 상원 원내총무인 톰 대슐은 나에게 전화를 걸어 출마를 부추겼다. 뉴욕은 물론 전국의 많은 민주당원들도 강력하게 출마를 권했다. 이런 관심은 기뻤지만, 나는 정치 무대에서 단련된 뉴욕의 다른 민주당원이 선거전에 뛰어드는 편이 더 낫다고 생각했다. 여성 하원의원인 니타 로위, 뉴욕 주 회계검사관인 H. 칼 매콜, 클린턴 행정부의 주택도시개발부 장관인 앤드루 쿠오모 등이 가장 유력한 후보였다.

공화당 후보로 지명될 가능성이 가장 높은 사람은 루돌프 줄리아니 뉴욕 시장으로, 그는 어떤 민주당 후보에게도 만만찮은 적수가 될 터였다. 오랫동안 민주당이 차지해온 의석을 자칫하면 줄리아니에게 잃을지 모른다고 염려한 민주당 지도부는 줄리아니 못지않은 거물 후보를 내세우기로 결정했다. 어떤 의미에서 나는 필사적인 선택—줄리아니의 전국적인 명성과 공화당의 충분한 재력에 맞설 수 있는 저명한 공인—이었다. 상황이 이랬으므로, 나를 후보로 내세운다는 생각이 새해로 접어든지 며칠도 지나기 전에 NBC 방송의 「언론과의 만남」에서 되살아난 것은 그리 놀라운 일도 아니었다.

1월 3일 일요일, 그 프로그램의 초대 손님은 뉴저지 주 출신의 로버트 토리첼리 상원의원이었다. 그는 민주당 상원 선거대책위원회 위원장으로서 후보를 모집하고 선거자금을 모으는 책임자였다. 진행자인 팀 러서트는 프로그램이 시작되기 전에 선거전에 대해 토리첼리에게 물은 뒤, 토리첼리가 내 출마를 예상하고 있다고 방송에서 발표했다.

나는 그 말을 듣고 토리첼리에게 전화를 걸었다. "이봐요, 보브. 당신이 내 인생에 대해서 이야기하는 걸 들었어요. 내가 출마하지 않을 거라는 걸 알면서 왜 그런 말을 하죠?" 토리첼리는 자신이 이미 돌파구를 열었다는 것을 잘 알고 있었기 때문에 옆으로 한발짝 비켜나 내 질문을 어물쩍 받아넘겼다. 앤드루 쿠오모와 칼 매콜은 상원의원 후보 경선에 참여하지 않고, 그 대신 2002년에 있을 주지사 경쟁에 전념하기로 결정했다. 니타 로위는 좀더 상황을 지켜보면서 선거전에 참여할지 여부를 결정하겠다고 말했다.

이런 정세는 내가 선거전에 뛰어들 거라는 대중의 억측을 더욱 조장했다. 하지만 나는 개인적으로는 선거에 출마하지 말라는 조언을 받고 있었다. 내가 상의한 몇몇 친구들은 한결같이 출마를 만류했다. 백악관의 내 보좌관들도 출마에 반대했다. 그들은 내가 후보로서 받게 될 스트레스와 선거운동에 따르는 감정적 소모를 걱정했다.

2월 7일, 요르단의 후세인 국왕이 암과의 투병 끝에 세상을 떠났다. 빌과 나는 만사 제쳐놓고 요르단의 수도 암만으로 떠났다. 또다시 머나먼 중동으로 조문을 가게 된 것이다. 전직 대통령인 포드와 카터와 부시가 대통령 전용기에 동승했다. 중동에 평화가 찾아올 가능성은 라빈과 후세인이라는 두 위대한 인물의 죽음으로 돌이킬 수 없는 손실을 입었다. 암만 거리는 전세계에서 몰려온 조문객들로 붐비고 있었다. 검은 상복에 하얀 스카프를 쓴 누르 왕비는 훌륭한 남편에게 경의를 표하러 온 인사들을 우아하게 맞이했다. 후세인 왕은 죽기 직전에 맏아들 압둘라를 후계자로 지명했다. 압둘라 왕과 재능있는 라니아 왕비는 어려운 책임을 정력적으로 수행하여 기대에 충분히 부응했다.

후세인 국왕의 장례식에서 돌아오자 탄핵 재판이 먹구름처럼 우리 가족을 뒤덮었다. 빌과 나는 여전히 관계를 회복하려고 애쓰는 한편, 의사당의 방사성 낙진으로부터 첼시를 보호하려고 애썼다. 상원의원 출마에 대해 결단을 내리라는 대중의 압력은 이 혼란을 더욱 가중시켰다. 하지만 출마 결정은 내 인생과 내 가족의 삶에 직접적이고도 장기적인 영향을 미치게 될 중대한 사안이었다.

나는 뉴욕 정치 전문가인 해럴드 아이크스와 의논을 나눈 뒤, 점점 가중되고 있는 대중의 압력을 인정하고 출마를 진지하게 고려해봐야 한다는 것을 납득했다. 해럴드가 친구로서 갖고 있는 최대 장점은 무뚝뚝할 만큼 솔직하다는 것이다. 그는 참으로 상냥하고 유쾌한 사람이지만, 말투가 워낙 거칠고 퉁명스러워서 상대를 질겁하게 만든다. 해럴드는 칭찬을 하고 있을 때에도 말끝마다 욕설이 따른다. 그는 그 특유의 말투로 나에게 몇 가지 조언을 해주었다.

"출마할 생각이 없으면 아직은 모르겠다는 투의 성명을 발표하세요. 하지만 출마를 진지하게 고려하고 있다면 아직은 아무 말씀도 하지 마세요. 탄핵 재판이 진행되고 있으니까, 어쨌든 지금 당장 결정을 내리라고 다그칠 사람은 아무도 없을 겁니다."

해럴드와 나는 2월 12일 다시 만나기로 약속했다. 알고 보니 그날은 상원이 탄핵안을 표결에 부치기로 되어 있는 날이었다. 나는 대다수 상원의원이 헌법에 따라 탄핵에 반대할 거라고 확신했다. 나는 결과를 기다리면서, 뉴욕 주의 정치 풍토를 평가하고 뉴욕 주 상원의원 선거운동의 변천사를 설명하는 해럴드의 말에 열심히 귀를 기울였다. 해럴드는 커다란 뉴욕 지도를 펼쳐놓고, 내가 직면하게 될 장애물을 실황 중계하듯 해설했다. 나는 그와 함께 지도를 열심히 들여다보면서 그의 생생한 해설을 들었다. 그의 손가락은 몬토크 시에서 플래츠버그 시를 거쳐 나이아가라폴스 시를 차례로 가리켰다. 뉴욕 주의 1,900만 시민을 상대로 선거운동을 하려면 13만 7,304제곱킬로미터의 면적을 그야말로 종횡무진 돌아다녀야 한다는 사실이 분명해졌다. 게다가 뉴욕 주 북부의 시골과 남부의 대도시 주변은 주민과 문화와 경제가 극적일 만큼 달랐고, 따라서 지방 정치도 복잡하기 이를 데 없었다. 뉴욕 주에서 출마한다면 그런 복잡한 정치 풍토에 정통해야 할 것이다. 게다가 뉴욕 시는 독자적인 세계였다. 그곳은 서로 경쟁하는 정치인과 이익집단들의 도가니였다. 뉴욕 시를 이루는 5개 구는 별개의 꼬마 주나 마찬가지여서, 저마다 북부의 군이나 시와도 다르고 이웃한 롱아일랜드나 웨스트체스터와도 다른 요구와 문제를 갖고 있었다.

몇 시간 동안 해럴드는 선거 출마에 따른 부정적 요소들을 모두 열거했다. 우선 나는 뉴욕 태생이 아니었고, 공직에 출마해본 경험도 없고, 뉴욕의 터줏대감인 줄리아니와 맞붙게 될 터였다. 뉴욕에서 혼자 힘으로 선거에 이긴 여성은 이제껏 한 사람도 없었다. 공화당은 나를 마녀로 만들기 위해 총력을 기울일 것이다. 선거운동은 추악한 전쟁이 될 것이고, 심신의 소모는 감정적 공황 상태를 초래하게 될 것이다. 게다가 퍼스트레이디 역할을 하면서 어떻게 뉴욕에서 선거운동을 할 수 있겠는가? 부정적인 요소는 그것만이 아니었다.

"아무래도 당신은 유망한 후보가 될 것 같지는 않군요." 해럴드가 말했다.

나도 그렇게 생각했다.

그날 오후, 연방 상원은 탄핵안을 표결에 부쳐 빌의 혐의를 큰 표차로 벗겨주었다. 탄핵안은 재적 의원 3분의 2는 고사하고 과반수도 얻지 못했다. 이것 자체는 맥빠진 결과여서 우리는 안도감만 느꼈을 뿐 우쭐한 기분도 느끼지 않았다. 가장 중요한 것은 헌법과 대통령직이 손상되지 않았다는 것이었다.

나는 아직도 출마 여부를 결정하지 않았지만, 해럴드 덕택에 선거운동에 필요한 것을 좀더 현실적인 눈으로 볼 수 있게 되었다. 탄핵 재판이 끝났으니 이제는 그 문제에 주의를 돌려야 할 때였다. 2월 16일, 내 사무실은 내가 출마를 신중하게 고려하여 몇 달 뒤에 결정을 내릴 거라는 성명을 발표했다.

해럴드는 내가 접촉해야 할 뉴요커(뉴욕 사람) 100인의 명부를 작성해주었다. 2월 말부터 나는 그들에게 일일이 전화를 걸고 만나기 시작했다. 맨 처음 만난 사람은 모이니헌 상원의원과 그의 아내 리즈였다. 남편의 선거운동에 줄곧 참여해온 탓에 리즈는 뉴욕 정치에 놀랄 만큼 밝았다. 모이니헌 상원의원은 NBC 방송의 「언론과의 만남」에 출연하여 팀 러서트와 대담하면서, "젊고 당차고 똑똑하고 유능한 힐러리의 일리노이-아칸소적 열정"이 뉴욕과 뉴요커에게도 적합할 것이라고 아낌없이 나를 성원해주었다. 나는 숨이 막혔다. 특히 '젊다'는 형용사에는 깜짝 놀랐다. 나는 뉴욕 시장을 지낸 에드 코크와 데이비드 딩킨스와도 상의했다. 그들도 나를 지지하고 격려해주었다. 최근 혹독한 선거전에서 살아남은 슈머 상원의원은 실질적인 도움을 주었다. 민주당 대변인 셸던 실버, 민주당 뉴욕 지부장 주디스 호프, 하원의원들, 시장들, 주의회 의원들, 군수들, 노동조합 지도자들, 활동가와 친구들이 저마다 견해를 제시했다. 모이니헌 상원의원보다 먼저 뉴욕 주 상원의원을 지낸 로버트 F. 케네디의 아들이자 환경운동가인 로버트 F. 케네디 2세도 내 출마를 열렬히 지지하면서, 내가 출마하면 뉴욕의 시급한 환경 문제에 대해 가정교사 노릇을 해주겠다고 약속했다.

이렇게 많은 이들이 나를 격려해주었지만, 출마를 단념시키려고 애쓴 사람도 많았다. 특히 가까운 친구들은 내가 지난 몇 년 동안 감정적 격변을 겪은 것으로도 모자라서 사람을 기진맥진하게 만드는 혹독한 상원의원 선거운동에 뛰어들려는 이유를 이해하지 못했다. 선거운동은 안락하고 안전한 백악관 생활과는 딴판일 것이다. 날마다 꼭두새벽에 일어나야 하고, 자정 전에 잠자리에 드는 일은 드물 것이다. 선거운동 기간에는 선거구를 돌아다녀야 하기 때문에, 비행기 안에서 식사를 하고, 몇 달 동안 트렁크에 들어 있는 용품으로 생활을 꾸려가고, 일정한 거처도 없이 친구들 집에 신세를 져야 할 것이다. 가장 안타까운 것은 백악관에서 보내는 마지막 해에 가족과 함께 지내는 시간이 거의 없을 테고, 친구들과 함께 지낼 시간은 그보다 훨씬 적으리라는 것이었다.

의회가 과연 내 능력을 가장 효율적으로 발휘할 수 있는 무대인지에 의문을 제기하는 사람도 있었다. 나는 몇 달 동안 백악관을 떠난 뒤 내가 선택할 수 있는 생활을 곰곰 생각했다. 내가 겨우 100명의 의원으로 구성된 상원보다 국제 무대에서 더 많은 영향력을 발휘하여 변화를 촉진할 수 있을 거라고 주장하는 친구들도 있었다. 나는 30년 동안 변호사로 일하고 8년 동안 퍼스트 레이디 역할을 하면서, 여성과 아동과 가족에 관한 분야에서 폭넓은 경험을 쌓았다. 내가 선거에서 승리한다 해도, 정치인으로서 날마다 처리해야 하는 일과 격렬한 정치운동 때문에 눈에 보이는 강령을 포기할 가치가 있는지는 의문이었다. 정치 이외에도 고려할 만한 일은 얼마든지 있었다. 나는 재단 운영자, 텔레비전 진행자, 대학 학장, 기업의 최고경영자가 되어달라는 제의를 받고 있었다. 이런 자리들은 모두 매력적인 일이었고, 혹독한 상원의원 선거전에 뛰어드는 것보다 훨씬 안락한 생활을 보장해줄 터였다.

뉴욕에서 성장했고 모이니헌 상원의원의 최근 선거운동에도 참여했던 노련한 언론 컨설턴트인 맨디 그룬월드는 해럴드의 경고를 그대로 되풀이했다. 그녀는 뉴욕의 공격적인 기자들을 다루는 법부터 배워야 할 거라고 경고했다(이것은 내 장기가 아니다). 맨디는 내가 신참자라는 이유만으로 무료 입장권을 받지는 못할 거라고 퉁명스럽게 설명했다. 뉴욕의 기자들은 어떤 실수도 눈감아주지 않는다. 실수는 대개 타블로이드판 신문에 부풀려 보도되고, 오전 6시 · 7시 · 12시, 오후 4시 · 5시 · 6시 · 10시 · 11시 지역 뉴스에 방송되고, 신문 칼럼니스트들이 분석한다. 다음은 라디오 토크쇼 진행자들이 나설 차례다. 그것으로 끝나는 게 아니다. 퍼스트 레이디가 상원의원 선거에 출마하는 것은 사상 초유의 사건이다. 그런 역사적 성격을 고려하면, 뉴욕 언론들은 여느 때보다 훨씬 많은 기자를 파견하여 내 선거운동을 속속들이 취재할 거라고 예상해도 좋을 것이다. 내가 출마할 가능성만으로도 백악관 홍보실에 국내외 언론의 인터뷰 요청이 홍수처럼 밀려들고 있었다.

뉴욕 정치라는 난바다는 나에게 또 다른 걱정을 안겨주었다. 물정에 밝은 뉴요커들은 내가 아일랜드인도 이탈리아인도 카톨릭교도도 유대인도 아니기 때문에 절대로 승리할 수 없으며, 더구나 뉴욕처럼 수많은 민족이 어울려 사는 곳에서는 민족적 정체성이 꼭 필요하다고 솔직하게 충고했다. 이례적인 어려움을 제기하는 또 다른 요소는 여성 민주당원, 특히 내 또래의 전문직 여성들이었다. 이들은 보통 상황에서는 당연히 나의 정치적 기반이 되겠지만, 지금은 내가 선거에 출마하는 동기를 의심하고 내가 빌과 결혼생활을 지속하기로 결심할 것인지에 대해 회의적인 시각을 갖고 있었다.

어느 봄날, 내가 직면하게 될 장애물 목록을 훑어보고 있을 때, 나의 일정 관리자이자 빈틈없는 정치 고문인 패티 솔리스 도일이 내가 중얼거리는 소리를 가로막으며 불쑥 말했다. "아무래도 이 선거에서는 이길 수 없을 것 같아요." 그녀는 내가 선거에 출마하면 안된다고—그리고 출마하지도 않을 거라고—확신했기 때문에, 남편과 함께 시카고로 이사할 계획을 세웠다.

나의 백악관 참모들은 퍼스트 레이디가 느닷없이 연방 상원의원 후보로 변신하면 어떻게 될지를 걱정할 또 다른 이유가 있었다. 내 참모들은 나의 정책 의제를 전력을 다해 추진하고 있었다. 그들은 내가 선거에 출마해도 이런 노력을 계속 뒷받침해줄 것인지를 확인하고 싶어했다. 나는 상원의원에 출마하든 안하든 우리의 정책—'미국의 보물 구하기'에서부터 방과후 아동 보호 프로그램까지—을 계속 옹호하겠다고 다짐했다. 선거에 출마하면 내가 미국 대표로 계속 외국에 나갈 수 있을까 하는 문제도 제기되었다. 빌의 임기 동안, 나는 여권과 인권, 종교적 관용과 민주주의를 위해 세계 곳곳을 순방했다. 지구적 관점에서 생각하고 행동하는 것은 뉴욕 주 상원의원에 출마할 경우 내가 해야 할 일과는 상충되는 것일 수도 있다. 나는 출마를 심사숙고하는 동안에도 이집트·튀니지·모로코를 공식 방문하고 마케도니아 접경에 세워진 코소보 난민 수용소를 방문하겠다는 약속을 지켜야 했다. 나는 빌의 주도로 NATO가 슬로보단 밀로셰비치(세르비아 대통령)의 군대를 코소보에서 강제 철수시키기 위해 폭격 작전을 벌이는 것을 강력하게 지지했다. 나는 경제적 불안정을 피하기 위해 마케도니아인들이 직물공장 문을 다시 열어 사람들이 일터로 돌아갈 수 있도록 도와주었다. 경제 불안은 학살을 피해 고향을 탈출했던 코소보인들을 집으로 돌려보내려는 NATO의 목표를 방해할 수도 있었을 것이다.

봄기운이 완연해지는 동안 나는 측근 및 친구들과 함께 온갖 경우의 선거운동 시나리오를 검토했고, 토론은 매번 내 장래에 대한 열띤 논쟁으로 바뀌곤 했다. 우리는 완곡하게 '배우자 문제'라고 부른 것을 논의했다. 내 경우, 그것은 지나치게 억제된 표현이었다. 정치 선거에 출마한 후보의 아내나 남편이 어떤 역할을 맡는 것이 타당한지는 언제나 풀기 어려운 문제지만, 내 딜레마는 독특했다. 뉴욕에서는 빌이 아직 인기가 있고 미국에서는 우뚝한 정치인이기 때문에, 내가 절대로 독자적인 목소리를 확립할 수 없을 거라고 걱정하는 사람도 있었다. 빌을 둘러싼 논란이 내 메시지를 압도할 거라고 걱정하는 사람도 있었다. '내 배우자'에 관한 병참적 고려 사항은 복잡하고 미묘했다. 내가 민주당 후보 지명 대회에서 입후보를 선언하면 미국 대통령은 무대 위에서 내 뒤에 조용히 앉아 있을까? 아니면 대통령도 지지 연설을 할까? 선거전이 벌어지면 대통령은 전국의 다른 민주당 후보들과 마찬가지로 나를 위해서도 선거운동을 할까? 그러면 나는 또다시 빌의 대리인에 불과한 존재가 되어버리는 게 아닐까? 독립적인 후보로서 내 권리를 주장하는 것과 대통령의 지지와 조언을 활용하는 것 사이에 미묘한 선을 그어야 할 것이다.

내 의사 결정 과정이 가져온 한 가지 소득은 빌과 내가 또다시 대화를 나누게 되었다는 점이다. 시간이 흐르면서 우리는 둘 다 느긋해지기 시작했다. 빌은 나를 돕고 싶어했고, 나는 그의 전문 지식을 기꺼이 받아들였다. 빌은 나의 수많은 걱정을 일일이 검토했고, 나의 승산을 신중하게 평가했다. 이제는 형세가 역전되어, 내가 언제나 빌을 위해 맡았던 역할을 빌이 맡고 있었다. 빌은 조언하고, 결정은 내가 내렸다. 내가 출마하면 처음으로 빌에게서 독립하여 내 책임 아래 선거를 치르게 될 것이다. 그렇게 되리라는 것을 우리는 둘 다 알고 있었다. 나는 대화를 나눌 때마다 마음이 오락가락했다. 출마하는 것이 멋진 일로 생각되다가도 다음 순간에는 미친 짓으로 여겨졌다. 그래서 나는 어떻게 할 것인지를 계속 생각하면서 벼락이 떨어지기를 기다렸다.

나에게는 추진력이 필요했다. 그리고 마침내 그것을 얻었다. 하지만 그 추진력은 정치적 조언자나 민주당 지도자한테서 온 것이 아니었다. 3월에 나는 뉴욕 시에 가서 여자 운동선수들을 다룬 HBO(영화 전문 케이블 방송사)의 특별 프로그램을 홍보하는 행사에 참석했다가 전설적인 테니스 선수 빌리 진 킹을 만났다. 우리는 맨해튼의 첼시 구역에 있는 실험학교에 모였고, 젊은 여자 운동선수 수십 명이 우리와 합류했다. 그들이 모여 있는 무대는 HBO의 영화 제목인 '경쟁을 두려워하지 마라' 라는 문구가 적힌 거대한 플래카드로 장식되어 있었다. 여자 농구팀 주장 소피아 토티가 나를 소개했다. 내가 소피아와 악수를 하려고 다가가자, 그녀는 내 쪽으로 몸을 기울이고 내 귀에 속삭였다.

"클린턴 여사, 경쟁을 두려워하지 마세요."

그녀의 말은 방심한 내 허를 찔렀다. 그래서 나는 행사장을 나와 생각하기 시작했다. 나는 그동안 헤아릴 수 없이 많은 여자들에게 경쟁을 겁내지 말라고 말해왔다. 그런 내가 경쟁을 두려워해도 되는가? 왜 나는 이 경쟁에 뛰어들기를 망설이고 있는가? 왜 그 문제를 좀더 진지하게 생각하지 않는가? 아마 나는 '경쟁을 두려워하지 말아야' 할 것이다.

소피아 토티를 비롯한 많은 사람들의 격려는 내가 좋아하는 영화 「그들만의 리그」의 한 장면을 생각나게 했다. 여자 프로 야구팀의 인기 스타—지나 데이비스—는 시즌이 끝나기 전에 팀을 떠나 집으로 돌아가고 싶어한다. 야구팀 감독—톰 행크스—이 그녀의 결정을 문제삼자 지나는 대답한다. "운동하기가 너무 힘들어요." 그러자 톰 행크스는 이렇게 타이른다. "운동은 당연히 힘들어야 돼. 힘들지 않으면 누구나 다 할 테니까. 힘드니까 운동이 대단한 거야." 오랫동안 정치인의 아내로 살아온 나는 운동장에서 뛰는 선수들을 옆에서 지켜보기만 했다. 그래서 내가 과연 운동장 안으로 들어갈 수 있을지는 알 수 없지만, 이제는 정치에서 나의 독자적인 역할을 즐길 수도 있겠다는 생각이 들기 시작했다. 미국 전역과 수십 개 나라에서 나는 여성이 정치와 행정에 참여하고 공직에 출마하고 제 목소리의 힘을 이용하여 공공 정책을 만들고 자국의 미래를 계획하는 것이 중요하다고 역설해왔다. 그런데 바로 그런 일을 할 기회가 왔는데, 그것을 어떻게 놓칠 수 있겠는가?

많은 친구들은 납득하지 못했다. 어느 봄날 오후, 매기 윌리엄스와 나는 오랫동안 산책을 했다. 내 가장 가까운 친구이자 조언자인 매기는 뛰어난 정치적 통찰력을 가진 여성이다. 그녀는 결정을 내려야 할 시간이 다가오고 있다는 것을 알고, 한 시간이 넘도록 내 이야기에 귀를 기울였다. 나는 선거전에 뛰어들어야 할 것인지 말 것인지에 대해서 이야기했다.

"어떻게 해야 할지 정말 모르겠어요." 나는 매기에게 말했다.

"그건 미친 짓이에요. 당신을 걱정하는 사람이라면 누구나 같은 말을 할 거예요."

"하지만 할 수 있을지도 모른다는 생각이 들어요."

나는 매기의 반응에 전혀 놀라지 않았다. 매기는 나를 보호하고 싶어 했고, 내가 상처받는 것을 바라지 않았다. 하지만 매기가 이런저런 말로 나를 단념시키려고 애쓴 것은 오히려 내가 앞으로 밀고 나아가야 할 이유를 숙고하는 데 도움이 되었다.

백악관에서 살다가 상원의원이 되면 실망하게 될지도 모른다고 말하는 사람도 있었다. 하지만 내가 관심을 갖고 있는 쟁점은 모두 미국 상원에서 좌우된다. 내가 상원의원이 아니라면, 지금쯤은 분명 상원의원들에게 영향을 미치려고 애쓰고 있을 것이다. 로버트 루빈은 이렇게 말했다. "미국 상원은 세계에서 가장 중요한 민주주의 기관입니다. 상원의원에 뽑혀 봉사하는 것은 대단한 명예일 겁니다." 나도 같은 생각이었다.

선거운동도 쉽게 대처할 수 있을 것처럼 보이기 시작했다. 뉴욕 주 선거운동에 필요한 2,500만 달러를 모금할 수만 있으면 이길 수 있다고 생각했다. 뉴욕 주 시러큐스 출신의 테리 매콜리프는 우리의 친구이자 노련하고 유능한 선거자금 조달자였는데, 내가 평생 노력한 것보다 더 열심히 노력할 각오가 되어 있으면 이길 수 있다고 말했다. 이 말은 고무적이었다. 나는 공화당의 전통적 아성을 잠식할 수도 있다고 생각했다. 뉴욕 주 북부는 우리 아버지의 고향인 펜실베이니아 주와 이웃해 있기도 하려니와, 펜실베이니아 주를 생각나게 했다. 그리고 뉴욕 주의 농촌 문제들은 대부분 아칸소를 괴롭힌 문제와 비슷했다. 과중한 노동에 시달리는 농부들, 사라지는 공장 일자리, 더 나은 기회를 찾아 떠나는 젊은이들. 게다가 줄리아니 시장은 뉴욕 시 밖으로는 눈길을 돌리고 싶어하지 않는 듯했다. 뉴욕 시는 아직도 민주당이 우세했다. 내가 뉴욕 주 유권자들이 직면해 있는 문제를 이해하고 그들을 위해 열심히 일하기로 결심했다는 것을 입증하면, 정말로 그들을 위해 일할 수 있을지도 모른다.

선거 정치가 이따금 독자적인 세계처럼 보인다 해도, 1999년 늦봄에서 초여름까지 나는 상황을 전체적으로 올바르게 볼 수 있을 만큼 씁쓸한 현실을 충분히 맛보았다. 화이트워터 대배심에서 증언을 거부하여 사법 방해죄로 18개월 동안 옥살이를 한 수잔 맥두걸이 1999년 4월 12일 열린 화이트워터 재판에서 마침내 혐의를 벗고 무죄로 석방되었다. 수잔의 재판이 진행되는 동안, 다른 증인들이 출두하여 자신들도 스타에게 압력을 받았노라고 증언했다. 수잔도 스타가 빌과 나를 범죄에 연루시키기 위해 허위 진술을 강요했다고 끈질기게 주장했다. 그러나 그녀의 법정 진술은 배척되고, 수잔은 스타의 요구를 거절한 대가로 수모를 당하고 징역을 살았다. 감옥에서도 한동안은 독방에서 지내야 했다. 중국 공산당이 정권을 잡기 전부터 문화혁명 때까지 세 여인의 파란만장한 삶을 그린 장융의 『대륙의 딸들』이라는 책에서 나는 스타 특검의 수사에 대한 내 생각을 한마디로 요약한 중국 격언을 발견했다. "처벌하려고 마음만 먹으면 증거는 얼마든지 있다."

이어서 4월 20일, 콜로라도 주의 컬럼바인 고등학교에서 두 학생이 급우들에게 총을 난사한 뒤 몇 시간 동안 교내에서 인질을 붙잡고 버티다가 자살했다. 이 사건으로 학생 12명과 교사 한 명이 목숨을 잃었다.

그 10대 살인자들은 학교에서 따돌림을 받았고, 자신의 힘과 복수심을 보여주기 위해 치밀하게 계획을 세웠다고 한다. 그들은 권총과 산탄총을 비롯한 각종 무기를 입수하여 작은 무기고를 차릴 수 있었다. 그리고 그 무기들 가운데 일부를 트렌치코트 속에 감추고 학교로 들어왔다.

총격사건이 일어난 지 한 달 뒤, 빌과 나는 콜로라도 주 리틀턴에 가서 유가족과 생존자들을 만났다. 그렇게 무의미하고 어처구니없는 폭력 행위로 자식을 잃고 악몽을 견디고 있는 부모들의 얼굴을 보자 가슴이 저렸다. 부모들과 청소년들은 이 끔찍한 죽음이 헛되지 않게 해달라고 빌과 나에게 요구했다. 빌은 이웃 고등학교 체육관에 모인 컬럼바인 고교 학생들에게 말했다. "여러분은 폭력의 문화가 아니라 가치의 문화를 우리에게 줄 수 있습니다. 총을 가져서는 안될 사람의 손에 총이 들어가지 않도록 여러분이 우리를 도와줄 수 있습니다. 문제가 있는 아이들—그런 아이들은 앞으로도 항상 있을 것입니다—을 조기에 발견하여 도움의 손길을 뻗을 수 있도록 여러분이 우리를 도와줄 수 있습니다."

미국 고등학교에서 일어나는 폭력적인 총기사건은 컬럼바인의 비극이 처음도 아니고 마지막도 아니었다. 하지만 이 사건은 난폭하고 불안정하고 젊은—이 세 가지 요소가 결합하면 치명적이다—사람들 손에 총이 들어가지 않도록 연방 정부가 더욱 강력한 조치를 취해달라는 요구에 불을 댕겼다. 빌과 나는 양당 의원 40명이 참석한 행사를 열고, 권총을 소유할 수 있는 법정 연령을 21세로 올리고 권총을 한 달에 한 자루 이상 살 수 없도록 제한하자는 백악관의 제안을 발표했다. 나는 텔레비전과 영화와 비디오게임에 폭력이 만연해 있는 것을 또다시 거론했다. 대중의 격렬한 항의에도 불구하고 국회는 총기에 관한 두 가지 간단한 조치—신원 확인 과정을 거치지 않고는 총기를 구입할 수 없도록 하고, 총기에 아동 안전 잠금 장치를 의무화하는 조치—를 실행하지 못했다.

국회는 막강한 총기제조업계의 로비에 저항하여 총기 안전 법안을 통과시킬 의지가 없었다. 이것을 보면서 나는 상원의원이 되면 상식적인 법안을 통과시키기 위해 내가 할 수 있는 일이 무엇인가를 생각하게 되었다. 5월에 CBS 방송 앵커인 댄 래더와 가진 인터뷰에서, 워싱턴에서 그동안 겪은 일에도 불구하고 내가 상원의원에 출마한다면 그것은 리틀턴 같은 곳에서 배운 것 때문일 거라고 말했다.

상원의원 선거전이 형체를 갖추기 시작했다. 줄리아니 뉴욕 시장은 텍사스 주에 가서, 얼마 전에 대통령 선거 준비위원회를 구성한 조지 W. 부시 주지사를 만났다. 줄리아니는 나에게 뉴욕과는 아무 연고도 없는 '뜨내기' 라는 딱지를 붙이고, 아칸소에 가서 선거자금을 모금하겠다고 발표했다. 교묘한 책략이라고 나는 생각했다. 관심과 돈을 끌어모으고, 나에게 다가오는 선거운동을 조금 맛보여준 책략이었다. 가장 유능하고 인기있는 하원의원인 니타 로위는 상원의원에 출마하지 않겠다고 선언했다. 6월에 나는 준비위원회를 구성하겠다고 발표하여 선거운동에 필요한 최초의 구체적 조치를 취했다. 나는 언론 컨설턴트인 맨디 그룬월드와 마크 펜에게 도움을 청했다. 마크 펜은 빌을 위해 일한 적이 있는 빈틈없고 통찰력있는 여론조사 전문가였다. 이어서 나는 선거운동 참모가 될 만한 사람들을 면접하기 시작했다.

백악관 시절에 나는 어머니나 첼시와 함께 자주 뉴욕 시로 탈출하여 브로드웨이 쇼나 미술관 전시회를 구경하고 친구들을 방문하기도 했다. 내가 상원의원 출마를 숙고하기 전부터 뉴욕은 빌의 임기가 끝난 뒤 살고 싶은 곳으로 점찍은 몇 곳 가운데 가장 유력한 후보지였다. 이 소망은 해가 갈수록 강해져서 이제는 확고한 결정으로 굳어졌다. 빌은 아칸소에 '대통령 기록관' 을 짓고 그곳에서 지낼 작정이었지만, 뉴욕도 사랑했다. 순전히 실용적인 관점에서 뉴욕은 빌에게 더없이 완벽한 작전 기지였다. 빌은 퇴임한 뒤에도 국내외를 돌아다니며 강연을 하면서 많은 시간을 보낼 것이고, 자신의 재단을 통해 공익 사업을 계속할 것이기 때문이다.

우리는 집을 장만하는 문제에 대해 이미 의논을 나누었고, 벌써 마땅한 집을 찾고 있었다. 하지만 보통은 일상적인 이 절차가 비밀검찰국의 경호 문제 때문에 복잡해졌다. 어떤 동네에서는 우리가 살 수 없었고, 또 우리가 구입하는 집에는 경호원을 위한 공간이 있어야 했다. 그래도 나는 집을 찾는 일이 재미있었다. 우리는 그동안 아칸소 주지사 관저와 백악관에서 살았기 때문에 거의 20년 동안 우리 집을 갖지 못했다. 결국 우리는 완벽한 집을 찾아냈다. 뉴욕 시 북쪽의 웨스트체스터 군 채퍼콰에 있는 낡은 농가였다.

나는 또한 난생 처음으로 나 자신을 위해 선거자금을 기부할 가능성이 있는 사람들과 접촉하기 시작했다. 1999년 6월 7일 워싱턴에서 열린 민주당 모금 행사에서 전 텍사스 주지사인 앤 리처즈가 빌과 나를 연단위로 불러냈다. 그녀의 날카로운 재치와 소박한 유머는 정계에서 전설적인 명성을 얻고 있었다.

"뉴욕 주의 다음번 새내기 상원의원인 힐러리 클린턴, 그리고 힐러리의 사랑스러운 남편 빌 클린턴을 소개합니다." 그녀는 느릿느릿한 텍사스 사투리로 말했다. "빌은 저 '상원 배우자 클럽' 을 온통 뒤흔들어놓을 게 분명합니다."

빌은 이 악의 없는 놀림을 유쾌하게 받아들였고, 내가 대중의 지지를 받는 것을 기뻐했다. 빌은 그가 정부에서 일할 수 있도록 몇 년 동안 내가 치른 희생을 이해했다. 이제 빌은 내가 정치인의 배우자라는 파생적인 역할에서 벗어나 나 자신의 정치적 날개를 시험해볼 기회를 얻은 것을 인정하고, 계속 전진하라고 격려해주었다. 운동장 밖에서 지켜보는 일은 빌에게 어색한 노릇이겠지만, 빌은 나를 아내로서—그리고 후보자로서—무조건 열렬히 지지해주었다.

나는 6월 말에 예기치 않은 사람으로부터 격려를 받았다. 그는 오랫동안 리틀록에서 카톨릭계 고등학교를 운영한 조지 트리부 신부님이었다. 그분은 낙태 합법화를 지지하는 내 입장에 반대했지만, 그래도 내 친구가 되었다. 신부님은 백악관에서 하룻밤 묵은 적이 있었고, 나는 그분이 1999년에 세인트루이스를 방문한 요한 바오로 2세 교황과 만날 수 있도록 주선해주었다. 트리부 신부님은 1999년 6월 24일 날짜로 된 편지를 나에게 보내주었다.

친애하는 힐러리,

내가 지난 50년 동안 학생들에게 줄곧 해온 말을 당신한테 해주고 싶군요.

최후의 심판 날에 하느님이 우리에게 맨 먼저 던지실 질문은 십계명이 아니라는 것이 내 생각입니다(물론 나중에는 십계명을 물으시겠지만!). 하느님은 우리 각자에게 우선 이렇게 물으실 것입니다.

"내가 준 시간과 재능을 가지고 무엇을 했느냐?"

당신이 적대적인 뉴욕 언론과 반대자들의 비웃음을 능숙하게 다룰 수 없다고 생각하는 사람들은 당신이 불 속에서 시련을 겪었기 때문에 어떤 일에도 대처할 수 있다는 것을 깨닫지 못하고 있습니다.

최종 결론 : 출마하세요, 힐러리. 출마하세요! 언제나 당신을 위해 기도하겠습니다.

내가 살아오면서 내린 결정 가운데 가장 힘들었던 것은 빌과 결혼생활을 지속하기로 한 것과 뉴욕 주 상원의원에 출마하기로 한 결정이었다. 이제 나는 가능하다면 우리의 결혼생활이 지속되기를 바라고 있다는 것을 깨달았다. 그것은 내가 빌을 사랑하기 때문이고, 우리가 함께 보낸 세월을 내가 소중히 여기고 있다는 것을 깨달았기 때문이다. 나 혼자서는 첼시를 그만큼 잘 키우지 못했을 것이다. 물론 나 혼자서도 앞으로 만족스러운 인생을 살 수 있고, 경제적으로도 유복한 생활을 꾸려나갈 수 있을 테지만, 나는 빌과 함께 늙어가게 되기를 바랐다. 빌과 나는 우리가 공유한 과거와 신앙과 사랑을 도구로 이용하여 우리 결혼생활을 복구하는 데 몰두했다. 빌과 함께 가고 싶은 곳이 차츰 분명해지자 나는 좀더 홀가분한 마음으로 상원의원 선거전을 향한 첫걸음을 내디딜 수 있었다.

나는 어떤 선거운동도 첫 실전 경험이 되리라는 것을 알고 있었다. 그동안 주지사 후보와 의원 후보와 대통령 후보를 위해 나라를 끝에서 끝까지 돌아다녔기 때문에 이제는 나도 노련한 선거운동원이 되어 있었지만, 연단에 서서 나 자신을 위한 유세를 한 적은 한번도 없었다. 나는 우선 일인칭으로 연설하는 법을 배워야 했다. '그' 나 '그녀' 나 '우리' 를 언급하는 데에는 익숙해져 있었지만, '나' 에 대해 말하는 것은 익숙지 않았다. 게다가 클린턴 정부의 정책이 뉴욕 주에 이롭지 않으면 그 정책을 공공연히 반대해야 할 가능성도 있었다. 하지만 지금 당장은 내 미래의 유권자들과 친분을 트는 데 초점을 맞추었다. 나는 7월과 8월에 뉴욕 전역을 돌아다니면서 시민과 현지 지도자들을 만나 그들의 관심사와 희망사항을 듣는 '청취 여행' 을 계획했다. 이 여행은 대니얼 패트릭 모이니헌 상원의원이 차지했던 의석을 얻기 위한 선거운동의 닻을 올리기에 가장 적절한 곳, 핀더스코너스에 있는 모이니헌 상원의원의 아름다운 농장에서 시작되었다. 100만 평이 넘는 농장에 도착해보니, 모이니헌 상원의원과 그의 아내 리즈, 그리고 200명이 넘는 기자들이 나의 발표를 들으려고 기다리고 있었다. 선발대원인 릭 재스컬카가 깜짝 놀라면서 말했다. "일본에서 온 기자도 있어요!"

나는 모이니헌 상원의원과 나란히 서서, 미국 상원의원에 출마하기 위해 공식 선거대책위원회를 구성하겠다고 발표했다. "모든 사람이 이런 의문을 품을 것입니다. 왜 상원의원이지? 왜 뉴욕이지? 왜 힐러리지?" 나는 그곳에 모인 기자들에게 나와 뉴욕 주에 중요한 쟁점들에 관해 잠깐 이야기한 다음, 내가 한번도 살아본 적이 없는 주에서 출마하는 데 문제를 제기하는 것은 당연하다고 인정했다.

"그것은 지극히 정당한 의문이라고 생각합니다. 그 문제를 제기하는 분들을 충분히 이해합니다. 뉴욕 사람들한테서 무언가를 알아내고 듣고 배우려면, 그리고 내가 지향하는 것이 내 출신지보다 중요하지는 않더라도 출신지만큼 중요하다는 것을 입증하려면 정말로 열심히 노력해야 한다는 것도 알고 있습니다."

잠시 뒤에 모이니헌 상원의원과 나는 그의 농가로 걸어가서 아침 겸 점심으로 햄과 비스킷을 먹었다. 곧이어 나는 길을 떠났다.

# 뉴욕

나는 풋내기 후보로서 온갖 장애물을 예상했고, 실제로 몇 가지 장애물에 부딪히기도 했지만, 내가 선거운동을 즐기게 될 줄은 꿈에도 몰랐다. 1999년 7월 모이니헌 상원의원의 농장을 떠나 '청취 여행' 을 시작한 순간부터 나는 뉴욕 전역에서 내가 방문한 곳과 만난 사람들에게 홀딱 반해버렸다.

쾌활함과 다양성과 미래에 대한 열정으로 알려진 뉴요커들은 내가 소중하게 여기는 미국의 모든 장점들을 상징했다. 나는 뉴욕 주 북부의 완만한 기복을 이룬 시골에 자리잡고 있는 소도시와 농장들을 알게 되었고, 한때 미국 산업혁명의 중심지였고 이제는 정보화 시대를 맞아 자신을 재정비하고 있는 버펄로 · 로체스터 · 시러큐스 · 빙엄턴 · 올버니 같은 도시들을 알게 되었다. 나는 애디론댁 산맥과 캐츠킬 산맥을 탐험했고, 스캐니텔레스 호수와 플래시드 호수 기슭에서 휴가를 보냈다. 뉴욕의 중요한 공립 · 사립 대학들을 방문했고, 롱아일랜드에서 캐나다 접경에 이르는 뉴욕 주 전역에서 사업을 하거나 농사를 짓는 이들을 만났다. 그들은 저마다 직면해 있는 어려움을 털어놓았다. 그리고 나는 새 집에 정착했다. 새 집이 있는 뉴욕 주 남부 교외의 아름다운 학교와 공원들은 내가 자란 동네를 생각나게 했다.

싱싱하게 분출하는 에너지, 다양한 소수민족이 서로 이웃해 살고 있는 공동체들, 마음이 넓고 언행이 진솔한 사람들—나는 뉴욕을 사랑했다. 나는 간이식당과 구빈원 · 학교 · 기독교회 · 유대교회 · 노숙자 보호소 · 옥탑방들을 방문하면서 뉴욕 시 곳곳에서 새로운 친구들을 사귀었다. 뉴욕의 다양한 소수민족 타운은 세계에 대한 미국의 약속을 이 도시가 대표적으로 상징하고 있다는 사실을 일깨워주는 산 증거였다. 이런 사실은 2001년 9월 11일 미국이 상징하는 자유와 다양성과 선택권을 증오하고 두려워하는 테러분자들이 맨해튼을 공격했을 때 비극적으로 강조되었다.

나의 선거운동은 뉴욕의 역사 속에 완전히 몸을 담그는 것이었다. 뉴욕이 주가 되기 전, 이곳에는 민주주의 원칙으로 우리 선조들의 사고방식에 영향을 준 이러쿼이족 원주민이 널리 퍼져 살고 있었다. 독립전쟁이 일어난 뒤, 뉴욕 주의 섐플레인 호와 모호크 강과 허드슨 강 유역이 전쟁터가 되어 미국 쪽이 승리했다. 이리 운하를 이용한 수운은 미국의 나머지 지역에 경제성장의 길을 열어주었다. 뉴욕 시에서는 세계의 미술과 문학과 문화가 형성되었다. 노예제 폐지, 여성 참정권, 노동조합, 민권, 진보 정치와 동성애자 권리를 옹호하는 운동이 모두 뉴욕 땅에서 시작되었다. 나는 불규칙하게 퍼져나간 이 넓은 주 전역에서 벌어지는 다양한 행사의 리듬을 사랑하게 되었다. 나는 '푸에르토리코의 날 행진' 때 살사 댄스를 추면서 5번가를 누볐고, '뉴욕 주 박람회'에서 소시지 샌드위치를 먹었고, 치크터와가에서 열린 '폴란드 축제'에서 폴카를 추어보았다.

선거운동과 퍼스트 레이디의 책무를 병행하는 것은 유례없는 어려움을 제기했다. 두 가지 일을 동시에 하는 것은 8년 동안 한결같이 나를 보좌해준 백악관 참모들만이 아니라 뉴욕 주에서 상원의원 선거전에 참여하고 있는 헌신적인 선거 참모진에게도 큰 부담이었다. 이따금 백악관은 대통령의 우선 사항이나 퍼스트 레이디로서의 관심 사항에 바탕을 둔 행사를 주최하거나 출장 여행을 가달라고 나에게 요청했다. 내 선거 참모들은 내가 뉴욕 주와 관계없는 일에 말려든다는 것을 생각만 해도 얼굴이 창백해졌다. 이런 불가피한 긴장과 갈등은 있었지만, 그래도 모두 잘 해주었다.

선거운동이 무사하게 잘 진행되었다는 뜻은 아니다. 특히 처음에는 초보자다운 실수를 저질렀다. 뉴욕 정치에서는 실수를 쉽게 털어버릴 수 없다. 1999년에 뉴욕 양키스가 월드 시리즈 우승을 축하하러 백악관에 왔을 때, 조 토레 감독이 양키스 팀의 모자를 나에게 주었다. 나는 그 자리에서 모자를 썼다. 이게 실수였다. 몇 년 전에 『워싱턴 포스트』와 『샌프란시스코 이그재미너』는 내가 불굴의 미키 맨틀(1951~68년에 뉴욕 양키스 팀에서만 뛴 강타자 야구 선수—옮긴이)을 좋아한다고 보도했지만 아무도 그것을 믿지 않았다. 사람들은 내가 뉴욕 토박이도 아니면서 그런 체하고 있다고 생각했다. 그후 며칠 동안 내 미래의 유권자들은 그 양키스 모자를 쓴 내 사진과 거기에 딸린 설명을 지겹게 보았다. 사진도 실물보다 잘 나오지 않았지만, 사진 설명은 더 지독했다.

최악의 실수는 1999년 가을에 이스라엘을 공식 방문했을 때였다. 나는 퍼스트 레이디로서 팔레스타인 지도자의 아내인 수하 아라파트와 함께 한 행사에 참석했다. 아라파트 여사가 나보다 먼저 아랍어로 연설했다. 우리는 헤드폰으로 통역을 들었지만, 나만이 아니라 우리 대표단의 다른 참석자들—미국 대사관 직원들, 중동 전문가들, 존경받는 미국 유대인 지도자들—도 이스라엘이 팔레스타인 사람들을 통제하기 위해 독가스를 사용했다는 아라파트 여사의 터무니없는 주장을 듣지 못했다. 잠시 후 내가 연단으로 가자 아라파트 여사가 아랍의 전통적 인사법—포옹—으로 나를 맞아주었다. 내가 그녀의 억지 주장을 들었다면 그 자리에서 비난했을 것이다. 뉴욕의 타블로이드판 신문들은 수하 아라파트에게 뺨에 키스를 받고 있는 내 사진을 싣고, 그녀의 주장에 대한 기사를 곁들였다. 당연한 일이지만 많은 유대계 유권자들이 아라파트 여사의 주장에 분노했고, 내가 그 주장을 반박하고 비난할 수 있는 기회를 놓친 데 실망했다. 나는 결국 이 실수의 결과를 극복했지만, 국제 외교 무대에서의 내 역할과 뉴욕 지방 정치의 복잡성을 결합하는 위험에 대해 쓰라린 교훈을 얻었다.

선거운동을 하는 동안, 전국적인 관점에서 바라본 선거전과 뉴욕 주에서 그것을 보도하는 방식에 우스꽝스러운 차이점이 드러났다. 중앙지의 칼럼니스트와 케이블 네트워크의 권위자들은 내가 '뜨내기' 논란에 시달린 끝에 결국 도중 하차할 거라고 입버릇처럼 예언했다. 그들은 또한 내가 기자들에게 말하기를 거부한다고 걸핏하면 나를 훈계했다. 이것은 내 참모들에게 큰 즐거움을 안겨주었다. 나는 선거전을 취재하는 뉴욕 기자단과 일상적으로 인터뷰를 하고 있었기 때문이다. 나와 기자들의 관계는 내 홍보부장인 하워드 울프슨의 지도로 시간이 갈수록 좋아졌다. 하워드는 전에 니타 로위와 처크 슈머를 위해 일했기 때문에 뉴욕 언론을 다루는 요령을 잘 알고 있었다. 그는 텔레비전에도 자주 출연하여 내 선거운동을 유창하게 대변하는 친숙한 존재가 되었다. 하워드의 도움으로 나는 결국 기자들에 대한 방어 자세를 풀고 느긋하게 대하는 법을 배웠다. 나는 나의 선거운동 취재를 맡은 기자들과 일상적인 상호작용을 즐기게 되었다.

뉴욕 정치는 흐르는 모래 같아서 발붙일 곳을 찾기가 힘들었다. 나는 당황했지만, 그렇다고 도중 하차할 생각은 전혀 없었다. 나는 뉴욕 사람들을 만나고 그들에게 나를 이해시키는 데 계속 초점을 맞추려고 애썼다. 뉴욕 주는 넓었지만, 나는 언론 광고를 통해서만 유권자들에게 내 의사를 전달하지 않고 풀뿌리 선거운동을 펼치기로 작정했다. 라디오와 텔레비전을 통한 홍보는 중요하고 또 필요하지만, 직접 얼굴을 맞대고 대화하는 것만큼 좋은 방법은 없다. 후보자는 직접 대화를 통해서 유권자보다 더 많은 것을 배울 때가 많다.

내 목표는 뉴욕 주의 62개 군을 모두 방문하는 것이었다. 약 1년 동안 나는 오랫동안 내 보좌관이었던 켈리 크레이그헤드와 정력적인 선거 참모 앨리슨 스타인과 함께 개조한 포드 승합차－기자들은 여기에 'HRC(힐러리 로댐 클린턴) 스피드왜건' 이라는 별명을 붙였다－를 타고 뉴욕 주를 돌아다녔다. 빌과 함께 그의 선거운동을 할 때 그랬듯이, 길을 가다가 식당이나 카페가 보이면 반드시 들르곤 했다. 안에 손님이 몇 명 밖에 없어도 나는 자리에 앉아 커피 한 잔을 마시면서 그들의 관심사에 대해 대화를 나누었다. 선거운동 전문가들은 이것을 '소매(小賣) 정치' 라고 부르지만, 나에게는 그것이 사람들의 일상적인 관심사를 알 수 있는 최상의 방법이었다.

정신없이 바쁜 이런 생활은 백악관 생활과는 딴판이었다. 빌과 나는 우리 짐을 새 집으로 옮겼다. 이 집은 뉴욕 시에서 북쪽으로 한 시간 거리도 안되는 채퍼콰의 막다른 골목 끝에 자리잡고 있었지만, 나는 이 집에서 보낼 한가한 시간이 별로 없었다. 집은 경호실에서 파견한 요원들이 쓰는 공간을 제외하고는 대개 비어 있었다. 이들은 뒷마당의 낡은 헛간을 개조한 곳에 지휘소를 차렸다. 나는 자정 이전에 잠자리에 들 때가 드물었고, 대개 오전 7시에는 벌써 길에 나가 있었다. 시간이 있으면 우리 집에서 조금 내려간 곳에 있는 패밀리 레스토랑 '레인지' 에 들러서 머핀과 샌드위치와 커피를 먹었다.

하지만 나는 지치기는커녕 선거운동 자체에서 에너지를 끌어내고 있었다. 나는 뉴욕과 그곳의 문제점들은 속성으로 배우는 급행 코스를 밟고 있었을 뿐만 아니라, 정치적 후보자로서 내 능력과 한계를 새롭게 발견하고 있었다. 그리고 나는 마침내 후보자를 대리하는 선거운동원 역할에서 벗어나 내 책임 하에 독자적으로 행동할 수 있게 되었다. 그것은 가파른 학습 곡선을 수반하는 완만한 과정이다. 수많은 참모와 친구와 지지자들로부터 끊임없는—그리고 대개는 상충되는—조언을 들으면서, 나는 남의 말에 귀를 기울이고 내가 선택할 수 있는 방안들을 비교 검토한 다음 내 본능에 따라 행동하는 법을 천천히 배워가고 있었다.

마침내 유권자들과 연결되기 시작했다는 느낌이 들었다. 차츰 유권자들의 마음이 내 쪽으로 기우는 것을 느낄 수 있었다. 선거운동을 처음 시작했을 때는 어디를 방문해도 많은 사람들이 나를 보러 몰려나왔다. 나를 지지해서 나온 사람들만은 아니었다. 오히려 군중은 나를 신기한 구경거리로 보고 있었다. 많은 마을과 도시를 두세 번 방문한 뒤에야 나는 그들에게 좀더 친숙한 존재가 되었고, 내 미래의 유권자들은 정말로 마음 편히 자기 이야기와 걱정거리를 나에게 털어놓는 듯했다. 우리는 그들에게 중요한 문제에 대해 진정한 대화를 나누었고, 사람들은 내가 어디에서 왔느냐보다 무엇을 지향하느냐에 관심을 갖기 시작했다. 뉴욕 북부의 유권자들은 공화당원조차도 내가 제시한 지역 경제 활성화 방안에 귀를 기울였다. 그들은 까다로운 질문을 하고, 내 서투른 농담에 웃음을 터뜨리고, 내 머리 모양에 대해 자주 친절한 논평을 해주었다. 차츰 나는 어디에 가든 환영받는 기분을 느꼈다.

뉴욕의 정치 풍토가 갖고 있는 다양성과 복잡성을 배우는 것은 나에게 매우 중요한 문제였다. 여성들에게 손을 내미는 것도 중요했다. 내가 빌과 결혼생활을 계속하는 데 실망하거나 분개하는 여성도 있었다. 나는 그들의 반감을 존중했고, 내가 나 자신과 가족을 위해 올바른 결정을 내릴 수밖에 없었다는 점을 그들이 이해해주기를 바랐다.

그런 사생활에 대해 내 입으로 말하고 싶지는 않았다. 나는 뉴욕 각지의 여성 지지자들 집에서 열린 사랑방 모임에 참석했다. 주인은 스무

명 남짓한 친지와 이웃을 힐러리와 커피나 한잔하자고 초대했다. 우리는 카메라 조명과 기자들의 간섭이 없는 곳에서 허물없이 이야기를 나누었다. 그들은 나의 결혼생활, 내가 뉴욕으로 이사한 이유, 의료보험, 아동 보육과 그밖의 관심사에 대해 질문했고, 나는 나름대로 성심성의껏 답변했다. 내가 빌과 헤어지기를 원했던 여자들이 차츰 내 결정을 수용하는 듯했다. 그들이 내 입장이라면 물론 다른 결정을 내렸겠지만.

2000년 1월 내가 CBS 방송의 「데이비드 레터먼 쇼」에 출연한 뒤에 일어난 이른바 '범프' —지지율 급상승—도 내 선거운동을 도와주었다. 심야 토크쇼에 한번 출연한 것은 낮에 며칠 동안 그 문제에 관해 연설한 것과 맞먹거나 웃도는 관심을 불러일으켰다. 애당초 그 토크쇼에는 나갈 계획이 아니었다. 적어도 선거가 아직 한참이나 남아 있는 시점에서는 나가지 않을 생각이었다. 하지만 레터먼은 정기적으로 하워드에게 전화를 걸어 내 출연을 간청했다. 그때마다 하워드는 이런저런 핑계로 출연을 미루었다. 이 핑계는 농담 시리즈가 되었고, 레터먼이 토크쇼를 시작할 때마다 늘어놓는 독백의 주제가 되었다. 레터먼의 빈정거림이 한 달 동안 계속된 뒤, 나는 결국 1월 12일 초대 손님으로 출연하기로 동의했다.

나는 토크쇼가 재미있기를 바랐지만, 심야의 코미디 프로그램은 초대 손님을 괴롭힐 때가 많다는 것을 알고 있었기 때문에 조금 걱정이 되었다. 채퍼콰 근처에 살고 있는 레터먼은 우리가 새로 산 집에 대해 묻고는, "그 지역의 얼간이들이 이제 모두 경적을 울리면서 지나갈 것"이라고 경고했다.

"아아, 그게 당신이었나요?" 내가 받았다. 레터먼과 방청객은 웃음을 터뜨렸다. 그후 나는 긴장이 풀렸고, 재미있는 시간을 보냈다. 몇 달 뒤에 나는 다른 코미디 무대로 영역을 넓혀, 올버니에서 연례행사로 열리는 기자단 만찬에서 시치미뗀 얼굴로 '뜨내기'를 연기했고, 그후 제이 리노의 「투나잇 쇼」에도 출연했다.

2000년 2월, 나는 채퍼콰의 우리 집 근처에 있는 뉴욕 주립대학 퍼처스 캠퍼스에서 상원의원 출마를 공식으로 선언했다. 뉴욕 전역에서 달려온 정치 지도자들과 기쁨에 넘친 지지자들이 발표장을 가득 메웠다. 빌과 첼시와 어머니도 왔다. 모이니헌 상원의원이 나를 소개하고, 하이드 파크에 있는 엘리너 루스벨트의 집을 방문했던 때를 회고했다. "엘리너가 살아 있었다면 오늘 이 자리에 참석하여 힐러리를 격려해주었을 것입니다." 이 말은 나에게 최고의 찬사였다.

패티 솔리스 도일은 내가 1992년에 첫번째로 채용한 보좌관이었다. 그녀는 나의 양쪽—백악관과 선거운동—일정을 조정했고, 나중에는 아예 휴가를 얻어 뉴욕에 상주하면서 병참 업무를 감독하고 선거 전략을 지원했다. 패티는 빠르게 성장하고 있는 영향력있는 라틴계 시민들과도 협력했다. 이들의 열광적인 지지는 나를 기쁘게 해주었다. 나는 패티와 그녀의 헌신적인 도움을 자랑스럽게 여겼다. 우리가 백악관에서 맞은 첫날이 자주 생각났다. 그날 여섯 자녀의 더 나은 미래를 꿈꾸며 멕시코에서 이민온 패티의 부모는 취임식에 참석하여, 자기네 딸이 미국 퍼스트레이디의 참모라고 기뻐서 소리쳤다.

패티는 내 선거대책본부에 합류했다. 빌 데 블라시오 본부장이 이끄는 이 팀은 노련하고 유능한 인재들로 구성되어 있었다. 우선 빌은 뛰어난 전략가였고 뉴욕의 많은 소수민족 공동체에서 신뢰받는 사절이었다. 홍보부장 하워드 울프슨은 놀랄 만큼 신속한 대응 전략을 지휘했다. 정치부장 라몬 마르티네스는 날카로운 정치적 본능을 나에게 나누어주고, 새 유권자들에게 손을 뻗어 "그들에게 사랑을 보여주라"고 권했다. 지지 조지스는 뉴욕 주의 다른 민주당 후보들과 내 선거운동을 조정하고, 진정한 일반 대중의 힘을 결집시켰다. 정책 담당 부본부장인 니라 탠든은 뉴욕이 직면해 있는 제반 문제들에 대해 속속들이 꿰차고 있었다. 조사부장 글렌 위너는 내 경쟁자들을 그들의 참모들보다 더 잘 알고 있었다. 재정부장 게이브리얼 피알코프는 생색은 안 나지만 더없이 중요한 일을 멋지게 처리했다. 선거운동을 하려면 자금이 필요하고, 그 돈을 모금하는 것이 재정부장의 임무였다. 이들은 수십 명의 다른 선거 참모 및 수천 명의 자원봉사자들과 함께 밤낮없이 일에 몰두했다. 내 선거운동은 내가 이제까지 본 가장 효율적인 선거운동이 되었다.

더 좋은 소식은 첼시가 스탠퍼드에서 이미 충분한 학점을 땄기 때문에, 4학년 1학기 동안 집에 돌아와 백악관에서 아버지를 돕고 뉴욕에서 나를 도울 수 있게 되었다는 것이었다. 첼시는 시간이 날 때마다 '스피드왜건 팀'과 합류하여 선거운동을 도왔다. 나는 첼시가 곁에 있는 것만으로도 기운이 났다. 첼시는 타고난 선거운동원이었다. 나는 의젓한 처녀로 성장한 첼시가 자랑스러웠고, 힘겨운 8년을 겪으면서도 비뚤어지지 않고 상냥하고 다정한 사람으로 반듯하게 자라준 것이 고마웠다. 내가 첼시의 엄마인 것은 엄청난 행운이다.

선거운동이 시작된 뒤 처음 몇 달 동안은 내가 언론의 공격을 거의 다 받았다. 이제는 줄리아니 시장이 공격당할 차례였다. 뉴욕 사람들과 언론은 줄리아니가 선거자금 모금을 제외하고는 상원 의석을 얻기 위한 노력을 거의 하지 않는 것을 알아차렸다. 줄리아니의 선거운동은 주로 뉴욕 시를 겨냥하고 있었다. 그는 본거지인 뉴욕 시 밖으로는 거의 나가지 않았고, 어쩌다 나가도 빨리 집에 돌아가고 싶어하는 듯한 인상을 주었다. 그는 휘청거리는 뉴욕 주 북부의 경제에 대한 해결책을 전혀 제시하지 않았고, 뉴욕 시의 수면 밑에서 부글부글 끓고 있는 인종 갈등을 해결하는 방안도 제시하지 않았다. 그리고 그는 실수를 저지르기 시작했다.

3월에 패트릭 도리스먼드라는 흑인 남자가 뉴욕 시내에서 경찰의 총에 맞아 숨진 사건은 뉴욕 시장의 정치적 약점을 돋보여주었다. 줄리아니가 이 사건을 처리한 방식은 뉴욕 시 당국과 소수민족 사이의 해묵은 반감에 불을 댕겼다. 시민의 분노와 불안감을 달래는 차분한 목소리가 필요한 상황에서 줄리아니 시장은 오히려 위기를 악화시켰다. 많은 동네, 특히 소수민족이 모여 사는 동네의 시민들은 시장의 지휘를 받는 경찰을 믿을 수 없다고 생각했다. 지난해 브롱크스에서 일어난 아마두 디알로 사살 같은 사건들이 시민들의 경계심을 부채질하고 있었다. 당연한 일이지만, 경찰관들은 또 그들대로 좌절감에 빠졌다. 그들이 보호하려고 애쓰는 공동체가 시장을 비롯한 지도부와 대립해 있기 때문에, 자신들은 효율적으로 일하려고 애쓰는데도 오해받고 있다고 생각한 것이다. 게다가 줄리아니는 비공개가 원칙인 도리스먼드의 전과 기록을 공개해도 좋다고 허락했다. 희생자를 매도한 이 조치는 갈등의 골을 더욱 넓히고 불신을 조장했을 뿐이다.

줄리아니가 불화를 불러일으키는 말을 계속할수록 나는 다른 접근방식을 제시하기로 결심했다. 맨해튼 리버사이드 교회에서 가진 연설에서 나는 경찰과 소수민족의 관계 개선 방안을 제시했다. 거기에는 뉴욕 경찰청의 경찰관 모집과 훈련 및 포상제도 개선 방안이 포함되어 있었다. 그런 다음 나는 할렘의 베설 A.M.E. 교회를 방문했다.

줄리아니가 도리스먼드 사건을 처리한 방식은 잘못되었다. 나는 그 점에 대해 줄리아니를 비난할 작정이었다. 그는 긴장을 완화하고 도시를 통합하기는커녕 오히려 쓰린 상처에 소금을 붓고 있었다.

나는 교회에서 말했다. "뉴욕은 문제를 안고 있습니다. 우리는 모두 그것을 알고 있습니다. 그런데 시장 혼자만 모르는 것 같습니다." 사람들로 가득 찬 교회에서 박수갈채와 할렐루야가 터져나왔다.

내가 할렘에 출현한 것이 선거운동의 전환점이었다. 나는 몇 달 동안 줄리아니의 뒤를 따라가다가 드디어 독자적인 견인력을 얻었다. 뉴욕 주 북부에서는 내 선거운동이 더욱 좋은 성과를 올리고 있었다. 유권자와 그들의 지역 현안에 지속적인 관심을 보인 것이 지지율 상승으로 돌아온 것이다. 이제야 선거운동의 요령을 터득하기 시작한 느낌이었다. 나는 나의 정치적 목소리를 내고 있었다.

5월 중순, 나는 올버니에서 열린 민주당 뉴욕 주 정당대회에서 연방 상원의원 후보로 정식 지명되었다. 정당대회는 도시와 농촌과 근교의 민주당 활동가와 정치 지도자들이 1만 명이 넘게 모인 열광적인 집회였다. 모이니헌 상원의원과 슈머 상원의원을 비롯하여 그곳에 모인 많은 사람들의 아낌없는 조언과 지지는 선거운동 결승선까지 나를 떠받쳐주었다. 마지막 순간에 미국 대통령이 등장하여, 군중과 민주당 후보 지명자를 기쁘게 해주었다.

내가 후보로 지명된 직후, 뉴욕의 정치적 풍경을 뒤흔드는 지각변동이 일어났다. 줄리아니 시장이 전립선암 진단을 받은데다 오랫동안 혼외정사를 가졌다는 신문 보도가 나온 뒤, 5월 19일 상원의원 선거전에서 물러나겠다고 발표한 것이다. 갑자기 그의 사생활이 공공연히 까발려져 뭇매를 맞고 있었다. 나는 줄리아니와 정치적 입장은 달랐지만, 이 얄궂은 반전이 조금도 유쾌하지 않았다. 그 일에 관련된 모든 당사자, 특히 줄리아니의 자녀들이 겪게 될 고통을 너무나 잘 알고 있었기 때문이다.

줄리아니 시장은 2001년 9월 11일 테러 이후 국민을 안심시키고 위로하면서 임기를 마쳤다. 그는 이 위기 때 놀라운 용기와 희생자들에 대한 깊은 동정을 보여주었다. 우리는 테러 희생자들과 뉴욕 시를 위해 협력하면서 생산적이고 우호적인 관계를 맺었다. 이것은 나만이 아니라 그에게도 놀라운 일이었던 것 같다.

줄리아니 시장이 선거전에서 물러난 것은 일각의 예상과는 달리 반가운 전환이 아니었다. 몇 달 동안 나는 줄리아니를 상대로 선거 전략을 짰다. 그는 가장 만만찮은 적수였을지 모르지만, 나는 내 출마가 뉴욕 유권자들에게 확실한 대안을 제시한다고 생각했다. 그리고 유권자들도 반응을 보이고 있었다. 줄리아니의 선거운동이 끝났을 때쯤에는 여론조사에서 내가 8~10점을 앞서고 있었다. 그런데 이제 나는 완전히 새로운 적수인 릭 라치오 하원의원을 상대로 처음부터 다시 선거운동을 시작해야 했다.

선거운동 때문에 나는 다른 일을 할 시간이 거의 없었다. 선거운동에서 이탈하는 것은 내가 빠질 수 없는 백악관 공식 행사에 참석하기 위해서거나 아니면 친구와 동료들의 추도식에 참석하기 위해서였다. 슬프게도 추도식은 영영 끝나지 않고 계속 이어질 것처럼 생각되었다. 우리 친구 데릭 시어러와 루스 골드웨이의 스물한 살 된 아들 케이지 시어러가 브라운 대학 졸업을 일주일 앞두고 농구를 하다가 심장마비로 사망했다. 7월에는 모로코 국왕 하산 2세가 세상을 떠나, 미국은 귀중한 친구이자 동맹자를 잃었다. 하산 2세의 아들이자 후계자인 모하메드 6세는 빌과 첼시와 나를 장례식에 초청했다. 장례식에서 빌은 하산 2세에 대한 존경의 표시로 수천 명의 조문객과 함께 운구 행렬을 따라 5킬로미터를 걸었다. 장례 행렬이 지나는 라바트의 거리 양쪽은 100만 명이 넘는 모로코 국민들로 메워져 있었다.

지난 여름에는 존 F. 케네디 2세와 그의 아내 캐럴린과 캐럴린의 언니 로렌이 자가용 비행기를 타고 가다가 마사스비니어드 앞바다에 추락하는 참사가 일어났다. 빌과 나는 비니어드에 있는 재클린 케네디의 집에서 열린 사적 모임이나 공개 행사에서 알게 된 존에게 깊은 애정을 느끼고 있었다. 우리는 존과 그의 누나 캐럴라인과 캐럴라인의 자녀들이 언제든지 백악관에 찾아오기를 원했다. 존은 결혼한 뒤 신부를 데리고 와서 백악관을 구경시켜주었다. 존은 빌이 대통령 집무실에서 자기 아버지가 쓰던 책상을 쓰고 있는 것을 보고, 어릴 때 케네디 대통령이 전화를 거는 동안 그 책상 밑에 들어가 놀던 기억을 희미하게 떠올렸다. 존이 케네디 대통령의 공식 초상화 앞에 말없이 서 있던 모습이 생각난다. 우리는 그 초상화를 본관 '스테이트 플로어'에서 가장 눈에 잘 띄는 명예로운 곳에 걸어두었다. 미국에 많은 공헌을 한 케네디 일가 사람들에게 둘러싸여 그렇게 활기차고 앞날이 창창했던 젊은이의 장례식에 참석하는 것은 가슴아픈 일이었다.

내 친구 다이앤 블레어한테서도 끔찍한 소식이 날아왔다. 나는 선거운동을 하는 동안 자주 다이앤에게 조언을 청했다. 다이앤은 코넬 대학을 졸업했기 때문에 뉴욕을 잘 알고 있었다. 다이앤은 마음을 느긋하게 먹고 즐겁게 지내라고 격려해주었다. 내가 실수한 이야기를 하면 다이앤은 항상 큰 소리로 웃어댔다. 테니스를 열심히 하기 때문에 다이앤은 예순한 살의 나이에도 무척 건강해 보였다. 다이앤은 통상적인 건강 진단에서 정상 판정을 받은 지 겨우 몇 주밖에 지나지 않은 2000년 3월 초에 다리에 이상한 혹이 생긴 것을 알아차렸다. 일주일 뒤에 다이앤은 전이성 폐암이라는 진단을 받았다. 다이앤이 전화로 그 소식을 전했을 때 나는 넋을 잃었다. 앞으로 몇 년 동안 다이앤 없이 요동치는 정치판을 헤쳐나간다는 것은 상상할 수도 없었다. 그후 몇 달 동안 나는 아무리 선거운동에 바빠도 날마다 다이앤에게 전화를 걸려고 애썼다. 빌과 나는 여러 번 아칸소 주의 페이어트빌로 날아가 다이앤과 그녀를 정성껏 돌보고 있는 짐과 함께 시간을 보냈다. 다이앤은 독성이 강한 화학요법을 받고 있어서 기력이 떨어지고 머리가 다 빠져버렸지만, 결코 미소를 잃지 않고 다정한 마음도 잃지 않는 용감한 투사였다. 생애의 마지막 몇 달 동안에도 다이앤은 『뉴욕 타임스 일요판』에 실린 글자 맞추기 퍼즐을 누가 더 빨리 푸느냐를 놓고 빌과 경쟁을 벌였다.

6월에 짐이 전화를 걸어 죽음이 임박했다고 알렸다. 나는 선거운동을 중단하고 다이앤을 마지막으로 만나러 갔다. 그때쯤에는 호스피스 간호사들—내가 보기에는 살아 있는 천사들—이 24시간 내내 다이앤을 돌보고 있었다. 내가 병상 곁에 서서 손을 잡고 그녀가 하는 말을 들으려고 몸을 기울였을 때, 다이앤은 가족과 친구들에게 둘러싸인 채 자다 깨다 하고 있었다. 나는 떠나기 전에 작별 키스를 하려고 허리를 굽혔다. 그러자 다이앤이 내 손을 꽉 움켜쥐고 속삭였다. "당신 자신을, 그리고 당신이 옳다고 믿는 바를 절대 포기하지 말아요. 빌과 첼시를 보살펴줘요. 빌과 첼시한테는 당신이 필요해요. 그리고 나를 위해 이번 선거에서 꼭 이겨줘요. 당신이 이길 때 그 자리에 나도 함께 있을 수 있다면 얼마나 좋을까. 사랑해요." 그때 빌과 첼시가 다이앤의 침대 옆으로 다가왔다. 다이앤은 뚫어지게 우리를 쳐다보았다. "잊지 말아요." 다이앤이 말했다.

"뭘 말입니까?" 빌이 물었다.

"그냥 잊지 말아요."

닷새 뒤에 다이앤은 눈을 감았다.

빌과 첼시와 나는 페이어트빌로 다시 날아가 다이앤의 비범한 생애를 기리는 추모식에 참석했다. 다이앤 자신도 그러기를 바랐겠지만, 추모식은 음악으로 가득 찬 활기차고 즐거운 분위기였다. 사람들은 더 나은 세상을 만들려고 애쓴 다이앤의 열정을 이야기했다. 나는 다이앤이 너무나 짧은 생에서 너무나 많은 일을 해냈다고 말했다. 우리는 300년이나 400년이 걸려도 그만한 일을 해낼 수 없을 것이다. 나는 다이앤보다 더 열심히 노력하고 더 성공적인 삶을 꾸린 사람을 알지 못한다. 빌은 감동적인 추도사에서 다이앤을 이렇게 요약했다. "다이앤은 아름답고 친절했습니다. 진지하고 재미있었습니다. 좋은 일을 하고 훌륭한 사람이 되겠다는 야심으로 가득 차 있었지만, 기본적으로 무욕의 성자 같은 사람이었습니다." 다이앤은 내 삶을 더 행복하게 해주었다. 나는 다이앤보다 좋은 친구를 가져본 적이 없었다. 지금도 날마다 다이앤이 그립다.

7월 11일, 빌이 에후드 바라크 이스라엘 총리와 야시르 아라파트를 캠프 데이비드로 초대하여 2주간 회의를 시작했다. 오슬로 협정에 따라 이스라엘과 팔레스타인 사이에 진행되고 있는 평화협상에서 결정되지 않은 문제를 해결하기 위해서였다. 장군 출신인 바라크는 이스라엘에서 가장 많은 훈장을 받은 군인이었지만, 이츠하크 라빈의 꿈을 실현할 최종 협정이 성립되기를 간절히 바라고 있었다. 바라크와 그의 명랑한 아내 나바는 당장 내 친구가 되었다. 나는 그들과 함께 지내는 시간을 즐겼고, 평화를 이루려는 헌신적인 노력에 탄복했다. 바라크는 평화를 이루기 위해 캠프 데이비드에 왔지만, 불행히도 아라파트는 오지 않았다. 아라파트는 빌이 대통령직에 있는 동안 평화협정을 맺어야 한다고 여러 번 말했지만, 합의에 도달하는 데 필요한 선택 앞에서는 끝내 결단을 내리지 못했다.

나는 선거운동을 하면서 계속 빌과 연락을 취했다. 빌은 점점 심해지는 좌절감을 드러냈다. 어느날 밤에는 바라크가 나한테 전화를 걸어, 아라파트가 성실하게 협상에 임하도록 설득할 묘안이 없겠느냐고 묻기까지 했다. 빌은 첼시를 캠프 데이비드에 데려가서 비공식 오찬과 만찬에 참석시켰다. 첼시는 격식을 털어버린 대화에도 참여했다. 빌은 내 비서인 휴마 애버딘에게도 협상 대표단을 접대하는 일을 도와달라고 부탁했다. 미국의 이슬람교도인 휴마는 사우디아라비아에서 성장하여 아랍어를 잘했다. 캠프 데이비드에서 휴마는 회의 중간의 휴식 시간에, 그리고 다트 놀이와 수영을 할 때 팔레스타인과 이스라엘 대표들과 어울리면서 노련한 외교관의 수완과 품위를 보여주었다.

7월 25일 정오, 빌은 마침내 캠프 데이비드 회담이 실패로 끝났다고 선언하고 깊은 실망을 느꼈다고 말했다. 그리고 양쪽이 '공정하고 지속적이며 포괄적인 평화'를 찾으려는 노력을 계속해달라고 촉구했다. 빌의 남은 임기 6개월 동안 그들은 노력을 계속하여, 2000년 12월과 2001년 1월에 워싱턴과 중동에서 열린 평화협상을 거의 성사시킬 뻔했다. 2001

년 1월에 빌은 마지막이자 가장 훌륭한 타협안을 제시했다. 결국 바라크는 이 제안을 받아들였지만 아라파트는 거부했다. 지난 몇 년 동안 일어난 비극적인 사건들은 아라파트가 그때 얼마나 끔찍한 실수를 저질렀는지를 보여준다.

2000년 8월에 로스앤젤레스에서 민주당 전당대회가 열렸다. 빌과 나는 첫날 밤인 8월 14일 대의원들에게 연설한 뒤 로스앤젤레스를 떠날 예정이었다. 고어 부통령과 그가 러닝메이트로 택한 조 리버먼 상원의원이 후보 지명을 받고 무대 중앙을 차지할 수 있도록 자리를 내주기 위해서였다.

민주당 여성 상원의원인 바버라 미쿨스키와 다이앤 페인스타인, 바버라 박서, 패티 머리, 블랜치 링컨, 그리고 1996년 상원의원 선거에서 격전을 치른 메리 랜드루가 연단에서 나를 맞아주었다. 내가 다음에 할 일에 모든 사람의 관심이 집중되었다. 그 자리에서 나는 지난 8년 동안 퍼스트 레이디로 봉사하는 명예를 준 미국 국민에게 내가 얼마나 깊이 감사하고 있는지를 알리고 싶었다. "빌과 나는 우리 인생의 한 장을 마무리하고 있습니다. 그리고 이제 곧 우리는 새로운 장을 시작할 것입니다…… 미국과 전세계에서 어린이와 여성과 가족에게 가장 중요한 문제를 해결하기 위해 노력할 기회를 주신 데 감사드립니다…… 그리고 좋을 때나 나쁠 때나 늘 변함없는 지지와 믿음을 보내주신 데 감사드립니다. 평생 지속될 명예와 축복을 주셔서…… 정말 고맙습니다."

다음은 빌이 연설할 차례였다. 빌의 존재는 그 자체만으로도 대회장 전체에 향수를 불러일으켰다. 사람들은 일제히 "4년 더!"를 외치며 우레 같은 박수로 빌을 맞아주었다. 빌은 대통령으로서 한 일을 힘차게 설명하고 앨 고어를 강력하게 지지했다. 그것으로 전당대회에서 우리 역할은 끝났다. 우리는 곧 대회장을 나왔다.

며칠도 지나기 전에 나는 다가오는 라치오와의 세 차례 토론회를 준비하기 시작했다. 롱아일랜드 출신의 젊은 공화당원인 라치오는 텔레비전을 잘 받는 얼굴이었고, 근교에서 강력한 지지를 얻고 있었다. 줄리아니와는 달리 그는 분열을 조장하거나 강경하지도 않았고, 자신의 지역구 밖에서는 잘 알려져 있지도 않았다. 전국의 공화당 지도자들로부터 지지와 격려를 받은 라치오는 반(反)힐러리 전사임을 자처하고 나서서 여름 내내 네거티브 작전을 전개했다. 그러나 그 작전은 별로 효과가 없었다. 사람들은 이미 나에 대해 장점도 단점도 모두 알고 있다고 생각했다. 그것이 내가 가진 야릇한 이점 가운데 하나였다. 라치오가 아무리 나를 공격해도 시민들에게는 진부한 소식에 지나지 않았다. 내 선거대책본부는 라치오의 인신공격을 무시하고, 그가 하원에서 어떤 의안에 찬성하고 반대했는가 하는 의정 활동 기록과 깅리치의 최고 참모로서 한 일에 조명을 비추었다. 사람들은 라치오에 대해 거의 아무것도 몰랐기 때문에, 우리가 제공하는 정보는 그 하나하나가 유권자들이 빈칸을 메우는 데 꼭 필요한 것들뿐이었다.

첫 토론회는 9월 13일 버펄로에서 열렸다. NBC 방송의 「언론과의 만남」 진행자인 버펄로 태생의 팀 러서트가 사회를 보았다. 러서트는 의료보험과 뉴욕 주 북부의 경제와 교육에 대해 질문한 뒤, 르윈스키 스캔들이 터졌을 때 위험한 상황에서 내가 「투데이」 쇼에 출연하여 빌을 옹호한 것을 다룬 신문기사를 보여주었다. 그러고는 "국민을 속인 것을 후회하느냐"고 묻고, 내가 "우파의 거대한 음모에 참여했다고 낙인찍은 사람들"에게 사과할 용의는 없느냐고 물었다.

나는 이 질문에 당황했지만, 대답하지 않을 수도 없었다. 그래서 나는 대답했다. "그건 나와 내 가족과 이 나라에 대단히 고통스러운 시기였어요. 누구든 간에 그런 고통을 겪어야 했다는 것은 진심으로 유감스럽게 생각합니다. 그리고 우리 모두가 역사라는 관점에서 그 사건을 바라볼 수 있으면 좋겠지만, 아직은 그러지 못하고 있습니다. 아마 역사책이 씌어질 때까지 기다려야겠지요…… 내가 맞닥뜨렸던 상황을 고려하면, 나는 최대한 솔직하려고 애썼습니다. 분명히 말하지만 나는 아무도 속이지 않았습니다. 나도 진실을 몰랐으니까요. 그 일과 관련해서 많은 고통을 겪었습니다. 그리고 내 남편은 분명히 인정했습니다…… 가족만이 아니라 국민도 속였다고."

바우처 계획과 환경 문제, 그밖의 지역 현안에 대한 질문도 나왔다. 라치오가 결정적인 실수를 저지른 것은 그때였다. 그는 뉴욕 주 북부의 경제가 "고비를 넘겼다"고 말했다. 하지만 그곳에 살고 있거나 가본 적이 있는 사람에게 라치오의 말은 엉뚱하게 들렸다. 그때까지 나는 그 지역을 자주 방문하여, 일자리가 사라지고 젊은이들이 떠나는 문제에 대해 주민들과 광범위한 토론을 벌였다. 나는 그 지역의 경제개발 계획안도 제시했다. 유권자들은 그것을 진지하게 받아들이고 있었다.

토론의 초점이 선거운동 광고와 이른바 '소프트 머니'(후보자나 어떤 이슈를 위해 외곽 정치 조직이 쓰는 자금) 사용으로 바뀌자, 러서트는 라치오 하원의원이 모이니헌 상원의원과 나란히 찍은 사진을 넣은 라치오의 광고를 제시했다. 라치오와 모이니헌은 한번도 연결된 적이 없었다. 이 광고는 진실을 왜곡했고, 존경할 만한 뉴욕 공직자의 인기를 부당하게 이용한 것이었다. 광고비는 소프트 머니로 충당되었다. 소프트 머니는 정당이나 외곽 단체가 후보자를 지지하거나 반대자를 공격하기 위해 쓸 수 있는 막대한 정치자금이었다. 봄에 나는 모든 소프트 머니를 금지하라고 요구했지만, 나 혼자 일방적으로 내 말에 구속될 생각은 없었다. 공화당은 외곽 단체의 소프트 머니 사용을 그만두기를 거부했다. 공화당의 외곽 단체 가운데 일부는 라치오를 지원하기 위해 3,200만 달러를 모으느라 바빴다.

토론회가 거의 끝날 무렵, 라치오가 소프트 머니에 대해 나를 괴롭히기 시작했다. 그리고 민주당에 들어온 막대한 정치자금을 내 선거운동에 쓰는 것을 금지하라고 나를 공격했다. 내가 반격하려고 입을 열자마자 라치오는 '소프트 머니로부터의 자유를 위한 뉴욕 협정'이라고 쓴 종이를 흔들면서 나에게 다가와 서명을 요구했다. 나는 거절했다. 그는 종이를 내 쪽으로 더 가까이 밀어내면서 소리쳤다. "여기 서명하세요. 지금 당장!"

나는 악수를 하자고 제의했지만 그는 계속 나를 윽박질렀다. 내가 겨우 한마디 했을 때 러서트가 토론을 끝냈다. 라치오와 그의 측근들은 나를 당황하게 하거나 화나게 할 수 있다고 생각했던 것일까.

선거운동을 하는 동안 나는 인신공격에 대비하여 신경을 단련했고, 인간 라치오가 아니라 쟁점에 초점을 맞추기로 작정했다. 나는 주문을 외듯 속으로 "쟁점, 쟁점" 하고 되풀이했다. 그것은 유권자들에게 더 유익할 뿐만 아니라, 좀더 문명적인 선거운동 방식으로 생각되었다.

이 토론회는 선거전에서 일부 유권자를 내 쪽으로 끌어들인 또 하나의 전환점이었다. 물론 내가 그것을 당장 깨달은 것은 아니었다. 무대에서 내려올 때는 내가 토론을 어떻게 했는지도 몰랐고, 라치오의 대결 전략이 어떻게 받아들여질지도 알 수 없었다. 라치오의 선거대책본부는 승리를 선언했고, 기자들도 그렇게 믿고 있었다. 첫 기사는 대부분 라치오의 허세에 조명을 맞추었고, 라치오를 승자로 선언한 거나 다름이 없었다.

그런데도 내 참모들은 낙관적이었다. 앤 루이스와 맨디 그룬월드는 라치오가 멋진 사나이처럼 보이려고 애썼지만 그게 오히려 약자를 괴롭히는 불량배라는 인상을 주었다고 생각했다. 여론조사 결과, 많은 유권자들—특히 여성—이 라치오의 전술에 불쾌감을 느낀 것이 분명해졌다. 게일 콜린스가 『뉴욕 타임스』에 썼듯이, 라치오는 내 공간을 '침범'했다. 많은 유권자들은 그것을 좋게 생각하지 않았다.

대중의 반응에도 아랑곳하지 않고 라치오는 주로 부정적이고 인신공격적인 선거운동을 계속했다. 그는 선거자금 기부를 요청하는 서한에서 자신의 메시지는 '나는 힐러리 로댐 클린턴과 싸우고 있다' 는 여섯 마디로 요약할 수 있다고 말했다. 그의 선거운동은 뉴욕 주민이 아니라 나에 대한 것이었다. 그래서 나는 뉴욕 곳곳을 돌아다니며 청중에게 이렇게 말하기 시작했다. "뉴욕 사람들은 그 이상의 대접을 받을 자격이 있습니다. '일자리, 교육, 건강, 사회보장, 환경, 선택' 이라는 일곱 마디는 어떻습니까?"

라치오는 유권자들의 신경을 건드리려고 만든 일련의 광고에서 의료개혁을 새삼스럽게 들추어냈다. 하지만 내가 몇 달 동안 뉴욕 주를 돌아다녀보니, 뉴욕 사람들은 내가 의료체계 전반을 뜯어고치는 데에는 성공하지 못했지만 의료제도를 개혁하려 한 노력은 대체로 정당하게 평가하는 듯했다. 지난 몇 년 동안 의료비는 급등했고, HMO(회비를 내고 가입하는 종합건강관리기관)와 보험회사들은 의료보장 범위를 더욱 제한했다. 나는 선거 유세에서 내가 추진한 점진 개혁안에 대해 자주 언급했고, 상원이 법률을 통해 의료비 상승에 대처할 수 있는 방법에 대해서도 이야기했다.

선거운동이 막바지에 이른 10월 12일, 미국 해군 함정 '콜' 호가 예멘에서 테러리스트들의 공격을 받았다. 강력한 폭발로 미국 수병 17명이 죽고 구축함 선체에 구멍이 뚫렸다. 대사관 폭파사건과 마찬가지로 이 공격의 배후에도 알카에다가 있다는 사실이 밝혀졌다. 오사마 빈 라덴이 이끄는 이슬람 극단주의자 조직인 알카에다는 그림자처럼 실체를 알 수 없지만, '이교도와 십자군 전사들' 에게 선전포고를 한 테러 단체였다. 그들은 모든 미국인과 전세계의 수많은 사람들에게 '이교도와 십자군 전사' 라는 딱지를 붙였다. 거기에는 테러와 극단주의를 공개적으로 비난한 이슬람교도들도 포함되었다. 나는 선거운동 행사를 취소하고 빌과 첼시와 함께 버지니아의 노퍽 해군기지에 가서 추모식에 참석했다. 나는

1998년 8월 미국 대사관 폭파사건의 희생자 가족을 만난 적이 있었다. 이제 나는 조국을 위해 봉사하고 전세계의 위험 지역을 안전하게 지키다가 살해된 젊은 남녀 수병들의 유가족을 위로해야 했다.

나는 테러리즘과 그것이 상징하는 니힐리즘을 경멸한다. 공화당 뉴욕 지부와 라치오의 선거대책본부가 '콜' 호를 폭파한 테러리스트들과 내가 어떤 식으로든 관련되어 있다고 암시했을 때, 나는 기가 막혀서 어안이 벙벙했다. 그들은 선거를 12일 앞두고 뉴욕의 수십만 유권자들에게 보낸 자동전화 메시지와 텔레비전 광고에서 이런 비열한 흑색선전을 자행했다. 그들이 꾸며낸 이야기인즉, 내가 테러리스트를 지원하는 단체에 소속된 사람으로부터 기부금을 받았고, 이것은 "미국 해군 함정 '콜' 호를 공격한 테러리즘과 같은 성격"이라는 것이었다. 자동전화 메시지는 나한테 전화를 걸어 "테러리즘에 대한 지원을 당장 그만두라"고 말하라고 사람들을 부추겼다. 구역질이 났다. 하지만 막판의 이 필사적인 전술은 내 선거대책본부의 적극적인 대응과 전직 뉴욕 시장 에드 코크의 도움 덕분에 실패로 끝났다. 에드 코크는 "릭, 그런 천박한 짓은 당장 그만두게" 하고 라치오를 야단치는 텔레비전 광고를 내보냈다.

선거운동이 막바지에 이르렀을 때 나는 승리를 확신하기 시작했다. 하지만 선거일을 일주일 앞두고 갑자기 형세가 팽팽해지기 시작하자 우리는 마지막 불안에 사로잡혔다. 라치오는 두 여배우가 도시 근교에 사는 여성 역할을 맡은 광고를 내보내고 있었다. 그들은 내가 어떻게 감히 뉴욕에 나타날 용기가 있었는지, 뻔뻔스럽게도 어떻게 상원의원이 될 자격이 있다고 생각할 수 있는지 모르겠다고 말한다. 유권자들이 이 광고에 어떤 반응을 보일지, 테러리즘 운운하는 전화가 유권자들에게 어떤 영향을 미칠지, 선거전의 막판 형세 변화가 단순히 일시적인 현상인지, 우리는 알 수 없었다.

나는 마크와 맨디와 함께 오전 2시까지 그 문제를 검토한 뒤, 아직도 내 입후보에 이중 감정을 느끼고 있을지 모르는 여성들을 끌어들이기 위해 마지막 노력을 쏟기로 결정했다. 나는 라치오가 특히 유방암 문제에 약점이 있다고 생각했다. 유방암은 내가 8년 동안 붙들고 연구한 문제였다. 라치오가 상원의원 선거전에 뛰어든 뒤, 하원 지도자들은 캘리포니아 출신 하원의원인 애나 에슈가 제출하여 양당의 폭넓은 지지를 받은 유방암 기금 법안을 라치오가 가로채도록 허용했다. 하원 지도자들이 라치오를 그 중요한 법안의 발의자로 기록에 올렸기 때문에, 라치오는 선거운동 과정에서 자기가 여성 문제에 헌신적이라는 증거로 그것을 내세울 수 있었다. 그것만으로도 크게 잘못된 일인데, 그 법안이 마침내 통과되자 라치오가 이번에는 그 프로그램에 필요한 예산을 삭감해야 한다고 주장했다. 나는 유방암 치료와 연구에 열정적인 관심을 쏟았기 때문에, 라치오가 그렇게 중요한 문제를 가지고 뒤에서 농간을 부린 것을 알자 정나미가 떨어졌다.

라치오의 지역구인 롱아일랜드 출신 변호사로 유방암을 이겨낸 마리 캐플런은 내 선거운동에 가장 열성적으로 참여하고 있는 자원봉사자였다. "마리한테 부탁하면 어떨까?" 내가 제안했다. 그래서 우리는 마리가 출연하는 광고를 만들었다. 여러 가지 점에서 그것은 가장 훌륭한 선거 광고였다. 마리는 라치오가 유방암 기금 법안에 대해 어떤 짓을 했는지 설명한 뒤 이렇게 말한다. "제 친구들 중에는 힐러리에 대해 의문을 품고 있는 사람도 있습니다. 저는 그런 친구들에게 말하겠습니다. '의구심을 떨쳐버려. 나는 힐러리를 알아.' 힐러리는 유방암과 의료, 교육, 여성의 선택권 문제에서 결코 떠나지 않을 것입니다. 힐러리는 우리를 위해 계속 그곳에 있을 것입니다." 나는 유권자들이 표를 던질 때 바로 그런 문제에 대해 생각해주기를 바랐다. 마리는 그것을 한마디로 요약해주었다.

나는 마지막 순간까지 총력을 기울였다. 선거일인 11월 7일 자정이 넘은 시각까지 니타 로위 하원의원과 함께 웨스트체스터 군에서 선거운동을 했다. 빌과 첼시는 우리 지역 투표소—채퍼콰의 더글러스 그래플린 초등학교—에서 나와 함께 투표를 했다. 오랫동안 투표용지에서 빌의 이름만 보다가 처음으로 내 이름을 보자 가슴이 뭉클하고 뿌듯했다.

저녁 때 개표 결과가 들어오기 시작하자, 내가 예상보다 훨씬 큰 차이로 이길 것이 분명해졌다. 내가 호텔 방에서 옷을 차려입고 있을 때 첼시가 소식을 전하려고 방으로 불쑥 뛰어들어왔다. 최종 집계 결과는 55퍼센트 대 43퍼센트였다. 열심히 노력한 보람이 있었다. 나는 뉴욕 주를 대표하여 새로운 역할로 조국에 헌신할 기회를 얻은 데 감사했다.

한편 대통령 선거전은 롤러코스터였다. 그래도 그때는 새 대통령이 결정되는 데 36일이나 걸릴 줄은 미처 몰랐다. 문제가 제기된 플로리다 주의 투표를 둘러싸고 항의 시위와 소송, 항소와 이의 신청이 일어나거나 우리 정치 어휘에 '나비 투표용지' 니 '보조개 표' 니 하는 용어가 추가될 줄은 상상도 하지 못했다.

대통령 선거 결과가 불확실했기 때문에 선거일 밤의 내 기쁨도 조금 줄어들기는 했지만, 뉴욕 시 그랜드센트럴 역 옆의 그랜드하이어트 호텔에서 열린 자축 파티는 거기에 전혀 영향을 받지 않았다. 행사장은 선거 참모들과 친구들, 지지자들, 선거운동의 마지막 일주일 동안 '유권자 투표 참여' 캠페인을 지원하기 위해 백악관에 휴가를 내면서까지 달려온 힐러리랜드 식구들로 발 디딜 틈이 없었다. 나는 뉴욕 사람들의 포용성과 개방성에 탄복했다. 그들은 내 말에 귀를 기울이고, 나를 알려고 애쓰고, 나에게 기회를 주었다. 나는 그들을 실망시키지 않겠다고 다짐했다. 색종이 조각과 풍선의 홍수 속에서 나는 빌과 첼시와 어머니, 그리고 수십 명의 지지자들과 합류했다.

수십 번의 포옹과 악수가 이어진 뒤, 나는 지지자들에게 감사하기 위해 연단에 섰다. 나는 그들에게 말했다. "62개 군, 16개월, 세 차례의 토론회, 두 명의 상대, 여섯 벌의 검은 바지 정장을 거쳐, 여러분 덕택에 우리는 지금 이 자리에 있습니다!"

칭호는 있지만 직책은 없는 8년을 지낸 뒤, 이제 나는 '상원의원 당선자' 였다.

선거 이틀 뒤, 앨 고어와 조지 W. 부시의 대통령 선거 결과가 아직 판가름나지 않은 상태에서 나는 백악관 200주년 기념식을 주최하기 위해 워싱턴으로 돌아갔다. 공기 속에 감도는 정치적 긴장을 고려하면 어색한 저녁이 될 수도 있었을 것이다. 생존해 있는 전직 대통령과 퍼스트 레이디들이 모두 참석했고(다만 레이건 대통령 내외는 레이건 대통령의 알츠하이머병 때문에 캘리포니아의 자택에 머물러 있었다), 고인이 된 대통령들의 후손들도 참석했다. '백악관역사협회' 가 후원하는 화려한 축제는 전직 대통령들이 저마다 논쟁과 격변을 견뎌낸 미국 역사를 감동적으로 이야기하면서 미국 민주주의의 위대함을 입증하는 자리로 바뀌었다.

제럴드 포드 대통령은 말했다. "세계에서 가장 오랜 역사를 가진 공화국은 그 제도의 젊은 활력과 능력, 그리고 치열한 선거전을 치른 뒤…… 국민을 통합해야 할 필요성을 다시 한번 입증했습니다. 당파적 정치 이념의 충돌은 이제 뒤에 남겨지고, 곧이어 평화로운 권력 이양이 뒤따를 것입니다."

미국의 토대가 개인이나 정치보다 훨씬 튼튼하다는 산 증거가 여기에 있었다. 대통령과 상원의원과 하원의원들은 끊임없이 바뀌어도 정부의 연속성은 끊임없이 이어진다는 산 증거가 여기에 있었다.

결국 앨 고어는 일반 투표에서는 50만 표가 넘는 표차로 이겼지만, 선거인단 수에서는 패배했다. 12월 12일 연방 대법원은 플로리다 주의 재검표를 중지시켜달라는 신청을 5 대 4로 받아들여 사실상 부시의 승리를 확정지었다. 공직자를 선택할 국민의 권리가 그렇게 뻔뻔스러운 사법권 남용으로 방해받은 것은 미국 역사상 드문 일이었다.

상소 이유를 듣기도 전에 앤토닌 스칼리아 판사는 2000년 12월 9일의 재검표 중지 결정을 승인한다는 전보를 쳐서 다가올 당파적 결정의 불합리성을 드러냈다. 스칼리아에 따르면 재검표를 계속하는 것은 부시에게 '회복 불능의 손실'을 입힐 수 있다는 것이었다. 스칼리아는 재검표가 "〔부시가〕 주장하는 당선의 정통성에 어두운 그림자를 던질 수 있다"고 말했다. '재검표를 하면 부시가 결국 이기지 못했다는 사실이 판명될 테니까, 재검표는 중단해야 한다'는 게 그의 논리인 셈이다. '부시 대 고어' 사건의 판결은 통상 보수적인 대법원을 거꾸로 뒤집어놓았다. 대법원은 순전히 플로리다 주법에 관련된 문제를 플로리다 최고법원의 결정에 맡기지 않고, 플로리다 최고법원의 결정을 강요하기 위해 연방법과 관련된 쟁점을 적극적으로 찾았다. 그리고 다수의 대법원 판사는 동등한 보호에 인색한 태도를 계속 유지한다기보다는 오히려 적극적으로 동등한 보호를 침해했다.

다수의 대법원 판사는 플로리다 주의 재검표 기준—유권자의 분명한 의도를 반영하는 투표지는 모두 유효표로 간주되어야 한다—이 검표 요원에 따라 서로 다르게 해석될 소지가 있기 때문에 충분히 명확하지 않다고 주장했다. 요컨대 시민이 투표용지에 아무리 분명하게 표시를 했더라도 재검표 대상으로 분류되면 무조건 무효표로 처리해야 한다는 것이 그들의 논리였다. 이는 분명 시민의 투표권에 대한 침해다. 놀랍게도 대법원은 "선거 과정에서 동등한 보호는 대체로 복잡한 문제를 많이 제기하기 때문에 우리의 검토 대상은 현재의 상황에만 한정된다"고 미리 토를 달았다. 그들은 자신들의 결정이 변명할 여지가 없다는 것을 알고 있었고, 그 논리가 다른 사건에도 적용되는 것을 허용할 생각은 전혀 없었다. 그들이 플로리다 법원에 강요하기로 이미 결정해놓은 결과를 얻으려면 서둘러 그럴듯한 논리를 찾아내야 했다. 위의 논리는 그들이 짧은 시간에 궁리해낼 수 있었던 최고의 논거였다. 그 불완전한 플로리다 개표에서 고어 대신 부시가 졌다면, 다섯 명의 보수적인 대법원 판사들은 모든 투표지를 재검표해야 한다는 결정을 내렸을 거라고 나는 확신한다.

미국인들은 이제 논란의 여지가 많은 대통령 선거를 지난 일로 돌리고 법치주의를 받아들였지만, 다음 선거를 생각하면 모든 시민이 근대적 설비와 훈련받은 투 · 개표 요원을 갖춘 투표소에서 두려움이나 강압이나 혼란을 느끼지 않고 자유롭게 투표할 수 있도록 보장해야 한다. 우리는 대법원이 또다시 문제가 되는 대통령 선거를 다룬다면 신중함과 객관성을 발휘해주기를 바랄 뿐이다.

빌과 나는 선거 결과에 낙담했고, 과거 공화당 정부의 실패한 정책이 다시 시행되면 이 나라가 어떻게 될 것인지를 우려했다. 유일한 위안은 내가 곧 새로운 일을 시작할 테고, 내가 뉴욕과 미국에 최선이라고 생각하는 정책과 가치를 위해 내 목소리와 투표권을 이용할 기회를 갖게 된다는 것뿐이었다. 마침내 그날이 왔다. 상원 본회의장에는 의원과 보좌관들만 들어갈 수 있기 때문에—대통령도 예외는 아니다—빌은 방청석에서 첼시와 다른 가족들과 함께 내 선서를 지켜보아야 했다. 지난 8년 동안 나는 빌이 바로 이 건물에서 미국의 비전을 이야기하는 것을 방청석에서 지켜보았다. 2001년 1월 3일, 나는 상원 발언대로 걸어나가 "국내외의 모든 적과 맞서서 미국 헌법을 수호하고 유지하며…… 상원의원의 임무를 충실히 수행하겠다"고 선서했다. 그리고 돌아서서 방청석을 쳐다보니, 어머니와 내 딸과 내 남편이 뉴욕 출신의 새내기 상원의원에게 활짝 미소를 보내고 있었다.

사흘 뒤, 비가 추적추적 내리는 토요일 오후, 우리는 '남쪽 잔디밭'에 대형 천막을 치고 지난 8년 동안 백악관에서 근무했거나 자원봉사한 모든 사람을 위해 송별 파티를 열었다. 친구들을 만나고 클린턴 행정부에서 한 일을 회고하기 위해 전국 각지에서 사람들이 모여들었다. 활기 넘치는 재회 모임이었다. 빌과 나는 긴 근무 시간을 견디고 개인적 희생을 치르면서 조국을 위해 봉사한 수백 명의 남녀에게 마지막으로 "고맙다"고 말할 기회를 얻었다. 스물세 살의 사무 보조원에서부터 백발이 성성한 장관에 이르기까지 그들은 빌이 자신의 정책과 미국에 대한 비전을 추진할 수 있도록 도와준 사람들이었다.

우리 직원들이 서로 건배하고 있을 때, 파티가 시작된 지 몇 시간이 지나서야 고어 부부가 우리와 합류했다.

"이번 대통령 선거에서 최다 득표를 한 후보를 소개합니다." 나는 열렬한 박수갈채를 보내는 사람들에게 앨 고어를 그렇게 소개했다. 앨은 클린턴 행정부 시절에 배우자를 찾았거나 아기를 낳은 사람은 모두 손을 들어보라고 말했다. 여기저기서 손이 올라왔다. 그러자 무대 커튼이 올라가고, 무대 옆에서 '플리트우드 맥'(영국의 블루스 밴드. 1992년 대통령 선거 때 클린턴은 플리트우드 맥의 'Don't Stop Thinking About Tomorrow'를 캠페인 송으로 들고 나와 큰 반향을 일으켰고, 이 노래가 하도 인기를 얻는 바람에 당시 해체한 상태였던 밴드도 재결성했다—옮긴이)이 나타났다. 캐프리샤가 준비한 깜짝 쇼였다. 밴드가 빌의 1992년 대선 캠페인 송인 「멈추지 말고 항상 내일을 생각해」의 전주를 연주하기 시작하자 사람들은 일제히 큰 소리로 합창을 하고, 음정도 맞지 않는 소리로 울부짖듯 후렴—'어제는 이미 지나갔어. 내일을 생각해'—을 불렀다.

나는 그 가사를 마음에 새겼다. 진부한 말일지 모르나, 내 정치 철학을 가장 잘 요약한 구절은 '항상 미래를 생각하라'는 구절이다. 미국을 더 안전하고 현명하고 풍요롭고 강하고 훌륭한 나라로 만들기 위해 우리가 해야 할 일을 생각하고, 미국인들이 세계 공동체에서 경쟁하고 협력할 태세를 갖출 수 있는 방법을 생각하라는 것이다. 나 자신의 미래를 생각하면 상원에서 일할 생각에 들뜨기도 했지만, 한편으로는 우리 여행에 동참했던 사람들, 특히 이제는 우리 곁을 영영 떠난 이들에 대한 그리움이 가슴을 짓눌렀다.

그후 보름 동안 나는 백악관을 이리저리 돌아다니며 내가 좋아했던 모든 것을 마음의 카메라로 찍어 기억 속에 간직하고, 건축술의 세부에 감탄하고, 벽에 걸린 그림들을 가만히 바라보고, 백악관에 처음 왔을 때 느꼈던 경이로움을 생각해내려고 애썼다. 첼시의 방에서는 첼시 친구들의 웃음소리와 첼시의 음악 소리를 마음속으로 들으려고 애썼다. 첼시는 이 방에서 소녀에서 처녀로 성장했다. 대통령의 딸로 백악관에서 자란 기억은 대부분 행복하리라고, 나는 그렇게 확신했다.

나는 날마다 아침저녁으로 '서쪽 거실'에 있는 내가 제일 좋아하는 의자에 앉아 있곤 했다. 그곳은 내가 지난 8년 동안 학교에서 돌아오는 첼시를 맞이하고, 참모들을 만나고, 친구들과 수다를 떨고, 책을 읽고, 생각을 정리하던 편안한 피난처였다. 이제 나는 아름다운 부채꼴 창문을 통해 들어오는 햇살을 바라보면서 이 유별난 시간과 이 유별난 곳을 즐기고 있었다.

지난 몇 주 동안, 1993년에 있었던 빌의 첫번째 취임식이 자꾸만 머리에 떠올랐다. 그 일은 어제 일처럼 생생하게 느껴지기도 하고 까마득한 옛날 일처럼 아득하게 느껴지기도 했다. 첼시와 나는 테니스 코트에 가려져 있는 '어린이 정원'까지 마지막 산책을 했다. 그곳 시멘트에는 역대 대통령의 손자들이 찍은 손자국이 남아 있었다. 빌과 나는 '남쪽 잔디밭'에 나가서, 지금까지 셀 수 없을 만큼 그랬듯이 울타리 너머로 워싱턴 기념탑을 바라보았다. 버디는 빌이 던져주는 테니스공을 쫓아갔지만 삭스는 내내 거리를 유지하고 있었다.

백악관 직원들은 새 대통령 가족을 맞이할 준비를 하느라 바빴다. 새 대통령 가족은 1월 20일 백악관에 와서 우리와 함께 커피와 파이를 먹은 다음, 함께 차를 타고 의사당으로 취임 선서를 하러 갈 것이다. 미국인들은 미국 역사상 43번째로 한 대통령의 임기가 끝나고 다른 대통령의 임기가 시작되는 평화로운 정권 이양을 목격하게 될 것이다. 우리는 '국민의 집'의 임시 거주자로서 마지막으로 '그랜드 포이어'(대현관)에 들어갔다. 대통령 관저의 상주 직원들이 작별인사를 하기 위해 모여 있었다. 나는 방마다 아름다운 꽃으로 꾸며준 꽃꽂이 담당자, 특별한 식사를 정성껏 마련해준 주방 직원들, 날마다 꼼꼼한 주의를 기울여 관저를 보살펴준 관리인들, 정원을 세심하게 가꾸어준 정원사들, 그밖에 백악관을 위해서 날마다 열심히 일한 헌신적인 직원들에게 감사했다. 백악관의 고참 집사인 버디 카터는 나의 마지막 포옹을 받고는 그 포옹을 즐거운 댄스로 바꾸어버렸다. 우리는 팔짝팔짝 뛰고 빙글빙글 돌면서 대리석 바닥을 가로질렀다. 그러자 내 남편이 중간에 끼여들어 나를 안더니 왈츠를 추기 시작했다. 우리는 함께 왈츠를 추면서 긴 홀을 따라 내려갔다.

이윽고 나는 8년 동안 역사를 살면서 지낸 집에 작별인사를 보냈다.

# 감사의 말

이 책을 쓰는 데 한 마을 전체가 필요하지는 않았을지 몰라도, 훌륭한 팀이 필요했던 것은 분명하다. 나를 도와준 모든 분들께 감사드린다.

나를 돕는 일에 관여한 분들에게 감사하기 전에 먼저 한 위대한 미국인—뉴욕 주 출신 상원의원 대니얼 패트릭 모이니헌을 잃은 슬픔을 말하고 싶다. 내가 이 책을 마무리하고 있던 2003년 3월 26일 모이니헌 상원의원이 세상을 떠났다. 지금 나는 그분이 24년 동안 지켰던 의석에 앉아 있고, 그분의 상원 사무실도 내가 쓰고 있다. 그분은 2002년 가을에 그 사무실로 나를 만나러 와서, 미국이 직면해 있는 새로운 안보 문제에 대해 이야기했다. 우리의 대화는 언제나 활기에 넘쳤고, 그분은 나와 의견이 다를 때에도 늘 다정하고 상냥했다. 그분은 내가 웰즐리 여대 졸업논문에서 솔 앨린스키를 다룬 것을 알고는 그것을 보여달라고 부탁했다. 나는 그분께 졸업논문을 보내면서 상당히 불안했다. 전직 교수인 모이니헌은 논평과 함께 'A' 평점을 덧붙여 논문을 돌려보냈다. 나는 당시 퍼스트 레이디였고, 졸업논문은 25년 전에 제출되었던 것이지만, 기쁘고 안심이 되었다. 대니얼 패트릭 모이니헌의 죽음으로 미국의 공직 사회와 지식인 사회는 가장 찬란한 빛 하나를 잃은 셈이다. 우리는 항상 우리가 당연하게 여기는 전제에 의문을 제기하고 끊임없이 더 높은 장애물을 설치한 모이니헌의 지혜와 재치를 그리워할 것이다.

내가 내린 가장 현명한 결정은 리사 머스캐틴과 매리언 볼러스와 루비 샤미르에게 2년 동안 함께 일하자고 부탁한 것이었다. 그들은 나의 지난 삶에 대한 산더미 같은 정보를 이해하고, 내가 백악관 시절에 대한 감정을 정확하게 설명하고 표현할 수 있도록 도와주었다. 나는 10년 동안 리사의 용기와 지성과 성실성에 의존해왔다. 퍼스트 레이디 시절의 내 연설문과 이 책에 나오는 어휘의 상당수는 리사에게 책임이 있다. 리사는 워싱턴의 정치와 정책에 대한 지식을 이 책에 담았다. 리사가 없었다면 나는 이 책을 쓰지 못했을 것이다. 매리언은 이 책의 구상을 도와주고, 수많은 오르막길과 내리막길을 지나 이 책을―그리고 나를―목적지까지 안내해주었다. 매리언과 함께 일하는 것은 기쁨이었다. 루비의 역할은 어떤 말로도 충분히 설명할 수 없을 것이다. 루비는 나에 대해 씌어진 수백만 단어를 수집 · 검토 · 종합하는 일에서부터 내가 쓴 모든 낱말을 정밀 조사하는 일까지 모든 과정을 관리했다. 루비처럼 세심한 주의력과 상냥한 마음씨를 함께 지닌 사람은 좀처럼 찾아보기 어렵다. 리즈 보이어는 내가 책을 끝내는 것을 도우려고―그리고 내 심신의 건강을 구하려고―또다시 구원자로 등장하여 뛰어난 수완과 통찰력을 발휘했다. 이 격렬한 과정이 끝날 때쯤 내가 코앞에 닥친 마감 시간을 맞출 수 있도록 코트니 위너와 휴마 애버딘과 캐럴린 휴버가 귀중한 도움을 주었다.

사이먼 앤 슈스터 출판사와 스크리브너 출판사에 감사드린다. 특히 사이먼 앤 슈스터의 캐럴린 리디와 스크리브너의 부사장 겸 편집장인 낸 그레이엄에게 감사드린다. 이 책은 캐럴린의 감독으로 나온 나의 네번째 책이다. 또다시 캐럴린과 함께 일할 수 있었던 것은 큰 기쁨이었다. 낸은 자상하고 박식한 전문가다. 그녀는 연필을 정확하게 휘두르고, 적절한 질문을 던지고, 대단한 유머 감각을 갖고 있다. 인상적인 사진을 고르는 빈센트 버가의 안목은 큰 도움이 되었다. 내 변호사인 보브 바넷과 데이비드 켄들은 필요할 때면 언제나 현명하고 실제적인 조언을 해주었다. '클린턴 대통령 자료 프로젝트'의 데이비드 앨소브룩과 에밀리 로비슨, 데버라 부시, 존 켈러는 이 책에 필요한 수많은 문서와 사진들을 찾아주었다.

많은 친구와 동료들이 자진해서 귀중한 시간을 내어 인터뷰에 응해주고, 사실을 확인하고, 초고를 검토하고, 자신들의 기억을 들려주었다. 그들 모두에게 깊이 감사드린다.

내가 이 책에 묘사한 일을 해내고 모든 어려움을 헤쳐나갈 수 있도록 도와준 '힐러리랜드' 식구들에게도 감사드린다.

내가 1992년과 1996년과 2000년의 선거운동 때, 그리고 퍼스트 레이디로서 수많은 여행을 하는 동안 병참 업무를 맡은 선발대에도 감사드린다. 그들 덕분에 나는 곤란한 사태를 (거의) 겪지 않을 수 있었다.

이 백악관 회고록은 2000년의 내 상원의원 선거운동과 그때 나를 지지하고 성원해준 수많은 분들—선거에서 뽑힌 공직자들, 민주당 활동가들, 노동조합원들, 정치자금 기부자들, 그밖의 관련된 각계 시민들—을 충실히 다루지 못했다. 전문적이고 자발적인 리더들로 구성된 핵심 그룹의 재능과 헌신이 없었다면 나는 결코 선거에서 승리하지 못했을 것이다.

모든 회고록은 그 사람의 삶을 규정하는 가족과 인간 관계를 반영한다. 내 친구 다이앤 블레어는 내가 이 책을 시작하기 오래 전에 구상을 도와주었고, 그녀의 열성이 이 책의 메시지를 형성했다. 나의 어머니 도로시 로댐, 돌아가신 아버지 휴 E. 로댐, 남동생 휴 E. 로댐과 토니 로댐, 수많은 친척과 친구들의 사랑과 후원이 없었다면 나는 살 수 없었을 것이다. 그들은 내가 공적으로나 사적으로 크고 작은 어려움을 겪으면서도 믿음을 잃지 않고 계속 전진할 수 있도록 도와주었다.

내 친구 에스텔 레이미 박사는 언젠가 의사이자 연구자인 자신의 삶을 이렇게 요약한 적이 있다. "나는 사랑했고 사랑을 받았다. 나머지는 모두 배경 음악일 뿐이다." 빌과 첼시의 사랑은 나에게 용기와 위안을 주고, 내가 편안한 울타리 안에 안주하지 않고 그 너머로 뻗어 나가도록 힘을 주었다. 빌과 첼시는 우리가 백악관에서 함께 나눈 시간을 설명하려는 이 첫번째 시도를 격려해준 응원단장이자 비평가였다. 빌과 첼시는 나와 함께 이 역사를 살았고, 나는 그 점을 진심으로 기쁘게 생각한다.

끝으로, 이 회고록에 나오는 의견과 해석은 모두 내 책임이다. 이 책은 내가 그 사건들을 어떻게 체험했는가를 반영하고 있다. 내가 묘사한 사건과 사람들에 대해서는 다양한—때로는 상반되는—견해가 있을 것이다. 그러나 그것은 다른 누군가가 이야기할 몫이다.

LIVING HISTORY 2


This Korean edition was published by arrangement with original publisher,
Simon & Schuster, Inc. New York, NY, USA
through KCC(Korea Copyright Center), Seoul, Korea.

Jacket design by Jackie Seow
Front jacket photograph ⓒ by Michael Thompson
Back jacket photographs courtesy of The Clinton Presidential Materials Project
and the author's private collection, clockwise from top left:
Bill and Hillary on their wedding day in 1975; With Chelsea in the kitchen of
the Governor's Mansion in 1983; At Yale in 1970; At Stanford University's orientation
ceremonies in 1997; Swearing-in January 2001; New Year's Eve in 1999;
Speaking at the U.N. Fourth World Conference on Women in 1995;
In the Oval Office in 2001; Center: Hillary as a toddler
Author photograph courtesy of The Clinton Presidential Materials Project

Photo Credits: Unless otherwise credited, all photos are from the author's collection,
the White House, and the Clinton presidential Materials Project.
Every effort has been made to identify copyright holders; in case of oversight,
and on notification to the publisher, corrections will be made in the next edition.

힐러리 로댐 클린턴

# 살아 있는 역사 2

2003년 7월 16일 초판 1쇄 발행
2003년 9월 1일 초판 9쇄 발행

지은이 | 힐러리 로댐 클린턴
옮긴이 | 김석희
펴낸이 | 김준희
펴낸곳 | (주)웅진닷컴
주소 | 서울시 종로구 인의동 112-2 웅진빌딩
편집부 | 3670-1826 영업부 3670-1862~6
인터넷 홈페이지 | http://www.woongjin.com
출판등록 | 1980년 3월 29일 제1-0352호

주문처 | (주)북센(일원화공급처)
전화 | 031-945-2900
팩스 | 031-945-3412

편집국장 | 이미혜
편집장 | 이수미
편집 | 김형보, 권은경
본문디자인 | 명희경
표지디자인 | 오진경
교정 | 조선경
마케팅 | 임종훈
국제업무 | 김경순, 신정숙
제작 | 김성
조판 | 나모에디트



살아 있는 역사. 2 / 힐러리 로댐 클린턴 지음 ; 김석희 옮김. -- 서울 : 웅진닷컴, 2003
p. ; cm

원서명 : Living history
원저자명 : Clinton, Hillary Rodham

ISBN 89-01-04230-4 04840 : ₩12000
ISBN 89-01-04218-5 (세트)

340.99-KDC4
973.929092-DDC21 CIP2003000697